SCHOLIES AUX PROVERBES

SOURCES CHRÉTIENNES

N° 340

ÉVAGRE LE PONTIQUE

SCHOLIES AUX PROVERBES

*INTRODUCTION, TEXTE CRITIQUE, TRADUCTION,
NOTES, APPENDICES ET INDEX*

PAR

Paul GÉHIN

Agrégé de l'Université

*Ouvrage publié avec le concours
du Centre National de la Recherche Scientifique*

LES ÉDITIONS DU CERF, 29, Bd de Latour-Maubourg, PARIS

1987

*La publication de cet ouvrage a été préparée avec le concours
de l'Institut des Sources Chrétiennes
(U.A. 993 du Centre National de la Recherche Scientifique)*

AVANT-PROPOS

Évagre le Pontique († 399) est connu comme auteur d'œuvres spirituelles importantes[1] ; il l'est moins comme exégète, bien qu'il ait commenté sous la forme de scholies plusieurs livres de l'Ancien Testament : les Psaumes, les Proverbes, l'Ecclésiaste et Job[2].

C'est le grand théologien suisse Hans Urs von Balthasar qui, le premier, a attiré l'attention des chercheurs sur cette partie méconnue de l'œuvre du Pontique[3]. Il avait remarqué qu'un certain nombre de textes tirés des chaînes exégétiques et édités sous le nom d'Origène par De la Rue, Galland, Mai ou Pitra se retrouvaient littéralement dans les œuvres d'Évagre. A partir de ces rapprochements, par une critique interne serrée (lexicale, stylistique et doctrinale), il avait réussi à reconstituer en partie deux des principaux commentaires de notre auteur : commentaires sur les

1. On trouvera une liste de ces œuvres dans : A. GUILLAUMONT, *Traité pratique*, p. 29-37.

2. Nous nous en tenons aux commentaires dont l'existence est incontestable. Évagre n'a pas commenté l'Évangile de Luc. Les textes qui lui sont attribués dans la chaîne de Nicétas (éd. partielle de A. MAI, *Scriptorum veterum nova collectio* ..., t. IX, Rome 1837, p. 675, 688, 713, 715, 716 et 721) sont pour leur grande part des extraits des *Chapitres des disciples d'Évagre* (sur ces derniers, voir J. PARAMELLE, « *Chapitres des disciples d'Évagre* dans un manuscrit grec du Musée Bénaki d'Athènes », *Parole de l'Orient* 6/7 [1975-1976], p. 101-114, et A. GUILLAUMONT, « Fragments syriaques des ' disciples d'Évagre ' », *ibidem*, p. 115-124).

3. Dans un article intitulé « Die *Hiera* des Evagrius » et paru en 1939. Le titre de *Hiera* donné par le théologien suisse à la production exégétique d'Évagre vient d'un passage peu clair du ch. 38 de l'*Histoire Lausiaque* de PALLADIOS (ch. consacré à Évagre).

Psaumes et sur les Proverbes de Salomon. Son travail audacieux avait cependant le défaut d'avoir été mené à partir des seules éditions existantes, la plupart du temps défectueuses et totalement dépourvues d'esprit critique. Aussi était-il indispensable de se reporter aux manuscrits eux-mêmes.

De ce côté-là les espérances ne furent pas déçues. En 1960, Marie-Josèphe Rondeau retrouvait la quasi-totalité des *Scholies aux Psaumes* dans le *Vaticanus 754*[1]. En 1966, l'abbé Richard, qui tentait alors de reconstituer l'œuvre exégétique d'Hippolyte de Rome, pouvait établir que les *Scholies aux Proverbes* du *Patmiacus 270*, éditées en 1860 par Tischendorf[2] et habituellement attribuées à Origène, devaient être restituées à Évagre[3] : ce sont elles qui font l'objet de la présente édition. Enfin, au cours de l'été 1977, je retrouvais dans un manuscrit de la Bibliothèque Nationale, le *Coislin 193*, les *Scholies à l'Ecclésiaste*[4]. Si l'on compte également quelques *Scholies à Job* conservées par les chaînes, on peut à ce jour évaluer à près de deux mille le nombre des scholies évagriennes découvertes.

L'existence d'un commentaire d'Évagre sur les Proverbes était connue depuis longtemps. On lit dans la *Souda*, au nom Εὐάγριος, ces quelques mots : Οὗτος ἔγραψε διάφορα καὶ ὑπόμνημα εἰς τὰς Παροιμίας Σολομῶντος[5]. Le catalogue des chaînes de Karo-Lietzmann signale à plusieurs reprises Évagre comme commentateur des Proverbes[6]. Enfin, le seul

---

1. M.-J. Rondeau, « Le Commentaire sur les Psaumes d'Évagre le Pontique », *Orientalia Christiana Periodica* 26 (1960), p. 307-348.

2. A. Fr. C. Tischendorf, *Notitia editionis codicis bibliorum Sinaitici*.

3. Richard, « Fragments d'Hippolyte », II, p. 70 : « Ce travail nous a appris que les scolies du cod. Patmos 270 éditées par Tischendorf, que nous avons citées, avec réserves, sous le nom d'Origène, sont en réalité d'Évagre. En effet, Procope cite habituellement ces scolies sous le nom d'Évagre et, sous le nom d'Origène, un commentaire tout différent. Or il est évident, à simple lecture, que les scolies attribuées à Évagre et les fragments du commentaire attribué à Origène ne peuvent pas provenir du même auteur. »

4. Géhin, « Un nouvel inédit ».

5. *Suidae Lexicon*, éd. A. Adler, Leipzig 1931, 2e partie, p. 440.

6. Pour une vue d'ensemble sur les chaînes exégétiques, se reporter à l'article « Chaînes » de R. Devreesse dans le Supplément au

florilège damascénien à avoir été édité donne un extrait
de ce commentaire, qu'il attribue explicitement à notre
moine : Εὐαγρίου εἰς τὰς Παροιμίας[1].

Comme nous l'indiquions plus haut, les *Scholies aux
Proverbes* d'Évagre ne sont pas inédites. Après un troisième
séjour au monastère de S. Catherine du Sinaï, le savant
bibliste Tischendorf visita plusieurs villes du Proche-Orient
et se rendit en juillet 1859 dans l'île de Patmos. Il tenait
tout particulièrement à examiner le codex *270* de la bibliothèque du monastère de S. Jean l'Évangéliste, dans lequel
il espérait, à la suite d'informations fournies par deux
voyageurs[2], retrouver les Hexaples d'Origène. Il fut quelque
peu déçu de n'y trouver qu'une courte notice hexaplaire
et une série de scholies exégétiques, qu'il copia cependant
et édita l'année suivante, en appendice à son travail sur
le codex *Sinaiticus*. Tischendorf devenait ainsi, sans le
savoir, le premier éditeur d'une œuvre exégétique d'Évagre.
Mais trompé par l'indication erronée d'un autre manuscrit,
il l'attribua à Origène, et il faudra attendre plus d'un siècle
pour qu'elle soit restituée à son véritable auteur[3].

Dictionnaire de la Bible, et à l'avant-propos à l'édition de *La chaîne
palestinienne sur le Psaume 118* par M. HARL. Les chaînes ont été
classées par deux professeurs de Göttingen, G. KARO et H. LIETZMANN ;
bien que dépassé sur plus d'un point, leur précieux catalogue paru
en 1902 reste l'ouvrage fondamental pour qui étudie ce genre de
littérature. L'étude de FAULHABER, parue à Vienne à la même date,
est plus limitée, puisqu'elle porte uniquement sur les chaînes aux
Proverbes, à l'Ecclésiaste et au Cantique des cantiques. Dans le
présent travail, nous aurons assez peu recours aux études de Devreesse
qui s'est surtout intéressé aux chaînes sur les Psaumes et sur
l'Octateuque. Pour ce qui est des chaînes aux Proverbes, il s'est
contenté de reprendre dans son article « Chaînes » les conclusions
de Faulhaber.

1. Sur les florilèges spirituels qui citent la scholie 189, et plus
particulièrement sur le florilège Vatican, voir *infra*, ch. V, p. 75-76
et notes.

2. V. GUÉRIN, *Description de l'île de Patmos et de l'île de Samos*,
Paris 1856, p. 107 et 114 ; H. O. COXE, *Report to Her Majesty's
government on the greek Mss yet remaining in libraries of the Levant*,
Oxford 1858, p. 61 (références données par Tischendorf).

3. Signalons rapidement les diverses positions successivement
adoptées : *a)* Tischendorf (1860) : attribution à Origène. H. CROUZEL

Les *Scholies aux Proverbes* ne sont transmises dans leur rédaction originale que par deux manuscrits : le codex *Patmiacus 270* (xe s.) qui a servi de base à l'édition de Tischendorf et qui donne la série la plus complète, soit 382 scholies, et le codex *Iviron 555* (xive s.) qui ne présente qu'un choix. Plusieurs types de chaînes exégétiques les ont utilisées (*Épitomé* de Procope de Gaza, types I, II et III de Karo-Lietzmann), mais les textes qu'elles reproduisent sont la plupart du temps abrégés, remaniés ou interpolés. Nous n'avons pas pour autant négligé cette tradition caténale qui a permis, dans bien des cas, d'améliorer le texte des deux manuscrits de base. Signalons enfin que quelques scholies isolées sont citées dans les florilèges et en marge de la Syro-hexaplaire.

Ce travail d'édition a fait l'objet d'une thèse de 3e cycle qui a été présentée à la Sorbonne le 20 novembre 1981. Je tiens à exprimer ma gratitude aux membres du jury, Mme M. Harl, MM. A. Guillaumont, J. Irigoin et G. Dorival, qui m'ont, par leurs précieuses remarques, permis d'améliorer en bien des points mon manuscrit.

Je remercie tout spécialement Mlle Marie-Josèphe Rondeau qui m'a prêté sa propre copie des *Scholies aux Psaumes* et m'a autorisé à reproduire quelques textes de ce commentaire dont elle prépare l'édition. Mes remerciements vont aussi à M. Charles Astruc qui a examiné sur place le manuscrit de Patmos et qui a relu mon travail, au R. Père J. Paramelle et à Mme Gilberte Astruc qui m'ont toujours réservé le meilleur accueil à l'Institut de Recherche et d'Histoire des Textes. Je remercie également Marie-Gabrielle Guérard dont l'aide et les encouragements me furent particulièrement précieux.

Enfin, je veux évoquer la mémoire de Marcel Richard qui m'avait engagé à préparer cette édition. Il avait génér
eu-

signale encore ces scholies parmi les œuvres douteuses d'Origène dans sa *Bibliographie critique d'Origène*, La Haye 1971, p. 208. *b)* Mercati (1912) : les scholies doivent être réparties entre Origène et Évagre. Position reprise par Balthasar (« *Hiera* »). *c)* Richard (1966) : restitution de toute la série à Évagre.

sement mis à ma disposition les agrandissements photographiques nécessaires à mon travail et m'avait prêté plusieurs de ses copies (copie de l'*Épitomé* de Procope, copie et analyse de la chaîne III). J'ose espérer que ce travail ne l'aurait pas trop déçu et qu'il m'aurait pardonné d'avoir maintenu le *h* du mot « scholie », ce qu'il réprouvait vivement et considérait comme un barbarisme[1].

1. M. Richard, *Opera minora*, Introduction, t. I, p. 21-22.

INTRODUCTION

CHAPITRE I

TITRE ET GENRE LITTÉRAIRE

Il ne fait guère de doute que le titre primitif de l'œuvre était celui qui figure dans le manuscrit de Patmos : Σχόλια εἰς τὰς Παροιμίας. Évagre lui-même confirme d'ailleurs indirectement ce titre en employant à trois reprises, dans trois commentaires différents, le mot σχόλιον pour désigner ses propres notes exégétiques.

1. Schol. 317 *ad Prov.* 25, 26 : « Il y a encore bien d'autres façons de nommer l'âme, mais je ne puis les citer maintenant, parce que le genre des scholies (τὸ εἶδος τῶν σχολίων) n'admet pas la prolixité. »

2. Schol. *ad Eccl.* 5, 17-18 : « Il y a encore beaucoup d'autres noms donnés par l'Esprit Saint à la science, mais il n'est pas possible de les énumérer maintenant, parce que la règle des scholies (τοῦ τῶν σχολίων κανόνος) ne le permet pas » (*Coislin 193*, f. 26ᵛ).

3. Schol. 5 *ad Ps.* 88, 9 : « Je pense que ce verset contient une grande et très profonde contemplation ; si on veut l'expliquer, on dépassera les règles des scholies (τοὺς τῶν σχολίων κανόνας) » (*Vaticanus 754*, f. 221ʳ)[1].

Les commentaires scripturaires d'Évagre relèvent donc d'un genre bien particulier : celui des scholies[2]. Celui-ci

---

1. Sur ce texte, voir RONDEAU, *Commentaires du Psautier*, p. 124.
2. Genre auquel avait déjà eu recours Origène. Dans la Préface à sa traduction des *XV Homélies d'Origène sur Ézéchiel*, S. JÉRÔME

comporte des contraintes, il exige brièveté et concision et interdit au commentateur de se livrer à de trop longs développements, à ce qu'Évagre appelle dans le premier des textes cités, d'un terme emprunté à *Prov.* 10, 19, la πολυλογία. Aussi la longueur habituelle des scholies n'est-elle que de quelques lignes (entre 2 et 6) ; quatre scholies seulement dépassent les vingt lignes[1]. Les lois du genre n'étaient d'ailleurs pas pour déplaire à quelqu'un qui a toujours préféré aux longs exposés systématiques le style ramassé et allusif, parfois délibérément obscur, des courtes sentences et des *képhalaia*[2].

N'étant pas soumis aux servitudes du commentaire suivi, il pouvait choisir à sa guise les passages méritant une explication. Il faut d'ailleurs reconnaître que les critères de sélection qui sont les siens nous échappent quelque peu. On est en effet étonné de ne trouver aucun commentaire à un texte aussi célèbre que *Prov.* 8, 22 ; on ne comprend pas pourquoi il n'a consacré que deux scholies aux Proverbes numériques (ch. 30, 15-33)[3] ; enfin,

---

affirme qu'Origène a commenté l'Écriture sous trois formes : scholies, homélies et tomes. Voici ce qui est dit du premier genre utilisé : « Le premier type est constitué par les *excerpta*, qu'on appelle en grec scholies, dans lesquels il a ramassé sommairement et brièvement ce qui lui semblait être obscur et présenter quelque difficulté » (*GCS* 33, p. 318).

1. Schol. 153, 189, 317, 341.

2. Voir les pages consacrées à l'ésotérisme d'Évagre par A. Guillaumont dans *Képhalaia gnostica*, p. 31-37. Ici même, Évagre rappelle qu'il ne faut pas donner les choses saintes aux chiens ni jeter les perles devant les pourceaux (cf. *Matth.* 7, 6 : textes cités en schol. 253 et 320). Dans la scholie 237, il se refuse à « divulguer » une doctrine qu'il juge « mystique et profonde ».

3. Alors qu'il en a donné un commentaire presque complet ailleurs ; cf. Appendice II, p. 486-489.

on s'explique mal le relatif désintérêt qu'il a manifesté
pour les chapitres 10 à 16[1].

D'un point de vue formel, le *scholion* se rapproche
beaucoup du *képhalaion* dont Évagre se sert dans ses
œuvres ascétiques et gnostiques. Dans son article « *Hiera* »,
Hans Urs von Balthasar avait tiré parti de cette ressem-
blance, notamment de celle qui existe entre les scholies
et les *Képhalaia gnostica*, pour restituer à Évagre des
textes qu'une chaîne vaticane attribuait assez systématiquement à Origène. Ce qui fait toutefois l'originalité du
scholion, c'est la constante référence au texte commenté
dont il reprend toujours un ou plusieurs termes.

La façon dont Évagre procède pour mener son
exégèse diffère sensiblement selon qu'il s'attache aux
mots du lemme biblique ou à des séquences entières :
stique, distique, ensemble de versets formant un tout.

Dans le premier des cas, il a habituellement recours
à une définition. Le passage du terme biblique à son
interprétation symbolique s'effectue tantôt à l'aide du
verbe ἐστι, tantôt à l'aide d'autres verbes fréquemment
accompagnés des adverbes νῦν ou ἐνταῦθα : λέγει, εἶπε(ν),
εἴρηκε(ν), λέγεται, φησι(ν), ἔφη, ὀνομάζει, ὠνόμασε(ν),
ὀνομάζεται, καλεῖ, δηλοῖ, σημαίνει. Les formes partici-
piales : λέγων, εἰπών, ὀνομάζων sont utilisées concurrem-
ment avec les tours ἀντὶ τοῦ et τουτέστι(ν) pour introduire
une explication relativement brève ou une exégèse secon-
daire[2]. De cette façon, Évagre réinterprète à sa manière
les notions morales et religieuses du texte biblique et

---

1. Huit scholies pour le ch. 10, huit pour le ch. 11, une pour
le ch. 12, une pour le ch. 13, quatre pour le ch. 14, cinq pour le ch. 15
et neuf pour le ch. 16.
2. Signalons quelques verbes d'un emploi plus rare : αἰνίττεσθαι,
ἐκλαμβάνειν, ἐμφαίνειν, ἑρμηνεύειν, παριστάναι, προσαγορεύειν,
προσλέγειν, ὑπογράφειν. A noter le tour ἐπέχειν λόγον + génitif,
bien attesté dans l'ensemble de l'œuvre d'Évagre.

fournit des équivalents aux mots qu'il considère comme symboliques. Le grand nombre de ces définitions tend à donner à son commentaire l'aspect d'un glossaire dans lequel les termes scripturaires se trouveraient en quelque sorte accompagnés de leur « traduction »[1].

Dans le second des cas, lorsque l'exégèse ne porte plus sur les mots, le *scholion* prend des formes beaucoup plus variées. Il en est cependant quelques-unes qui sont suffisamment caractéristiques et fréquentes pour mériter d'être relevées.

1. Paraphrase : en reprenant et en amplifiant le lemme biblique, Évagre fait immédiatement apparaître l'interprétation qu'il veut donner. Par exemple, il lui aura suffi, dans la scholie 17, d'ajouter trois mots à *Prov.* 1, 33 pour préciser et infléchir le sens du verset[2].

2. Pastiche : un grand nombre de scholies imitent ouvertement le style des Proverbes et se présentent sous la forme de distiques antithétiques ou parallèles[3], de comparaisons[4], ou encore, comme en *Prov.* 30, 4, d'énigmes[5]. Ceci n'étonnera guère si l'on sait qu'Évagre s'est livré à de véritables pastiches du livre des Proverbes dans plusieurs de ses traités ascétiques : sentences métriques *Aux moines* et *A une vierge*, traité *Des huit esprits de malice*, *Instructions*[6]. La scholie 322 correspond d'ailleurs

---

1. Cf. M. HARL, « Y a-t-il une influence du ʽ grec biblique ʼ sur la langue spirituelle des chrétiens ? », *La Bible et les Pères*, Paris 1971, p. 246.

2. Schol. 17, 26, 28 (l. 1), 162, 166 (l. 1-2), 212 (l. 1-3), 243, 286, 287 A, 287 B (l. 1-3).

3. Schol. 31, 38, 40, 97, 146, 159, 167, 187, 188, 216, 228, 234, 263, 307, 331, 333, 352, 359.

4. Schol. 5, 7, 16, 39, 116, 176, 181, 183, 245, 306, 308.

5. Schol. 282-284. Cf. *KG* II, 9, 38, 42, 74.

6. La tradition manuscrite syriaque donne d'ailleurs à cette dernière œuvre le titre de : *Proverbes et Commentaires* (cf. MUYLDERMANS, *Evagriana syriaca*, p. 92, 135-138, 165-167).

littéralement à la sentence 5 (nº 50 de l'édition partielle de Muyldermans) des *Instructions*.

3. Syllogisme : Évagre affectionne particulièrement ce type de raisonnement et y a fréquemment recours dans ses commentaires scripturaires, tout comme dans les *Képhalaia gnostica*[1]. A noter aussi un goût très prononcé pour les phrases doubles formées d'une conditionnelle et d'une principale[2].

4. Parallèle biblique : certaines scholies se réduisent à un simple parallèle biblique appelé par un mot commun ou une idée voisine[3]. Persuadé que la Bible forme un tout et qu'il y a une harmonie entre toutes ses parties, Évagre considère souvent que le mieux est encore de commenter l'Écriture par elle-même. Certaines formules introductrices soulignent bien la concordance qui existe entre le texte commenté et le verset cité : « Ceci concorde avec le verset cité ... » (schol. 54) ; « Il y a une similitude entre ce verset et ce que notre Sauveur dit dans les Évangiles ... » (schol. 130).

5. Question-réponse : lorsque le texte commenté semble être en contradiction avec un autre passage de l'Écriture ou bien présente quelque difficulté, la scholie prend le tour caractéristique d'une question introduite par πῶς suivie d'une réponse commençant par ἤ, ἤ τάχα ou ἤ μήποτε[4]. Elle s'apparente alors au genre bien connu des « questions et réponses sur l'Écriture », lui-même issu

---

1. Schol. 43, 47, 64, 93, 105, 118, 131, 163, 176, 194, 202, 206, 221, 223, 252, 304, 366.
2. Schol. 27, 32, 58, 65, 87, 95, 109, 120, 122, 138, 148, 172, 209, 224, 255, 348.
3. Schol. 24, 54, 110, 114, 121, 125, 130, 133, 139, 156, 162, 170, 174, 179, 211, 220 B, 264, 274, 278, 281, 285, 292, 301, 320, 334, 347, 361, 368.
4. Schol. 13, 23, 71, 113, 275.

des ἀπορίαι καὶ λύσεις de l'Antiquité païenne[1]. Le copiste du *Palmiacus 270* a d'ailleurs noté en marge de la scholie 71 les mots ἀπο(ρία) - λύ(σις) (f. 194ʳ).

6. Scholies « antirrhétiques » : Évagre demande d'utiliser le verset biblique contre une catégorie déterminée d'individus, ceux qui méprisent la science, les faux maîtres spirituels, les détracteurs du corps, les gnostiques qui se dérobent à l'enseignement spirituel, ceux qui choisissent pour les charges cléricales des personnes qui en sont indignes, les mauvais pasteurs. Ces scholies de caractère polémique commencent presque toujours de la même façon : « Il faut utiliser ce verset contre ceux... » (schol. 182, 269, 326) ; « Il faut utiliser ce proverbe également à l'adresse de ... » (schol. 340) ; « On utilisera ce verset contre ceux ... » (schol. 215). Ce type de scholie est également assez fréquent dans le *Commentaire des Psaumes*[2]. Le procédé s'apparente à celui qu'Évagre avait utilisé dans son *Antirrhétique*, où il avait rassemblé les textes scripturaires à opposer aux diverses mauvaises pensées (λογισμοί) correspondant aux huit vices principaux[3].

Nous voudrions pour terminer cette étude aborder deux questions particulières : celle des exégèses doubles et celle des citations.

Les exégèses doubles Évagre ne pratique pas l'exégèse pluraliste d'Origène. Il subordonne entièrement son interprétation à sa conception de la vie spirituelle. Il lui arrive pourtant de proposer d'un même texte deux interprétations différentes ou encore d'hésiter sur le sens laudatif (ἐπαινετός) ou péjoratif (ψεκτός) à

---

1. Cf. G. BARDY, *La littérature patristique des « Quaestiones et responsiones » sur l'Écriture sainte*, Extrait de la *Revue Biblique* 1932-1933, Paris 1933.
2. Cf. RONDEAU, *Commentaires du Psautier*, p. 209.
3. Cf. A. GUILLAUMONT, *Traité pratique*, p. 34.

correspondent à quelques détails près au chapitre 61 du *Traité pratique*[1]. La scholie 71 est très proche de la scholie 40 *ad Ps.* 118, 91. La scholie 322 reprend à la lettre la sentence 5 des *Instructions*. Il serait naturellement du plus grand intérêt pour l'établissement de la chronologie des œuvres d'Évagre de pouvoir préciser dans quel sens se sont effectués ces emprunts, mais cela reste dans la plupart des cas assez difficile à déterminer[2].

On trouvera aussi quelques citations d'auteurs anciens, païens ou chrétiens. Nous n'avons pas entrepris une recherche systématique des sources, et il y aurait sans doute encore à glaner du côté des traités scolaires. Contentons-nous de signaler pour l'instant un extrait de l'*Histoire des animaux* d'Aristote dans la scholie 96, un passage démarqué de l'*Éthique à Nicomaque* au début de la scholie 53, un court extrait des *Stromates* de Clément d'Alexandrie dans la scholie 4[3], un texte non identifié introduit par « Quelqu'un disait ... », dans la seconde partie de la scholie 373. Il faut reconnaître qu'en dehors de ces quelques citations, on a plutôt affaire à de simples réminiscences, comme dans la scholie 329 qui reprend plusieurs termes des chapitres 5-7 de la *Vie d'Antoine* de S. Athanase.

---

1. Rapprochement fait par A. et Cl. GUILLAUMONT, qui pensent « que le chapitre du *Traité pratique* est un emprunt au *Commentaire des Proverbes*, dont il reprend le texte en l'abrégeant » (*Traité pratique*, p. 643). Nous serions plutôt enclin à penser le contraire. La première partie de la scholie (l. 1-4), qui correspond au ch. 61 du *Traité pratique*, ne reprend aucun des mots du lemme biblique, alors que la seconde (l. 4-7) les reprend presque tous. Selon une habitude que nous avons observée dans d'autres scholies (53, 96, 150), Évagre fait suivre un emprunt du commentaire proprement dit du verset.

2. Nous pensons que l'œuvre exégétique est postérieure aux *Képhalaia gnostica*, au *Gnostique* et à la première rédaction du *Traité pratique*.

3. On trouve d'autres citations littérales de Clément d'Alexandrie dans les *Scholies aux Psaumes*, à *l'Ecclésiaste* et à *Job*.

Enfin, deux citations sont d'un genre un peu particulier, puisqu'il s'agit d'apophtegmes des Pères du désert : « Un ancien disait ... » (schol. 245) ; « J'ai entendu un ancien dire ... » (schol. 258). Ils sont malheureusement anonymes et ne semblent pas être passés dans les diverses collections qui nous sont parvenues. Leur présence ici ne constitue pas un cas isolé : Évagre cite également quelques apophtegmes à la fin du *Traité pratique* et du *Gnostique*[1].

---

1. Sur la présence d'apophtegmes dans l'œuvre d'Évagre, voir A. GUILLAUMONT, *Traité pratique*, p. 118-125.

CHAPITRE II

LE TEXTE BIBLIQUE D'ÉVAGRE

S'il est évident qu'Évagre commentait le texte grec des LXX, il est en revanche difficile de dire quel texte particulier il avait sous les yeux.

Les lemmes bibliques qui précèdent, dans le manuscrit de Patmos, chacune des scholies 110 à 382 proviennent d'une bible hexaplaire de la bibliothèque de Césarée donnant souvent un texte assez éloigné de celui qu'Évagre lisait et expliquait[1]. Quelques exemples suffiront à le montrer :

Schol. 134 *ad Prov.* 13, 22 : alors que le lemme a la leçon πλοῦτος ἁμαρτανόντων, Évagre commente le texte habituel πλοῦτος ἀσεβῶν.

Schol. 158 *ad Prov.* 17, 13 : Évagre lisait κακά, alors que le lemme a la leçon πονηρά.

Schol. 188 *ad Prov.* 18, 22a : il ressort de la scholie qu'Évagre lisait ἀγαθήν, alors que le lemme possède la leçon χρηστήν.

Pour connaître le texte particulier d'Évagre, il conviendrait de faire un relevé exhaustif des citations des Proverbes contenues dans son œuvre — et elles sont particulièrement nombreuses, tant il est vrai que c'est le livre de la Bible qu'il prisait le plus. Mais un tel travail ne pourra se faire

---

1. Sur cet exemplaire, voir ci-dessous, p. 58-59, et l'Appendice I, p. 477-481.

que sur des textes établis de façon critique, et la seule édition critique parue à ce jour, celle du *Traité pratique*, ne contient malheureusement qu'une seule allusion à *Prov.* 3, 18.

Aussi nous nous sommes contenté de relever les citations du présent commentaire et nous les avons comparées au texte des trois grands manuscrits onciaux utilisés par Rahlfs pour son édition de la Septante : codex *Alexandrinus*, *Sinaiticus* et *Vaticanus*. L'enquête, pour limitée qu'elle ait été, a été tout à fait positive, car elle nous a montré que c'était avec l'*Alexandrinus* que le texte d'Évagre avait le plus d'affinités.

Sur un total de 18 versets présentant des variantes le texte d'Évagre s'accorde :

6 fois avec l'*Alexandrinus* seul (*Prov.* 1, 7[1] ; 3, 6 ; 6, 3[4] ; 15, 33[1] ; 16, 24 ; 31, 4-5)

2 fois avec l'*Alexandrinus* et le *Vaticanus* (8, 13[1-2] ; 31, 8)

1 fois avec l'*Alexandrinus* et le *Sinaiticus* (3, 15[2])

1 fois avec le *Vaticanus* et le *Sinaiticus* (5, 3[3]-4[1])

1 fois avec le *Sinaiticus* seul (4, 5).

Pour sept versets, Évagre a un texte qui lui est propre. Certaines de ces variantes sont tout à fait mineures : ordre des mots différents dans *Prov.* 1, 2[1] et *Prov.* 2, 17 ; ajout d'un article avant διατριβαί dans *Prov.* 31, 27. Le texte de *Prov.* 6, 27, légèrement différent, n'est sans doute qu'une citation libre. Dans *Prov.* 11, 19, Évagre a la leçon ἀνὴρ δίκαιος là où les trois manuscrits onciaux ont υἱὸς δίκαιος. *Prov.* 11, 30 est toujours cité avec la leçon ἀπὸ καρπῶν alors que le texte habituel a ἐκ καρποῦ. Le texte de *Prov.* 28, 13 s'accorde exceptionnellement avec le texte hexaplaire du manuscrit de Patmos : ὁ δὲ ἐξηγούμενος καὶ ἐλέγχων au lieu de ὁ δὲ ἐξηγούμενος ἐλέγχους des trois manuscrits onciaux.

Ces leçons propres montrent que, si le texte biblique d'Évagre se rapprochait beaucoup de celui de l'*Alexan-*

drinus, il ne lui était cependant pas en tous points semblable. Les scholies supposent en plus d'un endroit l'existence
d'un texte différent, par exemple en :

Prov. 6, 8b φέρονται *Alex.* : προσφέρονται Εv.
7, 9 γνόφος *Alex.* : γνοφώδης Εv.
18, 18 σιγηρός *Alex.* : κλῆρος Εv.
18, 21 θάνατος ζωῆς *Alex.* : θάνατος καὶ ζωή Εv.
26, 20 ὀξύθυμος *Alex.* : δίθυμος Εv.

L'édition critique du livre des Proverbes sous les
auspices de l'Académie des Sciences de Göttingen permettra peut-être de mener plus avant cette recherche
et de rattacher le texte biblique d'Évagre à un groupe
bien défini de manuscrits.

CHAPITRE III

L'EXÉGÈSE ÉVAGRIENNE

C'est à une lecture spirituelle de l'Écriture que nous invite Évagre. Dans la première scholie, il définit le proverbe comme « une sentence qui désigne au moyen de réalités sensibles (δι' αἰσθητῶν πραγμάτων) des réalités intelligibles (πράγματα νοητά) ». Plus loin, dans son commentaire de *Prov.* 23, 1 (« Si tu es assis pour manger à la table d'un prince, comprends de façon intelligible ce qui t'est servi »), il affirme qu'« il faut comprendre (νοεῖσθαι) la divine Écriture de façon intelligible (νοητῶς) et spirituelle (πνευματικῶς) », car, ajoute-t-il, « la connaissance sensible selon le sens littéral (ἡ ... κατὰ τὴν ἱστορίαν αἰσθητὴ γνῶσις) n'est pas vraie » (schol. 251). Comme le montre la répétition des mots de la famille de νοῦς, Évagre en appelle à l'intelligence du lecteur ; il lui demande de dépasser la connaissance immédiate donnée par la lettre et l'histoire de façon à pouvoir parvenir à une connaissance plus profonde qualifiée d'intellectuelle (νοητός), de spirituelle (πνευματικός) ou encore de mystique (μυστικός).

Malgré l'affirmation péremptoire qui termine la scholie 251, Évagre ne nie pas la possibilité du sens littéral[1] ; il reconnaît même que le premier venu peut tirer un profit spirituel d'une simple lecture de l'Écriture

---

1. Cf. schol. *ad Eccl.* 4, 8 : « Je sais bien que l'interprétation que nous avons proposée (c.-à-d. l'interprétation symbolique) n'est

(schol. 270). Dans ce domaine le degré de compréhension
dépend du degré spirituel du lecteur. Il y a un sens pour
les plus simples (οἱ ἁπλούστεροι) et un autre pour ceux
qui sont zélés dans la pratique de la vertu (οἱ σπουδαῖοι)
(schol. 363). « Tous, en effet, ne sont pas capables de
comprendre (χωροῦσι), le sens mystique (τὴν μυστικωτέραν
διάνοιαν) de l'Écriture » (schol. 250). Cette compréhension
supérieure est le fait des purs et impassibles, de ceux qui,
par la pratique des vertus et des commandements divins,
ont acquis cette « largeur de cœur » dont parle Salomon
dans *Prov.* 22, 20 (cf. schol. 247). Pour Évagre, l'exégèse
spirituelle est l'affaire des gnostiques[1] ; elle fait partie
intégrante de la « gnose », comme le montre bien la présence
de nombreux chapitres exclusivement exégétiques dans
les *Képhalaia gnostica*.

Puisque cette exégèse est avant tout spirituelle et
qu'elle s'adresse en priorité aux gnostiques, on comprendra
aisément qu'Évagre ne s'attache guère au sens littéral
du texte, même si, à l'occasion, il peut relever une figure
de style[2], faire une remarque sur l'ordre des mots[3] ou sur
le temps d'un verbe[4], expliquer le sens d'un mot difficile[5].
De telles considérations ne révèlent pas chez notre
auteur un goût réel pour la philologie; elles n'inter-
viennent habituellement que pour préparer ou justifier
l'interprétation spirituelle. On notera également qu'il n'a
pas recours aux autres versions de la Bible, celles de

---

pas valable si on l'applique aux frères et aux pères charnels. Mais
si on veut aussi saisir le sens simple (τὴν ψιλὴν ἔννοιαν) de ces
versets, on condamnera les riches sans enfants... » (*Coislin 193*,
f. 22ᵛ).

1. Dans le *Gnostique*, six chapitres sur cinquante sont consacrés
à l'herméneutique.

2. Schol. 73, 99, 102, 289, 299, 341, 346 et 358 B.

3. Schol. 101 (cf. aussi schol. 12 *ad Ps.* 5, 13 ; 7 *ad Ps.* 108, 9).

4. Schol. 356.

5. Par ex. le sens du mot αἰών (schol. 123) ou celui du verbe
κεπφόω (schol. 96).

Symmaque, d'Aquila ou de Théodotion, comme le fait encore à son époque Didyme l'Aveugle.

Évagre applique à l'Écriture ses propres schémas. Dans son commentaire de *Prov.* 22, 20 (« Et toi, inscris-les trois fois [τρισσῶς]... sur la largeur de ton cœur »), il rapporte l'adverbe τρισσῶς à ce qui constitue, dans son propre système, les trois grandes étapes de la vie intellectuelle et spirituelle[1]. « Celui qui aura élargi son cœur par la pureté, dit-il, comprendra les paroles de Dieu qui sont pratiques, physiques et théologiques, car toute la doctrine de l'Écriture se divise en trois parties : éthique, physique et théologie ; et les Proverbes se rapportent à la première, l'Ecclésiaste à la seconde, le Cantique des cantiques à la troisième » (schol. 247). L'Écriture constitue donc pour Évagre une sorte de miroir de la vie spirituelle avec ses trois degrés : l'éthique (ou la pratique), la physique et la théologie. Mais il y a plus. En coulant la matière scripturaire dans un schéma formel qui s'inspire directement des divisions de la philosophie profane[2], il donne à entendre que l'Écriture s'est substituée à la philosophie profane et qu'elle représente la philosophie véritable. Comme la philosophie profane, elle comporte ses grandes disciplines, disposées dans un ordre croissant de difficultés, selon les nécessités du progrès intérieur de chacun.

En appliquant à la Bible un tel schéma tripartite,

---

1. En *De princ.* IV, 2, 4, Origène avait vu dans cet adverbe τρισσῶς une allusion au triple sens de l'Écriture (littéral, moral et spirituel). Nous verrons plus loin ce qui, sur ce point, distingue Évagre d'Origène.

2. Cf. P. Hadot, « La division des parties de la philosophie dans l'Antiquité », *Museum Helveticum* 36 (1979), p. 213-221. L'auteur relève trois classifications principales : le schéma évagrien dérive de la troisième qui est attestée pour la première fois chez Plutarque, *De Iside* 382 d, et qui se retrouve dans les textes de Clément et d'Origène cités p. 29. Cette classification se présente sous la forme suivante : éthique, physique, époptique (ou théologie).

issu des divisions scolaires de la philosophie, Évagre
n'innove pas totalement — Clément d'Alexandrie[1] et
Origène[2] avaient déjà essayé de faire rentrer telle ou
telle partie de l'Écriture dans ce cadre scolaire —, mais
il est le seul à faire d'un tel schéma une exploitation
systématique dans le domaine herméneutique. Ce qui

---

1. En *Strom.* I, 176, 1, CLÉMENT D'ALEXANDRIE essaie de faire
correspondre d'une manière quelque peu forcée et artificielle les
quatre aspects de la philosophie mosaïque (contenue dans le
Pentateuque) aux trois parties de la philosophie profane. « La
philosophie selon Moïse, dit-il, se divise en quatre parties (τετραχῇ
τέμνεται) : la partie historique et la partie législative proprement
dite, qui ont trait à la doctrine éthique (τῆς ἠθικῆς πραγματείας) ;
troisièmement la partie liturgique qui relève déjà de la contemplation
physique (τῆς φυσικῆς θεωρίας) ; quatrièmement, par-dessus tout,
la partie théologique (τὸ θεολογικὸν εἶδος), l'époptie, qui, selon
Platon, relève des vraiment grands mystères, tandis qu'Aristote
appelle métaphysique cette partie (de la philosophie). » Évagre,
lecteur assidu de Clément, connaissait bien ce texte : il le cite littéralement dans la scholie 15 *ad Ps.* 76, 21, de façon toutefois incomplète, puisqu'il s'arrête aux mots τὸ θεολογικὸν εἶδος. Sur ce texte
de Clément, voir H. DE LUBAC, *Exégèse médiévale. Les quatre sens de
l'Écriture*, t. I, Paris 1959, p. 171-177 ; A. MÉHAT, « Clément
d'Alexandrie et les sens de l'Écriture », *Épektasis. Mélanges patristiques
offerts au Cardinal J. Daniélou*, Paris 1972, p. 355-365.
2. D'une façon analogue, ORIGÈNE, dans le Prologue de son
Commentaire du Cantique des cantiques (*GCS* 33, p. 76), tente de
faire rentrer la sagesse salomonienne, représentée par les Proverbes,
l'Ecclésiaste et le Cantique des cantiques, dans le cadre tripartite des
divisions de la philosophie. Il va même plus loin en affirmant que
Salomon est à l'origine de telles divisions : « Salomon, voulant
distinguer ces trois disciplines générales dont nous avons parlé plus
haut, à savoir la morale, la physique et l'inspective, les a publiées
dans trois livres adaptés chacun à son degré. D'abord dans les
Proverbes, il a enseigné la partie morale, mettant en sentences
brèves et concises, comme il convenait, les règles de vie. En second
lieu il a enfermé dans l'Ecclésiaste ce qui est appelé la physique...
Enfin la partie inspective, il l'a transmise dans le livre que nous
tenons dans nos mains, c'est-à-dire le Cantique des cantiques. » Le
traducteur Rufin a dit plus haut (p. 75) qu'il rendait par *inspectiva*
le mot grec ἐνοπτική (vraisemblablement une corruption d'ἐποπτική).

n'était chez Clément qu'une classification parmi d'autres et chez Origène l'affirmation du *skopos* propre à chaque livre de la trilogie salomonienne se transforme chez Évagre en une théorie des divers sens scripturaires. C'est ce que confirme le chapitre 18 du *Gnostique*[1] où il est dit que l'exégète doit se poser la question de savoir si le texte à expliquer porte sur les œuvres (l'éthique), les natures (la physique) ou la divinité (la théologie).

Il est donc légitime de parler chez Évagre aussi d'une théorie des trois sens scripturaires, à condition toutefois de bien marquer ce qui la différencie de la théorie d'Origène. Pour ce dernier, chaque texte était, on le sait, susceptible d'une triple lecture : littérale, morale et spirituelle. On constate immédiatement qu'il y a un décalage entre le schéma évagrien et le schéma origénien. En excluant le sens littéral, Évagre se place uniquement au niveau du sens spirituel, et les trois sens qu'il propose correspondent aux deux derniers sens d'Origène. Autre différence importante : chez Évagre, les trois sens ne correspondent pas à trois lectures successives d'un même texte ; les divers sens ne se superposent pas les uns aux autres, et chaque texte n'a habituellement qu'une seule signification.

Naturellement tout ceci reste assez théorique ; dans les faits, les choses sont plus floues. Toutes les scholies ne peuvent être rapportées de façon précise à l'un ou l'autre de ces trois sens. Très souvent, c'est un sens spirituel global qui est donné. Quoi qu'il en soit, on ne saurait assez dire combien cette exégèse est marquée par la pensée fortement structurée et portée à la systématisation de son auteur.

Évagre replace dans le système cohérent qui est le sien les principales notions morales et religieuses fournies par le livre des Proverbes. La crainte du Seigneur devient la

---

1. Texte syriaque dans l'éd. de Frankenberg, p. 548, ch. 120.

première des vertus de la *praktikè*; l'instruction (παιδεία) est « la modération des passions qui s'observe autour de la partie passionnée ou irrationnelle de l'âme » (schol. 3). La sagesse elle-même perd la place éminente que lui avaient donnée les « scribes inspirés »[1] ; identifiée avec la contemplation naturelle, elle n'est plus qu'une étape vers la science de Dieu.

Pour le reste, Évagre pratique une interprétation de type symbolique ou allégorique[2]. Sur ce point il dépend naturellement d'une longue tradition, illustrée aussi bien en milieu juif et chrétien (Philon, Clément d'Alexandrie et Origène) qu'en milieu païen (Porphyre et Jamblique). La méthode lui paraît d'autant plus légitime qu'elle a été utilisée par le Christ lui-même[3] et par saint Paul[4]. Elle est en outre rendue nécessaire par certaines incohérences ou bizarreries du texte biblique, comme *Prov.* 2, 17 qui évoque une mauvaise « décision qui a délaissé l'enseignement de sa jeunesse » (cf. schol. 23).

Évagre est d'ailleurs persuadé qu'un des modes d'expression habituels de la Bible, ce qu'il appelle sa συνήθεια ou son ἔθος[5], est précisément le mode figuré. « L'Esprit Saint, dit-il dans la scholie 7, a en effet l'habitude (συνήθεια)

---

1. Cf. H. DUESBERG, *Les scribes inspirés. Introduction aux livres sapientiaux de la Bible: le livre des Proverbes*, Paris 1938.

2. Les mots ἀλληγορεῖν, ἀλληγορία et ἀλληγορικῶς, absents des *Scholies aux Proverbes*, sont fréquents dans les *Scholies aux Psaumes* et dans le *Gnostique*.

3. Le Christ a fait lui-même l'exégèse de ses propres paraboles : cf. schol. 22 et 291.

4. Cf. schol. 9 *ad Ps.* 118, 18, qui rappelle l'interprétation paulinienne des deux épouses d'Abraham (*Gal.* 4, 21-25).

5. Dans le ch. 19 du *Gnostique*, Évagre recommande « de connaître l'habitude des livres divins et de l'établir, dans la mesure du possible, par des exemples » (éd. Frankenberg, p. 548, ch. 121). Cette notion d'habitude scripturaire est très fréquente chez ORIGÈNE (cf. par ex. *De princ.* III, 1, 11, et *Contre Celse* VII, 11).

d'utiliser plusieurs mots pour désigner Dieu et ses anges,
l'intellect, la vertu et la science, la malice et l'ignorance,
le diable lui-même et ses anges. Ce n'est pas simplement
(οὐχ ἁπλῶς), comme le croient certains, qu'il donne ces
noms ; ceux-ci sont en effet les signes distinctifs (γνωρίσματα) de diverses actions : l'action que Dieu exerce sur
nous par l'intermédiaire des anges et celle que nous
exerçons sur lui, l'action que les démons exercent contre
nous et celle que nous exerçons contre eux. » Les termes
scripturaires n'ont pas été placés simplement (οὐχ ἁπλῶς)
par l'Esprit Saint pour être pris dans leur sens littéral
et obvie, comme voudraient le faire croire les littéralistes.
Ce sont des symboles (σύμβολα) ou des signes (γνωρίσματα
ou διαγνωρίσματα) qui renvoient à quelque chose d'autre.
L'Écriture s'exprime de façon symbolique (συμβολικῶς)
et figurée (τροπικῶς). Ainsi la prostituée si souvent évoquée
dans ce livre des Proverbes devient une personnification
de la malice ; les nourritures et les richesses sont des
symboles de la science (γνῶσις). Les parties du corps sont
considérées comme des métaphores des parties de l'âme ;
les relations humaines évoquées par le livre biblique
figurent celles qui s'établissent entre les différents ordres
de créatures. Évagre ramène la diversité du texte biblique
à un nombre somme toute assez restreint de notions ou
de situations dont la scholie 7 fournit une liste incomplète.

En généralisant la méthode allégorique, Évagre s'éloigne
passablement de l'esprit du livre qu'il commente, et ce
n'est pas la reprise de quelques thèmes spécifiquement
bibliques comme celui de la crainte du Seigneur, ou encore
celui de la pratique de la loi et des commandements, qui
peut donner le change. L'Écriture sert trop souvent de
caution à des doctrines qui n'ont rien à voir avec elle.

CHAPITRE IV

LA DOCTRINE DES SCHOLIES

I. LES ÉTAPES DU PROGRÈS SPIRITUEL

Nous avons vu qu'Évagre subordonnait étroitement son interprétation de l'Écriture à sa propre conception de la vie spirituelle. Aussi ramène-t-il les mots et les images du texte biblique à quelques grandes notions qui forment la charpente de son propre système, et qu'il est possible de regrouper en un tableau succinct :

L'âme	L'intellect
La malice	L'ignorance
Les pensées passionnées	La fausse science
Les pensées pures	Les contemplations spirituelles
La vertu	La science

Ce tableau fait apparaître à tous les niveaux une nette distinction entre la vie morale et la vie intellectuelle. Il ne faudrait cependant pas en conclure que l'on a affaire à deux domaines cloisonnés. La vie morale conditionne la vie intellectuelle. C'est en effet la malice qui engendre l'ignorance, et la vertu qui conduit à la science. La même idée est exprimée par cet apophtegme rapporté dans la scholie 258 : « L'âme est la mère de l'intellect, car par les vertus pratiques elle donne le jour à l'intellect. »

Toutes ces grandes notions apparaissent très souvent groupées par deux, de façon parallèle ou antithétique. Il arrive aussi que les termes soient opposés deux à deux, auquel cas le couple vertu-science répond au couple malice-ignorance.

**L'âme
et l'intellect**

Dans ces scholies, le mot ψυχή revient 95 fois et le mot νοῦς 53 fois. Rien d'étonnant à cela, puisque Évagre prend avant tout en considération l'homme intérieur. Son commentaire de *Prov.* 6, 9 (schol. 74) est, à cet égard, significatif ; il refuse d'utiliser le verset dans son sens obvie et d'y voir un simple avertissement adressé aux paresseux et aux dormeurs : dans la perspective qu'il adopte, le sommeil évoqué par le texte biblique n'est pas le sommeil physique, mais un sommeil qui ne saurait survenir qu'à l'âme raisonnable (ψυχῇ λογικῇ). L'exégèse symbolique opère un transfert de l'extérieur vers l'intérieur : le monde extérieur, les situations sociales et familiales, les membres et les mouvements du corps figurent les parties de l'âme, ses mouvements et ses états. Il suffit pour s'en convaincre de consulter la liste des termes bibliques susceptibles de désigner l'âme (ou l'intellect) et ses νοήματα, dans la scholie 317. On notera au passage qu'en considérant les parties du corps comme des métaphores des parties de l'âme, Évagre reprend une règle d'interprétation déjà formulée par Origène[1].

Évagre adopte sans réserve la tripartition platonicienne de l'âme en νοῦς, θυμός et ἐπιθυμία. Une telle division, il est à peine besoin de le préciser, était totalement étrangère

---

1. Cf. par ex. *Entretien avec Héraclide*, 10-12 ; 15-22 ; et *Commentaire du Cantique des cantiques*, Prol. (*GCS* 33, p. 64-66).

à la Bible, et elle n'avait pas non plus les faveurs d'Origène[1].
Prise en un sens large, la ψυχή désigne l'ensemble des trois
parties; mais, lorsqu'elle est associée au νοῦς, elle a une
signification restreinte et elle ne recouvre plus que les
deux parties inférieures, le *thumos* et l'*épithumia* (schol. 127,
216, 230, 258, 344 et 378).

Des trois parties qui constituent l'âme, l'intellect est
la plus noble. Issu de la première création, celle des incorporels, il est « l'essence même de l'être raisonnable[2] ».
C'est seulement après la chute que lui ont été joints, lors
d'une seconde création, le *thumos* et l'*épithumia*, et que
l'ensemble a été placé dans un corps. La fonction directrice
que l'intellect doit remplir à l'intérieur de l'âme est
exprimée par le terme stoïcien d'ἡγεμονικόν (schol. 314),
ou encore par la métaphore du berger (schol. 344 et 358).
Son activité essentielle est cependant la contemplation.
Œil de l'âme (schol. 127), l'intellect cherche à contempler
(θεωρεῖν ou ἐποπτεύειν) et à atteindre (ἐπιβάλλειν) les
réalités intelligibles. Fait pour recevoir la science (δεκτικὸς
γνώσεως : schol. 127), il est volontiers comparé à un vase
(schol. 179) ou à une lampe (schol. 375). Il est le lieu des
plus hautes intuitions et de la rencontre de Dieu.

La partie irascible (ὁ θυμός ou τὸ θυμικὸν μέρος) et
la partie concupiscible (ἡ ἐπιθυμία ou τὸ ἐπιθυμητικὸν
μέρος) forment ce qu'Évagre appelle, en se référant à
certains philosophes qu'il ne nomme pas, la partie passionnée ou irrationnelle de l'âme (τὸ παθητικὸν ou τὸ ἄλογον
μέρος τῆς ψυχῆς). Cette partie est le siège des passions
(πάθη) et la source de tous les dérèglements. Elle n'est pas
pour autant intrinsèquement mauvaise et perverse;

---

1. Voir notamment *De princ.* III, 4, 1 ; Origène a plus volontiers
recours à la division paulinienne de l'ensemble de l'homme en
πνεῦμα, ψυχή et σῶμα (*I Thess.* 5, 23).

2. A. Guillaumont, *Traité pratique*, p. 105.

le *thumos* et l'*épithumia* ont été créés pour jouer un rôle
positif dans le salut de chaque nature raisonnable : le
premier doit diriger son agressivité contre le mal et les
démons, la seconde faire aimer le bien et désirer ardemment Dieu. Lorsqu'elles ont recouvré leur santé originelle,
toutes les puissances de l'âme (αἱ δυνάμεις τῆς ψυχῆς),
aussi bien les puissances inférieures que les puissances
supérieures, confessent ensemble la transcendance divine
(schol. 29).

D'une manière générale, Évagre insiste sur le fait que
la création est bonne. En effet, « les œuvres de Dieu sont
saintes et droites » (*Prov.* 21, 8 : schol. 223). Sur ce point
il se démarque totalement de l'ancien gnosticisme. Dans
la scholie 365, il rejette la théorie gnostique des natures
d'âmes, qui s'appuyait notamment sur les textes d'*Ex.* 7
et 9 évoquant l'endurcissement du cœur de Pharaon :
« Personne, dit-il, n'est par nature endurci. » Le corps
lui-même n'est pas méprisable : le décrier, c'est insulter
le Créateur (schol. 215). Ainsi donc, tous ceux qui dénigrent
l'âme et le corps blasphèment contre le Créateur ; ils
ignorent que la seconde création, corporelle et matérielle,
a répondu à un juste jugement et à un dessein providentiel
de Dieu (schol. 190).

Le mal n'est pas originel (schol. 77) et ne saurait être
mis sur le compte du Créateur ; il provient d'une « mauvaise
décision » (κακὴ βουλή : schol. 23) et d'une perversion du
libre arbitre (τὸ αὐτεξούσιον). L'intellect a été créé
« droit et saint » (schol. 223) ; il a été fait pour apprécier
correctement les réalités, mais s'il suit le mauvais penchant
(ῥοπή) de son libre arbitre, il ressemble à une « balance
fausse » (schol. 217). Évagre s'appuie sur *Prov.* 1, 30 et
18, 21 pour réaffirmer l'existence du libre arbitre (schol. 15
et 186). Pareille insistance s'explique par la place centrale
qu'il accorde à la liberté dans son système. C'est elle qui
a causé la chute de Lucifer et, à sa suite, de tous les êtres
raisonnables, mais c'est elle aussi qui va leur permettre

de remonter de l'abîme de la malice et de l'ignorance vers les cimes de la vertu et de la science.

La malice et l'ignorance

La malice (κακία) et l'ignorance (ἀγνωσία ou ἄγνοια) sont la conséquence de la chute qui a fait perdre la vertu et la science originelles (schol. 62, 64 et 77). Elles sont le lot des démons et des hommes les plus pervers, de ceux que l'Écriture qualifie de sots (ἄφρονες : schol. 148, 161, 168, 188 et 321) ou d'impies (ἀσεβεῖς : schol. 6, 8, 38, 40, 50, 118, 134, 188 et 345). La malice est figurée par la prostituée et la femme étrangère, contre lesquelles les Proverbes mettent si souvent en garde ; comme ces femmes de mauvaise vie, la malice procure un plaisir passager et illusoire qui se révèle à la longue « plus amer que le fiel » (schol. 55, 68, 81, 83, 89, 90, 188 et 196).

La malice et l'ignorance qui lui est associée peuvent atteindre des degrés extrêmes. Ainsi certains ignorent qu'ils commettent le mal, « ce qui, note Évagre, est la marque de la plus totale inconscience » (τῆς ἐσχάτης ἀνοίας : schol. 50) ; d'autres, dont l'âme est tombée dans la plus totale folie (παντάπασιν αὐτῆς εἰς ἀλογίαν περιπεσούσης), en viennent à perdre les notions naturelles que tout homme a de Dieu (τῶν φυσικῶν περὶ θεοῦ ἐννοιῶν : schol. 200).

Ces états, pour extrêmes qu'ils soient, ne sont pas pour autant définitifs et irrémédiables, comme le montre le commentaire de *Prov.* 5, 14 (« J'ai presque été dans le mal absolu »). Tirant argument des mots παρ' ὀλίγον, Évagre souligne que le mal ne saurait être total (οὐ τελείως) et qu'il restera toujours quelques semences de vertu, à partir desquelles pourra s'effectuer la remontée et la conversion, car « les semences de vertus sont indestructibles (ἀνεξάλειπτα) » (schol. 62).

Les mauvaises pensées et la fausse science La malice et l'ignorance représentent des états limites. Pour éviter d'y tomber, les hommes doivent livrer un double combat, contre les mauvaises pensées et contre l'erreur. Dans la scholie 344, Évagre dit qu'il y a une « débauche » (ἀσωτία) de l'âme et une « débauche » de l'intellect. La première correspond aux « pensées passionnées consommées par l'intermédiaire du corps » (λογισμοὶ ἐμπαθεῖς διὰ τοῦ σώματος ἐκτελούμενοι) et la seconde à « la conception de doctrines et de considérations fausses » (ψευδῶν δογμάτων καὶ θεωρημάτων ὑπόληψις).

Nous retrouvons à ce niveau la distinction habituelle entre vie morale et vie intellectuelle, et de nouveaux groupements de termes apparaissent :

— λογισμὸς ἀκάθαρτος — γνῶσις ψευδής (schol. 35)
— λογισμὸς ἐμπαθής — γνῶσις ψευδής (schol. 44)
— λογισμὸς ἀκάθαρτος — ψευδὲς δόγμα (schol. 317).

Dans deux cas, le premier terme du couple est κακία :

— κακία — ψευδώνυμος γνῶσις (schol. 46)
— κακίαι — ψευδῆ δόγματα (schol. 349).

Les mauvaises pensées sont fréquemment mentionnées dans ces scholies[1]. Évagre expose à leur propos des idées qu'il a plus longuement développées dans d'autres œuvres, et qui sont maintenant bien connues[2] ; il s'en tient ici à un enseignement général qui porte sur leur processus de développement et dont voici les grandes lignes :

1. La suggestion diabolique produit dans la pensée (κατὰ διάνοιαν) une représentation (νόημα) qui va, si elle n'est pas repoussée, ébranler (κινεῖν) et enflammer (ἀνάπτειν) la partie passionnée de l'âme. Ainsi chargée de

---

1. Cf. Index des mots grecs, s.v. λογισμός.
2. Voir A. GUILLAUMONT, Traité pratique, p. 55-93.

passion, la représentation est qualifiée d'ἐμπαθής (νόημα ἐμπαθές, ou encore λογισμὸς ἐμπαθής).

2. Le consentement donné aux représentations constitue un premier péché, un péché en pensée (ἡ κατὰ διάνοιαν ἁμαρτία), qui peut conduire, par l'intermédiaire du corps, au péché en acte (ἡ κατ᾽ ἐνέργειαν ἁμαρτία)[1]. Pour Évagre, ce double péché est par exemple suggéré par l'assoupissement et le sommeil de *Prov.* 6, 4 (schol. 70). Le péché en pensée blesse l'âme, le péché en acte provoque sa mort spirituelle (schol. 78 et 97).

3. L'homme ne saurait en aucune manière échapper aux mauvaises pensées, mais il peut éviter les effets désastreux qui viennent d'être évoqués, en ne laissant pas les pensées s'attarder (χρονίζειν, ἐγχρονίζειν, ἐπὶ πλέον τρέφειν : schol. 68, 82, 115 et 154). Le temps joue en faveur des démons ; aussi convient-il de suivre la recommandation de *Prov.* 5, 20 : « Ne t'attarde pas auprès de l'étrangère. »

Aux mauvaises pensées correspond dans le domaine intellectuel ce qu'Évagre appelle habituellement la fausse science ou encore, selon l'expression paulinienne de *I Tim.* 6, 20, rendue célèbre par Irénée, la « science au nom mensonger » (ἡ ψευδώνυμος γνῶσις). L'erreur vient d'une fausse conception (ὑπόληψις : schol. 344) ; elle consiste en une mauvaise appréciation de la réalité et de ses *logoi* par un intellect qui se laisse aller au mauvais penchant de son libre arbitre (schol. 217). Elle conduit à professer des considérations (θεωρήματα) et des doctrines (δόγματα) erronées. Les victimes de l'erreur se trouvent ballottées à tout vent d'enseignement (*Éphés.* 4, 14) et font naufrage dans la foi (*I Tim.* 1, 19) (schol. 125, 264 et 266). Quelques scholies nous permettent de savoir de façon plus précise ce qu'il faut entendre par cette « science erronée ».

---

1. Sur cette distinction, voir les scholies 70, 82, 91, 97, 154 et 261.

Portant sur la cosmologie, l'erreur consistera par exemple à soutenir que la création matérielle est mauvaise et ne répond pas à un dessein providentiel de Dieu (schol. 190 et 215); elle conduira à rejeter le libre arbitre des créatures et à professer une doctrine déterministe (schol. 365). Si elle porte sur la théologie, elle aboutira à l'énoncé de propositions inédites sur Dieu (schol. 310), ou détruira l'équilibre à l'intérieur de la Trinité, en niant la divinité du Saint Esprit (schol. 249). L'erreur pourra surgir partout, aussi bien autour des dogmes de l'Église qu'autour de ces « questions libres » sur lesquelles le magistère de l'Église ne s'est pas prononcé.

La vertu et la science

Le but de la vie spirituelle est l'acquisition de la vertu (ἀρετή) et de la science (γνῶσις). Les deux notions sont fréquemment associées, et Évagre souligne bien la corrélation qui existe entre l'une et l'autre : il n'y a pas de science sans vertu[1]. La vertu est donc considérée comme la pourvoyeuse (πρόξενος : schol. 20 et 382) de la science ; elle est la contribution de l'homme, en fonction de laquelle Dieu accorde sa science (schol. 184, 199 et 239). C'est d'ailleurs une idée souvent exprimée par le livre des Proverbes qu'on ne peut accéder à la sagesse sans redressement moral préalable. Évagre se contente d'adapter cette idée et aussi de tirer parti d'un certain nombre de mots contenant une idée de passage, de direction ou de mouvement. Les vertus sont ainsi les « voies », les « sentiers » et les « portes » qui mènent à la science (schol. 12, 21, 45, 59, 142, 198 et 267). D'autres symboles sont également utilisés : les vertus sont les sources desquelles jaillit l'eau de vie (schol. 51 et 116), les mains qui permettent de porter

---

1. Cf. par ex. schol. 109 : « La science vient après la purification »; schol. 159 : « La science suit la justice » ; ou encore schol. 201 : « La science vient après un genre de vie droit. »

à la bouche le pain de vie (schol. 203), ou encore le vêtement nuptial (*Matth*. 22, 11) exigé pour pouvoir participer
au festin de noces (schol. 257 et 355). Le thème de l'«élargissement du cœur» permet aussi de montrer que les
vertus augmentent la capacité spirituelle de ceux qui
les pratiquent (schol. 12, 184 et 247).

L'acquisition des vertus relève de la *praktikè* ; on notera
d'ailleurs que l'adjectif πρακτικός est souvent accolé
au mot ἀρετή (schol. 142, 201, 203, 258, 267 et 293).
Évagre rapporte à cette étape du progrès spirituel les
versets qui insistent sur la nécessité du travail et qui
fustigent les paresseux, les endormis ou les ivrognes.
L'industrieuse fourmi de *Prov*. 6, 6-8 est un symbole de
«la voie pratique» (schol. 72). La *praktikè* s'identifie
aussi à cette éducation (παιδεία) que le père tente d'incul-
quer à son fils (schol. 3). C'est une œuvre de purification
(καθαρίζω, κάθαρσις) et de redressement (κατευθύνειν,
διορθοῦν, κατορθοῦν). La *praktikè* est exercice des vertus
(ἐργασία ἀρετῶν : schol. 131 et 242), ou, pour employer
une terminologie biblique, pratique de la loi et des commandements divins (schol. 27, 246 et 343).

Quand il s'agit d'évoquer les vertus particulières,
Évagre utilise les schémas qui lui sont habituels et qui
dépendent pour une large part de traditions scolaires.
La crainte de Dieu figure tout naturellement au début de
la chaîne des vertus, puisque par elle «on se détourne
(ἐκκλίνει) du mal» (*Prov*. 15, 27 : schol. 113 et 255) et
qu'elle est «le principe (ἀρχή) de la sagesse» (*Prov*. 1, 7 :
schol. 20, 122 et 382). Le texte de *Prov*. 4, 27 («Ne
t'écarte ni à droite ni à gauche») permet de mentionner
la théorie aristotélicienne de la vertu juste milieu (μεσότης)
entre un excès (ὑπερβολή) et un défaut (ἔλλειψις) (schol. 53,
98, 213 et 249). Ce groupement à trois termes est d'ailleurs
assez souvent remplacé par une simple dualité vice-vertu :
chaque vertu fait disparaître (κρύπτειν) le vice opposé
(schol. 157, 176, 181 et 325). Les vertus sont aussi fréquem-

ment associées à l'une des trois parties de l'âme (schol. 8, 36, 234, 258, 363 et 377), et la justice (δικαιοσύνη), qui affecte l'âme entière, est présentée comme la somme de toutes les vertus (schol. 204).

Par la pratique des vertus, l'homme parvient à purifier la partie passionnée de son âme et à s'approcher de l'état d'impassibilité (ἀπάθεια). Il retrouve la santé qui assure le bon fonctionnement de toutes les puissances de l'âme (schol. 4 et 29) ; il acquiert la pureté (καθαρότης), la tranquillité intérieure (ἡσυχάζειν et ἡσυχία : schol. 17 et 141) et la justice, qui est le couronnement de toutes les vertus (schol. 204). Il mène un genre de vie droit (ἡ ὀρθὴ πολιτεία : schol. 201 ; ὁ ὀρθὸς βίος : schol. 180 et 184). Un tel homme peut alors être qualifié, en des termes considérés comme équivalents, de juste, de saint, de pur ou d'impassible. Ces diverses formulations tendent toutes à désigner un même état, l'état vertueux qu'Évagre définit dans la scholie 184 comme un état excellent (ἕξις ἀρίστη), qui maintient celui qui le possède « dans une position immobile ou difficile à mouvoir » (δυσκίνητον ἢ ἀκίνητον). Cette immutabilité ou quasi-immutabilité dans le bien qui caractérise la vertu n'est sans doute pas inaccessible (ἀκατόρθωτος) aux hommes, elle est cependant surtout le privilège des anges (schol. 190).

Une fois purifié par la *praktikè*, l'intellect peut exercer son activité propre, la contemplation, et devenir un réceptacle de la science. Recevoir la science (γνῶσις) réalise le vœu de Jésus (*Jn* 17, 3) : « Afin qu'ils te connaissent (γινώσκωσι), toi le seul vrai Dieu, et celui que tu as envoyé, Jésus-Christ » (schol. 274). C'est la fin bienheureuse (τὸ μακάριον τέλος) réservée aux cœurs purs, selon la promesse de la sixième béatitude (*Matth.* 5 8) : « Bienheureux les cœurs purs, car ils verront Dieu » (schol. 266). Mais dans un système cyclique où la fin (τὸ τέλος) correspond au commencement (ἡ ἀρχή), la science est aussi un retour à l'état originel (τὴν προτέραν κατάστασιν :

schol. 23) dont bénéficiaient les incorporels avant leur chute, lorsque au Paradis ils entouraient l'arbre de vie (schol. 32 et 132). C'est pourquoi elle est considérée comme « l'enseignement de jeunesse » de *Prov.* 2, 17 ou comme « la femme de jeunesse » de *Prov.* 5, 15 (schol. 23 et 64).

Évagre découvre des allusions à la « gnose » à travers les symboles les plus divers : les richesses, les métaux précieux et les bijoux, la terre et l'héritage, les lieux et les éléments naturels, les divisions du temps et l'âge, les liens de parenté, les nourritures, etc. Chaque image lui permet de mettre en valeur tel ou tel aspect de cette notion de science. Ainsi la symbolique des nourritures, empruntée à saint Paul, lui donne la possibilité de souligner que le don de la science est toujours adapté à la capacité de celui qui la reçoit (schol. 103).

Évagre distingue deux degrés de connaissance qui correspondent aux deux dernières parties de la philosophie : la physique et la théologie.

La physique (φυσική), encore appelée contemplation des êtres issus du devenir (θεωρία τῶν γεγονότων), n'est pas l'étude scientifique des phénomènes naturels ; elle vise au contraire à dépasser les apparences sensibles et à saisir les êtres (τὰ γεγονότα) et les objets (τὰ πράγματα) dans leurs *logoi*, leurs raisons d'être[1]. Ces *logoi* sont dans la réalité sensible, comme le miel est dans le rayon de cire (schol. 72). L'ensemble des *logoi* de ce monde constitue le monde intelligible « dans lequel entrent les cœurs purs » (schol. 291).

Cette science physique se subdivise elle-même en quatre contemplations principales, ou si l'on veut en quatre *logoi* principaux (schol. 2, 3, 88 et 104) :

---

1. Sur l'utilisation qu'Évrage fait de ce terme stoïcien, voir A. GUILLAUMONT, *Cours du Collège de France 1979-1980*, p. 467-468.

— Les *logoi* des incorporels et des corps révèlent le mystère de la double création : création des intellects et, après la chute, création des corps.

— Les *logoi* du jugement et de la providence montrent comment les natures raisonnables (αἱ λογικαὶ φύσεις) ont été après la chute réparties dans des mondes et des corps variés correspondant à leur degré de déchéance (schol. 33). Cette division (διαίρεσις) de la nature raisonnable (schol. 153) a été sanctionnée par un jugement et une nouvelle création (schol. 275) et elle a abouti à la constitution de trois ordres (τάγματα) de créatures : les anges, les hommes et les démons. Une telle répartition répond à un dessein providentiel de Dieu qui veut ramener de cette façon tous les êtres raisonnables vers leur état initial.

La contemplation naturelle n'est encore qu'une connaissance indirecte de Dieu. Elle révèle « la sagesse pleine de variété » (ἡ πολυποίκιλος σοφία : schol. 333) que Dieu a placée dans ses créatures (*Éphés.* 3, 10). C'est à elle qu'Évagre identifie habituellement la *sophia* des Proverbes, qui n'est plus le terme du progrès spirituel, mais une étape vers une contemplation plus haute (schol. 3, 88 et 104). Selon la métaphore de la scholie 79, la contemplation naturelle est la mère qui enfante à la science de Dieu.

La science de Dieu (ἡ γνῶσις ἡ τοῦ θεοῦ), encore nommée théologie (θεολογία, θεολογική) ou contemplation de la sainte Trinité (θεωρία τῆς ἁγίας Τριάδος), constitue le dernier degré de la vie gnostique. Évagre n'en parle ici qu'en termes allusifs. Il évoque les naufrages qui peuvent se produire à ce niveau de la vie spirituelle (schol. 266) et met en garde contre les dangers que comporte cette science ultime : « Notre intellect, dit-il, ne peut pas, étant donné la faiblesse qui est la sienne, fixer son regard de façon continue sur une si haute contemplation » (schol. 310).

II. LES NATURES RAISONNABLES

L'aventure spirituelle, dont nous venons de parcourir les étapes, ne concerne pas seulement les hommes, mais l'ensemble des natures raisonnables : les anges, les hommes et les démons. Dans la hiérarchie des êtres issus de la seconde création, les hommes occupent une position intermédiaire. « De même que les petits enfants sont placés entre (μεταξύ) ceux qui sont justes et ceux qui ne le sont pas, de même tous les hommes sont placés entre les anges et les démons, sans être des démons ni avoir le nom d'anges jusqu'à la consommation de ce siècle » (schol. 16). De ce fait, ils ne sont ni totalement mauvais ni totalement bons, à la différence des démons qui sont constants dans la pratique du mal et des anges qui sont constants dans la pratique du bien (schol. 22 et 231). Tiraillés entre les uns et les autres, les hommes trouvent dans les démons des ennemis acharnés décidés à les maintenir dans la malice et l'ignorance, et dans les anges des amis et des frères qui les aident sur la voie de la vertu et de la science.

Les démons et le diable Les démons et leur chef de file, le diable, sont les ennemis (ἐχθροί : schol. 69) et les adversaires (οἱ ἀντι-κείμενοι : schol. 10, 76 et 371) des hommes ; ils forment ce qu'Évagre appelle, à la suite d'Origène, la puissance adverse (ἡ ἀντικειμένη δύναμις : schol. 48 et 372). Le lieu où ils font camper leur armée est la malice et la pseudo-science (schol. 46). La malice et l'ignorance constituent leur seule nourriture (schol. 48) et leur seule richesse (schol. 134).

Agressifs (schol. 60) et jaloux, ils ne veulent pas que tous les hommes soient sauvés et parviennent à la connaissance de la vérité (I Tim. 2, 4 : schol. 272). Ce sont des escrocs, des voleurs et des assassins (συκοφαντεῖν, ἁρπάζειν et καταναλίσκειν), bien décidés à ramener de toutes les façons possibles le juste vers la malice et l'ignorance. Toujours en mouvement, ils ne dorment pas (schol. 47) et mènent une guerre sans trêve (schol. 329). Toute leur activité vise à empêcher les hommes de pratiquer les vertus, à souiller l'état spirituel péniblement acquis (schol. 240 et 252), à occasionner des rechutes (schol. 324).

Leur ingéniosité au mal est grande (schol. 94), et leurs ruses sont variées. Le jour, ils inspirent les mauvaises pensées (λογισμοί), qui vont ébranler la partie passionnée de l'âme et conduire au péché ; la nuit, ils agissent à travers les rêves et les cauchemars (schol. 36). Passés maîtres dans l'art de l'illusion, il leur arrive de se transformer en anges de lumière (*II Cor.* 11, 14 : schol. 221) et de pousser des cris réellement articulés dans le but de faire croire qu'ils sont définitivement vaincus (schol. 329).

Leur pouvoir a cependant des limites. C'est ainsi qu'ils ne peuvent pas connaître directement l'intérieur du cœur humain : seul le Seigneur est καρδιογνώστης (*Act.* 1, 24 et 15, 8). Pour établir leur diagnostic, ils en sont réduits à des conjectures, en observant les faits et gestes et les paroles des hommes (schol. 76). Ils sont également bien impuissants (ἀδυνατεῖν) lorsqu'ils ont affaire à des hommes d'un haut degré spirituel qui connaissent les *logoi* de la puissance adverse (schol. 372) ou bien qui, totalement absorbés par les contemplations de la sagesse, ne sont pas réceptifs (ἀνεπίδεκτος) aux mauvaises pensées (schol. 30 et 135).

Le texte d'*Éphés.* 6, 12, qui évoque les Principautés, les Puissances et les Dominateurs de ces ténèbres, donne à penser qu'il y a chez les démons, comme chez les anges, une hiérarchie (schol. 357). Il se trouve à chaque niveau de la vie spirituelle des démons particuliers pour contrecarrer l'action humaine ; si les démons le plus souvent évoqués s'opposent à la pratique, il en est d'autres qui s'opposent à la physique ou à la théologie — la scholie 266 évoque ces derniers. La scholie 33 suggère peut-être aussi, à travers un symbolisme des éléments naturels, une distinction entre démons terrestres et démons infernaux qui apparaît dans d'autres œuvres d'Évagre.

Le chef des démons, le diable ou Satan, n'est autre que Lucifer qui a péché par orgueil lorsqu'il a dit : « Je placerai mon trône au-dessus des étoiles. Je serai semblable au Très-Haut » (*Is*. 14, 13-14 : schol. 23 et 301). En prenant cette « mauvaise décision » (*Prov.* 2, 17), il a perdu la condition enviable qui était la sienne et il a entraîné dans sa chute les autres natures raisonnables. Évagre reprend à propos du diable quelques-unes des identifications origéniennes. En plus du Lucifer d'*Is*. 14, le diable est le cèdre du Liban d'*Éz.* 31, 9 (schol. 23), l'aquilon de *Jér.* 1, 14 (schol. 53) et le Léviathan de *Job* 41 (schol. 227 et 380) ; Évagre lui applique en outre tous les versets des Proverbes où il est question d'un individu isolé particulièrement pervers.

Les anges L'homme n'a heureusement pas que des ennemis. Des amis soutiennent aussi son combat : les saintes puissances, c'est-à-dire les anges. A sa naissance, chaque homme a reçu pour l'assister un ange gardien. Évagre reprend les textes scripturaires traditionnellement utilisés pour établir son existence : *Gen.* 48, 16, *I Sam.* 16, 14, *Zach.* 1, 9, *Matth.* 18, 10. Seule une malice extrême peut séparer l'homme de ce compagnon de toujours (schol. 189).

Évagre prend aussi à son compte la doctrine des anges des nations qui s'appuie sur *Deut* 32, 8. Les anges, dit-il, sont « les ' guides (ἡγούμενοι) ' auxquels nous avons été confiés dès l'origine (ἀπ' ἀρχῆς) ' quand le Très-Haut divisa les nations ' et quand ' il plaça les limites des nations suivant le nombre de ses anges ' » (schol. 370).

C'est essentiellement pour venir en aide aux hommes

et pour les guider (ὁδηγεῖν : schol. 164) qu'ils ont été faits anges lors de la seconde création. Évagre leur applique, à la suite d'Origène, le texte de *Rom.* 8, 20-22 : « La création elle aussi gémit et souffre avec nous ; elle a été soumise à la vanité sans le vouloir (οὐχ ἑκοῦσα) », ce qui semble impliquer que les anges — au moins certains d'entre eux — ont été créés tels, non pas à la suite d'une faute quelconque, comme les hommes et les démons, mais seulement afin de porter secours aux êtres déchus (schol. 164).

Les anges exercent une « didascalie » et un jugement qui a pour but de séparer les hommes de la malice et de l'ignorance et de les ramener à la vertu et à la science (schol. 14, 134, 240, 341 et 354). Leur fonction est double, comme le montre bien le symbolisme des corbeaux dans la scholie 294 : ils nourrissent mystiquement les justes comme les corbeaux qui venaient nourrir le prophète Élie (*III Rois* 17, 4-5), mais arrachent les yeux des impies comme les corbeaux de *Prov.* 30, 17. Chaque conversion est pour eux une cause d'allégresse (*Lc* 15, 7.10 : schol. 189) ; ils bondissent de joie comme les béliers et les agneaux de *Ps.* 113, 4.6 (schol. 341). Il faut noter que, dans cette œuvre de salut, ils trouvent en la personne des saints, des vrais gnostiques, de précieux collaborateurs.

III. PERSPECTIVES ESCHATOLOGIQUES

Cette aventure cosmique qui engage toutes les natures raisonnables se développe sur plusieurs siècles. Évagre voit dans de nombreux versets l'annonce de ce qui se produira à la fin des temps, et notamment dans le siècle à venir (ἐν τῷ αἰῶνι τῷ μέλλοντι) qui constitue le premier moment de son eschatologie[1].

---

1. Voir A. GUILLAUMONT, *Cours du Collège de France 1980-1981*, p. 410-411.

Dans le siècle à venir, les justes deviendront des anges (schol. 354). De serviteurs qu'ils étaient, ils deviendront des maîtres, des chefs et des souverains, et leur pouvoir s'exercera sur ceux qui seront restés dans l'impiété. Bien qu'il juge plus prudent de ne pas divulguer (δημοσιεύειν) cette doctrine mystique et profonde (μυστικὸν καὶ βαθύτερον : schol. 237), Évagre y revient souvent dans ces *Scholies aux Proverbes*. « S'étant enrichis en tout, en science et en sagesse » (*I Cor.* 1, 5), les justes commanderont dans le monde futur ceux qui seront privés d'une telle science (schol. 237). La septième année, ils prêteront un blé spirituel à la veuve et à l'orphelin (*Jac.* 1, 27 : schol. 208). Bénéficiaires des promesses faites par le Christ à ses disciples, ils siégeront sur douze trônes pour juger les douze tribus d'Israël (*Matth.* 19, 28 : schol. 354). Comme les deux bons serviteurs de la parabole des mines (*Lc* 19, 17.19), ils seront placés à la tête de cinq ou de dix villes (schol. 134). Enfin, véritables « économes des mystères de Dieu » (*I Cor.* 4, 1), ils accorderont à chacun la science convenant à son degré spirituel (schol. 153). La « didascalie » qu'ils exerceront alors aura pour conséquence la disparition complète de la malice et de l'ignorance.

De nombreux proverbes font allusion au mauvais sort réservé aux impies[1]. Évagre n'interprète jamais ces textes dans le sens d'une perdition éternelle étrangère à son système. Certes, dans quelques cas, la perdition (ἀπώλεια) évoquée peut signifier la perte temporaire de la science et de la vertu (schol. 200 et 275), mais plus souvent Évagre voit en elle une allusion à la destruction finale de la malice. La définition qu'il donne du mot ἀπώλεια, dans la scholie 355, est à cet égard tout à fait révélatrice : « La perte désigne la disparition de l'impiété (ἡ ἀναίρεσις τῆς

---

1. Cf. les versets commentés dans les scholies 118, 134, 268, 277, 294, 311, 323, 345 et 355.

ἀσεβείας) ». On peut ainsi dire que le Sauveur a perdu
Matthieu, en faisant disparaître la condition de publicain
qui était la sienne ; de la même façon, il a perdu le bon
larron, en détruisant sa condition de brigand (schol. 13
et 355). Comme il est dit dans la scholie 62 : « Il y avait
un temps où la malice n'existait pas et il y en aura un
où elle n'existera plus. » La suppression du mal s'effectue
dans le monde présent (νῦν) par la *praktikè* et par l'enseignement moral (schol. 14, 134, 240 et 340), mais elle sera
totale dans le monde à venir (schol. 134 et 294). Elle sera
alors inéluctable (ἀναγκαίως : schol. 194) et se fera de
façon violente (ὑπὸ δριμείας κολάσεως : schol. 268).

Quand le mal aura disparu, tous les ennemis redeviendront des amis (schol. 143), les impies et les iniques
redeviendront des justes. Le diable lui-même, identifié
avec le dernier ennemi de *I Cor.* 15, 26, perdra sa condition
perverse et sera sauvé (schol. 95). Toutes les brebis auront
rejoint le bercail, et le salut sera universel. Comme il est
dit en *Lc* 3, 6 : « Toute chair verra le salut de Dieu »
(schol. 323).

IV. LE CHRIST SAUVEUR

Avant d'exposer le rôle que joue le Christ dans cette
grande aventure des êtres raisonnables, nous devons faire
quelques remarques préliminaires :

1. L'interprétation christologique occupe une place
réduite dans les *Scholies aux Proverbes*. Un texte aussi
important que *Prov.* 8, 22 n'a pas été commenté.

2. Le vocabulaire relatif à Dieu et au Christ reste
volontairement imprécis. La scholie 71 par exemple
évoque le Dieu Créateur, sans préciser s'il s'agit de la
première ou de la seconde création.

3. Les formules hétérodoxes qui apparaissent dans les
Képhalaia gnostica et les *Scholies aux Psaumes* et qui ont
été tout particulièrement visées par les anathématismes

de 553 sont absentes des *Scholies aux Proverbes*. Nulle trace d'une formule comme celle-ci : « J'appelle Christ le Seigneur qui est venu (ἐπιδημήσαντα) avec le Verbe Dieu. » Une telle remarque, qui établit une distinction très nette entre le Christ et le Verbe de Dieu, se rencontre une fois dans les *Képhalaia gnostica* et revient jusqu'à cinq fois dans les *Scholies aux Psaumes*[1]. On ne trouve ici qu'une discrète allusion à la création du Christ-Sagesse au cours de la première création, celle des incorporels (schol. 88).

Le Christ nous est avant tout présenté comme le Sauveur. Son action ne s'exerce pas seulement en faveur des hommes auxquels il est venu, en s'incarnant, révéler les *logoi* du salut (schol. 126), mais s'étend également à l'ensemble des natures raisonnables déchues qu'il accompagne dans leur retour progressif vers leur condition initiale.

Les différents aspects de l'action salvatrice du Christ s'expriment dans les titres variés que l'Écriture lui attribue, ce qu'on appelle les *épinoiai*. Sur ce point, Évagre dépend étroitement d'Origène qui s'était appliqué à rassembler ces titres dans plusieurs de ses œuvres, et notamment au début de son *Commentaire sur S. Jean*. Le Christ est l'ami, le roi, le pasteur, la voie, la vigne, le rameau issu de Jessé, l'eau vive, le pain descendu du ciel, la lumière et la vie, le soleil de justice. S'identifiant substantiellement à toutes les vertus, il est aussi l'instruction et la sagesse, la justice, la vérité et l'humilité.

Les dénominations qui sont les siennes diffèrent selon les êtres auxquels il s'adresse. Pour les pécheurs, il est un feu dévorant (*Hébr.* 12, 29) et un lion rugissant (*Prov.* 19, 12) et pour ceux qui pratiquent les vertus une lumière et une rosée (schol. 195). Il est une panthère affamée pour les négligents, une pierre de scandale pour les

---

1. *KG* VI, 14 ; schol. 7 *ad Ps.* 44, 8 ; 4 *ad Ps.* 88, 7 ; 10 *ad Ps.* 104, 15 ; 2 *ad Ps.* 118, 3 ; 5 *ad Ps.* 131, 7.

incrédules, un homme prompt à s'emporter pour les pécheurs (schol. 183). Pour les débutants dans la vie spirituelle, il est une mère, mais pour ceux qui sont plus avancés, un père, car il leur accorde la science qui fait d'eux des fils adoptifs (schol. 241).

Certains titres sont passagers ; ils lui sont appliqués à cause de sa condescendance (συγκατάβασις) pour les êtres déchus. Tant qu'il y aura des brebis perdues, il aura le titre de « pasteur », mais lorsque toutes auront rejoint le bercail et accédé à la même dignité royale que lui, il ne portera plus que le titre de « roi des rois » (*I Tim.* 6, 15 : schol. 241).

Un des titres qui révèle le mieux le rôle qui lui est imparti dans l'économie du salut est celui de juge. Évagre nous dit dans la scholie 144, en reprenant plusieurs passages des *Actes*, que « le Christ connaît les cœurs et qu'il jugera la terre entière avec justice ». La fonction judiciaire lui est réservée, puisque, selon *Jn* 5, 22, « Le Père ne juge personne, mais a remis tout le jugement au Fils » (schol. 275 et 370). Cette fonction de juge est inséparable de celle de créateur. Chaque jugement est accompagné d'une création au cours de laquelle le Christ répartit les natures raisonnables dans des mondes et des corps qui correspondent à leur degré spirituel — telle est la définition du mot κρίσις donnée dans la scholie 275. Au jugement premier qui a suivi immédiatement la chute et qui a vu la répartition des êtres en trois mondes : angélique, humain et démoniaque (schol. 33 et 153) correspondra un jugement dernier qui verra la destruction de la malice et de l'ignorance et la restauration de toutes les natures dans leur état incorporel premier (schol. 11 et 118) ; ce jugement différera cependant des autres, en ce qu'il ne sera pas accompagné d'une création nouvelle, mais verra la fin des mondes et des corps.

Le Christ aura alors étendu son règne sur tous les êtres, et sa mission prendra fin. Il n'aura plus qu'à remettre son Royaume au Père (*I Cor.* 15, 24), afin que « Dieu soit tout en tous » (*I Cor.* 15, 28 : schol. 118). Nos scholies ne nous disent pas explicitement qu'il n'y aura plus alors aucune différence entre lui et les autres êtres raisonnables : tous jouiront à égalité avec lui de la vision de Dieu.

CONCLUSION

L'AMITIÉ SPIRITUELLE

Nous voudrions terminer cet exposé en évoquant un des thèmes les plus originaux de ces scholies, celui de l'amitié spirituelle (ἡ πνευματικὴ φιλία : schol. 69, 120, 143, 150, 157, 173, 189 et 304). Il est appelé, comme Évagre le souligne lui-même dans la scholie 304, par la mention fréquente des amis et de l'amitié dans le livre des Proverbes, comme *Prov.* 19, 4 : « La richesse augmente le nombre des amis », ou encore *Prov.* 25, 10 : « La grâce et l'amitié libèrent. »

Les amis qui réconfortent et consolent sont les saints et les anges auxquels les hommes se lient par la vertu et la science. Selon la définition de la scholie 189, « l'amitié spirituelle est la vertu et la science de Dieu par lesquelles nous nous lions (συναπτόμεθα) d'amitié avec les saintes puissances ». Ce lien fait que certains peuvent dès ici-bas « manger le pain des anges » (schol. 103), sans toutefois quitter la condition humaine ; ceux-ci deviendront des anges dans le siècle à venir. La même doctrine est exprimée, avec des références scripturaires différentes, à travers un thème voisin, celui de la fraternité qui unit les anges et les saints ayant reçu le même esprit de filiation adoptive (*Rom.* 8, 15 : schol. 78 et 163) ; elle se trouve également suggérée par l'expression paulinienne de « concitoyens des saints » (*Éphés.* 2, 19 : schol. 157).

Si les anges et les saints sont les amis de l'homme, l'ami par excellence est le Christ. Par sa mort, il a réconcilié les hommes avec Dieu, et d'ennemis qu'ils étaient, il en a

fait des amis (*Rom.* 5, 10 : schol. 120). Il a dit à ses disciples :
« Je ne vous appelle plus serviteurs, mais amis » (*Jn* 15, 15 :
schol. 69, 143, 189 et 304). Dans cette autre perspective,
« l'amitié spirituelle est la science de Dieu, dans laquelle
les saints reçoivent le titre (χρηματίζουσι) d'amis de Dieu ».
C'est ce titre qu'ont reçu Moïse à qui Dieu parlait face à
face comme à un ami (*Ex.* 33, 11), Jean-Baptiste appelé
« l'ami de l'Époux » (*Jn* 3, 29), et aussi les apôtres (*Jn* 15,
15). C'est naturellement ce titre que recevront tous ceux
qui seront jugés dignes de la science du Christ.

Cette amitié qui lie au Sauveur n'est pas exclusive,
comme les amitiés terrestres. Elle n'unit pas seulement
celui qui reçoit la science à celui qui la donne, mais unit
entre eux (ἀλλήλων) tous ceux qui ont part à la même
science, qu'ils soient encore dans la condition humaine
ou qu'ils soient des anges, « car dans cette amitié les amis
de la même personne sont aussi les amis les uns des autres »
(schol. 120 et 304).

A travers ce beau thème passe toute l'aventure spirituelle
de l'homme : après avoir échappé à l'inimitié (ἔχθρα) du
diable et des démons, il retrouve, par la vertu et la science,
l'amitié des anges et du Christ et reçoit le titre d'ami de
Dieu. Le thème embrasse aussi la destinée de toutes les
natures raisonnables qui seront à la fin des temps rétablies
dans l'amitié de Dieu.

CHAPITRE V

LA TRADITION MANUSCRITE DES SCHOLIES

I. MANUSCRITS DONNANT LE TEXTE ORIGINAL

A : Codex *Patmiacus 270*. xe siècle, parch., mm 215 ×
150, ff. 435 (— 88 et 388), 29 lignes ; début et fin mutilés[1].
Le manuscrit était déjà au monastère Saint-Jean de
Patmos en 1200[2].

Les *Scholies aux Proverbes* se trouvent aux folios
185[v]-230[v], entre la *Philocalie* d'Origène et une série de
scholies aux *Discours* de S. Grégoire de Nazianze[3].

---

1. Descriptions : J. SAKKELION, Πατμιακὴ βιβλιοθήκη ..., Athènes
1890, p. 137-140 ; J. A. ROBINSON, *The Philocalia of Origen*,
Cambridge 1893, p. XVII-XIX, XXIV.
2. Dans l'inventaire de sept. 1200, il est en effet désigné en ces
termes : ἕτ(ε)ρ(ον) βιβλιδόπ(ου)λ(ον) παλαι(ὸν) ἡ Φιλοκαλ(ία).
Voir Ch. DIEHL, « Le trésor et la bibliothèque de Patmos au commencement du XIIIe siècle », *Byzantinische Zeitschrift* 1 (1892), p. 488-525,
et Ch. ASTRUC, « L'inventaire dressé en septembre 1200 du trésor
de la bibliothèque de Patmos. Édition diplomatique », *Travaux et
Mémoires* 8 *(Hommage à M. Paul Lemerle)*, Paris 1981, p. 15-30 (mention de notre ms. à la p. 25, l. 29-30).
3. Le ms. n'a pas été étudié par I. SADJAK, *Historia critica
scholiastorum et commentatorum Gregorii Nazianzeni*, I (*Melemata
Patristica*, I), Cracovie 1914. La fin mutilée du *Patmiacus* se termine
par les scholies sur le *Deuxième Discours contre Julien* (n° 20 dans
l'index) : des. ΚΑΤΑΘΕΜΕΝΟΣ · τοῦτο καὶ βούλεται καὶ δύναται
(f. 435[v]) (indications fournies par Ch. ASTRUC).

1. (f. 185ᵛ) Titre : Σχόλια εἰς τὰς Παροιμίας.

2. (f. 185ᵛ) Chapitre sur l'utilisation de l'astérisque et de l'obel :

Ἀστερίσκος, Ὀβελός.

Ὅσοις οἱ ὀβελοὶ πρόσκεινται ῥητοῖς, οὗτοι οὐκ ἔκειντο οὔτε παρὰ τοῖς λοιποῖς ἑρμηνευταῖς οὔτε ἐν τῷ ἑβραϊκῷ, ἀλλὰ παρὰ μόνοις τοῖς Ο. Καὶ ὅσοις οἱ ἀστερίσκοι πρόσκεινται ῥητοῖς, οὗτοι ἐν μὲν τῷ ἑβραϊκῷ καὶ τοῖς λοιποῖς ἑρμηνευταῖς ἐφέροντο, ἐν δὲ τοῖς Ο οὐκέτι. Τὰ δὲ ἠστερισμένα ἐν ταὐτῷ καὶ ὠβελισμένα ῥητὰ φέρονται μὲν παρὰ τοῖς Ο, φέρονται δὲ καὶ ἐν τῷ ἑβραϊκῷ καὶ παρὰ τοῖς λοιποῖς ἑρμηνευ- ταῖς · τὴν θέσιν δὲ μόνην παραλλάσσουσιν οἱ λοιποὶ καὶ τὸ ἑβραϊκὸν παρὰ τοὺς Ο. Ὅθεν ὠβέλισται ἐν ταὐτῷ καὶ ἠστέρισται, ὡς παρὰ πᾶσι μὲν φερόμενα, οὐκ ἐν τοῖς αὐτοῖς δὲ τόποις.

Astérisque, obel.

Tous les versets accompagnés d'obels ne se trouvaient ni chez les autres traducteurs ni dans l'hébreu, mais seulement chez les LXX. Tous les versets accompagnés d'astérisques se trouvaient dans l'hébreu et chez les autres traducteurs, mais non plus chez les LXX. Les versets à la fois munis d'astérisques et d'obels se trouvent aussi bien chez les LXX que dans l'hébreu et chez les autres traducteurs ; ils ont seulement chez les autres (traducteurs) et dans l'hébreu une place différente de celle qu'ils ont chez les LXX. Voilà pourquoi ils ont été à la fois munis d'obels et d'astérisques : ils se trouvent chez tous, mais pas au même endroit.

3. (f. 185ᵛ-186ʳ) Chapitre sur l'ordre des versets :

Τὸ μὲν οὖν βιβλίον ἔχει κατὰ τὴν θέσιν καὶ ἀκολουθίαν τῶν Ο, σεσημείωται δὲ καὶ ἡ ἀκολουθία τῶν λοιπῶν ὡς κεῖνται παρ' αὐτοῖς τέρατα ῥητά. Καὶ ὅπου μὲν ἐν ὀλίγοις ῥητοῖς ἐγένετο αὐτοῖς ἡ ἐναλλαγή, δήλη ἐστὶν αὐτόθεν ἐκ τῶν παρακειμένων σημείων · ὅπου δὲ ἐν πλείοσιν, ἥτις καὶ ἐσχάτη ἐστίν, ταύτην ἔχει παρὰ τοῖς λοιποῖς τὴν ἀκολουθίαν. Μετὰ τό · τὰς δὲ τιμωρίας ἀμφοτέρων τίς γνώσεται ; συνάπτουσιν · ταῦτα δὲ λέγω ὑμῖν τοῖς σοφοῖς ἐπιγινώσκειν, ἕως · καὶ ἡ ἔνδειά σου ὥσπερ ἀγαθὸς δρομεύς. Εἶτα · αὗται αἱ παιδεῖαι Σολομῶντος, ἕως · βδέλ[λ]υγμα δὲ ἀνόμῳ κατευθύνουσα ὁδός. Εἶτα · λόγον φυλασσόμενος υἱὸς ἀπωλείας ἐκτὸς ἔσται, ἕως · καὶ τοὺς πένητας αὐτῶν ἐξ ἀνθρώπων. Εἶτα · τῇ βδέλλῃ τρεῖς θυγατέρες ἦσαν, ἕως · διάκρινε δὲ πένητα καὶ ἀσθενῆ. Εἶτα · γυναῖκα ἀνδρείαν τίς εὑρήσει ;

Ce livre adopte donc la disposition et l'ordre des LXX, mais l'ordre adopté par les autres (traducteurs) a aussi été noté, (afin qu'on sache) comment sont placés chez eux les versets problématiques (?). Là où le déplacement porte sur un petit nombre de versets, il apparaît tout de suite grâce aux signes placés à côté (des versets). Là où il porte sur un plus grand nombre de versets, ce qui est le cas à la fin, il donne chez les autres (traducteurs) l'ordre suivant : après « Qui connaîtra les châtiments des deux ? » (*Prov.* 24, 22), ils poursuivent avec « Voici ce que je vous dis de reconnaître, vous les sages » (*Prov.* 24, 23) jusqu'à « Et ton indigence sera comme un bon coureur » (*Prov.* 24, 34) ; ensuite « Voici les instructions de Salomon » (*Prov.* 25, 1) jusqu'à « La voie droite est une abomination pour l'impie » (*Prov.* 29, 27) ; ensuite « Le fils qui garde la parole échappera à la perdition » (*Prov.* 24, 22a) jusqu'à « Leurs pauvres d'entre les hommes » (*Prov.* 30, 14) ; ensuite « La sangsue avait trois filles » (*Prov.* 30, 15) jusqu'à « Distingue le pauvre du faible » (*Prov.* 31, 9) ; ensuite « La femme courageuse, qui la trouvera ? » (*Prov.* 31, 10).

4. (f. 186ʳ⁻ᵛ) *Scholion* d'Évagre :

Εὐαγρίου σχόλιον.

Εἰσὶν ὅσα προτεταγμένον ἔχουσι τὸν ἀριθμὸν ὧδε, ὅσα Ὠριγένην ἐπιγεγραμμένον ἔχει τούτῳ τῷ μονοσυλλάβῳ ὣ · εἰσὶ δὲ μάλιστα ἐν τῷ Ἰώβ. Ὅσα δὲ περὶ διαφωνίας ῥητῶν τινων τῶν ἐν τῷ ἐδαφίῳ ἢ ἐκδόσεών ἐστιν σχό(λια), ἅπερ καὶ κάτω νενευκυῖαν περιεστιγμένην ἔχει προτεταγμένην, τῶν ἀντιβεβληκότων τὸ βιβλίον ἐστίν. Ὅσα δὲ ἀμφιβόλως ἔξω κείμενα ῥητὰ ἔξω νενευκυῖαν περιεστιγμένην ἔχει προτεταγμένην διὰ τὰ σχό(λια) προσετέθησαν, κατ' αὐτὰ τοῦ μεγάλου εἰρηκότος διδασκάλου, ἵνα μὴ δόξῃ κατὰ κενοῦ τὸ σχό(λιον) φέρεσθαι, ἐν πολλοῖς μὲν τῶν ἀντιγράφων τῶν ῥητῶν οὕτως ἐχόντων, ἐν τούτῳ δὲ μὴ οὕτως κειμένων ἢ μηδ' ὅλως φερομένων καὶ διὰ τοῦτο προστεθέντων[1].

5. (f. 186ᵛ-230ᵛ) Scholies exégétiques[2].

---

1. Traduction *infra*, p. 60.
2. Jusqu'au f. 198ʳ, les scholies ont été copiées sans texte biblique, et celui-ci a été ajouté dans la marge externe par une main postérieure. A partir du f. 198ᵛ, elles sont précédées du lemme biblique qu'elles sont censées commenter ; celui-ci est écrit en petite onciale.

6. (f. 230ᵛ) Souscription hexaplaire :

Μετελήφθησαν ἀφ' ὧν εὕρομεν ἐξαπλῶν (sic) καὶ πάλιν αὐταχειρι (sic) Πάμφιλος καὶ Εὐσέβιος διορθώσαντο[1].

Les deux premières notices (f. 185ᵛ et f. 185ᵛ-186ʳ) et la souscription finale (f. 230ᵛ) ne présentent pas de difficultés particulières. Elles se rapportent à un texte hexaplaire des Proverbes, muni d'obels et d'astérisques, conforme aux « éditions » mises en circulation à partir de la bibliothèque de Césarée par Eusèbe et Pamphile[2].

---

1. Traduction dans la note suivante.
2. Ces bibles hexaplaires remontent au travail d'édition d'Eusèbe et de Pamphile. Elles ne reprennent que la colonne « Septante » des Hexaples d'Origène. Cf. G. MERCATI, Nuove note di letteratura biblica e cristiana antica, Vatican 1941, p. 26-48 ; R. DEVREESSE, Introduction à l'étude des manuscrits grecs, Paris 1954, p. 122-126 ; P. NAUTIN, Origène. Sa vie et son œuvre, Paris 1977, p. 322-323, 355-356, 358. La Syro-hexaplaire est le témoin le plus précieux que nous ayons de ces bibles de Césarée ; il s'agit d'une traduction syriaque effectuée à Alexandrie en 616-617 par l'évêque monophysite Paul de Tella. Celle-ci a conservé une grande partie des obels et des astérisques, ainsi qu'un grand nombre de variantes marginales. Le texte syro-hexaplaire des Proverbes nous est donné par le codex Ambrosianus C 313 inf. (fin du VIIIᵉ-début du IXᵉ siècle), aux folios 53-66 (reproduction photolithographique de A. M. CERIANI, Codex Syro-hexaplaris Ambrosianus photolithographice editus [Monumenta sacra et profana, VII], Milan 1874). On trouvera une description de ce ms. dans W. BAARS, New syro-hexaplaric texts, Leyde 1968, p. 4-7. La souscription du livre des Proverbes donnée par la Syro-hexaplaire est plus complète que celle qui figure dans le ms. de Patmos. MERCATI (op. cit., p. 43-44) en a donné une rétroversion grecque, qui a été reprise par DEVREESSE (op. cit., p. 127) et traduite par P. Nautin : « Les Proverbes ont été transcrits et collationnés à partir d'une copie exacte où étaient mises en regard et écrites dans les marges des scholies de la main de Pamphile et d'Eusèbe et en bas de laquelle il y avait ces mots : ' Transcrits à partir des Hexaples d'Origène que nous avons trouvés ', et encore, de leur propre main : ' Pamphile et Eusèbe ont corrigé ' » (op. cit., p. 323). Nous retrouverons plus loin (p. 76) cette Syro-hexaplaire, puisqu'elle contient dans ses marges quelques scholies d'Évagre.

La première notice rappelle selon quelles règles étaient utilisés les signes diacritiques qui accompagnaient le texte biblique. L'obel (—) indiquait les passages propres aux LXX (οἱ Ō), absents de l'original hébreu (τὸ ἑβραϊκόν) et des versions grecques postérieures aux LXX (αἱ ἐκδόσεις), c'est-à-dire celles d'Aquila, de Symmaque et de Théodotion (οἱ λοιποὶ ἑρμηνευταί, ou tout simplement οἱ λοιποί). L'astérisque (※) au contraire signalait les passages absents de la Septante et, de ce fait, ajoutés à partir des autres versions. Enfin, l'utilisation conjuguée de l'astérisque et de l'obel marquait les passages qui, chez les LXX, n'étaient pas exactement à la même place que dans l'hébreu[1]. La seconde notice est consacrée aux modifications plus importantes qui affectent l'ordre de présentation des textes à partir de *Prov.* 24, 22.

Contrairement à ce qu'avait pensé Tischendorf[2], la troisième notice (f. 186r-v) intitulée Εὐαγρίου σχόλιον ne porte plus sur le texte biblique, mais sur les scholies qui suivent. Mgr Mercati a consacré une étude à ce texte dans un article de 1914, « Intorno ad uno scolio ». En proposant deux corrections tout à fait judicieuses : rattacher et accorder ce qui est présenté comme un titre à ce qui suit, corriger ὧδε en Ὠ<ριγένους> δέ[3], il a réussi à rendre intelligible cette notice particulièrement obscure.

Dès lors, il faut lire le début comme suit :

---

1. Le texte grec de cette notice a été repris par H. B. SWETE, *An Introduction to the Old Testament in Greek,* Cambridge 1914, p. 70-71. Voir aussi FIELD, *Origenis Hexapla,* t. I, p. LIII-LIV. ORIGÈNE s'est expliqué sur l'utilisation de ces signes diacritiques dans son *Commentaire de Matthieu* XV, 14 (*GCS* 40, p. 387-388).

2. TISCH., p. 75-76 : « Neque magis ' Evagrii scholium ' ad hanc scholiorum scripturam spectat, sed potius ad Hexaplorum exemplum scholiis instructum iisque variorum signorum usu distinctis. »

3. Ces deux corrections avaient déjà été proposées par Lietzmann, comme l'indique SWETE, *op. cit.,* p. 72, note 2.

Εὐαγρίου σχόλιά εἰσιν ὅσα προτεταγμένον ἔχουσι τὸν ἀριθμόν · 'Ωριγένους δὲ ὅσα ...

et le sens de tout le texte est le suivant :

« Sont d'Évagre toutes les scholies précédées d'un chiffre, d'Origène toutes celles à côté desquelles est écrit le monosyllabe ⍵ — elles sont surtout dans le livre de Job. Toutes les scholies qui portent sur des variantes du texte de base ou des versions (celles-ci sont précédées d'une ligne double pointée inclinée vers le bas) sont de ceux qui ont collationné le livre. Les versets controversés placés à l'extérieur (ceux-ci sont précédés d'une ligne double pointée inclinée vers l'extérieur) ont été ajoutés à cause des scholies du grand maître qui commente ces versets, afin que la scholie ne semble pas ne se rapporter à rien ; dans de nombreux exemplaires, les versets étaient ainsi, mais ici ils ne l'étaient pas ou bien avaient été totalement omis, voilà pourquoi ils ont été ajoutés »[1].

Il ne s'agit donc pas d'une notice d'Évagre, mais d'un avertissement de copiste à l'adresse du lecteur, permettant de distinguer quatre types de textes :

1. Les scholies d'Évagre numérotées.
2. Les scholies d'Origène affectées du monogramme ⍵.
3. Des variantes textuelles qui sont de ceux qui ont collationné le livre des Proverbes, c'est-à-dire Eusèbe et Pamphile[2].
4. Des versets scripturaires (ou de simples variantes) correspondant au texte particulier que commente le grand maître, sans doute Origène, comme le croit Mercati.

La difficulté vient de ce que le manuscrit de Patmos n'a pas conservé grand-chose de ce qui est annoncé dans les trois notices préliminaires. Il n'a pas repris la présentation primitive, dans laquelle les quatre séries de « notes » devaient vraisemblablement être placées en marge du

---

1. Traduction italienne de Mercati (« Intorno ad uno scolio ») ; trad. française partielle de M.-J. Rondeau (*Commentaires du Psautier*, p. 212).
2. La souscription de la Syro-hexaplaire mentionne ces « scholies » d'Eusèbe et de Pamphile : cf. *supra*, p. 58, note 2.

texte hexaplaire des Proverbes. Il a omis presque tous les signes diacritiques.

Que reste-t-il en réalité ?

1. Une partie du texte biblique hexaplaire[1]. Le copiste n'a pas reproduit l'intégralité des Proverbes, mais seulement les lemmes bibliques que les scholies sont censées commenter, et encore ne l'a-t-il fait qu'à partir de *Prov.* 9, 12a (f. 198ᵛ). Obels et astérisques ont totalement disparu.

2. Le début de la numérotation des scholies d'Évagre (f. 186ᵛ : Ā.B̄.Γ̄.Δ̄ ; f. 187ʳ : Ā.B̄.Γ̄.Δ̄ ; f. 187ᵛ : Ē.ϛ̄).

3. Quelques variantes textuelles de la série 3 (pour la plupart des leçons hexaplaires). Elles ont été en général notées en marge, en petite onciale (f. 187ʳ, 188ᵛ, 190ʳ, 195ʳ, 196ᵛ, 197ᵛ). Deux d'entre elles ont été intégrées à la série des scholies exégétiques ; ce sont les leçons hexaplaires portant sur *Prov.* 8, 22 (f. 197ᵛ) et une note critique se rapportant à *Prov.* 3, 10 (f. 190ʳ) : Ἔν τισι ἀντιγράφοις κεῖται « πλησμονὴ σίτου » · οὐ κεῖται δὲ οὔτε εἰς τὸ ἑβραϊκὸν οὔτε παρὰ τοῖς Ο τὸ « σίτου »[2].

4. 382 scholies exégétiques. Mercati a tout naturellement pensé qu'il s'agissait des textes des séries 1 et 2. En l'absence de la numérotation et du sigle 𝔏 annoncés, les scholies d'Origène se trouvaient inextricablement mêlées à celles d'Évagre, et il devenait extrêmement difficile de faire la part de ce qui revenait à chacun.

Depuis l'article de Mercati, nos connaissances sur Évagre[3] et sur les chaînes exégétiques[4] ont considérablement progressé. En 1939, Hans Urs von Balthasar avait déjà montré qu'un certain nombre de ces scholies qui se retrouvaient placées par erreur sous le nom d'Origène

---

1. Cf. Appendice I, p. 477-481.
2. La plupart d'entre elles se retrouvent en mɑrge de la Syro-hexaplaire (y compris la note portant sur *Prov.* 3, 10 : Ceriani, *Codex syro-hexaplaris Ambrosianus photolithographice editus* [*Monumenta sacra et profana, VII*], Milan 1874, f. 54ʳ ; Field, *Origenis Hexapla*, t. II, p. 315, note 17).
3. Grâce aux travaux de J. Muyldermans, du Père Hausherr, d'Antoine et Claire Guillaumont.
4. Cf. Avant-Propos, *supra*, p. 8-9, note 6.

dans le *Vaticanus 1802*[1] étaient incontestablement d'Évagre. Mais ce sont les travaux de l'abbé Richard qui ont été déterminants. Ils ont en effet révélé que les meilleures chaînes aux Proverbes qui avaient utilisé ces scholies les attribuaient systématiquement à Évagre et donnaient sous le nom d'Origène de tout autres textes[2]. La critique interne, la multiplicité des rapprochements qui peuvent être établis avec les œuvres authentiquement évagriennes corroborent les attributions de ces chaînes et confirment les intuitions du théologien suisse Urs von Balthasar. A aucun moment, on n'a l'impression d'avoir affaire à des textes de deux auteurs. Tischendorf avait attribué toute la série à Origène à cause de la mention des Hexaples et de l'attribution erronée de ces textes à Origène par le *Vaticanus 1802*. Mercati, sur le témoignage de la notice préliminaire, pensait qu'il fallait les répartir entre Origène et Évagre. Avec l'abbé Richard, nous proposons de les restituer toutes au seul Évagre. Le manuscrit de Patmos est ainsi le principal témoin des *Scholies aux Proverbes* d'Évagre.

Le problème des scholies d'Origène reste évidemment en suspens. Que sont-elles devenues? Qu'étaient-elles? S'agissait-il de scholies critiques ou de scholies exégétiques? Quel était leur nombre? La courte incise qui suit leur mention : εἰσὶ δὲ μάλιστα ἐν τῷ 'Ιώβ, semble indiquer qu'on les trouvait surtout en marge du livre de Job, livre qu'a également commenté Évagre. Le début de numérotation qui apparaît aux folios 186[v], 187[r-v] montre en tout cas que le copiste a recopié seulement la série numérotée, la série évagrienne.

---

1. Cf. *infra*, p. 71 s.
2. M. RICHARD, « Fragments d'Hippolyte », II, p. 70 (cf. Avant-Propos, *supra*, p. 8, note 3).

B : Codex *Iviron 555* (= *Athous 4675*). xive siècle, pap.[1].

Le début contient les livres sapientiaux : Job, les Proverbes, l'Ecclésiaste ; le Cantique, la Sagesse, le Siracide et les Psaumes de Salomon. La suite (f. 246r-272v) offre un ensemble de textes exégétiques et dogmatiques anonymes dont nous avons donné ailleurs une description détaillée[2]. Ce manuscrit ne donne pas l'intégralité des scholies du *Patmiacus*, mais seulement un choix de 99 d'entre elles. Elles sont copiées sans le texte biblique qu'elles commentent et dispersées en trois endroits différents :

1. (**B** : f. 249r-259v) Ce premier choix vient à la suite de quelques scholies d'Évagre — bien qu'il ne soit dit nulle part que ces scholies sont de lui — à l'Ecclésiaste et débute par la fin de la scholie 12 (l. 11) rattachée au premier stique de *Ps.* 50, 20 : 'Αγάθυνον, κύριε, ἐν τῇ εὐδοκίᾳ σου. Les scholies ne sont pas toujours reproduites intégralement et apparaissent parfois dans un ordre quelque peu perturbé, par exemple :

... 75, 80, 82, 83, 85, 77, 78, 79, 87 ...

On relève dans cet ensemble trois éléments étrangers :

a. (f. 252r) Glose à *Prov.* 7, 5 située entre les scholies 87 et 91 :

Σκήνωσον τὴν ἀγάπην τοῦ Χριστοῦ ἐν τῇ καρδίᾳ σου, ἵνα ἡ ἀγάπη τοῦ Χριστοῦ φυλάξῃ σε ἀπὸ πάσης αἱρέσεως ἀλλοτρίας καὶ πονηρᾶς · ἡ γὰρ ἀσύμφωνος τῷ θείῳ λόγῳ οὖσα ψυχὴ καὶ μὴ κατέχουσα τὸν ἀληθῆ κανόνα Χριστοῦ ἀλλοτρία γυνὴ καὶ ἐπίβουλος τοῦ Χριστοῦ λελόγισται.

Le vocabulaire de cette glose interdit de l'attribuer à Évagre

b. (f. 253r) Glose inconnue placée entre les scholies 135 et 176 :

'Αγαπῶσι γὰρ οἱ ἅγιοι ἄγγελοι τοὺς ἁγίους διὰ τὰς ἀρετάς · τοὺς δὲ ἁμαρτωλοὺς μισοῦσι διὰ τὴν τούτων πενίαν.

---

1. Description sommaire de Sp. P. Lambros, p. 169-170.
2. P. Géhin, « Un nouvel inédit », p. 189-192.

Cette scholie commente vraisemblablement *Prov.* 14, 20. Il est possible qu'elle soit d'Évagre ; on ne la retrouve pourtant dans aucun des manuscrits étudiés.

c. (f. 253ᵛ) Entre les scholies 217 et 221, une leçon hexaplaire sur *Prov.* 20, 27.

2. (Bᴴ : f. 264ʳ⁻ᵛ) Deux scholies d'Évagre (294 et 300) se trouvent au milieu du Commentaire d'Hippolyte sur *Prov.* 30, 15-20[1].

3. (B′ : f. 271ʳ-272ᵛ) Ce dernier choix de scholies se présente à nouveau dans un ordre assez curieux :

1, 2, 3 (l. 1-2 et 4-6), 4 (l. 1-2), 3 (l. 2-4), 4 (l. 2-5), 5, 19, 30, 224, 229, 230, 231, 232, 66.

Entre la scholie 3 (l. 2-4) et la fin de la scholie 4, a été insérée une leçon hexaplaire sur *Prov.* 1, 3. L'ensemble se termine par le début de la glose à *Prov.* 7, 5 rencontrée plus haut : Σκήνωσον — ἀπὸ πάσης αἱρέσεως πονηρᾶς.

La dispersion des scholies en trois endroits différents, le découpage de certaines d'entre elles, le désordre dans lequel elles apparaissent sont assez déconcertants. Le même phénomène s'observe dans les *Scholies à l'Ecclésiaste*. Mais, alors que ces dernières se présentent en deux séries qui paraissent complémentaires (la série 1 donne la fin de la scholie *ad Eccl.* 1, 5, tandis que la série 2 en donne le début), quatre scholies aux Proverbes de la première série se retrouvent dans la troisième série, avec des variantes importantes :

	1	**3**
Schol. 30	πρὸς μόνον τὸν σοφὸν ἐμβαλεῖν	πρὸς μόνην γὰρ τὴν σοφίαν ἐπιβάλλειν
Schol. 229	καθαίροντες	καθαιροῦντες
Schol. 230	στόμα γλῶσσαν	στόμα δὲ γλῶσσα
Schol. 232	ὡς καὶ	καὶ

---

1. Éd. Richard, « Fragments d'Hippolyte », II, p. 86-88. Le texte d'Hippolyte se présente dans la rédaction originale et non dans celle du Pseudo-Anastase le Sinaïte.

Il semble donc que celui qui a rassemblé ces *excerpta* a puisé à deux sources indépendantes (ce que paraît confirmer la reprise sous une forme abrégée de la glose non évagrienne à *Prov.* 7, 5).

Dans l'une et l'autre source les *Scholies aux Proverbes* étaient suivies des *Scholies à l'Ecclésiaste*. Le fait que l'*Iviron 555* donne aux f. 261-263, sous le titre de Σχόλια εἰς τὸ ᵛΑσμα τῶν ᾀσμάτων, un fragment de chaîne sur le chapitre 4 du Cantique des cantiques[1], et non les scholies d'Évagre que nous espérions trouver, nous conforte dans notre conviction qu'Évagre n'a pas commenté le troisième livre de la « trilogie salomonienne ». Les chaînes au Cantique ne citent d'ailleurs qu'une fois son nom, et le texte qui lui est attribué n'est pas authentique[2].

La présence de quelques leçons hexaplaires semble indiquer qu'en définitive ces scholies remontent aussi à cet exemplaire savant évoqué par les notices préliminaires du *Patmiacus*.

II. L'*ÉPITOMÉ* DE PROCOPE DE GAZA

Les scholies d'Évagre sont également connues par une compilation exégétique dont l'initiative revient à Procope de Gaza (fin du Vᵉ s. - début du VIᵉ s.). L'œuvre porte le titre suivant : Προκοπίου χριστιανοῦ σοφιστοῦ εἰς τὰς Παροιμίας Σολομῶντος ἐξηγητικῶν ἐκλογῶν ἐπιτομή[3].

---

1. Ce fragment de chaîne n'est apparenté à aucune des chaînes connues ; un seul texte a pu être identifié ; il s'agit d'un extrait de l'*Homélie* VIII de Grégoire de Nysse *sur le Cantique des cantiques*.

2. Sur cet hypothétique commentaire, voir BALTHASAR, « *Hiera* », p. 204, nᵒ 5. Le texte en question se lit notamment dans le *Parisinus gr. 151*, au f. 110ᵛ ; il est fait d'extraits de l'*Homélie* XII de Grégoire de Nysse *sur le Cantique des cantiques*.

3. Sur Procope de Gaza, voir DEVREESSE, « Chaînes », col. 1087-1089 ; F. PETIT, *Philon d'Alexandrie, Quaestiones in Genesim et*

Elle réunit des textes d'Origène, de Didyme et d'Évagre, ainsi que des extraits de l'homélie *In principium Proverbiorum* de Basile[1].

Le texte original de l'*Épitomé* n'est connu que par deux manuscrits athonites : l'*Iviron 379* et l'*Iviron 38*. Ceux-ci, absents du Catalogue de Karo-Lietzmann, ont été étudiés pour la première fois par M. Richard. Cette œuvre présente un choix d'environ 330 scholies évagriennes fréquemment citées sous une forme abrégée ou remaniée.

Les indications d'auteurs de ces deux manuscrits sont dans l'ensemble dignes de foi, mais ni l'un ni l'autre n'ont conservé la totalité de celles-ci : l'*Iviron 379* cite 141 fois le nom d'Évagre sous la forme abrégée Εὐαγ., tandis que l'*Iviron 38* ne le cite plus que 42 fois sous la forme Εὐ. Comme 6 attributions présentes dans le second manuscrit sont absentes du premier, on arrive à un total de 147 textes dûment attribués à Évagre. Quand bien même on ajouterait à ce nombre celui des textes dont l'attribution est implicite[2], il resterait encore un bon tiers de scholies anonymes, souvent rattachées au texte qui précède ou à celui qui suit. C'est dire que, sans la série de références du *Patmiacus 270*, il aurait été difficile en bien des cas d'isoler des commentaires d'Origène ou de Didyme la part qui revient à Évagre. Les erreurs sont rares et

---

in Exodum. Fragmenta graeca, Paris 1978, p. 18-20 ; P. NAUTIN, dans O. GUÉRAUD - P. NAUTIN, *Origène. Sur la Pâque*, Paris 1979, p. 83-86 ; G. DORIVAL, « Des commentaires de l'Écriture aux chaînes », *Bible de tous les temps*, I *(Le monde grec ancien et la Bible)*, p. 363-365. Dans l'ouvrage cité, P. Nautin passe en revue les différentes questions que posent ces *Épitomés*. Il fait remarquer que, dans le titre, le génitif Προκοπίου se rapporte à ἐκλογῶν et non à ἐπιτομή. Procope serait l'auteur d'Extraits exégétiques, que la tradition manuscrite ne nous a pas conservés, mais rien ne nous dit que les Abrégés qui en ont été faits soient aussi son œuvre. C'est donc uniquement pour faire bref que, dans la suite de notre travail, nous parlerons de l'*Épitomé* de Procope, et non de l'*Épitomé des Extraits exégétiques* de Procope.

1. Éd. de cette homélie dans *P G* 31, 385-424. L'*Épitomé* contient également le commentaire de *Prov.* 8, 22 par GRÉGOIRE DE NAZIANZE, *Discours* 30, 2 (= extrait du IVᵉ *Discours théologique*), ainsi qu'un texte d'Eusèbe sur *Prov.* 25, 1 (inédit).

2. Après un lemme biblique, le caténiste ne mentionne pas l'attribution, s'il n'y a pas changement d'auteur.

résultent habituellement soit de la disparition d'une attribution, soit de son déplacement vers le haut ou le bas. Ce sont de tels accidents qui expliquent l'attribution à Origène des scholies 20 et 38, et de la fin de la scholie 13, ainsi que l'attribution à Didyme de neuf autres (schol. 6, 7, début de 13, 25, 29, 33, 72, 75, 255). Le principal intérêt de ces deux manuscrits aura été d'avoir montré que les scholies du manuscrit de Patmos ne doivent pas être réparties entre Origène et Évagre, mais restituées au seul Évagre.

I : Codex *Iviron 379* (= *Athous 4499*). x^e-xie siècles, parch., mm 220 × 150, ff. 221, entre 36 et 40 lignes[1].

L'*Épitomé* de Procope, situé après l'*Éranistes* de Théodoret de Cyr[2] et le *Commentaire de l'Apocalypse* d'André de Césarée[3], occupe les folios 145^v-221^r.

K : Codex *Iviron 38* (= *Athous 4158*). Année 1281-1282, parch., mm 216 × 172, ff. 256, entre 23 et 28 lignes[4]. La souscription placée au f. 148^r indique que le manuscrit a été copié en 1281-1282, pour le moine Théodoulos. Le

---

1. Description sommaire de LAMBROS, p. 103 ; RAHLFS, *Verzeichnis*, p. 12. Voir aussi RICHARD, « Fragments d'Hippolyte », II, p. 70 ; « Fragments d'Origène », p. 385.

2. *PG* 83, 27-317.

3. *PG* 106, 207-457 ; éd. critique de J. SCHMID, *Studien zur Geschichte des griechischen Apokalypsetextes*, I. Teil : *Der Apokalypse-Kommentar des Andreas von Kaisareia* (*Münchener Theologische Studien* I. Ergänzungsband), Munich 1955-1956.

4. Manuscrit décrit par LAMBROS, p. 5 ; RAHLFS, *Verzeichnis*, p. 12 ; K. and S. LAKE, *Dated Greek Minuscule Manuscripts to the Year 1200 A. D.*, t. III, Boston 1935, p. 16 et pl. 209 (type de réglure I, 2a). Le manuscrit n'a pas été copié en 1200, comme l'indiquent Lambros et Lake, mais en 1281-1282. L'erreur vient d'une mélecture de l'année du monde : ,ϛψη′ au lieu de ,ϛψϟ′. Elle a été rectifiée par M. RICHARD, dans une correspondance adressée à Dom Kotter, datée du 26 sept. 1958 (communication de Mme Gilberte Astruc de l'I.R.H.T.), et plus récemment par N. G. WILSON, « Nicaean and Palaelogan hands : Introduction to a discussion », *La paléographie grecque et byzantine*, Paris 1977, p. 264-265. Voir aussi RICHARD, « Fragments d'Hippolyte », II, p. 70 ; « Fragments d'Origène », p. 385.

copiste, qui ne s'est pas nommé, doit être identifié avec
le prêtre Syméon Kalliandrès, *nomikos* et *protekdikos* de
la Métropole de Rhodes[1]. Un folio a disparu entre les
f. 254 et 255.

L'*Épitomé* se trouve aux f. 149-255, à la suite d'un florilège spirituel
du type *Coislinianum*[2].

Malgré les remaniements opérés, l'*Épitomé* est un
témoin précieux d'un état ancien du texte d'Évagre.
Il nous montre qu'au début du vi[e] siècle Procope de Gaza
ne connaissait pas un texte plus complet que celui qui
nous est transmis par le manuscrit de Patmos[3]. On ne peut
malheureusement pas préciser davantage et dire si la
source qu'il a utilisée contenait seulement les scholies
d'Évagre ou bien s'apparentait à l'archétype du manuscrit
de Patmos.

III. CHAÎNES DÉRIVÉES DE L'*ÉPITOMÉ*
(Types II et I)[4]

Le type II, qui a habituellement conservé le titre
d'*Épitomé de Procope de Gaza*, combine une recension
abrégée de l'*Épitomé* et une chaîne proche du type IV[5].

---

1. P. GÉHIN, « Un copiste de Rhodes de la fin du xiiie siècle : le
prêtre Syméon Kalliandrès », *Scriptorium* 40 (1986), p. 172-183.

2. M. RICHARD, « Florilèges spirituels grecs », *DSp* 5 (1964),
col. 484-486. Article repris dans les *Opera Minora*, t. I, n° 1.

3. A une exception près, signalée en appendice à notre édition.

4. Les chaînes aux Proverbes ont été classées par G. KARO et
H. LIETZMANN en cinq grands types (numérotés de I à V). FAULHABER,
qui a examiné un nombre plus restreint de manuscrits, n'a retenu que
trois familles : A = type III de Karo-Lietzmann, B = type II, et
C = type I. Son stemma qui fait dériver B et C de A est inacceptable ;
c'est pourtant celui que reprend DEVREESSE, « Chaînes », col. 1161-
1163.

5. Sur le type II : KARO-LIETZMANN, p. 305-307 ; FAULHABER,
p. 97-110 ; RICHARD, « Fragments d'Hippolyte », II, p. 70-71. Sur
le type IV : KARO-LIETZMANN, p. 308-309.

Nous avons limité nos investigations à deux témoins assez différents de cette chaîne, le *Parisinus graecus 153* et l'*Iviron 676*. Nous aurions négligé cette recension abrégée et interpolée de l'*Épitomé*, si nous ne nous étions aperçu qu'elle permettait dans quelques cas de remédier à certaines défaillances des manuscrits IK, et aussi qu'elle avait conservé quelques textes qui avaient disparu de la recension originale, soit les scholies 18, 49, 346 et 353. Les indications d'auteurs ne se sont maintenues que dans le manuscrit parisien. Une mauvaise interprétation de l'abréviation du nom d'Évagre, sans doute réduit à ses deux premières lettres comme dans le manuscrit K, a entraîné une confusion entre Évagre et Eusèbe (11 fois dans ce ms.)[1]. Le nom d'Évagre apparaît 86 fois.

M : Codex *Parisinus graecus 153* (*Teller. Remensis 10b. Regius 1990²*). xie-xiie siècles, parch., mm 340 × 240, ff. 189 (+ 89 *bis*), 35 lignes[2].

Ce manuscrit est composé de deux parties distinctes contemporaines. La première partie (f. 1^r-162^r) contient les commentaires des trois livres de Salomon :

— (f. 1^r-59^r) : *Épitomé* de Procope de Gaza sur le Cantique des cantiques[3].

— (f. 59^r-117^v) : *Épitomé* de Procope sur les Proverbes (= chaîne II).

— (f. 117^v-162^r) : Commentaire d'Olympiodore sur l'Ecclésiaste[4].

La seconde partie (f. 163^r-189^r) contient deux éloges de Nicétas le Philosophe[5].

---

1. Même confusion dans le *Parisinus gr. 139* qui contient quelques scholies d'Évagre sur les Psaumes : Rondeau, *Commentaires du Psautier*, p. 266.

2. H. Omont, *Inventaire sommaire des manuscrits grecs de la Bibliothèque nationale*, t. I, Paris 1886, p. 18 ; Achelis, *Hippolytstudien*, p. 152-153 ; Karo-Lietzmann, p. 305-306 ; Faulhaber, p. 97 ; Rahlfs, *Verzeichnis*, p. 202 ; Richard, « Fragments d'Hippolyte », II, p. 70 ; « Fragments d'Origène », p. 386-394.

3. *PG* 87, 2, 1545-1753.

4. *PG* 93, 477-628.

5. F. 163^r-167^r : *Éloge des saints Archanges Michel et Gabriel* (= *PG* 140, 1221-1246). F. 167^r-189^r : *Éloge de S. Grégoire de Nazianze* (éd. C. J. J. Rizzo : *The Encomium of Gregory Nazianzen by Nicetas the Paphlagonian* [*Subsidia Hagiographica*, 58], Bruxelles 1976).

N : Codex *Iviron 676* (= *Athous 4796*). xive siècle, parch., ff. (?), autour de 32 lignes[1].

Ce manuscrit au contenu exclusivement exégétique, si l'on en croit la notice sommaire de Lambros, contient aux folios 64ʳ-128ᵛ la chaîne II exceptionnellement intitulée : Παρεκβολαὶ ἀπὸ τῶν τοῦ Σολομῶντος Παροιμιῶν. Dans cette section deux folios ont disparu : un premier entre les folios 107 et 108, le texte s'arrête à la citation de *Prov.* 22, 8 pour reprendre au folio suivant par les derniers mots de la scholie 246 d'Évagre, commentant *Prov.* 22, 17 ; la perte d'un autre folio qui était situé entre les folios 128 et 129 nous prive de la fin de la chaîne aux Proverbes et du début de la chaîne à l'Ecclésiaste qui suit[2] et occupe les folios 129ʳ-166ᵛ.

Le type I est celui qui est le plus abondamment représenté, en quelque sorte la vulgate, mais c'est aussi le type où les textes sont le plus abîmés. Il en existe d'ailleurs plusieurs recensions. Cette chaîne puise à une chaîne de type II et aux commentaires d'Hippolyte et de Jean Chrysostome. Pour les sous-groupes, il faut se reporter aux classifications de Karo-Lietzmann et de Faulhaber[3].

Nous n'avons étudié qu'un témoin, le codex *Parisinus graecus 151*, qui date du xiiie siècle[4]. Il s'agit d'une chaîne marginale qui occupe les folios 14ʳ-78ʳ. Le texte biblique qui est le sien n'adopte pas tout à fait l'ordre de la Septante,

---

1. Décrit sommairement par LAMBROS, p. 197 ; RAHLFS, *Verzeichnis*, p. 14. Voir aussi RICHARD, « Fragments d'Hippolyte », II, p. 70.

2. Bien qu'importante pour la connaissance de l'*Épitomé* de Procope sur l'Ecclésiaste, cette chaîne n'a pas été étudiée par S. LEANZA, *Procopii Gazaei Catena in Ecclesiasten* (*Corpus Christianorum, ser. gr.*, 4), Louvain 1978, p. 1-50.

3. ACHELIS, *Hippolytstudien*, p. 145-155 ; KARO-LIETZMANN, p. 299-305 ; FAULHABER, p. 110-137 ; RICHARD, « Fragments d'Hippolyte », I, p. 260-261 ; II, p. 69, 71-72.

4. H. OMONT, *Inventaire sommaire des manuscrits grecs de la Bibliothèque Nationale*, t. I, Paris 1886, p. 18 ; KARO-LIETZMANN, p. 301 ; FAULHABER, p. 112 ; RAHLFS, *Verzeichnis*, p. 202 ; RICHARD, « Fragments d'Hippolyte », I, p. 260-261 ; II, p. 72, 74.

puisque *Prov.* 31, 10-31 n'est pas placé après le chapitre 29, mais immédiatement à la suite de *Prov.* 31, 1-9. Ce type de chaîne n'a connu Évagre qu'à travers la chaîne II[1]. Le choix de scholies d'Évagre qu'elle donne est encore plus réduit que dans la chaîne II : un peu plus de 160 scholies qui se présentent souvent sous une forme particulièrement abâtardie. Cette fois le caténiste n'hésite pas à amalgamer des textes d'auteurs différents. Les indications d'auteurs sont souvent déplacées, voire fantaisistes ; on retrouve la confusion de la chaîne II entre Évagre et Eusèbe, mais en outre, voici que certaines scholies évagriennes sont mises sous les patronages de Jean Chrysostome, d'Olympiodore ou de Polychronius d'Apamée[2].

IV. LA CHAÎNE VATICANE
(Type III)

La chaîne contenue dans le codex *Vaticanus 1802*[3] mérite une étude à part, car elle a connu les scholies d'Évagre à travers plusieurs sources.

Le manuscrit est composite ; la première partie qui date du XIIe siècle contient une chaîne aux Proverbes (f. 1ʳ-140ʳ) suivie des commentaires de Grégoire de Nysse sur l'Ecclésiaste et le Cantique des cantiques (f. 140ᵛ-311ʳ). Le texte qui nous intéresse apparaît sous l'intitulé : Παροιμίαι Σαλομῶντος υἱοῦ Δαυίδ, et se termine par la souscription suivante extraite de la chaîne I : Ἐν ταῖς Παροιμίαις

---

1. La chaîne II utilisée était un peu plus complète que les deux témoins étudiés précédemment.

2. Faulhaber a pensé que Polychronius était l'auteur de ce type de chaîne.

3. Description détaillée de P. CANART, *Bibliothecae Apostolicae Vaticanae codices manuscripti recensiti, Codices Vaticani graeci*, Rome 1970 : cod. 1802, p. 157-159. Voir aussi ACHELIS, *Hippolytstudien*, p. 137-142 ; KARO-LIETZMANN, p. 307-308 ; FAULHABER, p. 74-97 ; RICHARD, « Fragments d'Hippolyte », I, p. 259-263 ; II, p. 65, 69-74 ; « Codex *Marcianus gr. 23* », p. 357.

ὥσπερ παίδευμα διὰ παραδειγμάτων καὶ συμβόλων προφέρει τὰς παραινέσεις, suivie d'un dodécasyllabe : Παροιμιῶν ὧδ' εἰσι τὰ τέλη, φίλε. La mise en page est sur 2 colonnes[1].

Cette compilation puise à diverses sources : une chaîne de type IV-V, deux recensions de la chaîne II, une chaîne de type I, le commentaire de Jean Chrysostome, une source évagrienne interpolée. Par la variété de ses sources, elle constitue une véritable somme de tous les grands commentaires patristiques connus : ceux d'Hippolyte, d'Origène, d'Apollinaire, de Didyme, d'Évagre et de Chrysostome, auxquels il faut joindre l'homélie de Basile *In principium Proverbiorum*.

Les indications d'auteurs, fort nombreuses, sont souvent fausses ; aux erreurs des sources utilisées s'ajoutent celles du caténiste dont la manière de travailler est assez peu rigoureuse. Ces attributions sont souvent d'ailleurs plus des indications de source que d'auteur. Le sigle Σύ qui est un des plus fréquents ne révèle pas un exégète inconnu du nom de Symmaque, comme l'a cru Faulhaber, et à sa suite Mercati[2], mais accompagne habituellement des emprunts aux chaînes I et II.

---

1. Le manuscrit a conservé les indications nécessaires à la lecture liturgique du livre des Proverbes pendant les cinq semaines de Carême et la semaine des Rameaux. Pendant cette période, le livre des Proverbes était lu après le livre d'Isaïe et la Genèse. A noter que *Prov.* 8, 22-31 était réservé au jour de l'Annonciation (εἰς εὐαγγελισμόν : f. 40r). Sur ce sujet, voir RICHARD, « Fragments d'Hippolyte », II, p. 67-68. Dans le codex *Vaticanus*, le premier verset de chaque péricope hebdomadaire est précédé d'un bandeau décoratif et commence par une majuscule ornée.

2. FAULHABER, p. 90-94 ; G. MERCATI, « *Pro Symmacho* », Nuove note di letteratura biblica e cristiana antica, Vatican 1941, p. 91-93. L'origine de ce sigle est problématique : une mauvaise interprétation de l'abréviation du nom d'Évagre réduit à ses deux premières lettres semble devoir être écartée. Il est plus vraisemblable que l'introduction de ce nom a été favorisée par la présence de leçons hexaplaires attribuées à Symmaque dans un exemplaire antérieur. Un copiste

Les scholies d'Évagre, dont le nom n'est jamais mentionné, y apparaissent dans trois rédactions différentes au moins : celle du *Patmiacus 270*, celle de la chaîne II et celle de la chaîne I. Il arrive que le caténiste les reproduise toutes les trois en même temps. Lorsqu'il se rend compte des répétitions, il ne retient qu'un des textes, ou bien amalgame les diverses rédactions, complète celle qu'il a commencé à copier par une autre plus développée, passe de l'une à l'autre. Cette façon de faire déplorable empêche toute utilisation systématique du manuscrit dans l'apparat critique.

Il convient maintenant d'examiner de plus près la troisième source utilisée conjointement avec les chaînes I et II, que nous avons appelée pour plus de commodité la source évagrienne. Le caténiste cite habituellement les textes qui en proviennent sous le nom d'Origène[1]. On relève bien évidemment un certain nombre d'erreurs : quelques textes précédés du sigle ꝏ ne sont pas extraits de cette source mais des chaînes, tandis que d'autres qui en sont tirés figurent sous d'autres noms (Didyme, Hippolyte, Symmaque, Chrysostome et Procope), ou bien sont tout simplement introduits par ἄλλος ou ἄλλως.

1. Dans cette source, les scholies d'Évagre se présentaient dans leur rédaction originale et non dans une des rédactions qui remontent à Procope de Gaza. Ainsi le *Vaticanus 1802* est, après le *Patmiacus 270* et l'*Iviron 555*, le troisième témoin du texte original d'Évagre.

2. Un grand nombre d'entre elles avaient été interpolées : un lecteur byzantin avait ajouté des gloses de son cru, prolongé certaines

peu averti aura pris l'auteur de la version grecque de l'A.T. pour un exégète chrétien.

1. Le fait n'est pas isolé : les *Scholies aux Psaumes* d'Évagre sont également attribuées à Origène par les chaînes X et XVII (voir Rondeau, *Commentaires du Psautier*, p. 219-220, 254). C'est cette attribution erronée qui a conduit Tischendorf à attribuer les scholies du ms. de Patmos à Origène.

exégèses, complété le commentaire d'Évagre lorsqu'il le jugeait insuffisant. Hans Urs von Balthazar avait déjà relevé l'existence de ces éléments étrangers incorporés au texte d'Évagre. Ces textes sont suffisamment caractéristiques pour que l'on puisse, dans de nombreux cas, les isoler[1].

3. Les scholies étaient accompagnées du texte biblique qu'elles commentaient, et non placées en marge d'un exemplaire complet du livre des Proverbes. L'interpolateur byzantin ne revient en effet, dans son exégèse, que sur les versets placés en tête des scholies d'Évagre. Il ressort également de son commentaire qu'il lisait un texte biblique proche de celui du *Patmiacus 270* (*Prov.* 11, 26 : δημοκατάρατος ; *Prov.* 17, 27 : ἐπιστήμων ; *Prov.* 23, 17 : ἀλλ' ἤ ; *Prov.* 31, 5 : πάντας ; *Prov.* 31, 6 : δότε ; *Prov.* 25, 8 : ὀνειδίζει ; *Prov.* 26, 3 : ἔθνει ἄφρονι ; *Prov.* 26, 20 : ἡσυχασθήσεται ; *Prov.* 27, 10 : μακρὰν ἀπ').

4. Le nombre des scholies devait être sensiblement le même que dans le manuscrit de Patmos. Douze courtes scholies seulement sont totalement absentes du *Vaticanus* : scholies 40, 98, 146, 167, 220 B, 250, 278, 286, 296, 303, 327, 358 A. Sept d'entre elles étaient déjà absentes de l'*Épitomé* de Procope : scholies 98, 167, 220 B, 250, 278, 296, 358 A. Dans la chaîne vaticane, cinq ont en réalité été remplacées par l'interpolateur byzantin par des textes plus longs de sa composition : scholies 40, 146, 296, 303, 327. On ne trouve pas trace des leçons hexaplaires du manuscrit de Patmos, en revanche la récriture de *Prov.* 3, 19-20 qui précède la scholie 33 est présente. Le découpage des scholies n'est pas toujours identique ; la scholie 103 a été placée entre les scholies 107 et 108 et commente le verset 5, tandis que la scholie 217 déplacée dans le *Patmiacus* a retrouvé sa place normale.

De cet examen, il ressort que le manuscrit utilisé par le caténiste du *Vaticanus* était, avant d'avoir été annoté par un lecteur byzantin, très proche du manuscrit de Patmos (sigle A), tant par son contenu que par sa mise en page. Ce n'était cependant pas une copie directe ou indirecte de A, car le texte qui était le sien et que nous entrevoyons dans la chaîne vaticane est parfois meilleur

---

1. L'étude que nous avions consacrée dans notre thèse à ces interpolations n'a pas été reprise dans la présente édition : elle formera la matière d'un prochain article.

que celui de A et s'accorde assez souvent avec B contre A.
De plus, il possédait la totalité des lemmes bibliques, alors
que ceux-ci n'apparaissent dans A qu'à partir de *Prov.*
9, 12a[1].

V. SCHOLIES ISOLÉES

Plusieurs florilèges damascéniens et deux florilèges
sacro-profanes au moins[2] citent le début de la scholie
189 dans sa rédaction originale :

— *Florilegium Vaticanum*[3] : éd. Lequien, p. 309 (= *PG* 95,
1097 CD).
— *Florilegium Rupefucaldinum*[4] : codex *Berolinensis graecus 46*,
f. 61[v].
— *Florilegium PML*[5] : codex *Parisinus graecus 923*, f. 49[v] B.

---

1. Pour terminer, disons que, si la grande majorité des *Evagriana*
de la chaîne vaticane provient de ces trois sources principales :
source évagrienne interpolée, chaînes I et II, il y a toutefois quelques
textes qui semblent avoir une autre origine. Nous avons en effet
noté l'existence de doublets pour des scholies qui sont absentes de
l'*Épitomé* (80, 85, 181, 211, 226, 295, 301, 302, 319, 349), ainsi que
l'existence de doublets de scholies présentes dans l'*Épitomé*, mais
donnant des textes différents ou plus complets (88, 172, 299, 322,
323, 337, 343, 346). Paradoxalement la présence de ces doublets
est liée à l'apparition, au f. 118 B[r] (commentaire de *Prov.* 31, 6-7),
du nom de Procope : Προκοπίου, qui jusque là n'avait jamais été
mentionné. L'étude des textes placés sous le patronage de Procope
montre que — à partir de ce folio au moins — le caténiste a eu
recours à un nouveau document qui combinait une chaîne de type II
allégée (d'où le maintien de l'attribution procopienne) à une autre
source contenant de courts textes inconnus de toutes les chaînes et
aussi quelques scholies d'Évagre provenant de la rédaction originale.
2. Pour une vue d'ensemble sur les florilèges spirituels grecs,
voir M. RICHARD, « Florilèges spirituels grecs », *DSp* 5 (1964),
col. 475-512. Article repris dans les *Opera minora*, t. I, n° 1.
3. M. RICHARD, *art. cit.*, col. 480-481.
4. *Ibidem*, col. 481-482.
5. *Ibidem*, col. 482-483.

— *Florilegium Coislinianum*[1] : codex *Parisinus Coislinianus 294*, f. 9ᵛ.

— *Florilegium Atheniense*[2] : codex *Atheniensis, BN 1070*, f. 137ᵛ.

— *Loci communes* du Pseudo-Antoine[3] : éd. Gesner, p. 104 (= *P G* 136, 1084 B).

La référence la plus complète est donnée par le florilège Vatican : Εὐαγρίου εἰς τὰς Παροιμίας. Le texte est simplement attribué à Évagre dans les floril. Rupefuc., PML et Coislin ; il est anonyme dans le floril. athénien et chez le Pseudo-Antoine.

Le texte le plus long est donné par le floril. Vatican : Πλοῦτος — τοῖς ἀγγέλοις (l. 1-6). Tous les autres florilèges s'arrêtent à χωρίζεται (l. 3).

Enfin, en marge du texte syro-hexaplaire des Proverbes contenu dans le codex *Ambrosianus C 313 inf.*[4] figurent sept scholies anonymes introduites par le mot ܣܟܘܠܝܘܢ (= grec σχόλιον). Six d'entre elles sont d'Évagre :

f 53ᵛ, marge inf. : schol. 21.
f. 54ʳ, marge sup. : schol. 28.
f. 55ʳ, marge inf. : schol. 62.
f. 55ᵛ, marge inf. : schol. 79.
f. 56ᵛ, marge latérale int. : schol. 112.
f. 64ʳ, marge latérale int. : schol. 322.

La traduction syriaque a été faite sur le texte original[5].

---

1. M. RICHARD, *art. cit.*, col. 484-486.
2. *Ibidem*, col. 496-497.
3. *Ibidem*, col. 492-494.
4. *Codex Ambrosianus C 313 inf.* : fin du viiiᵉ - début du ixᵉ siècle, parch., mm 370 × 275, ff. 193, 2 col., autour de 56 lignes. Manuscrit reproduit par Ceriani et décrit par Baars (cf. *supra*, p. 58, note 2).
5. Le rapprochement entre les scholies marginales de la Syro-hexaplaire et les scholies du ms. de Patmos a été fait par Ceriani dans les notes à son édition photolithographique (cf. *supra*, p. 58, note 2).

CHAPITRE VI

L'ÉDITION DES SCHOLIES

I. ÉDITIONS ANTÉRIEURES

Nous rappelons pour mémoire que la série complète des scholies du *Patmiacus 270* a été éditée en 1860 par Tischendorf, en appendice à sa *Notitia editionis codicis bibliorum Sinaitici*.

Toutes les scholies éditées ailleurs se présentent dans la rédaction de la chaîne I ou dans une des rédactions de la chaîne vaticane. Elles sont la plupart du temps rattachées à d'autres textes. Aucune d'elles n'est attribuée à Évagre.

Dans les fragments « origéniens » extraits par A. Galland[1] de deux manuscrits vénitiens qui contiennent la chaîne I, les codex *Marciani graeci 21* et *22*, on trouve quatre scholies d'Évagre :

    schol. 4 (*PG* 17, 153 B)
    schol. 52 (*PG* 17, 157 B)
    schol. 61 (*PG* 17, 157 D)
    schol. 62 (*PG* 17, 157 D - 160 A).

Le cardinal A. Mai[2] a littéralement pillé la chaîne

---

1. GALLAND, t. XIV, appendice, p. 25-29 (= *PG* 17, 149-159).
2. MAI, *NPB*, IV.2, p. 153-201 (= *PG* 64, 659-740) ; *NPB*, VII.2, p. 1-56 (= *PG* 17, 161-252) ; p. 57-71 (= *PG* 39, 1621-1646) ; p. 71-76 (= *PG* 10, 615-628) ; p. 78-80.

vaticane avec l'intention de livrer au public ce qui restait
des commentaires d'Hippolyte, d'Origène, d'Apollinaire,
de Didyme et de Jean Chrysostome. Il a malheureusement
accordé trop de crédit à des indications d'auteurs qui sont,
comme nous l'avons vu, très souvent erronées. La plupart
des scholies évagriennes se sont ainsi trouvées publiées
dans les rédactions des chaînes I et II et dans la rédaction
originale interpolée. A la suite des fragments « origéniens »
de cette chaîne, Mai a ajouté un supplément tiré du codex
Vaticanus Ottobonianus 117 dans lequel figure la scholie 8
d'Évagre[1]. Dans son édition des fragments de Didyme,
Mai a mélangé les extraits du *Vaticanus* (sigle A) et ceux
de deux manuscrits contenant une chaîne de type I :
Vaticanus Ottobonianus 117 (sigle B) et *Vaticanus Reginensis 77* (sigle C). On y trouve 16 scholies d'Évagre.

Le cardinal J.-B. Pitra[2], qui a voulu compléter le travail
de son prédécesseur, a publié quelques fragments nouveaux
attribués à Origène et à Hippolyte, parmi lesquels se
trouvent trois scholies d'Évagre : les scholies 45 et 81
tirées du *Vaticanus 1802* et la scholie 62 tirée du *Vaticanus
Reginensis 77*.

H. Achelis[3] enfin a repris dans son édition critique des
fragments d'Hippolyte l'ensemble des fragments attribués
à cet auteur par le *Vaticanus 1802*. La plus grande partie
de ces textes ne sont pas d'Hippolyte, comme l'a montré
M. Richard[4], et doivent être restitués à d'autres. Les
fragments évagriens apparaissent sous les numéros III,
IV, V, VII, VIII, XII, XIII, XIX de l'édition Achelis.

1. Mai, *NPB*, VII.2, p. 56 (= *PG* 17, 252 CD).
2. Pitra, *AS* III, p. 523-528.
3. Achelis, *Hippolytus Werke*, p. 155-167.
4. Richard, « Fragments d'Hippolyte », I, p. 257-290.

II. PRINCIPES DE NOTRE ÉDITION

Nous avons choisi d'éditer séparément les deux principales rédactions du texte :

— Celle d'Évagre donnée de façon complète dans A, et sous forme d'extraits dans B.

— La rédaction remaniée et abrégée de Procope établie à partir des deux manuscrits de l'*Épitomé* (IK) et de deux manuscrits de la chaîne II (MN).

L'apparat critique du texte original

Nous avons fait figurer dans cet apparat critique toutes les variantes de B (B Bᴴ B').

La chaîne vaticane (Z) a utilisé une source qui contenait le texte original des scholies d'Évagre. Nous nous sommes cependant refusé d'indiquer systématiquement toutes les variantes de cette source et ne lui avons pas réservé un sort différent du reste de la tradition caténale, et cela pour les raisons suivantes :

1. Il n'est pas toujours facile d'affirmer qu'un texte provient à coup sûr de cette source.

2. Cette source ne contenait déjà plus un texte pur, mais un texte interpolé, commenté et amplifié.

3. Le caténiste qui a connu Évagre à travers d'autres sources passe souvent, pour un même texte, de l'une à l'autre.

4. Les variantes de cette source offrent dans l'ensemble peu d'intérêt, elles sont le produit de la négligence du caténiste (ou des copistes). Procope vient souvent confirmer le texte de A contre Z.

Nous avons eu recours à la tradition caténale dans les cas suivants :

1. Pour corriger les fautes manifestes de A (sauts du même au même, omissions, fautes par attraction, fautes de construction, confusions de termes proches ...).

2. Pour appuyer le choix d'une leçon de B.

3. Lorsqu'il nous a semblé que les chaînes avaient toute chance de nous faire connaître le texte primitif.

3. Enfin, mais plus rarement, pour signaler une variante digne d'intérêt.

Nous avons indiqué les corrections et conjectures de Tischendorf, ainsi que les fautes de lecture qu'il a faites (ces dernières sont au nombre d'une trentaine).

La rédaction de Procope

Dans quelques cas, nous ne sommes pas absolument certain que le texte de Procope soit la reprise d'une scholie d'Évagre (schol. 17, 53, 87, 102, 105, 110, 172, 193, 253, 259); nous avons toutefois fait figurer, sous toute réserve, ces textes qu'une étude plus complète de la tradition manuscrite permettra peut-être de restituer à Didyme ou à Origène.

Le découpage adopté par Procope n'est pas toujours le même que celui du manuscrit de Patmos. Quelques scholies ont été scindées en plusieurs textes, comme la scholie 12, d'autres au contraire ont été réunies en un seul texte[1].

Les indications d'auteurs ne se sont maintenues que dans les manuscrits IK M. Nous avons signalé leur déplacement vers le haut ou le bas par les adverbes *supra* et *infra*. Nous avons également tenu à indiquer les attributions implicites, pour les textes que seul le lemme biblique sépare d'un texte dûment attribué.

Nous aurions pu nous contenter d'éditer le texte des manuscrits IK qui sont les seuls à nous donner l'état primitif de l'*Épitomé* de Procope, mais en étudiant la chaîne II qui en dérive, nous avons remarqué que cette dernière avait conservé quelques fragments ayant accidentellement disparu des manuscrits IK et que parfois, dans le détail, elle donnait un texte plus satisfaisant.

---

1. Cf. apparat critique : *Hoc scholion cum scholio ... concatenavit.*

La numérotation des scholies

Comme la numérotation primitive a disparu (sauf pour les 10 premières?), nous avons adopté, pour faciliter les renvois, une numérotation continue allant de 1 à 382, qui suit le découpage des textes dans A.

Les lemmes bibliques

Pour faciliter leur compréhension, nous avons fait précéder les scholies du lemme biblique qu'elles commentent. Le texte biblique retenu est celui de l'*Alexandrinus*[1] (nous nous sommes expliqué dans le chapitre II sur les raisons de ce choix). Toutes les corrections ou modifications apportées sont signalées par un astérisque et expliquées dans une note. La division en chapitres et en versets est celle de l'édition de Rahlfs.

Pour notre traduction, nous nous sommes souvent inspiré de la traduction française de Giguet[2] et de la traduction anglaise parue à Londres sans date ni nom d'auteur[3]. Nous avons aussi fréquemment eu recours au travail de A. Barucq sur les Proverbes[4]. D'une manière générale, notre traduction a été faite en fonction du commentaire d'Évagre.

La traduction des scholies

Nous n'avons traduit que le texte original des scholies. Pour tous les termes techniques du vocabulaire évagrien, nous avons adopté la traduction d'A. et Cl. Guillaumont.

---

1. Pour établir le texte biblique, nous avons utilisé : T. C. SKEAT, *The Codex Alexandrinus (Royal Ms. 1 D. V-VIII) in reduced photographic facsimile. Old Testament. Part IV*, Londres 1957. Dans notre relevé, nous n'avons pas signalé les très nombreuses fautes d'iotacisme, pas plus que certaines fautes grossières.

2. P. GIGUET, *La Sainte Bible. Traduction de l'Ancien Testament d'après les Septante*, vol. 3, Paris 1872 : Proverbes de Salomon, p. 311-383.

3. *The Septuagint Version of the Old Testament and Apocrypha*, Londres (sans date) : Proverbs, p. 788-818.

4. A. BARUCQ, *Le Livre des Proverbes*, Paris 1964.

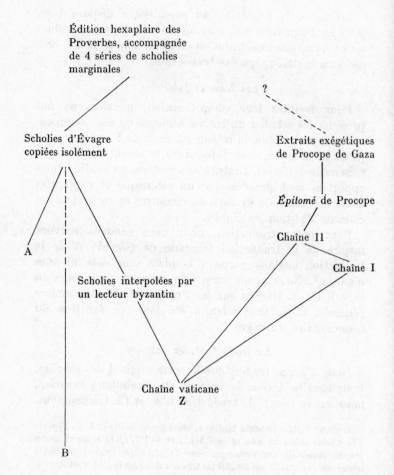

Édition hexaplaire des
Proverbes, accompagnée
de 4 séries de scholies
marginales

?

Scholies d'Évagre
copiées isolément

Extraits exégétiques
de Procope de Gaza

Épitomé de Procope

Chaîne II

A

Chaîne I

Scholies interpolées par
un lecteur byzantin

B

Chaîne vaticane
Z

TRADITION MANUSCRITE DES *SCHOLIES AUX PROVERBES*

BIBLIOGRAPHIE

I. — Œuvres d'Évagre

Antirrhétique   Version syriaque, éd. Frankenberg, p. 472-545 (v. à II, Frankenberg).

Bases   *Bases de la vie monastique*, PG 40, 1252 D - 1264 C.

Exhortation   *Deux exhortations aux moines*, éd. partielle dans *PG* 79, 1236-1240 ; à compléter par J. Muyldermans, « *Evagriana*. Le *Vatic. Barb. graecus 515* », *Le Muséon* 51 (1938), p. 200-203.

Euloge   *Traité au moine Euloge*, PG 79, 1093 D - 1140 A.

Gnostique   Version syriaque, éd. Frankenberg, p. 546-553 (v. à II)[1].

Instructions   Éd. partielle de Muyldermans, *Evagriana*, p. 20-21, nᵒ 50-67 (v. à II).

KG   Les *Képhalaia gnostica*, version syriaque, éd. A. Guillaumont, *Les six Centuries des « Képhalaia gnostica » d'Évagre le Pontique* (*PO* 28, 1), Paris 1958.

Lettre à Mélanie   Version syriaque, éd. incomplète de Frankenberg, p. 612-618 (v. à II); à compléter par G. Vitestam, *Seconde partie du traité qui passe sous le nom de la « Grande lettre d'Évagre le Pontique à Mélanie l'Ancienne »*, Lund 1964.

---

1. Nous avons adopté la numérotation originelle des chapitres (de 1 à 50), telle qu'elle a été rétablie par M. Antoine Guillaumont pour l'édition critique de l'œuvre (à paraître prochainement dans *SC*).

Lettre sur la sainte Trinité — Cette lettre qui porte en syriaque le titre de « Lettre sur la foi » a été conservée en grec; on la trouve éditée dans le corpus des lettres de Basile de Césarée : *Lettre 8*, éd. Y. Courtonne, *Saint Basile. Lettres*, t. I, Paris 1957, p. 22-37.

Lettres — Corpus de 62 lettres conservées en syriaque, éd. Frankenberg, p. 564-610 (v. à II).

Moines — Sentences métriques *Aux moines*, éd. H. Gressmann, *Nonnenspiegel und Mönchsspiegel des Evagrios Pontikos* (*TU* 39, 4), p. 152-165.

Pensées — *Des diverses mauvaises pensées*, PG 79, 1200 D - 1233 A. A compléter par *PG* 40, 1240 A - 1244 B, et par J. Muyldermans, *A travers la tradition manuscrite d'Évagre le Pontique* (*Bibl. du Muséon* 3), Louvain 1932, p. 47-55.

Pseudo-suppl. — Pseudo-supplément des Six Centuries des *Képhalaia gnostica*, version syriaque, éd. Frankenberg, p. 422-471 (v. à II).

Pratique — *Traité pratique* ou *Le moine*, éd. Cl. Guillaumont, *SC 171* (v. à II).

Prière — *Traité de la prière*, PG 79, 1165 A - 1200 C.

Réflexions — Éd. Muyldermans, *Evagriana*, p. 38-44 (v. à II).

Schol. ad Eccl. — *Scholies à l'Ecclésiaste*. Scholies inédites du codex *Coislinianus 193*, f. 16^v-33^r (v. à II notre article).

Schol. ad Job — *Scholies à Job*. Scholies inédites conservées notamment dans le codex *Vaticanus graecus 749*, f. 8^v-250^r.

Schol. ad Prov. — *Scholies aux Proverbes de Salomon* (ici éditées).

Schol. ad Ps. — *Scholies aux Psaumes*. En attendant leur édition, il est nécessaire de se reporter au catalogue placé à la fin de l'article de M.-J. Rondeau, « Le Commentaire

sur les Psaumes d'Évagre le Pontique »,
Orientalia Christiana Periodica 26
(1960), p. 307-348. Le catalogue se
trouve aux pages 328-348.

Vierge Sentences métriques *A une Vierge*, éd.
H. Gressmann, *Nonnenspiegel und
Mönchsspiegel des Evagrios Pontikos*
(*TU* 39, 4), p. 143-151.

II. — Livres et articles

ACHELIS, *Hippolytstudien* = H. ACHELIS, *Hippolytstudien*
(*TU* 16, 4), Leipzig 1897. Die Katene zu Proverbien :
p. 137-163.

ACHELIS, *Hippolytus Werke* = H. ACHELIS, *Hippolytus
Werke* I, 2ᵉ partie : Kleinere exegetische und homi-
letische Schriften (*GCS* 1), Berlin 1897, p. 157-178.

BALTHASAR, « *Hiera* » = H. URS VON BALTHASAR, « Die
Hiera des Evagrius », *Zeitschrift für katholische Theo-
logie* 63 (1939), p. 86-106 et p. 181-206.

DEVREESSE, « Chaînes » = R. DEVREESSE, art. « Chaînes
exégétiques grecques », Suppl. au *Dictionnaire de la
Bible*, col. 1084-1233.

FAULHABER = M. FAULHABER, *Hohelied-Proverbien-und-
Prediger-Catenen* (*Theologische Studien der Leo-
Gesellschaft* 4), Vienne 1902, p. 74-138.

FIELD, *Origenis Hexapla* = F. FIELD, *Origenis Hexapla*,
Oxford 1875 (réimpr. Hildesheim 1964).

FRANKENBERG = W. FRANKENBERG, *Evagrius Ponticus*
(*Abhandlungen der königlichen Gesellschaft der Wissenschaften zu Göttingen*, Philol.-hist. Klasse, Neue Folge,
Bd XIII, 2), Berlin 1912. Le texte syriaque est accompagné d'une rétroversion grecque.

GALLAND = A. GALLAND, *Bibliotheca graeco-latina veterum
patrum antiquorumque scriptorum ecclesiasticorum*,
14 vol., Venise 1788.

GÉHIN, « Un nouvel inédit » = P. GÉHIN, « Un nouvel inédit
d'Évagre le Pontique : son commentaire de l'Ecclésiaste », *Byzantion* 49 (1979), p. 188-198.

A. Guillaumont, *Képhalaia gnostica* = A. Guillaumont, *Les ' Képhalaia Gnostica ' d'Évagre le Pontique et l'histoire de l'origénisme chez les Grecs et chez les Syriens* (*Patristica Sorbonensia* 5), Paris 1962.

A. et Cl. Guillaumont, *Traité pratique* = A. et Cl. Guillaumont, Introd., éd. critique du texte grec, trad., comm. et tables d'*Évagre le Pontique. Traité pratique* ou *Le moine* (*SC* 170-171), Paris 1971.

A. Guillaumont, « Un philosophe au désert » = A. Guillaumont, « Un philosophe au désert : Évagre le Pontique », *Revue de l'Histoire des Religions* 181 (1972), p. 29-56. Texte repris dans : A. Guillaumont, *Aux origines du monachisme chrétien. Pour une phénoménologie du monachisme* (*Spiritualité orientale* 30), Paris 1979.

A. Guillaumont, *Cours du Collège de France* = A. Guillaumont, « Les fondements de la vie monastique selon Évagre le Pontique », *Annuaire du Collège de France 1977-1978*, 78ᵉ année, p. 467-477 ; « L'ascèse évagrienne », *Annuaire 1978-1979*, 79ᵉ année, p. 395-399 ; « La vie gnostique selon Évagre le Pontique », *Annuaire 1979-1980*, 80ᵉ année, p. 467-470 ; « La métaphysique évagrienne », *Annuaire 1980-1981*, 81ᵉ année, p. 407-411.

Harl, *Chaîne palestinienne* = M. Harl, Introd., texte grec crit., trad. et notes de *La chaîne palestinienne sur le Psaume 118* (*SC* 189-190), Paris 1972.

Hausherr, « Nouveaux fragments » = I. Hausherr, « Nouveaux fragments grecs d'Évagre le Pontique », *Orientalia Christiana Periodica* 5 (1939), p. 229-233.

Hausherr, *Leçons* = I. Hausherr, *Les leçons d'un contemplatif. Le Traité de l'Oraison d'Évagre le Pontique*, Paris 1960.

Karo-Lietzmann = G. Karo - H. Lietzmann, *Catenarum graecarum catalogus* (*Nachrichten der K. Gesellschaft der Wissenschaften zu Göttingen*, Philol.-hist. Klasse), Göttingen 1902. Les *Catenae in Proverbia* se trouvent p. 299-310.

Lambros = Sp. P. Lambros, *Catalogue of the Greek Manuscripts on Mount Athos*, t. II, Cambridge 1900.

MAI, *NPB*, IV et VII = A. MAI, *Novae patrum bibliothecae*, t. IV. 2, Rome 1847 ; t. VII. 2, Rome 1854.

MERCATI, « Intorno ad uno scolio » = G. MERCATI, « Intorno ad uno scolio creduto di Evagrio », *Revue Biblique* 11 (1914), p. 534-542. Article repris dans *Opere minori*, t. 3 (*Studi e Testi* 78), Vatican 1937, p. 393-401.

MUYLDERMANS, *Evagriana* = J. MUYLDERMANS, *Evagriana*. Extrait de la revue *Le Muséon*, t. 42, augmenté de *Nouveaux fragments grecs inédits*, Paris 1931.

MUYLDERMANS, *Evagriana syriaca* = J. MUYLDERMANS, *Evagriana syriaca*, Textes inédits du British Museum et de la Vaticane édités et traduits (*Bibl. du Muséon* 31), Louvain 1952.

PITRA, *AS* III = J.-B. PITRA, *Analecta sacra spicilegio Solesmensi parata*, t. III, Paris 1883.

RAHLFS, *Verzeichnis* = A. RAHLFS, *Verzeichnis der griechischen Handschriften des Alten Testaments für das Septuaginta* (*Nachrichten der K. Gesellschaft der Wissenschaften zu Göttingen*, Philol.-hist. Klasse), Berlin 1914.

RICHARD, *Opera minora* = M. RICHARD, *Opera minora*, 3 vol., Turnhout-Louvain 1976 (t. I) et 1977 (t. II et III).

RICHARD, « Fragments d'Hippolyte » = M. RICHARD, « Les fragments du Commentaire de S. Hippolyte sur les Proverbes de Salomon », I, *Le Muséon* 78 (1965), p. 257-290 ; II, *ibid.* 79 (1966), p. 61-94 ; III, *ibid.* 80 (1967), p. 327-364. Articles repris sous le n° 17 dans *Opera minora*, t. I.

RICHARD, « Fragments d'Origène » = M. RICHARD, « Les fragments d'Origène sur *Prov.* XXX, 15-31 », *Épektasis. Mélanges patristiques offerts au cardinal Jean Daniélou*, Paris 1972, p. 385-394. Article repris sous le n° 23 dans *Opera minora*, t. II.

RICHARD, « Codex *Marcianus gr. 23* » = M. RICHARD, «Le commentaire du codex *Marcianus gr. 23* sur *Prov.* XXX, 15-33 », *Miscellanea Marciana di studi Bessarionei* (*Medioevo e umanesimo* 24), Padoue 1976, p. 357-370. Article repris sous le n° 84 dans *Opera minora*, t. III.

Rondeau, *Commentaires du Psautier* = M.-J. Rondeau, *Les Commentaires patristiques du Psautier (IIIe-Ve siècles)*. Vol. I : *Les travaux des Pères grecs et latins sur le Psautier. Recherches et bilan* (*Orientalia Christiana Analecta* 219), Rome 1982.

SVF = I. von Arnim, *Stoicorum Veterum Fragmenta*, 4 vol., Stuttgart 1964 (Index de M. Adler).

Tisch. = A. Fr. C. Tischendorf, *Notitia editionis codicis bibliorum Sinaitici*, Leipzig 1860 (*ex codicibus insulae Patmi*, p. 74-122).

SIGLES, ABRÉVIATIONS ET CONVENTIONS

Texte original

A *Patmiacus 270*, Xe siècle.
B *Iviron 555*, XIVe siècle.

    B : Première série de scholies (f. 249r-259v).

    BH : Scholies 294 et 300 situées au milieu du Commentaire d'Hippolyte (f. 264r-v).

    B′ : Troisième série (f. 271r-272v).

Texte de l'Épitomé de Procope

I *Iviron 379*, XIIe siècle.
K *Iviron 38*, année 1281-1282.
M *Parisinus gr. 153*, XIe-XIIe siècles.
N *Iviron 676*, XIVe siècle.

Εὐαγρίου   : Attribution explicite.
<Εὐαγρίου> : Attribution implicite.
Anon.   : Anonyme.

infra : Indication d'auteur déplacée vers le bas.
supra : Indication d'auteur déplacée vers le haut.
Hoc scholion cum scholio 19 concatenaverunt K M : Procope a réuni en un seul texte deux scholies distinctes dans le ms. de Patmos.

Chaîne vaticane

Z *Vaticanus gr. 1802*, XIIe siècle.

Tisch. : Tischendorf, édition *princeps* des *Scholies aux Proverbes*.
Rahlfs : *Septuaginta*, 8e édition, Stuttgart 1965.
Nestle : *Novum Testamentum graece*, 25e édition, Stuttgart 1963.

ΣΧΟΛΙΑ ΕΙΣ ΤΑΣ ΠΑΡΟΙΜΙΑΣ

I, 1 < Παροιμίαι Σολομῶντος υἱοῦ Δαυίδ,
ὃς ἐβασίλευσεν ἐν Ἰσραήλ >

1. Παροιμία ἐστὶν λόγος δι' αἰσθητῶν πραγμάτων σημαίνων πράγματα νοητά.

ΑΒ′. — 1-2 σημαίνων Α : σημαίνειν Β′.

PROCOPE : Καθ' ἡμᾶς δὲ λόγος δι' αἰσθητῶν πραγμάτων σημαίνων
πράγματα νοητά.

ΙΚ Μ. — Εὐαγρίου.

---

2. Βασιλεία Ἰσραὴλ ἐστιν γνῶσις πνευματικὴ τοὺς
περὶ θεοῦ καὶ ἀσωμάτων καὶ σωμάτων καὶ κρίσεως καὶ
προνοίας περιέχουσα λόγους ἢ τὴν περὶ ἠθικῆς καὶ φυσικῆς
καὶ θεολογικῆς ἀποκαλύπτουσα θεωρίαν.

ΑΒ′. — 2 θεοῦ Β′ ΙΚΜΝ Ζ : τοῦ θεοῦ Α.

PROCOPE : Βασιλεία δὲ Ἰσραὴλ γνῶσις πνευματικὴ τοὺς περὶ
θεοῦ καὶ ἀσωμάτων καὶ σωμάτων καὶ προνοίας περιέχουσα λόγους
ἢ τὴν περὶ ἠθικῆς φιλοσοφίας καὶ λογικῆς ἀποκρύπτουσα θεωρίαν.

ΙΚ ΜΝ. — Εὐαγρίου ΙΚ Εὐσεβίου Μ Anon. Ν.

N.B. — Dans ces notes nous avons à dessein multiplié les
parallèles avec le reste de l'œuvre d'Évagre, afin de convaincre
définitivement ceux qui pourraient encore douter de l'authenticité
évagrienne de ces scholies. Nous sommes cependant bien conscient
que les textes auxquels nous renvoyons ne sont pas toujours d'un
accès facile : certains sont encore inédits, d'autres dispersés dans

SCHOLIES AUX PROVERBES

I, 1 *Proverbes de Salomon, fils de David,*
        qui est devenu roi d'Israël

1. Le « proverbe » est une sentence qui désigne au moyen de réalités sensibles des réalités intelligibles.

---

2. Le « royaume d'Israël », c'est la science spirituelle qui comprend les raisons concernant Dieu, les incorporels et les corps, le jugement et la providence ou qui dévoile la contemplation portant sur la morale, la physique et la théologie.

Apparat critique de Procope. Le texte de l'*Épitomé* qui n'a pas conservé à la l. 3 la division tripartite d'Évagre est sans doute corrompu. Il faut cependant noter que la variante ἀποκρύπτουσα ne manque pas d'intérêt, car certaines chaînes donnent du mot « proverbe » la définition scolaire suivante : Παροιμία ἐστὶ λόγος ἀπόκρυφος δι' ἑτέρου προδήλου σημαινόμενος (« Le proverbe est une parole cachée exprimée au moyen d'une autre qui est évidente »).

Cf. les interprétations analogues du « royaume de Dieu » et du « royaume des cieux » dans *Pratique* 2-3 (voir A. et Cl. GUILLAUMONT, *Traité pratique*, p. 499-501) ; *KG* V, 30 ; *Pseudo-suppl.* 44 (Frankenberg, p. 460, l. 13-15) ; *Lettre sur la sainte Trinité* (Ps.-BASILE,

---

plusieurs volumes de la *Patrologie* ou dans diverses revues savantes, d'autres enfin n'existent plus qu'en version syriaque. Nous espérons seulement que la publication des autres œuvres d'Évagre que nous ont promise Antoine et Claire Guillaumont, ainsi que Marie-Josèphe Rondeau, ne se fera pas trop attendre. Pour notre part, nous travaillons actuellement à l'édition des *Scholies à l'Ecclésiaste* et *au livre de Job*.

Lettre 8, 7, l. 26-29 Courtonne ; 12, l. 10) ; schol. 20 et 21 *ad Ps.* 9, 37 ; 6 bis *ad Ps.* 134, 12 ; 5 *ad Ps.* 142, 8 ; 5 *ad Ps.* 144, 13. La science spirituelle est ici présentée soit comme la somme des cinq *logoi* principaux (cf. *KG* I, 27), soit comme la contemplation des trois

---

Ι, 2 ¹ < γνῶναι σοφίαν καὶ παιδείαν >

3. Τούτου χάριν, φησίν, « ἐβασίλευσεν ἐν Ἰσραὴλ τοῦ γνῶναι παιδείαν καὶ σοφίαν ». Καὶ σοφία μέν ἐστιν γνῶσις σωμάτων καὶ ἀσωμάτων καὶ τῆς ἐν τούτοις θεωρουμένης κρίσεως καὶ προνοίας · παιδεία δέ ἐστιν μετριοπάθεια
5 παθῶν περὶ τὸ παθητικὸν ἢ ἄλογον τῆς ψυχῆς μέρος θεωρουμένη.

AB′ v. notam. — 2 παιδείαν καὶ σοφίαν A I : σοφίαν καὶ παιδείαν B′ K Z ‖ 3 τῆς ... θεωρουμένης A : τοῖς ... θεωρουμένοις B′ ‖ 5 ἄλογον A : λογικὸν B′.

PROCOPE : Τούτου δὲ χάριν, φησίν, « ἐβασίλευσεν ἐν Ἰσραὴλ τοῦ γνῶναι παιδείαν καὶ σοφίαν ».

IK v. notam. — 2 παιδείαν καὶ σοφίαν I : σοφίαν καὶ παιδείαν K.

PROCOPE : Σοφία μέν ἐστι γνῶσις σωμάτων καὶ ἀσωμάτων καὶ τῆς ἐν αὐτοῖς θεωρουμένης κρίσεως καὶ προνοίας · παιδεία δὲ μετριότης ψυχῆς περὶ τὸ παθητικὸν ἢ ἄλογον αὐτῆς μέρος θεωρουμένη.

IK N. — <Εὐαγρίου> IK Anon. N. — 1 μέν IK : om. N ‖ 2 μετριότης N : μετριολογία IK ‖ 3 αὐτῆς ante ἢ transp. I.

Lemme biblique. Évagre cite habituellement ce verset avec l'ordre des mots suivant : παιδείαν καὶ σοφίαν (*ibid.* et schol. 202).

Apparat critique du texte original. Dans B, la scholie est divisée en deux fragments, et l'ordre des définitions est inversé, soit : Τούτου — σοφίαν καὶ παιδείαν. Καὶ παιδεία μέν ἐστι — θεωρουμένη, et plus loin : σοφία δέ ἐστι — προνοίας.

Apparat critique de Procope. Procope a rattaché les deux premières lignes à la scholie précédente. La leçon μετριότης donnée par N et par la chaîne I n'était peut-être pas la leçon primitive, car le mot

grandes étapes du progrès spirituel. A noter que les deux définitions se recoupent en partie, puisque les *logoi* relatifs à Dieu correspondent à la théologie et les quatre *logoi* restants à la physique. Sur ces grandes divisions, voir Introduction, p. 40-44.

I, 2[1]   *Pour connaître la sagesse et l'instruction*

3. Il veut dire qu'« il est devenu roi d'Israël en vue de connaître l'instruction et la sagesse ». Et « la sagesse », c'est la science des corps et des incorporels, ainsi que celle du jugement et de la providence qui s'observent en eux ; « l'instruction », c'est la modération des passions qui s'observe autour de la partie passionnée ou irrationnelle de l'âme.

μετριολογία donné par IK semble bien être une corruption de μετριοπάθεια.

Évagre rattache les infinitifs du prologue des Proverbes à ἐβασίλευσεν et non à Παροιμίαι. Le couple παιδεία — σοφία est mis en relation avec les deux premières étapes du progrès spirituel : la pratique et la contemplation naturelle. Nous retrouvons dans la définition de la sagesse les quatre *logoi* constitutifs de la *physikè*, déjà rencontrés dans la scholie précédente. Voir aussi les scholies 88 et 104, ainsi que *Pratique* 89, où il est dit que le rôle « de la sagesse est de contempler les raisons des corps et des incorporels » (trad. A. et Cl. Guillaumont). La définition de la παιδεία comme μετριοπάθεια παθῶν réapparaît dans plusieurs scholies aux Psaumes : schol. 4 *ad Ps.* 2, 12 ; 8 *ad Ps.* 49, 17 ; 5 *ad Ps.* 93, 12 ; 29 *ad Ps.* 118, 65-66. Le verbe παιδεύειν est également associé au verbe μετριοπαθεῖν dans la scholie 3 *ad Ps.* 22, 4 : « De même que la verge corrige (παιδεύει), de même la pratique apprend à modérer les passions (μετριοπαθεῖν) » (*Vaticanus 754*, f. 76ᵛ : collation M.-J. Rondeau). Pareille association semble avoir été traditionnelle : cf. CLÉMENT D'ALEXANDRIE, *Strom.* II, 39, 4-5 : « Par l'instruction, il engendre la modération des passions. » La μετριοπάθεια correspond à une maîtrise encore imparfaite des passions ; chez PHILON D'ALEXANDRIE, elle est la qualité des progressants, alors que l'ἀπάθεια est la qualité des parfaits (cf. par ex. *Legum allegoriae* III, 129 et 132). Évagre n'emploie cette notion d'origine aristotélicienne que dans la présente scholie et dans les cinq textes mentionnés ci-dessus ; on sait en effet

qu'il lui préfère habituellement la notion stoïcienne d'ἀπάθεια.
L'expression « partie passionnée ou irrationnelle de l'âme » désigne
le *thumos* et l'*épithumia* : cf. schol. 127, 230, 258, 379 ; *Pratique* 78 ;
Gnostique 2 (Frankenberg, p. 546, ch. 105) ; etc. Si l'adjectif παθητικός
semble appartenir au vocabulaire stoïcien, l'adjectif ἄλογος a plutôt
une saveur platonicienne : cf. CLÉMENT D'ALEXANDRIE, *Strom.* V,
53, 1, qui voit précisément dans le mauvais cheval de *Phèdre* 247 b
un symbole de cette « partie irrationnelle qui se divise en deux,
en *thumos* et *épithumia* ». Il faut se rappeler qu'ORIGÈNE faisait de
sérieuses réserves sur de telles conceptions de l'âme, qui, selon lui,
manquaient d'appuis scripturaires : cf. *De princ.* III, 4, 1 : « Ou bien
encore, en troisième lieu, conformément à l'opinion de certains Grecs,

---

Ι, 3 [3] **< καὶ κρίμα κατευθύνειν >**

4. Τὸ κρίμα κατευθύνειν ὀρθὸν καὶ ἀδιάστροφον εἶναι
τὸ κριτήριον δηλοῖ. Τρία δὲ κριτήρια ἐν ἡμῖν, αἴσθησις,
λόγος, νοῦς· καὶ αἴσθησις μὲν τῶν αἰσθητῶν, λόγος δὲ
ὀνομάτων καὶ ῥημάτων καὶ τῶν λεγομένων, νοῦς δὲ τῶν
5 νοητῶν.

ΑΒ'. — 2 τρία δὲ κριτήρια Α : τρίτον δὲ κριτήριον Β'.

PROCOPE : Τρία δὲ κριτήρια ἐν ἡμῖν· αἴσθησις τῶν αἰσθητῶν καὶ
λόγος τῶν λεγομένων καὶ νοῦς τῶν νοητῶν.

ΙΚ Μ. — Anon. — 1 ἐν ἡμῖν Ι Μ : παρ' ἡμῖν Κ ‖ καὶ ΙΚ :
om. M.

Toute cette scholie sur les facultés de juger s'inspire de CLÉMENT
D'ALEXANDRIE. Le début rappelle l'exégèse de *Prov.* 1, 3 donnée
en *Strom.* II, 7, 2 : « ... ' diriger leur jugement ', non pas les sentences

---

Ι, 7 [3] **< εὐσέβεια δὲ εἰς θεὸν ἀρχὴ* αἰσθήσεως >**

5. Ὥσπερ διὰ τῶν αἰσθήσεων ὁ νοῦς ἐπιβάλλει τοῖς
αἰσθητοῖς, οὕτω καὶ διὰ τῶν ἀρετῶν ἐποπτεύει τὰ νοητά·

ΑΒ'. — 1 αἰσθήσεων Β' Ζ Tisch. : αἰσθητῶν Α ‖ 2 ἀρετῶν
[ὁ supra ἀ et α supra ε add. alia manus] Α.

est-ce que notre âme, bien qu'elle soit une par sa substance, n'est pas composée de plusieurs parties, à savoir une partie dite rationnelle, et une partie irrationnelle, cette partie dite irrationnelle se divisant à son tour en deux affects, le concupiscible et l'irascible ? ... Mais la thèse qui, comme nous l'avons dit, est soutenue par certains philosophes grecs, c'est-à-dire la tripartition de l'âme, ne me paraît pas bien confirmée par l'autorité de la divine Écriture » (trad. Harl-Dorival-Le Boulluec, *Études Aug.*). En *Pratique* 89, Évagre dit tenir la doctrine de la tripartition de l'âme de son « sage maître », sans doute Grégoire de Nazianze (voir A. et Cl. GUILLAUMONT, *Traité pratique*, p. 683-684).

I, 3 [3] *Et pour rendre droit son jugement*

4. Le verset « pour rendre droit son jugement » signifie : pour que sa faculté de juger soit droite et infaillible. Il y a en nous trois facultés de juger : la sensibilité, la raison, l'intellect. La sensibilité pour ce qui est sensible, la raison pour les noms, les verbes et les éléments du discours, l'intellect pour ce qui est intelligible.

des tribunaux (τὰ δικαστικά), car il veut dire qu'on doit avoir en soi un mode de juger sain et sûr (τὸ κριτήριον τὸ ἐν ἡμῖν ὑγιὲς καὶ ἀπλανές) » (trad. Cl. Mondésert, *SC* 38) ; plusieurs termes de ce texte de Clément sont repris par Évagre dans la scholie 24 *ad Ps.* 36, 28. La suite est une citation littérale de *Strom.* II, 50, 1 (texte que Clément avait lui-même emprunté à PHILON D'ALEXANDRIE, *De congressu eruditionis gratia* 100). Les « critères naturels » (τὰ φυσικὰ κριτήρια) que sont les sens et l'intellect sont également évoqués à la fin de la *Lettre sur la sainte Trinité* (Ps.-BASILE, *Lettre* 8, 12, l. 29).

I, 7 [3] *La piété envers Dieu est le commencement de la sensibilité*

5. C'est par les sens que l'intellect perçoit ce qui est sensible; de la même façon, c'est par les vertus qu'il contemple ce qui est intelligible. Voilà pourquoi le sage

διόπερ καὶ αἰσθήσεως αὐτὰς λόγον ἐπέχειν ὁ σοφὸς Σολομὼν ἡμᾶς διδάσκει.

PROCOPE : "Ωσπερ δὲ δι' αἰσθήσεως ὁ νοῦς ἐπιβάλλει τοῖς αἰσθητοῖς, οὕτω διὰ τῶν ἀρετῶν ἐποπτεύει τὰ νοητά· διόπερ καὶ αἰσθήσεως αὐτὰς λόγον ἐπέχειν ὁ σοφὸς Σολομὼν διδάσκει.

IK M. — Εὐαγρίου. — 2-3 διόπερ — διδάσκει M : διόπερ ἐπέχουσι κατὰ Σολομῶντα λόγον αἰσθήσεως IK.

Lemme biblique. Nous avons adopté la leçon ἀρχή des codd. *Vaticanus* et *Sinaiticus*, et non la leçon ἀρετή de l'*Alexandrinus*.

I, 7 [4] **< σοφίαν δὲ καὶ παιδείαν ἀσεβεῖς ἐξουθενήσουσιν >**

6. Οἱ κτώμενοι κακίαν ἐξουθενήσουσι σοφίαν καὶ παιδείαν· λόγῳ δέ, ὡς οἶμαι, οὐδεὶς ἐξουθενεῖ σοφίαν καὶ παιδείαν.

Adest in A.

PROCOPE : Τῷ εἶναι κακοὶ ἐξουδενώσουσι σοφίαν· λόγῳ γὰρ ἴσως οὐδείς.

IK M. — Διδύμου IK <Εὐαγρίου> M. — 1 τῷ I M : τὸ K ‖ ἐξουδενώσουσι I : -δενοῦσι M -θενοῦσι K.

I, 9 **< στέφανον γὰρ χαρίτων ἕξῃ σῇ κορυφῇ**
καὶ κλοιὸν χρύσεον περὶ σῷ τραχήλῳ >

7. "Ωσπερ ἡ κορυφὴ καὶ ὁ τράχηλος δηλοῖ ἐνταῦθα τὸν νοῦν, οὕτω καὶ ὁ στέφανος καὶ ὁ κλοιὸς ἐνταῦθα σημαίνει τὴν γνῶσιν. "Αὕτη γὰρ ἡ συνήθεια τοῦ πνεύματος τοῦ ἁγίου πολλοῖς ὀνόμασιν ὀνομάζειν τὸν θεόν τε καὶ τοὺς
5 ἀγγέλους αὐτοῦ καὶ τὸν νοῦν καὶ τὴν ἀρετὴν καὶ τὴν γνῶσιν καὶ τὴν κακίαν καὶ τὴν ἀγνωσίαν καὶ αὐτὸν τὸν διάβολον καὶ τοὺς ἀγγέλους αὐτοῦ. Οὐχ ἁπλῶς δὲ τίθησι τὰ ὀνόματα, ὥς τινες οἴονται· διαφόρων γὰρ ἐνεργειῶν εἰσι γνωρίσματα,

Salomon nous apprend que les vertus jouent le rôle de
« la sensibilité ».

Les vertus jouent dans la perception des réalités intelligibles le
rôle de sens spirituels. Le verbe ἐπιβάλλειν, d'un emploi fréquent
chez Évagre, est aussi bien utilisé pour la perception sensible que
spirituelle : *Pratique* 53, 59 et 86 ; *KG* IV, 70 ; V, 57 ; VI, 55 ;
Réflexions 24 ; schol. 2 *ad Ps.* 3, 4 ; 13 *ad Ps.* 77, 31 ; 5 *ad Ps.* 141,
8 ; etc. Le verbe ἐποπτεύειν, emprunté au vocabulaire des mystères,
est plutôt réservé à la seconde : cf. *Pensées* 15 (*PG* 79, 1217 C) et
Lettre sur la sainte Trinité (Ps.-BASILE, *Lettre* 8, 11, l. 1).

I, 7 [4] *Les impies tiendront pour rien la sagesse et l'ins-*
truction

6. Ceux qui acquièrent la malice « tiendront pour rien
la sagesse et l'instruction ». Personne, je pense, n'ose dire
qu'il tient pour rien « la sagesse et l'instruction ».

I, 9 *Car tu auras une couronne de grâces sur le sommet*
de ta tête
et un collier d'or autour de ton cou

7. De même que « le sommet de la tête » et « le cou »
représentent ici l'intellect, de même la « couronne » et le
« collier » désignent ici la science. L'Esprit Saint a en
effet l'habitude d'utiliser plusieurs mots pour désigner
Dieu et ses anges, l'intellect, la vertu et la science, la
malice et l'ignorance, le diable lui-même et ses anges.
Ce n'est pas simplement, comme le croient certains, qu'il
donne ces noms ; ceux-ci sont en effet les signes distinctifs

θεοῦ τε διὰ τῶν ἀγγέλων ἐν ἡμῖν ἐνεργοῦντος καὶ ἡμῶν ἐν
10 αὐτῷ, δαιμόνων τε πρὸς ἡμᾶς καὶ ἡμῶν πρὸς αὐτούς.

A. — 9-10 τε ... τε A : δὲ ... δὲ Tisch. || 9 verba iterata ἐν ἡμῖν
erasit A.

PROCOPE : Ἤγουν ὡς κεφαλὴ καὶ τράχηλος τὸν νοῦν δηλοῦσιν,
οὕτω κλοιός τε καὶ στέφανος τὴν γνῶσιν. Πολλοῖς γὰρ ὀνόμασιν
ὀνομάζει τὸ θεῖον πνεῦμα τὰ πράγματα τὰς διαφόρους αὐτῶν ἐνεργείας
σημαίνουσι.

IK M. — Διδύμου I Εὐαγρίου supra K Εὐσεβίου M.
— 1 ἤγουν ὡς IK : ὥσπερ δὲ M || 2 γνῶσιν hic des. M || 3 τὰς ...
αὐτῶν I : om. K || 4 σημαίνουσι K : σημαίνουσα I.

Les différentes parties du corps sont habituellement considérées
comme des métaphores de l'âme ou de l'intellect (cf. schol. 34 et
317), la couronne et les objets précieux comme des symboles de la
science (cf. schol. 44 ; KG I, 75 ; etc.). On rapprochera le début de

---

I, 13   < τὴν κτῆσιν αὐτοῦ τὴν πολυτελῆ καταλαβώμεθα ·
πλήσωμεν δὲ οἴκους ἡμετέρους σκύλων >

8. Ἡ κτῆσις τοῦ δικαίου ἐστὶν σοφία καὶ σύνεσις καὶ
φρόνησις · « κτῆσαι γάρ, φησί, σοφίαν καὶ κτῆσαι σύνεσιν [a] »
καὶ « ὁ κτώμενος φρόνησιν ἀγαπᾷ ἑαυτόν [b] ». Καταλαμβάνονται δὲ τὴν κτῆσιν ταύτην οἱ ἀσεβεῖς, πείθοντες τὸν
5 δίκαιον ποιῆσαί τι τῶν ἀπηγορευμένων παρὰ θεῷ, ἵνα
τυφλωθεὶς ὑπὸ τῆς ἁμαρτίας ὁ νοῦς ἐκπέσῃ τῶν ἁγίων τούτων
κτημάτων.

a. Prov. 4, 5   b. Prov. 19, 8

A. — 1 κτῆσις A p. corr. : κτίσις A a. corr. || 6 τυφλωθεὶς
IK Z Tisch. : -θῆς A.

PROCOPE : Ἄλλως δὲ κτῆσις τοῦ δικαίου σοφία καὶ σύνεσις καὶ

IK MN. — Εὐαγρίου I Εὐαγρίου supra K Εὐσεβίου M
Anon. N. — 1 Ἄλλως δὲ IK M : ἢ N || καὶ[1] IK M : om. N ||
1-2 σύνεσις καὶ φρόνησις I : φρόνησις καὶ σύνεσις K MN.

de diverses actions : l'action que Dieu exerce sur nous par
les anges et celle que nous exerçons sur lui, l'action que
les démons exercent contre nous et celle que nous exerçons
contre eux.

cette scholie de la scholie 10 *ad Ps.* 7, 17 : « Le sommet de la tête
désigne maintenant l'intellect, puisque, selon Salomon, la couronne
de grâces, qui est la sagesse, est posée sur le sommet de la tête »
(*Vaticanus 754*, f. 47ᵛ : collation M.-J. Rondeau). Évagre se montre
sensible au mode d'expression propre de l'Écriture, ce qu'il appelle
ici sa συνήθεια : celle-ci désigne sous une multiplicité de termes
des réalités identiques et s'exprime de façon figurée (cf. οὐχ ἁπλῶς
et γνωρίσματα). Sur cette habitude de l'Écriture (συνήθεια ou
ἔθος), voir : schol. 99 et 341 ; schol. 4 *ad Ps.* 15, 9 ; 5 *ad Ps.* 64, 10 ;
7 *ad Ps.* 83, 12 ; 2 *ad Ps.* 93, 5 ; 64 *ad Ps.* 118, 143 ; 5 *ad Ps.* 142, 8 ;
dans le ch. 19 du *Gnostique*, Évagre recommande « de connaître
l'habitude des livres divins et de l'établir, dans la mesure du possible,
par des exemples » (Frankenberg, p. 548, ch. 121).

I, 13   *Emparons-nous de l'acquisition précieuse (du juste)*
et emplissons nos maisons de ses dépouilles

8. « L'acquisition » du juste, c'est la sagesse, l'intelligence et la prudence. Car il est dit : « Acquiers la sagesse
et acquiers l'intelligence [a] », et aussi : « Celui qui acquiert
la prudence s'aime lui-même [b]. » Les impies « s'emparent
de cette acquisition » quand ils amènent le juste à commettre quelque action répréhensible aux yeux de Dieu,
afin qu'aveuglé par le péché son intellect soit privé de ces
saintes acquisitions.

En rapprochant *Prov.* 4, 5 et *Prov.* 19, 8, qui ont en commun
avec le verset commenté l'idée d'acquisition, Évagre obtient un
groupe de trois vertus : la sagesse, l'intelligence et la prudence,
qu'il considère comme les vertus propres de la partie rationnelle
de l'âme ; cf. *Pratique* 89 : « ... Quand la vertu est dans la partie
rationnelle elle s'appelle prudence, intelligence et sagesse... Le rôle
de la prudence est de diriger les opérations contre les puissances

φρόνησις · «κτῆσαι γάρ, φησί, σοφίαν καὶ κτῆσαι σύνεσιν [a]» καὶ
«ὁ κτώμενος φρόνησιν ἀγαπᾷ ἑαυτόν [b]». Καταλαμβάνονται δὲ τὴν
κτῆσιν ταύτην οἱ ἀσεβεῖς, πείθοντες τὸν δίκαιον ποιῆσαί τι τῶν
5 ἀπηγορευμένων παρὰ θεῷ, ἵνα τυφλωθεὶς ὑπὸ τῆς ἁμαρτίας ὁ νοῦς
ἐκπέσῃ τῶν ἁγίων τούτων κτημάτων.

2-3 κτῆσαι[1] — ἑαυτόν ΙΚ : om. ΜΝ ‖ 2 φησί σοφίαν Ι : σοφίαν
φησί Κ ‖ 3 φρόνησιν Κ : σοφίαν [γράφεται καὶ φρόνησιν in
mg.] Ι ‖ 3-4 τὴν κτῆσιν ΙΚ Μ : om. Ν ‖ 5 τυφλωθεὶς ΙΚ : -θῇς
Μ σκοτισθεὶς Ν ‖ 6 ἐκπέσῃ ΙΚ Μ : -σοι Ν.

9. Τούτους σκυλεύουσιν οὓς νικῶσιν οἱ δαίμονες, λαμβάνοντες ἀπ' αὐτῶν τὴν τοῦ θεοῦ πανοπλίαν, τὴν περικεφαλαίαν καὶ τὸν θώρακα καὶ τὴν μάχαιραν τοῦ πνεύματος,
ὅ ἐστι ῥῆμα θεοῦ [a].

a. Cf. Éphés. 6, 11-17
Adest in A.

Procope : Σκυλεύουσιν οὓς νικῶσιν οἱ δαίμονες, λαμβάνοντες
ἀπ' αὐτῶν τὴν τοῦ θεοῦ πανοπλίαν, τὴν περικεφαλαίαν καὶ τὸν θώρακα
καὶ τὴν μάχαιραν τοῦ πνεύματος, ὅ ἐστι ῥῆμα θεοῦ [a].

ΙΚ ΜΝ. — Εὐσεβίου Μ Anon. ΙΚ Ν. — 1 νικῶσιν ΙΚ Ν :
νικῶς Μ ‖ δαίμονες hic des. Ν.

Ι, 14[1-2] < τὸν δὲ σὸν κλῆρον βάλε ἐν ἡμῖν ·
κοινὸν δὲ βαλλάντιον κτησώμεθα πάντες >

10. Οὗτοι συγκληρονόμοι τῶν ἀντικειμένων εἰσὶν οἱ
τῆς αὐτῆς αὐτοῖς κακίας μεταλαμβάνοντες. Κοινὸν δέ ἐστιν
ὃ μὴ τοῦ ἑνός ἐστι θεοῦ.

Α. — 2 μεταλαμβάνοντες Ζ : ἀντιλαμβάνοντες Α.

Procope : Οὗτοι συγκληρονόμοι τῶν ἀντικειμένων εἰσὶ καὶ τῆς

ΙΚ ΜΝ. — Εὐαγρίου Ι Εὐσεβίου Μ Anon. Κ Ν. — 1-2
τῶν ἀντικειμένων Ι Μ : om. Κ post μεταλαβόντες [μετέχοντες
ΙΚ Μ] transp. Ν ‖ 1 εἰσὶ Ι ΜΝ : τυγχάνουσι Κ.

adverses, protégeant les vertus, faisant front contre les vices, réglant ce qui est neutre selon les circonstances ; celui de l'intelligence est d'organiser harmonieusement tout ce qui contribue à nous faire atteindre notre but ; celui de la sagesse est de contempler les raisons des corps et des incorporels » (trad. A. et Cl. Guillaumont). L'expression ποιῆσαί τι τῶν ἀπηγορευμένων παρὰ θεῷ se retrouve dans *KG* VI, 52 (texte grec dans Hausherr, « Nouveaux fragments », p. 231). Pour indiquer que les péchés et les mauvaises pensées mettent fin à l'activité contemplative de l'intellect, Évagre a recours aux verbes τυφλοῦν et σκοτίζειν; cf. fin similaire de *Pratique* 24 : «... pour que l'intellect soit obscurci (σκοτισθείς) et déchoie de la science, devenant traître aux vertus » (trad. A. et Cl. Guillaumont).

---

9. Les démons « dépouillent » ceux qu'ils vainquent en leur prenant « l'armure de Dieu, le casque, la cuirasse et le glaive de l'Esprit, qui est la parole de Dieu [a] ».

Cf. l'interprétation des différents éléments de l'armure du chrétien dans *KG* V, 28, 31 et 34.

I, 14 [1-2] *Ta part d'héritage, mets-la chez nous et faisons tous bourse commune*

10. Ceux-là sont cohéritiers des adversaires qui partagent la même malice qu'eux. Est « commun » ce qui ne vient pas du Dieu unique.

La malice et l'ignorance sont considérées comme l'héritage des démons, la vertu et la science comme l'héritage des saints ; cf. schol. 40 et 288 ; schol. 3 *ad Ps.* 2, 8 ; 5 *ad Ps.* 60, 6 ; etc. A noter que le terme συγκληρόνομος est paulinien : *Rom.* 8, 17 ; *Éphés.* 3, 6 ; *Hébr.* 11, 9. La définition du mot κοινός est reprise dans la scholie 224.

αὐτῆς αὐτοῖς κακίας μετέχοντες. Κοινὸν δέ ἐστιν ὃ μὴ τοῦτο ἐκτήσαντο ἐκ θεοῦ.

2 αὐτοῖς ΙΚ Μ : om. Ν ‖ μετέχοντες ΙΚ Μ : μεταλαβόντες Ν ‖ 2-3 Κοινὸν — θεοῦ ΙΚ Μ : om. Ν.

I, 17   < οὐ γὰρ ἀδίκως ἐκτείνεται δίκτυα πτερωτοῖς >

11. Δίκτυόν ἐστιν κόλασις αἰώνιος [a] παρὰ τοῦ δικαίου κριτοῦ [b] ταῖς ἀκαθάρτοις προσαγομένη ψυχαῖς ἐπ᾽ ἀπωλείᾳ τῶν κακῶς ἀπ᾽ αὐτῶν ἐκφύντων πτερῶν.

a. Cf. Matth. 25, 46   b. Cf. II Tim. 4, 8
Adest in A.

PROCOPE : Δίκτυον δέ ἐστιν κόλασις αἰώνιος [a] παρὰ τοῦ δικαίου κριτοῦ [b] ταῖς ἀκαθάρτοις προσαγομένη ψυχαῖς ἐπ᾽ ἀπωλείᾳ τῶν κακῶς ἐκφύντων πτερῶν.

ΙΚ ΜΝ. — Εὐαγρίου Ι Εὐσεβίου Μ Anon. Κ Ν. — 1-2 Δίκτυον — κριτοῦ ΙΚ Μ : δίκτυον ἡ αἰώνιος κόλασίς ἐστι παρὰ τοῦ θεοῦ Ν ‖ 2 προσαγομένη ψυχαῖς ΙΚ Μ : ψυχαῖς προσαγομένη Ν.

I, 20   < σοφία ἐν ἐξόδοις ὑμνεῖται ·
          ἐν δὲ πλατείαις παρρησίαν ἄγει ·
21   ἐπ᾽ ἄκρων δὲ τειχέων κηρύσσεται ·
          ἐπὶ δὲ πύλαις δυναστῶν παρεδρεύει >

12. Ἔξοδον νῦν ὀνομάζει τὴν ἐξελθοῦσαν ψυχὴν ἀπὸ κακίας καὶ ἀγνωσίας. Τοιαύτη δὲ καὶ ἡ ἔξοδος τῶν υἱῶν Ἰσραὴλ ἡ μετὰ τὴν ἐκ τῆς κρίσεως τοῦ θεοῦ καὶ διδασκαλίας γένεσιν γεγονυῖα. Τὴν αὐτὴν δὲ ψυχὴν καὶ πλατεῖαν λέγει ·
5 « πλάτυνον γάρ, φησίν, τὸ στόμα σου καὶ πληρώσω αὐτὸ [a] » καὶ « πλατύνθητε δὴ καὶ ὑμεῖς [b] » ἐν τῇ πρὸς Κορινθίους ὁ Παῦλος. Καὶ ὑπὸ μὲν τῆς οὕτως ἐξερχομένης ψυχῆς

a. Ps. 80, 11   b. II Cor. 6, 13
AB v. notam. — 1-11 Ἔξοδον — τείχους Α : om. Β.

I, 17 *Car il n'est pas injuste de tendre des filets à la gent ailée*

11. Le « filet », c'est « le châtiment éternel [a] » infligé par « le juste juge [b] » aux âmes impures, afin qu'elles perdent les ailes qui ont mal poussé.

Les écrivains chrétiens ont repris et adapté le thème platonicien du vol de l'âme ; certains ont comparé le diable à un oiseleur cherchant à abattre et à capturer l'âme qui s'élève vers les hauteurs sur les ailes de la vertu (voir P. COURCELLE, « Tradition néo-platonicienne et tradition chrétienne du vol de l'âme », *Annuaire du Collège de France 1963*, p. 376-388, et *1964*, p. 392-404). Ici, Évagre inverse tous les symboles : l'oiseleur est le Christ ; les ailes ne sont pas les ailes de la vertu, mais celles de la malice ; et enfin, la perte des ailes n'est plus négative, mais positive, puisqu'elle marque la destruction totale de la malice (sur cette destruction opérée par le jugement dernier, voir Introduction, p. 49-50). Même interprétation eschatologique du mot ἀμφίβληστρον dans la première partie de la scholie 5 *ad Ps.* 140, 10.

I, 20 *La sagesse est célébrée aux sorties,*
elle marche avec assurance sur les larges places,
21 *elle est proclamée au sommet des remparts,*
elle siège aux portes des princes

12. Maintenant il nomme « sortie » l'âme qui est sortie de la malice et de l'ignorance. Telle fut aussi la sortie des fils d'Israël qui s'est produite après la création qui a résulté du jugement et de l'enseignement de Dieu. Cette même âme est également appelée « large place », car l'Écriture dit : « Ouvre large ta bouche, et je l'emplirai [a] », et Paul écrit dans l'Épître aux Corinthiens : « Ouvrez donc large, vous aussi [b]. » C'est par l'âme qui effectue semblable sortie

ὑμνεῖται ἡ σοφία · ἐν δὲ τῇ πλατυνομένῃ διὰ τῶν ἀρετῶν
παρρησίαν ἄγει. "Ακρον δὲ τεῖχος αὐτῆς τὴν ἄκραν ἀπάθειαν
10 λέγει, εἴπερ « οἱ ἀγαπῶντες τὸν νόμον περιβάλλουσιν
ἑαυτοῖς τεῖχος ᶜ », ὑπὲρ οὗ τείχους εὔχεται καὶ ὁ Δαυὶδ
λέγων · « οἰκοδομηθήτω τὰ τείχη Ἰερουσαλήμ ᵈ », τουτέστιν τῆς τοιᾶσδε ψυχῆς τὰ καταπεπτωκότα δηλονότι ἐκ
τῆς τοῦ Οὐρίου προφάσεως ᵉ. Πύλας δὲ δυναστῶν τὰς
15 ἀρετὰς τῶν σοφῶν λέγει · « ἀνοίξατε γάρ μοι, φησίν,
πύλας δικαιοσύνης ᶠ » καὶ «οἱ δυνάσται θυμώδεις εἰσίν ·
οἶνον μὴ πινέτωσαν, ἵνα μὴ πιόντες ἐπιλάθωνται τῆς σοφίας
καὶ ὀρθὰ κρίνειν οὐ μὴ δύνωνται τοὺς ἀσθενεῖς ᵍ ».

c. Prov. 28, 4   d. Ps. 50, 20   e. Cf. II Sam. 11
f. Ps. 117, 19   g. Prov. 31, 4-5

9 ἄκραν IKMN Z Tisch. : μακρὰν A ‖ 11 εὔχεται hic inc. B ‖
καὶ A : om. B ‖ 13 post καταπεπτωκότα add. τείχη B ‖ δηλονότι A : om. B ‖ 14 προφάσεως hic des. B.

Procope : Ἔξοδοι δὲ ἄλλως αἱ ἐκτὸς τῆς κακίας ὁδοὶ ἐν αἷς
ὑμνεῖται σοφία. Ἔξω γοῦν τῶν ὅρων τῆς κακίας οἱ ἐξ Ἰσραὴλ γεγονότες ἦσαν τῆς σοφίας τὰ ᾄσματα. Τὴν δὲ τοιαύτην ψυχὴν καὶ πλατεῖαν
καλεῖ · « πλάτυνον γάρ, φησί, τὸ στόμα σου καὶ πληρώσω αὐτό ᵃ » ·
5 καὶ Κορινθίοις εἴρηται · « πλατύνθητε καὶ ὑμεῖς ᵇ.» Καὶ ὑπὸ μὲν τῆς
οὕτως ἐξερχομένης ψυχῆς ὑμνεῖται ἡ σοφία · ἐν δὲ τῇ πλατυνομένῃ
διὰ τῶν ἀρετῶν παρρησίαν ἄγει.

IK MN. — Διδύμου-Εὐαγρίου I Anon. K MN. — 1 δὲ
ἄλλως K M : δὲ ἄλλος φησὶν I om. N ‖ 2-3 οἱ ἐξ Ἰσραὴλ
γεγονότες IK : γεγονότες οἱ ἐξ Ἰσραὴλ M οἱ γενόμενοι
Ἰσραὴλ N ‖ 4 φησί MN : om. IK ‖ 5 καὶ — ὑμεῖς IK M :
om. N ‖ Καὶ ὑπὸ μὲν IK M : ὑπὸ μὲν οὖν N ‖ 6 ἐξερχομένης I
p. corr. M : ἐξαρχομένης K N.

Procope : Ἢ καὶ ἄλλως τεῖχος λέγει τὴν ἄκραν ἀπάθειαν, εἴπερ
« οἱ ἀγαπῶντες τὸν νόμον περιβάλλουσιν ἑαυτοῖς τεῖχος ᶜ », περὶ οὗ
τὸ « οἰκοδομηθήτω τὰ τείχη Ἰερουσαλήμ ᵈ », τῆς τοιᾶσδε λέγων
ψυχῆς τὰ καταπεπτωκότα ἐκ τῆς τοῦ Οὐρίου προφάσεως ᵉ.

IK MN. — Εὐαγρίου I Εὐσεβίου M Anon. K N. — 1 καὶ
ἄλλως IK M : om. N ‖ 2 τεῖχος hic des. N ‖ 3 Ἰερουσαλήμ
hic des. M ‖ τοιᾶσδε K : τοιάσδε I.

que « la sagesse est célébrée » ; c'est dans celle qui a été élargie par les vertus qu'« elle marche avec assurance ». Il appelle « sommet de son rempart » le sommet de l'impassibilité, puisque « ceux qui aiment la loi s'entourent d'un rempart c » ; c'est pour ce rempart que David aussi fait cette prière : « Que soient reconstruits les remparts de Jérusalem d » ; il s'agit évidemment des remparts de cette si grande âme, qui sont tombés à cause de la femme d'Urie e. Il appelle « portes des princes » les vertus des sages, car il est dit : « Ouvrez-moi les portes de la justice f », et encore : « Les princes sont irascibles. Qu'ils ne boivent pas de vin, de peur qu'après avoir bu ils n'oublient la sagesse et ne puissent juger correctement les faibles g. »

Apparat critique du texte original. Dans B, la première série de scholies aux Proverbes commence par la fin de cette scholie 12 (voir Introduction, p. 63).

Lignes 1-4. Cf. schol. 99 ; schol. 2 *ad Ps.* 120, 8 ; fin de *KG* VI, 64 : « ... par la sortie sensible des fils d'Israël il nous a montré la sortie hors de la malice et de l'ignorance » (trad. A. Guillaumont). Évagre interprète symboliquement, à la suite d'Origène, l'Exode et la conquête de la Terre promise ; cf. entre autres textes *KG* VI, 49 : « L'Égypte signifie la malice, le désert la *praktikè*, la terre de Juda la contemplation des corps, Jérusalem celle des incorporels, et Sion est le symbole de la Trinité » (trad. Guillaumont).

Lignes 4-9. Ce thème de l'élargissement du cœur apparaît en de nombreux endroits de l'œuvre d'Évagre : schol. 184 et 247 ; schol. 2 *ad Ps.* 4, 2 ; 19 *ad Ps.* 17, 37 ; 5 *ad Ps.* 80, 11 ; 14 *ad Ps.* 118, 32 ; 42 *ad Ps.* 118, 96 ; *Moines* 135.

Lignes 9-14. Le mur est toujours considéré comme un symbole de l'*apatheia* : schol. 293 et 343 ; schol. 14 *ad Ps.* 30, 22 ; 6 *ad Ps.* 50, 20 ; *KG* V, 82. Le psaume 50, comme l'indique son titre, a été prononcé par David après son adultère avec Bethsabée, la femme d'Urie , Évagre considère qu'au v. 20 de ce psaume, David demande à Dieu de reconstruire les murailles de l'impassibilité qu'il a par cet adultère laissé s'écrouler. Cette exégèse, simplement suggérée ici, est explicitement exposée dans les deux scholies aux Psaumes mentionnées ci-dessus.

PROCOPE : Ταῖς ἀρεταῖς τῶν σοφῶν · «ἀνοίξατε γάρ μοι, φησίν, πύλας δικαιοσύνης ᶠ» καὶ «οἱ δυνάσται θυμώδεις εἰσίν · οἶνον μὴ πινέτωσαν, ἵνα μὴ πιόντες ἐπιλάθωνται τῆς σοφίας καὶ ὀρθὰ κρίνειν οὐ μὴ δύνωνται τοὺς ἀσθενεῖς ᵍ».

IK MN. — <Εὐαγρίου> I <Εὐσεβίου> M Anon. K N.
— 2 δικαιοσύνης hic des. N ‖ 3 πινέτωσαν I M : πιέτωσαν K.

I, 26 < τοιγαροῦν κἀγὼ τῇ ὑμετέρᾳ ἀπωλείᾳ ἐπιγελάσομαι ·
καταχαροῦμαι δέ, ἡνίκα ἂν ἔρχηται ὑμῖν ὄλεθρος >

13. Πῶς οὖν ἔμπροσθέν φησιν ὁ Σολομών · «ὁ δὲ ἐπιχαίρων ἀπολλυμένῳ οὐκ ἀθῳωθήσεται ᵃ»; Ἢ τάχα οὕτως χαίρει ἡ σοφία ὡς ἐχάρη ἐπὶ τῇ ἀπωλείᾳ Ματθαίου τοῦ τελώνου ᵇ καὶ ἐπὶ τῇ τοῦ λῃστοῦ ἀπωλείᾳ τοῦ πιστεύ-
5 σαντος τῷ Χριστῷ ᶜ. Τοῦ μὲν γὰρ τὸν λῃστὴν ἡ σοφία, τοῦ δὲ τὸν τελώνην ἀπώλεσεν.

a. Prov. 17, 5   b. Cf. Matth. 9, 9   c. Cf. Lc 23, 42-43
A. — 1 ὁ¹ Z : om. A.

PROCOPE : Τάχα δὲ καὶ χαίρει ἡ σοφία ἐπ' ἀπωλείᾳ, καθάπερ ἀπολέσασα τοῦ μὲν Ματθαίου τὸν τελώνην ᵇ, τοῦ δὲ ἐν τῷ σταυρῷ τὸν λῃστήν ᶜ. Ὁ μὲν γὰρ καθ' ὃ λῃστής, ὁ δὲ καθ' ὃ τελώνης ἀπώλετο.

IK MN. — 1-3 (Τάχα — λῃστήν) Διδύμου I   3 Ὠριγένους
IK Anon. MN. — 1 Τάχα — ἀπωλείᾳ IK M : om. N ‖ δὲ
καὶ IK : om. M ‖ 1-3 καθάπερ — λῃστήν IK M : καθάπερ
ἐπὶ τοῦ Ματθαίου καὶ τοῦ λῃστοῦ N ‖ 3 Ὁ μὲν — ἀπώλετο
IK M : om. N.

I, 27 ¹⁻³ < καὶ ὡς ἂν ἀφίκηται ὑμῖν ἄφνω θόρυβος,
ἡ δὲ καταστροφὴ ὁμοίως καταιγίδι παρῇ
ἢ ὅταν ἔρχηται ὑμῖν θλῖψις καὶ πολιορκία >

14. Πολιορκία ἐστὶν διδασκαλία ἠθικὴ τὴν κακῶς οἰκοδομηθεῖσαν ψυχὴν καταστρέφουσα.

Adest in A.

Lignes 14-16. Les portes sont les vertus qui ouvrent sur la science : schol. 267 ; schol. 4 *ad Ps.* 23, 7-8 ; 1 *ad Ps.* 99, 4 ; 4 *ad Ps.* 117, 19 ; *KG* V, 77.

I, 26 *Ainsi donc, moi aussi, je rirai de votre perte*
et je me réjouirai à vos dépens, quand la ruine
viendra sur vous

13. Comment donc Salomon peut-il dire plus loin : « Celui qui se réjouit de la perte d'un homme ne restera pas impuni [a] » ? A moins que la Sagesse ne se réjouisse comme elle s'est réjouie de la perte de Matthieu le publicain [b] et de celle du larron qui a cru au Christ [c], car elle a causé la perte de ce qu'il y avait de larron en l'un et de publicain en l'autre.

Pour résoudre la contradiction qui existe entre les deux textes scripturaires, Évagre détourne le mot ἀπώλεια de son sens péjoratif habituel. La « perte » qui est évoquée ici devient une perte salutaire, puisqu'elle marque la disparition du mal et de l'ignorance (cf. schol. 6 *ad Ps.* 82, 18 : « Cette perte désigne la destruction de la malice et de l'ignorance » ; ou encore schol. 355 : « ... Maintenant la perte désigne la disparition de l'impiété... »). C'est en ce sens que l'on peut dire que le Christ a perdu Matthieu et le bon larron, ou encore Paul le persécuteur : cf. schol. 355 et schol. 5 *ad Ps.* 17, 8-9.

I, 27 [1-3] *Et quand soudain l'épouvante s'abat sur vous,*
quand la destruction est là, pareille à l'ouragan,
ou quand viennent sur vous la tribulation et le
siège

14. Le « siège » est l'enseignement moral qui « détruit » l'âme mal construite.

108   PROVERBES 1, 27.30.32

PROCOPE : Καὶ ἄλλως. Πολιορκία ἐστὶ διδασκαλία ἠθικὴ τὴν κακῶς οἰκοδομηθεῖσαν ψυχὴν καταστρέφουσα.

IK MN. — Εὐαγρίου K Εὐαγρίου infra I Εὐσεβίου M Anon N. — 1 Καὶ ἄλλως IK M : om. N ‖ διδασκαλία K MN : om. I.

Ι, 30 [1] < οὐδὲ ἤθελον ἐμαῖς προσέχειν βουλαῖς >

15. Εἰ ἐφ' ἡμῖν ἐστιν τὸ θέλειν προσέχειν ταῖς τῆς σοφίας βουλαῖς καὶ μὴ θέλειν προσέχειν, γεγόναμεν αὐτεξούσιοι. Ὅμοιον τούτῳ ἐστὶν καὶ τὸ « ἐὰν θέλητε καὶ εἰσακούσητέ μου, τὰ ἀγαθὰ τῆς γῆς φάγεσθε · ἐὰν δὲ μὴ
5 θέλητε μηδὲ εἰσακούσητέ μου, μάχαιρα ὑμᾶς κατέδεται · τὸ γὰρ στόμα κυρίου ἐλάλησε ταῦτα [a] ».

a. Is. 1, 19-20

A. — 1 ἡμῖν IKM Z : ἡμῶν A.

PROCOPE : Εἰ ἐφ' ἡμῖν τὸ θέλειν ἢ μὴ θέλειν, αὐτεξούσιοι ἄρα γεγόναμεν, ὁποῖον καὶ τὸ « ἐὰν θέλητε καὶ εἰσακούσητέ μου, τὰ ἀγαθὰ γῆς φάγεσθε [a] ».

IK M. — Εὐαγρίου I Anon. K M. — 1 ἢ IK : καὶ M ‖ ἄρα K : ἄρα M om. I.

Ι, 32 [1] < ἀνθ' ὧν γὰρ ἠδίκουν νηπίους, φονευθήσονται >

16. Ὥσπερ τὰ νήπια μεταξὺ δικαίων καὶ ἀδίκων ἐστίν, οὕτως καὶ πάντες οἱ ἄνθρωποι μεταξὺ ἀγγέλων τε καὶ δαιμόνων εἰσίν, μήτε δαίμονες ὄντες, μήτε ἄγγελοι χρηματίζοντες μέχρι τῆς συντελείας τοῦ αἰῶνος [a].

a. Cf. Matth. 28, 20

AB. — 2 οἱ A : om. B ‖ τε B Z : om. A.

Les hommes occupent dans la hiérarchie des êtres créés lors de la seconde création une place intermédiaire entre les anges et les

Cette διδασκαλία, qui est l'apanage des gnostiques et des anges, est qualifiée d'ἀγαθή dans la scholie 134, ou encore de πνευματική dans les scholies 240, 340 et de très nombreuses scholies aux Psaumes. Elle a pour but de séparer les pécheurs de la malice et de l'ignorance et de les ramener à la vertu et à la science.

I, 30 [1] *Et ils ne voulaient pas prêter attention à mes conseils*

15. S'il dépend de nous de « vouloir prêter attention aux conseils » de la sagesse ou de ne pas « vouloir », nous disposons d'un libre arbitre. A ce texte s'accorde aussi celui-ci : « Si vous voulez bien et si vous m'écoutez, vous mangerez les bons produits de la terre. Mais si vous ne voulez pas et ne m'écoutez pas, une épée vous dévorera. La bouche du Seigneur a dit ces paroles [a]. »

Ἐφ' ἡμῖν : terminologie stoïcienne reprise en schol. 43 ; schol. 3 *ad Ps.* 43, 4 ; *Pratique* 6. Le texte d'*Isaïe*, également cité dans la scholie 4 *ad Ps.* 68, 5, faisait partie d'un dossier scripturaire composé par Origène pour soutenir l'existence du libre arbitre (*De princ.* III, 1, 6). Autre mention du libre arbitre dans les scholies 186 et 217.

I, 32 [1] *Car, parce qu'ils maltraitaient les petits enfants, ils seront mis à mort*

16. De même que « les petits enfants » sont placés entre ceux qui sont justes et ceux qui ne le sont pas, de même tous les hommes sont placés entre les anges et les démons, sans être des démons ni avoir le nom d'anges, jusqu'à la consommation de ce siècle [a].

démons ; dans le siècle à venir, certains d'entre eux deviendront des anges, d'autres retourneront à l'état démoniaque. Cette scholie

est à rapprocher de *K G* IV, 13 : « Ceux qui ont participé à la chair
et au sang sont les enfants ; or quiconque est jeune n'est ni bon ni
mauvais. C'est à bon droit qu'on dit que les hommes sont inter-

---

1, 33 < ὁ δὲ ἐμοῦ ἀκούων κατασκηνώσει ἐν ἐλπίδι
καὶ ἡσυχάσει ἀφόβως ἀπὸ παντὸς κακοῦ >

17. Ὁ ἀπαθὴς ἡσυχάζει ἀφόβως ἀπὸ παντὸς κακοῦ
λογισμοῦ.

Adest in AB.

PROCOPE (?) : [Τὸ γενικὸν ἔφη κακόν, ἀλλ' οὐ μόνην τὴν τιμωρίαν.
Εἰ δὲ καὶ αὔταρκες τῷ φοβουμένῳ τὸν κύριον] τὸ ἀτάραχον ἀπὸ
λογισμῶν, [ἀλλὰ καὶ τὴν ἐλπίδα σχήσει τοῦ μέλλοντος αἰῶνος.]

IK MN. — Anon. — 1 Τὸ — τιμωρίαν IK M : om. N ‖
2-3 ἀπὸ λογισμῶν IK : τῶν λογισμῶν MN.

2, 1 < υἱέ, ἐὰν δεξάμενος ῥῆσιν ἐμῆς ἐντολῆς κρύψῃς
παρὰ σεαυτῷ,
2 ¹ ὑπακούσεται σοφίας τὸ οὖς σου >

18. Οὗτος κρύπτει τὴν ἐντολὴν τοῦ θεοῦ ὁ ποιῶν αὐτήν,
εἴπερ καὶ οἱ δαίμονες ἐκ τοῦ μὴ συγχωρεῖν αὐτὴν ποιεῖν
ἡμᾶς ἀρπάζειν ª λέγονται.

a. Cf. Matth. 13, 19

Adest in AB.

PROCOPE : Οὗτος γὰρ κρύπτει τὴν ἐντολὴν τοῦ θεοῦ ὁ ποιῶν αὐτήν.

N. — Anon.

Le verbe ἀρπάζειν renvoie à la parabole du semeur. Évagre voit
dans les oiseaux qui mangent le grain semé au bord du chemin une
allusion aux démons qui s'emparent des commandements qui n'ont
pas été enfouis assez profondément dans le cœur. Cette exégèse se
retrouve dans la *Lettre* 41 : « Mais il n'y a pas de moisson sans semailles

médiaires entre les anges et les démons » (trad. A. Guillaumont).
Les hommes, qui ne sont « adultes » ni dans le bien ni dans le mal,
sont encore comparés à des enfants en *KG* III, 76 et IV, 15.

I, 33 *Celui qui m'écoute reposera dans l'espérance*
   et vivra dans la tranquillité sans craindre aucun mal

17. L'impassible « vit dans la tranquillité sans craindre »
aucune mauvaise pensée.

Ici il ne s'agit pas de l'*hésychia* procurée par l'anachorèse, telle
qu'Évagre la définit dans les *Bases de la vie monastique*, mais de
la tranquillité intérieure donnée par l'*apatheia* : cf. l'expression
διαμένων ἥσυχος de *Pratique* 64, ainsi que la définition de la scholie
141 (ἡσυχία ἐστὶν ἀποχὴ κακίας).

2, 1 *Mon fils, si tu reçois la parole de mon commande-*
     ment et que tu la caches en toi,
 2¹ *ton oreille sera attentive à la sagesse*

18. Il « cache le commandement » de Dieu, celui qui le
met en pratique, puisqu'il est dit que les démons s'en
emparent [a] en ne nous laissant pas le mettre en pratique.

et il n'est pas possible de semer si nous ne déracinons pas d'abord
les chardons (cf. *Matth.* 13, 7) et ne cachons pas la semence pour la
protéger des oiseaux qui la ravissent (cf. *Matth.* 13, 4 et 19). Si ceux
qui ravissent la semence sont appelés ravisseurs, parce qu'il nous
empêchent de pratiquer la justice, ceux qui recouvrent la semence
en pratiquant la vertu seront à juste titre appelés enfouisseurs »
(Frankenberg, p. 594, l. 10-13) ; et aussi dans la scholie 6 *ad Ps.* 118,
11, dont la fin est très proche de notre texte : « ... Celui-là donc
cache le commandement de Dieu qui l'accomplit en tout temps,
puisque ceux qui s'en emparent sont dits s'en emparer en ne nous
laissant pas le mettre en pratique » (*Vaticanus 754*, f. 294ᵛ : collation
M.-J. Rondeau). La même idée est exprimée dans les commentaires
du Pseudo-Athanase et de Didyme sur *Ps.* 118, 11 (Harl, *Chaîne
palestinienne*, p. 206-208).

2, 3 ¹⁻² < ἐὰν γὰρ τὴν σοφίαν ἐπικαλέσῃ
καὶ τῇ συνέσει δῷς φωνήν σου >

19. Νῦν φωνὴν τὴν ἀπάθειαν τῆς ψυχῆς ὀνομάζει · αὕτη
γὰρ πέφυκεν ἐπικαλεῖσθαι γνῶσιν θεοῦ. Οὕτω καὶ ὁ Δαυὶδ
λέγει · « φωνῇ μου πρὸς κύριον ἐκέκραξα ^a » · καὶ πάλιν ·
« πρόσχες τῇ φωνῇ τῆς δεήσεώς μου ^b. »

a. Ps. 76, 2   b. Ps. 65, 19

AB' v. notam. — 1 Νῦν A : om. B' ‖ φωνὴν B' IKMN Z :
τὴν φωνὴν A ‖ 2 θεοῦ hic des. B'.

PROCOPE : Ἄλλως δὲ νῦν φωνὴν λέγει τῆς ψυχῆς τὴν ἀπάθειαν ·
αὕτη γὰρ πέφυκεν ἐπικαλεῖσθαι γνῶσιν θεοῦ κατὰ τὸ « φωνῇ μου
πρὸς κύριον ἐκέκραξα ^a » καὶ τὸ « πρόσχες τῇ φωνῇ τῆς δεήσεώς
μου ^b ».

IK MN. — Εὐαγρίου I M Anon. K N. — 1 Ἄλλως δὲ
νῦν φωνὴν IK : ἢ καὶ ἄλλως φωνὴν M φωνὴν δὲ N ‖ 2 θεοῦ
hic des. N ‖ φωνῇ IK : φωνὴ M.

2, 5 < τότε συνήσεις φόβον κυρίου
καὶ ἐπίγνωσιν θεοῦ εὑρήσεις >

20. Τότε συνήσεις πῶς ὁ φόβος τοῦ κυρίου ἀρχὴ σοφίας
ἐστὶν ^a καὶ πῶς τῆς τοῦ θεοῦ γνώσεως γίνεται πρόξενος.
Προϋπάρξαι δὲ δεῖ σοφίαν καὶ σύνεσιν πρὸς τὸ δυνηθῆναι
συνιέναι φόβον κυρίου. Καὶ προσάξομεν δὲ ταῦτα τοῖς τὴν
5 μὲν σοφίαν καὶ τὴν σύνεσιν ἐξουθενοῦσιν ^b, καταφεύγειν
δὲ βουλομένοις ἐπὶ τὸ φοβεῖσθαι τὸν θεὸν ὡς ἐπὶ εὐχερὲς
πρᾶγμα.

a. Cf. Prov. 1, 7   b. Cf. Prov. 1, 7

A. — 4 δὲ Z : γε A.

PROCOPE : Τὰ παρόντα δὲ ῥητὰ προσακτέον τοῖς ἐξουδενοῦσι
σοφίαν καὶ σύνεσιν ^b καὶ ὡς ἐπὶ εὐχερὲς πρᾶγμα καταφεύγειν βουλομένοις εἰς τὸ φοβεῖσθαι τὸν θεόν.

IK M. — Ὠριγένους I. Hoc scholion cum scholio 19 concatenaverunt K M. — 2 ἐπὶ I : ἐπ' K M ‖ καταφεύγειν K M :
-φεύγει I ‖ 2-3 βουλομένοις M : -μένους IK.

2, 3 [1-2]   *Car si tu appelles la sagesse*
         et que tu donnes de la voix vers l'intelligence

19. Maintenant il nomme « voix » l'impassibilité de
l'âme, car c'est elle qui « appelle » la science de Dieu. Ainsi
David dit : « De ma voix, j'ai crié vers le Seigneur [a] »,
et encore : « Sois attentif à la voix de ma supplication [b]. »

Apparat critique du texte original. Dans B′, la citation de *Ps.* 76, 2[1] :
Φωνῇ — ἐκέκραξα a été placée en tête de la scholie et écrite en
petite onciale, comme s'il s'agissait du lemme biblique.

2, 5   *Alors tu comprendras la crainte du Seigneur*
         et tu trouveras la connaissance de Dieu

20. « Alors tu comprendras » comment « la crainte du
Seigneur est le commencement de la sagesse [a] » et comment
elle procure la science de Dieu. Mais il faut que la sagesse
et l'intelligence préexistent pour qu'il soit possible de
« comprendre la crainte du Seigneur ». Nous adresserons
cela à ceux qui tiennent pour rien la sagesse et l'intelligence [b], mais veulent pourtant se réfugier dans la crainte
de Dieu, comme dans une chose facile.

La crainte du Seigneur se situe au départ du processus spirituel
qui conduit à la vertu et à la science. A n'en pas douter Évagre vise
ici certains moines qui pratiquent une ascèse assez fruste dans
laquelle l'intelligence et la réflexion occupent peu de place.

2, 9 < τότε συνήσεις δικαιοσύνην καὶ κρίμα
καὶ κατορθώσεις πάντας ἄξονας ἀγαθούς >

21. Ἄξονας λέγει τὰς ἐντολὰς τοῦ θεοῦ τὰς ἀγούσας
ἡμᾶς ἐπὶ τὴν γνῶσιν τὴν τοῦ θεοῦ. Καὶ ὁ Δαυίδ φησιν ·
« διὰ τοῦτο πρὸς πάσας τὰς ἐντολάς σου κατωρθούμην [a]. »

a. Ps. 118, 128

Adest in A.

PROCOPE : Ἤγουν ἄξονας τὰς ἐντολάς φησι τοῦ θεοῦ τὰς ἀγούσας
ἡμᾶς ἐπὶ τὴν γνῶσιν τὴν τοῦ θεοῦ. Καὶ Δαυίδ φησι · « διὰ τοῦτο πρὸς
πάσας τὰς ἐντολάς σου κατωρθούμην [a]. »

IK MN. — Εὐαγρίου IK M   Anon. N. — 1 Ἤγουν K M :
ἢ I om. N ‖ 2 τὴν[a] M : om. IK N ‖ θεοῦ hic des. N.

2, 12 < ἵνα ῥύσηται ἀπὸ ὁδοῦ κακῆς
καὶ ἀπὸ ἀνδρὸς λαλοῦντος μηδὲν πιστόν >

22. Οἱ μὲν ἅγιοι ἄγγελοι πάντα λαλοῦσι πιστά · ἄνθρωποι
δὲ τὰ μὲν πιστά, τὰ δὲ ἄπιστα · ὁ δὲ διάβολος οὐδὲν πιστόν,
ἀντὶ τοῦ οὐ πίστεως ἄξιον. Ἄνδρα γὰρ νῦν τὸν διάβολον
λέγει, εἴγε ἄνθρωπος πονηρὸς ἐπέσπειρε τὰ ζιζάνια [a].

a. Cf. Matth. 13, 25.28

Adest in A.

PROCOPE : Ἅγιοι μὲν γὰρ ἄγγελοι πάντα λαλοῦσι πιστά · ἄνθρωποι
δὲ τὰ μὲν πιστά, τὰ δὲ ἄπιστα · ὁ δὲ διάβολος οὐδὲν ἄξιον πίστεως.
Ἄνδρα γὰρ νῦν τὸν διάβολον λέγει, εἴγε ἄνθρωπος πονηρὸς ἐπέσπειρε
τὰ ζιζάνια [a].

IK MN. — Εὐαγρίου IK   Anon. MN. — 1 μὲν γὰρ IK M :
δὲ N ‖ 3 γὰρ IK M : οὖν N ‖ λέγει hic des. MN ‖ ἐπέσπειρε
K : ἔσπειρε I ‖ 4 ante τὰ add. καὶ K.

2, 9   *Alors tu comprendras la justice et le jugement*
et tu marcheras droit sur tous les bons sentiers

21. Il appelle « sentiers » les commandements de Dieu
qui nous conduisent vers la science de Dieu. Et David dit :
« Voilà pourquoi j'étais bien dirigé sur tous tes commandements [a]. »

Commandements et vertus sont les voies qui conduisent à la
science : schol. 45, 59, 142, 198 ; schol. 6 *ad Ps.* 94, 10 ; 2 *ad Ps.* 137,
5 ; etc.

2, 12   *Afin qu'il délivre de la voie mauvaise*
et de l'homme qui ne dit rien de sûr

22. Les saints anges ne disent que des choses sûres, les
hommes disent tantôt des choses sûres, tantôt des choses
qui ne le sont pas, le diable « ne dit rien de sûr », c'est-à-
dire rien qui soit digne de foi. Car maintenant il appelle
« homme » le diable, puisque c'est un homme mauvais
qui a semé l'ivraie par-dessus le bon grain [a].

Les anges sont constants dans la pratique du bien, les démons
constants dans celle du mal, mais les hommes qui sont des êtres
intermédiaires font tantôt le bien, tantôt le mal : *K G* III, 4 ; schol.
231 ; schol. 5 *ad Ps.* 6, 9 ; 16 *ad Ps.* 34, 27 ; 3 *ad Ps.* 41, 4. L'adjectif
πιστός est glosé de la même façon dans la scholie 5 *ad Ps.* 110, 7.
La dernière phrase lève la difficulté que pourrait constituer l'identification de l'homme mentionné dans le verset avec le diable : le Christ
aussi a nommé le diable ἄνθρωπος dans la parabole de l'ivraie et du
bon grain ; même remarque dans *Pensées* 27 (*PG* 79, 1233 A) et
dans la scholie 1 *ad Ps.* 117, 6.

2, 17 < υἱέ, μή σε καταλάβῃ κακὴ βουλὴ
ἡ ἀπολείπουσα διδασκαλίαν νεότητος
καὶ διαθήκην θείαν ἐπιλελησμένη >

23. Εἰ ἡ βουλὴ ποιὰ νοῦ κίνησίς ἐστιν, πῶς αὕτη ἀπέλιπεν
διδασκαλίαν νεότητος ; Πῶς δὲ καὶ θείας ἐπελάθετο δια-
θήκης ; Ὡς γὰρ περὶ ζῴου λογικοῦ τῆς κακῆς βουλῆς
ἡμῖν διαλέγεται. Ἡ νῦν κακὴν βουλὴν τὸν διάβολον λέγει.
5 Οὗτος γὰρ κακῶς ἐβουλεύσατο εἰπὼν τὸ « ἐπάνω τῶν
ἄστρων θήσομαι τὸν θρόνον μου · ἔσομαι ὅμοιος τῷ
ὑψίστῳ ª ». Ἐπελάθετο δὲ καὶ τῆς θείας γνώσεως καταλιπὼν
τὴν διδασκαλίαν τῆς νεότητος, ἥτις νεότης τὴν προτέραν
αὐτοῦ κατάστασιν δηλοῖ, καθ' ἣν καὶ ζηλωτὸς ἦν ἐν τοῖς
10 ξύλοις τοῦ παραδείσου ᵇ.

a. Is. 14, 13-14   b. Cf. Éz. 31, 9

A. — 1 ἀπέλιπεν Z Tisch. : ἀπέλειπεν A ‖ 7 καταλιπὼν
IKMN Z Tisch. : καταλείπων A.

PROCOPE : Εἰ ποιά τίς ἐστι κίνησις ἡ βουλή, πῶς ἀπολείπει ; Πῶς
δὲ ἐπιλανθάνεται ; Ὡς περὶ ζῴου γὰρ λογικοῦ διαλέγεται. Ἔστιν
οὖν ὁ κακῶς βουλευσάμενος ὁ διάβολος φήσας · « ἐπάνω τῶν ἄστρων
θήσομαι τὸν θρόνον μου · ἔσομαι ὅμοιος τῷ ὑψίστῳ ª. » Ἐπελάθετο
5 δὲ καὶ τῆς θείας γνώσεως καταλιπὼν τὴν διδασκαλίαν τῆς νεότητος,
ἥτις ἦν ἡ προτέρα κατάστασις, καθ' ἣν ζηλωτὸς ἦν τοῖς ξύλοις τοῦ
παραδείσου ᵇ.

IK MN. — Εὐαγρίου I Εὐσεβίου supra M Anon. K N.
— 1-2 Εἰ — διαλέγεται IK M : om. N ‖ 1 ποιά K M :
ποϊά I ‖ 2 Ὡς περὶ IK : ὥσπερ M ‖ 2-3 Ἔστιν — φήσας IK M :
κακῶς βουλευόμενός ἐστι ὁ διάβολος sic inc. N ‖ 3-4 ἐπάνω
— ὑψίστῳ IK M : om. N ‖ 4 θήσομαι I M : θήσω K ‖ ante
ἔσομαι add. καὶ K M ‖ 5 καὶ IK M : om. N ‖ 6 κατάστασις
hic des. N.

Ce verset des Proverbes est repris et commenté de la même façon
dans la scholie 64. La bizarrerie de ce texte biblique, qui prête à un
mouvement de la volonté un comportement humain, n'a pas échappé
à Évagre ; dans la scholie 64 *ad Ps.* 118, 143, il l'attribue à cette

2, 17   *Mon fils, qu'elle ne s'empare pas de toi, la mauvaise*
décision,
qui a délaissé l'enseignement de sa jeunesse
et qui a oublié l'alliance divine

23. Si la « décision » est un certain mouvement de
l'intellect, comment celle-ci a-t-elle pu « délaisser l'enseignement de sa jeunesse » ? Comment a-t-elle pu aussi « oublier
l'alliance divine » ? Car on nous parle de la mauvaise
décision comme d'un être vivant doué de raison. Peut-
être que maintenant il appelle « mauvaise décision »
le diable, car celui-ci a pris une « mauvaise décision »
lorsqu'il a dit : « Je placerai mon trône au-dessus des
étoiles. Je serai semblable au Très-Haut [a]. » Il a aussi
« oublié » la science « divine » en « délaissant l'enseignement de sa jeunesse » ; cette « jeunesse » désigne évidemment
la condition première qui était la sienne, lorsqu'il était
envié parmi les arbres du Paradis [b].

habitude (ἔθος) de l'Écriture qui consiste à désigner des êtres vivants
par leur état moral (cf. ici même, schol. 99). Pour l'identification
du diable avec Lucifer, voir *Lettre sur la sainte Trinité* (Ps.-BASILE,
Lettre 8, 10) : « ... si tu regardes la nature de la puissance adverse,
qui, comme un éclair, est tombée du ciel et a été précipitée de la
véritable vie, parce qu'elle avait eu une sainteté acquise, et que
son changement avait suivi de près son mauvais dessein (τῇ κακῇ
βουλῇ)... C'est pourquoi, lorsqu'il eut été précipité de l'unité, et
qu'il eut rejeté la dignité angélique, son caractère le fit appeler
diable, parce que s'était éteint son premier et bienheureux état
(τῆς προτέρας καὶ μακαρίας ἕξεως), et que s'était allumée cette
puissance adverse » (trad. Courtonne). Le diable est aussi symbolisé
par le cèdre d'*Éz.* 31 que tous les arbres du Paradis enviaient
(ἐζήλωσεν), mais que Dieu a détruit, lorsqu'il a voulu s'élever trop
haut. Dans cette interprétation, les arbres du Paradis figurent les
autres natures raisonnables : cf. *KG* V, 67 ; schol. 3 *ad Ps.* 21, 7 ;
voir également ORIGÈNE, *Hom. sur la Genèse* II, 4, et DIDYME
L'AVEUGLE, *Comm. de Zacharie* IV, 36-37.

2, 19 < πάντες οἱ πορευόμενοι ἐν αὐτῇ οὐκ ἀναστρέψουσιν
οὐδὲ μὴ καταλάβωσιν τρίβους εὐθείας ·
οὐ γὰρ καταλαμβάνονται ὑπὸ ἐνιαυτῶν ζωῆς >

24. « Διώκοντας γὰρ δικαιοσύνην ἀγαπᾷ [a] » καὶ « οὕτως
τρέχετε ἵνα καταλάβητε [b] ».

a. Prov. 15, 9   b. I Cor. 9, 24
Adest in A.

---

25. Ὅσοι « καταλαμβάνονται ὑπὸ ἐνιαυτῶν ζωῆς », οὗτοι
καταλαμβάνουσι τρίβους εὐθείας. Καὶ « τὸ ἔλεός σου,
φησίν, καταδιώξεταί με πάσας τὰς ἡμέρας τῆς ζωῆς
μου [a] ».

a. Ps. 22, 6
A. — 3 καταδιώξεται A p. corr : -διώξετε A a. corr.

PROCOPE : Ὅσοι δὲ « καταλαμβάνονται ὑπὸ ἐνιαυτῶν ζωῆς », οὗτοι
καταλαμβάνουσι τρίβους εὐθείας.

IK MN. — Διδύμου. Εὐαγρίου infra I Anon. K MN.
— 2 τρίβους εὐθείας IK N : εὐθείας τρίβους M.

2, 21 [1-2] < χρηστοὶ ἔσονται οἰκήτορες γῆς ·
ἄκακοι δὲ ὑπολειφθήσονται ἐν αὐτῇ >

26. Οἱ μὲν ἐν ἀκακίᾳ, φησίν, μείναντες ὑπελείφθησαν
ἐν τῇ γῇ, τουτέστιν ἐν τῇ γνώσει · οἱ δὲ διὰ κακίαν ἐκπεσόντες διὰ χρηστότητος πάλιν ἐπανελεύσονται.

Adest in A.

PROCOPE : Οἱ ἐν ἀκακίᾳ, φησί, μείναντες ὑπελείφθησαν ἐν τῇ γῇ,
τουτέστι τῇ γνώσει · οἱ δὲ διὰ κακίας ἐκπεσόντες διὰ χρηστότητος
αὖθις ἐπανήξουσιν.

IK MN. — Εὐαγρίου I Anon. K MN. — 2 τουτέστι hic
inc. N ‖ διὰ κακίας I MN : δι᾽ ἀκακίας K.

2, 19 *Aucun de ceux qui cheminent avec elle ne reviendra*
ni ne pourra atteindre des sentiers droits,
car ils ne sont pas atteints par les années de vie

24. Car « le Seigneur aime ceux qui poursuivent la
justice [a] »; « courez de manière à l'atteindre [b] ».

25. Ceux qui « sont atteints par les années de vie »
« atteignent des sentiers droits ». Et il est dit : « Ta miséricorde me poursuivra tous les jours de ma vie [a]. »

2, 21 [1-2] *Les bons seront les habitants de la terre*
et ceux qui sont sans malice y resteront

26. Il veut dire ceci : Ceux qui sont demeurés sans
malice sont restés sur cette terre, c'est-à-dire dans la
science, mais ceux qui en ont été chassés à cause de leur
malice y retourneront à nouveau en faisant le bien.

Cette scholie est bien caractéristique de l'optimisme d'Évagre
pour qui la déchéance ne saurait être un état définitif : tous les êtres,
y compris le diable et les démons, auront un jour de nouveau part à
la science. Sur le symbolisme de la terre, voir entre autres textes
la scholie 9 *ad Ps.* 36, 9 : « La terre désigne la science, car l'intellect
est dit être dans la contemplation comme dans un lieu » (*Vaticanus*
754, f. 106ʳ : collation M.-J. Rondeau).

3, 1 < υἱέ, ἐμῶν νομίμων μὴ ἐπιλανθάνου ·
τὰ δὲ ῥήματά μου τηρείτω σὴ καρδία >

27. Εἰ οὗτος ἐπιλανθάνεται τοῦ νόμου ὁ μὴ νομίμως
βιούς, οὗτος μέμνηται τοῦ νόμου ὁ ζῶν κατ' αὐτόν. Καὶ εἰ
οὗτος τηρεῖ τὰ ῥήματα τοῦ θεοῦ ὁ ποιῶν αὐτά, οὗτος ἀπόλ-
λυσιν αὐτὰ ὁ μὴ βουλόμενος πράττειν αὐτά · « οὐ γὰρ οἱ
5 ἀκροαταὶ τοῦ νόμου δίκαιοι, φησίν, παρὰ τῷ θεῷ, ἀλλ' οἱ
ποιηταὶ τοῦ νόμου δικαιωθήσονται [a]. »

a. Rom. 2, 13

A. — 1 Εἰ ΙΚΜ : om. A Z ǁ τοῦ ΙΚΜ Z : om. A.

PROCOPE : Εἰ δὲ οὗτος ἐπιλανθάνεται τοῦ νόμου ὁ μὴ νομίμως
βιούς, οὗτος μέμνηται τοῦ νόμου ὁ κατ' αὐτὸν ζῶν. Ὅμοιον καὶ ἐπὶ
τῶν τηρούντων ἢ μὴ τὰ ῥήματα τοῦ θεοῦ.

ΙΚ Μ. — Εὐαγρίου supra (f. 158ᵛ) I   Anon. Κ Μ. — 2 post
οὗτος add. δὲ I.

3, 5 < ἴσθι πεποιθὼς ἐν ὅλῃ καρδίᾳ ἐπὶ θεῷ ·
ἐπὶ δὲ σῇ σοφίᾳ μὴ ἐπαίρου >

28. Μὴ ἐπαρθῇς, φησί, θεοῦ σοφίαν κτησάμενος. Ὅτι
δὲ τὴν τοῦ θεοῦ ἐνταῦθα λέγει σοφίαν καὶ οὐ τὴν ἀνθρωπίνην,
δι' ὧν ἐπιφέρει δείκνυσι · « ἐν πάσαις γάρ, φησίν, ὁδοῖς
σου γνώριζε αὐτήν, ἵνα ὀρθοτομῇ τὰς ὁδούς σου [a]. »

a. Prov. 3, 6

AB. — 1 φησί A : om. B ǁ κτησάμενος hic des. B ǁ 2 οὐ
τὴν A : αὐτὴν Tisch.

PROCOPE : Τὴν θείαν λέγει σοφίαν ὡς δηλοῖ ἐκ τοῦ « ἐν πάσαις ταῖς
ὁδοῖς σου γνώριζε αὐτήν [a] ».

ΙΚ Μ. — Εὐαγρίου I   Εὐσεβίου Μ   Anon Κ.

3, 1 *Mon fils, n'oublie pas mes lois,*
et que ton cœur garde mes paroles

27. S'il est vrai que celui qui ne vit pas selon la loi
« oublie » la loi, celui qui y conforme sa vie se souvient
d'elle. Et s'il est vrai que celui qui observe les « paroles »
de Dieu les « garde », celui qui ne veut pas les mettre en
pratique les perd. Car il est dit : « Ce ne sont pas les auditeurs de la loi qui sont justes devant Dieu, mais ce sont
les observateurs de la loi qui seront justifiés [a]. »

Sur la pratique de la loi et des commandements, cf. schol. 246 et
343. Les *Scholies aux Psaumes* donnent deux textes voisins : schol. 13
ad Ps. 102, 18 : « Celui qui vit selon les commandements se souvient
d'eux » (*Vaticanus 754*, f. 252[r] : collation M.-J. Rondeau), et schol. 26
ad Ps. 118, 61 : « Si celui qui ne vit pas selon la loi oublie la loi,
celui qui mène une vie conforme à la loi se souvient d'elle » (*Vaticanus
754*, f. 299[v] : collation M.-J. Rondeau). La citation de *Rom.* 2, 13
se retrouve, dans un contexte identique, à la scholie 246.

3, 5 *Mets ta confiance en Dieu, de tout ton cœur,*
et ne te vante pas de ta sagesse

28. Il veut dire ceci : « Ne te vante pas » de posséder
la « sagesse » de Dieu. Que par « sagesse » il entende la
sagesse de Dieu et non la sagesse humaine, la suite le
montre : « Sur toutes tes voies reconnais-la, afin qu'elle
te trace des voies droites [a]. »

Mise en garde contre l'orgueil, qui guette même les gnostiques :
cf. schol. 287 A.

3, 8 < τότε ἴασις ἔσται τῷ σώματί σου
      καὶ ἐπιμέλεια τοῖς ὀστέοις σου >

29. Ὅταν αἱ δυνάμεις τῆς ψυχῆς ἐπιμελείας τύχωσιν,
τὸ τηνικαῦτα ἐροῦσι · « κύριε, τίς ὅμοιός σοι ; πάντα γάρ,
φησί, τὰ ὀστᾶ μου ἐροῦσι · κύριε, κύριε, τίς ὅμοιός σοι[a] ; »
Ἐπιμελείας γὰρ τυχοῦσα ἡ μνημονευτικὴ δύναμις τῆς ψυχῆς
5 πάντως ἐρεῖ τὸ « ἐμνήσθην τοῦ θεοῦ καὶ εὐφράνθην[b] ».
Ὁμοίως δὲ καὶ ἡ ὀπτικὴ λέξει τὸ « κατενόησα τὰ ἔργα
σου καὶ ἐξέστην[c] ». Ὡσαύτως δὲ καὶ ἡ ἐπιθυμητική ·
« κύριε, ἐναντίον σου πᾶσα ἡ ἐπιθυμία μου[d]. » Ἐρεῖ δὲ
καὶ ἡ λογιστικὴ τὸ « διελογισάμην ἡμέρας ἀρχαίας[e] ».
10 Κατὰ ταῦτα συμβήσεται καὶ ἐπὶ τῶν ἄλλων δυνάμεων.

a. Ps. 34, 10   b. Ps. 76, 4   c. Hébr. 3, 2   d. Ps. 37, 10
e. Ps. 76, 6

AB. — 1 Ὅταν A : ὅταν γὰρ B || 2-3 πάντα — σοι A : om. B ||
4 post γὰρ add. φησί B || 5 τὸ A : om. B || 5 εὐφράνθην A :
ηὐφράνθην B || 6 Ὁμοίως — λέξει A : ἐπιμελείας γὰρ τυχοῦσα
καὶ ἡ ὀπτικὴ δύναμις ἐρεῖ B || τὸ A : om. B || 7 Ὡσαύτως
— ἐπιθυμητικὴ A : ὅταν δὲ ἐπιμελείας τύχοι ἡ ἐπιθυμητικὴ
δύναμις ἐρεῖ B || 8-9 Ἐρεῖ — λογιστικὴ A : ὅταν δὲ ἐπιμελείας
καὶ ἡ λογιστικὴ δύναμις τύχῃ ἐρεῖ B || 9 τὸ A : om. B || 10
ταῦτα B Z : πάντα A.

PROCOPE : Τυχοῦσαι γὰρ ἐπιμελείας αἱ ψυχικαὶ δυνάμεις ἐροῦσι ·
« κύριε, κύριε, τίς ὅμοιός σοι[a] ; » Οἷον ἡ μνημονευτικὴ τὸ « ἐμνήσθην
τοῦ θεοῦ καὶ εὐφράνθην[b] » ἐρεῖ. Ἡ δὲ ὀπτικὴ τὸ « κατενόησα τὰ
ἔργα σου καὶ ἐξέστην[c] ». Ἡ ἐπιθυμητική · « κύριε, ἐναντίον σου πᾶσα
5 ἡ ἐπιθυμία μου[d]. » Ἡ λογιστικὴ τὸ « διελογισάμην ἡμέρας ἀρχαίας[e] ».
Ὁμοίως καὶ αἱ λοιπαί.

IK MN. — Διδύμου I Anon. K MN. — 1 γὰρ — ἐροῦσι
IK M : γὰρ * * * * ἐπιμελείας ἐροῦσι N || 3 εὐφράνθην I MN :
ηὐφράνθην K || ἐρεῖ IK M : om. N || δὲ IK M : om. N || 5 τὸ
I MN : om. K || διελογισάμην K MN : ἐλογισάμην I || 6 Ὁμοίως
καὶ αἱ λοιπαὶ IK M : om. N.

3, 8 *Alors ton corps obtiendra la guérison*
       et tes os les soins (nécessaires)

29. Quand les puissances de l'âme auront reçu « les soins nécessaires », alors elles diront : « Seigneur, qui t'est semblable [a] ? » Car il est dit : « Tous mes os diront : Seigneur, Seigneur, qui t'est semblable [a] ? » Quand la puissance de la mémoire aura reçu ces « soins », elle dira nécessairement : « Je me suis souvenue de Dieu et j'ai été charmée [b]. » De la même façon la puissance visuelle dira : « J'ai embrassé tes œuvres et j'ai été frappée d'étonnement [c]. » De même la puissance concupiscible : « Seigneur, devant toi se tient tout mon désir [d]. » La puissance rationnelle dira aussi : « J'ai calculé les jours anciens [e]. » Il en sera de même aussi des autres puissances.

Interprétation symbolique des parties du corps, dans laquelle les os figurent les différentes puissances de l'âme : cf. schol. 12 *ad Ps.* 33, 21 et 4 *ad Ps.* 140, 7. Comme elles ne sont pas mauvaises par nature, ces puissances ont seulement besoin d'être soignées pour retrouver leur fonctionnement normal, cf. *Lettre sur la sainte Trinité* (Ps.-BASILE, *Lettre* 8, 12) : « Et de même que, si les sens souffrent de quelque mal, ils n'ont besoin que d'être soignés (ἐπιμελείας μόνον προσδέονται) pour remplir facilement leurs propres fonctions, de même l'esprit (ὁ νοῦς) ... a besoin d'une foi et d'une vie droite » (trad. Courtonne). Sur le fonctionnement naturel de l'une ou l'autre de ces puissances : *Pratique* 24, 73 et 86 ; *KG* IV, 73 ; *Pensées* 17 (*PG* 79, 1220 B) ; *Euloge* 10 (*PG* 79, 1105 C-D) ; *Réflexions* 8-9 ; schol. 6 *ad Ps.* 37, 10.

3, 15 1-2 < τιμιωτέρα δέ ἐστιν λίθων πολυτελῶν ·
οὐκ ἀντιτάσσεται αὐτῇ οὐδὲν πονηρόν >

30. Πρὸς μόνην τὴν σοφίαν ἀδυνατοῦσιν οἱ δαίμονες
λογισμοὺς ἐμβάλλειν εἰς τὴν καρδίαν τοῦ σεσοφισμένου
μὴ συγχωρούμενοι · ὁ γὰρ νοῦς τοῖς τῆς σοφίας ποιούμενος
θεωρήμασιν ἀνεπίδεκτος γίνεται λογισμῶν ἀκαθάρτων.

ABB'. — 1 Πρὸς μόνην[γὰρ add. Β'] τὴν σοφίαν ΑΒ' : πρὸς
μόνον τὸν σοφὸν Β ‖ 2 ἐμβάλλειν Α : ἐμβαλεῖν Β Ζ ἐπιβάλλειν
Β' ‖ 4 λογισμῶν ἀκαθάρτων ΒΒ' ΙΚΜΝ Ζ : λογισμοῦ ἀκαθάρ-
του Α.

PROCOPE : Πρὸς γὰρ μόνην τὴν σοφίαν ἀδυνατοῦσιν οἱ δαίμονες
λογισμοὺς ἐμβάλλειν εἰς τὴν καρδίαν τοῦ σεσοφισμένου μὴ συγχωρούμενοι · ὁ γὰρ νοῦς τοῖς τῆς σοφίας ποιούμενος θεωρήμασιν ἀνεπίδεκτος
γίνεται λογισμῶν ἀκαθάρτων.

ΙΚ ΜΝ. — Anon. — 1 μόνην τὴν σοφίαν Κ ΜΝ : τὴν σοφίαν
μόνην Ι ‖ 2 ἐμβάλλειν Ι Μ : ἐμβαλεῖν Ν συμβάλλειν [-λεις
a. corr.] Κ p. corr. ‖ 3 ποιούμενος ΙΚ Μ : παιδευόμενος Ν ‖
θεωρήμασιν ΙΚ Ν : θεωρήμας Μ ‖ 4 γίνεται ΙΚ : ἐστι ΜΝ.

─────────────────────────

3, 15 3 < εὔγνωστός ἐστι πᾶσιν τοῖς ἐγγίζουσιν αὐτῇ >

31. Νοῦς καθαρὸς ἐγγίζει σοφίᾳ · ὁ δὲ ἀκάθαρτος
μακρυνθήσεται ἀπ' αὐτῆς.

ΑΒ. — 1 Post νοῦς add. γὰρ Β ‖ σοφίᾳ Α : σοφίαν Β.

PROCOPE : Νοῦς καθαρὸς ἐγγίζει σοφίᾳ.

ΙΚ ΜΝ. — Anon. — 1 post Νοῦς add. δὲ Ν.

─────────────────────────

3, 18 1 < ξύλον ζωῆς ἐστι πᾶσι τοῖς ἀντεχομένοις αὐτῆς >

32. Τούτου τοῦ ξύλου μετὰ τὴν παράβασιν ὁ Ἀδὰμ
μεταλαμβάνειν κωλύεται [a], εἴπερ « ἀπὸ καρπῶν δικαιοσύνης

a. Cf. Gen. 3, 22

ΑΒ. — 2 ἀπὸ hic inc. Β

3, 15 [1-2]   *(La sagesse) vaut plus que les pierres précieuses,*
rien de mauvais ne lui résiste

30. C'est seulement devant la sagesse que les démons
sont impuissants, parce qu'ils n'ont plus la faculté de
jeter leurs pensées dans le cœur de celui qui est devenu
sage. En effet, l'intellect qui est touché par les contemplations de la sagesse n'est plus réceptif aux pensées impures.

Reprise de la même idée dans la scholie 135. Nous pensons que
ποιούμενος est le participe présent passif de ποιοῦν et non de ποιεῖν :
cf. τῇ σοφίᾳ ποιοῦται dans *KG* VI, 51 (texte grec dans Hausherr,
« Nouveaux fragments », p. 232). Le verbe ποιοῦν est habituellement
employé au parfait, temps où la confusion n'est plus possible : cf.
Pratique 30, 39, 42 et 58 ; schol. 20 *ad Ps.* 77, 49 ; 4 *ad Ps.* 80, 10.

3, 15 [3]   *Elle est bien connue de tous ceux qui s'approchent*
d'elle

31. L'intellect pur « s'approche » de la sagesse, mais
l'impur s'en éloignera.

3, 18 [1]   *Elle est un arbre de vie pour tous ceux qui s'attachent*
à elle

32. Après la transgression, il est interdit à Adam de
goûter aux produits de « cet arbre » [a], puisque « l'arbre de

φύεται δένδρον ζωῆς ᵇ ». Εἰ δὲ τὸ δένδρον τῆς ζωῆς ἡ
τοῦ θεοῦ σοφία ἐστίν, δικαίως ἅψασθαι κωλύεται ᶜ τούτου
5 τοῦ ξύλου · «εἰς γὰρ κακότεχνον, φησίν, ψυχὴν σοφία οὐκ
εἰσελεύσεται ᵈ. »

b. Prov. 11, 30   c. Cf. Gen. 3, 3   d. Sag. 1, 4

3 Εἰ δὲ A : ἡ δὲ B ‖ 5 ξύλου hic des. B.

PROCOPE : Τοῦ δὲ ξύλου τούτου παραβὰς Ἀδὰμ μεταλαβεῖν
ἐκωλύετο ᵃ, ἐπείπερ « ἀπὸ καρπῶν δικαιοσύνης φύεται δένδρον ζωῆς ᵇ ».
Εἰ δὲ τὸ δένδρον τῆς ζωῆς ἡ τοῦ θεοῦ σοφία ἐστί, δικαίως κεκώλυται ᶜ ·
« εἰς γὰρ κακότεχνον ψυχὴν οὐκ εἰσελεύσεται σοφία ᵈ. »

IK MN. — Εὐαγρίου I   Εὐαγρίου supra K   Εὐαγρίου infra
M   Anon. N. — 1-3 Τοῦ — κεκώλυται om. N ‖ 1 Τοῦ —
παραβὰς IK : τούτου παραβὰς τοῦ ξύλου M ‖ 3 Εἰ — ἐστί IK :
εἰ δὲ τοῦτό ἐστιν ἡ σοφία τοῦ θεοῦ M ‖ 4 εἰς hic inc. N ‖ ψυχὴν
IK N : ψυχῆς M ‖ σοφία ante οὐκ transp. M.

3, 19   < ὁ θεὸς τῇ σοφίᾳ ἐθεμελίωσεν τὴν γῆν ·
        ἡτοίμασεν δὲ οὐρανοὺς ἐν φρονήσει ·
20   ἐν αἰσθήσει ἄβυσσοι ἐρράγησαν ·
        νέφη δὲ ἐρρύησαν δρόσους >

33. Ἣν ἐνταῦθα γῆν εἶπεν, Παῦλος ὁ ἅγιος πλάτος
ὠνόμασεν καὶ τοὺς ἐνταῦθα οὐρανοὺς λεγομένους ὕψος
ἐκεῖνος ἐν τῇ πρὸς Ἐφεσίους ᵃ καλεῖ καὶ τὰς λεγομένας
τροπικῶς ἀβύσσους ὀνομάζει βάθος καὶ τὰ δεδροσωμένα
5 νέφη μῆκος καλεῖ. Ταῦτα δὲ πάντα λογικῶν ἐστι φύσεων
σύμβολα διαιρουμένων κόσμοις καὶ σώμασι κατ' ἀναλογίαν
τῆς καταστάσεως.

a. Cf. Éphés. 3, 18

A. — 1 πλάτος A e corr. ‖ 3 verbum iteratum ἐκεῖνος erasit
A ‖ 7 τῆς καταστάσεως IKMN Z : om. A.

vie naît des fruits de la justice [b] ». Si « l'arbre de vie » est
la sagesse de Dieu, c'est à juste titre qu'il lui est interdit
de toucher à cet arbre [c], car il est dit que « la sagesse
n'entrera pas dans l'âme malfaisante [d] ».

Cf. schol. 132. L'identification de l'arbre de vie avec la sagesse
remonte à Philon : voir M. HARL, « Adam et les deux arbres du Paradis
(*Gen.* II-III) ou l'homme milieu entre deux termes chez Philon
d'Alexandrie », *RSR* 50 (1962), p. 321-388.

3, 19   *Dieu par sa sagesse a fondé la terre,*
             par sa prudence, il a préparé les cieux,
   20   *par son intelligence, les abysses se sont rompus,*
             les nuages ont déversé leur rosée

33. Ce qu'ici il a appelé « terre », saint Paul l'a nommé
« largeur [a] », et ce qui est ici appelé « cieux », ce dernier
dans l'Épître aux Éphésiens l'appelle « hauteur [a] »; ce
qui de façon figurée est appelé « abysses », Paul le nomme
« profondeur [a] », et les « nuages » chargés de « rosée », il
les appelle « longueur [a] ». Tout cela désigne de façon
symbolique les natures raisonnables réparties dans des
mondes et des corps qui correspondent à leur état.

Procope : "Αλλος εἶπεν ὅτι ἦν ἐνταῦθα γῆν ἔφη, ὁ Παῦλος πλάτος ὠνόμασε καὶ τοὺς ἐνταῦθα οὐρανοὺς ὕψος ἐκεῖνος ἐν τῇ πρὸς Ἐφεσίους ἐπιστολῇ [a] καὶ τὰς νῦν ἀβύσσους βάθος καὶ τὰ δεδροσωμένα νέφη μῆκος. Ταῦτα δὲ πάντα λογικῶν ἐστι φύσεων σύμβολα διαιρουμένων
5 κόσμοις καὶ σώμασι κατὰ ἀναλογίαν τῆς καταστάσεως.

IK MN. — Διδύμου. Εὐαγρίου supra I Διδύμου. Εὐσεβίου supra M Διδύμου K Anon. N. — 1 "Αλλος εἶπεν ὅτι ἦν IK : ἄλλως ἦν δὲ M ἦν N ‖ 2 ὕψος ἐκεῖνος IK M : ἐκεῖνος ὕψος N ‖ 2-3 ἐν τῇ — ἐπιστολῇ IK : om. MN ‖ 3 νέφη K MN : ἔφη I ‖ 4 ἐστι IK M : εἰσι N.

Apparat critique du texte original. Dans A et Z, la scholie est précédée d'une récriture des versets 19-20 :

    ὁ θεὸς τῇ μὲν σοφίᾳ τὴν γῆν ἐθεμελίωσεν,
    τῇ δὲ φρονήσει τοὺς οὐρανοὺς ἡτοίμασεν,
    διὰ δὲ τῆς αἰσθήσεως αὐτοῦ ἐρράγησαν ἄβυσσοι,
    τὰ δὲ νέφη ἐρρύησαν δρόσους

AZ. — 2 τῇ — ἡτοίμασεν om. Z.

3, 22 < ἵνα ζήσῃ ἡ ψυχή σου
        καὶ χάρις ᾖ περὶ σῷ τραχήλῳ >

34. Τράχηλον τὴν ψυχὴν εἶπεν τὴν βαστάσασαν τὸν ζυγὸν τοῦ κυρίου [a].

    a. Cf. Matth. 11, 28-30

    Adest in A.

Procope : "Η καὶ τράχηλον τὴν ψυχήν φησι τὴν βαστάσασαν τὸν ζυγὸν τοῦ κυρίου [a].

IK MN. — Εὐαγρίου infra I Anon. K MN. — 1 φησι IK : ἔφη MN ‖ βαστάσασαν K MN : -ζουσαν I.

3, 23 < ἵνα πορεύῃ πεποιθὼς ἐν εἰρήνῃ πάσας τὰς ὁδούς
        σου,
        ὁ δὲ πούς σου οὐ μὴ προσκόψῃ >

Évagre établit une correspondance entre les quatre éléments de ce verset et les quatre dimensions d'*Éphés.* 3, 18 et invite à voir en eux les différents ordres de créatures, tels qu'ils ont été constitués à la suite de la seconde création. On trouvera une interprétation identique du texte de saint Paul dans la scholie 153 : « ... (il) lui fera connaître par ces dimensions la division (διαίρεσιν) de la nature raisonnable .» La difficulté réside ici dans l'identification de ces quatre ordres ; Évagre ne distingue habituellement que trois sortes de créatures : les anges, les hommes et les démons. Pour arriver au chiffre quatre, il convient peut-être de subdiviser les démons en démons terrestres (ἐπίγειοι) et démons infernaux (καταχθόνιοι), selon une terminologie qui s'inspire de *Phil.* 2, 10. C'est en tout cas ce que fait Évagre dans la scholie 2 *ad Ps.* 134, 6, où la mer, les abysses, le ciel et la terre symbolisent respectivement les démons terrestres, les démons infernaux, les anges et les hommes. Les abysses figurent également les démons infernaux dans les scholies 9 *ad Ps.* 70, 20, et 13 *ad Ps.* 76, 17. Quant à la distinction entre ces deux catégories de démons, elle apparaît nettement dans plusieurs autres textes : *KG* III, 79 ; schol. 1 *ad Ps.* 55, 3, et 5 *ad Ps.* 62, 11.

3, 22 *A fin que vive ton âme*
et que la grâce entoure ton cou

34. Il a appelé « cou » l'âme qui porte le joug du Seigneur [a].

Cf. schol. 7 et 317.

3, 23 *A fin qu'avec confiance tu chemines en paix sur toutes tes voies*
et que ton pied n'achoppe pas

35. Πρόσκομμά ἐστι φύσεως λογικῆς λογισμὸς ἀκάθαρτος
ἢ γνῶσις ψευδής.

Adest in A.

PROCOPE : Πρόσκομμα δὲ λογικῆς φύσεως λογισμὸς ἀκάθαρτος
ἢ γνῶσις ψευδής.

IK MN. — Εὐαγρίου in mg. sup. I Διδύμου M Anon.
K N.

3, 24 < ἐὰν κάθῃ, ἄφοβος ἔσῃ ·
ἐὰν δὲ καθεύδῃς, ἡδέως ὑπνώσεις
25   καὶ οὐ* φοβηθήσῃ πτόησιν ἐπελθοῦσαν
οὐδὲ ὁρμὰς ἀσεβῶν ἐπερχομένας >

36. Ἐντεῦθεν γινώσκομεν ὅτι ἡ ἐλεημοσύνη περιαιρεῖ
φοβερὰς φαντασίας νύκτωρ ἡμῖν ἐπισυμβαινούσας. Τὸ αὐτὸ
δὲ ποιεῖ καὶ πραΰτης καὶ ἀοργησία καὶ μακροθυμία καὶ
ὅσα πέφυκε ταρασσόμενον καταστέλλειν θυμόν, εἴπερ ἐκ
5 τῆς ταραχῆς τοῦ θυμοῦ τὰ φοβερὰ φάσματα εἴωθε γίνεσθαι.

A. — 2 ἐπισυμβαινούσας A : συμβαινούσας Tisch. ‖ 5 φάσματα
IKM Z : φαντάσματα A.

PROCOPE (rédaction IK) : Εἰ δὲ ἐκ τῆς ταραχῆς τοῦ θυμοῦ τὰ
φοβερὰ ἐκτὸς γίνεται φάσματα, ἀναιρετικὴ τούτων ἡ ἐλεημοσύνη
τῷ θυμῷ μαχομένη, καθάπερ οὖν καὶ ἡ πραότης.

IK. — Εὐαγρίου. — 2 ἡ I : δὲ K.

PROCOPE (rédaction MN) : Ἐντεῦθεν μανθάνομεν ὅτι ἡ ἐλεημοσύνη
περιαιρεῖ φοβερὰς φαντασίας νύκτωρ ἡμῖν συμβαινούσας. Τὸ αὐτὸ
δὲ ποιεῖ καὶ πραΰτης καὶ ἀοργησία, εἴπερ ἐκ τῆς ταραχῆς τοῦ θυμοῦ
τὰ φοβερὰ φάσματα εἴωθε γίνεσθαι.

MN. — Anon. — 3 καὶ¹ M : om. N ‖ πραΰτης M : πραότης
N ‖ ἀοργησία hic des. N.

35. « L'achoppement » de la nature raisonnable est la pensée impure ou la fausse science.

Cf. schol. 317, où le mot πρόσκομμα fait partie des dénominations bibliques des νοήματα de l'intellect.

3, 24 *Si tu t'assieds, tu seras sans crainte ;*
      si tu t'endors, tu dormiras agréablement
  25 *et tu ne craindras ni l'épouvante soudaine*
      ni les assauts à venir des impies

36. Par ce texte nous apprenons que la miséricorde fait disparaître les visions terrifiantes qui nous arrivent la nuit. La douceur, l'absence de colère et la longanimité ont aussi le même effet, ainsi que toutes les vertus qui apaisent le trouble de la partie irascible. C'est en effet du trouble de la partie irascible que proviennent habituellement les visions terrifiantes.

Lemme biblique. L'*Alexandrinus* a οὐ μὴ φοβηθήσῃ.

Les cauchemars naissent du trouble de la partie irascible de l'âme : cf. *Pratique* 21 et 54 ; *Pensées* (recension longue, éd. Muyldermans, p. 51) ; *Antirrhétique* V, 12 (Frankenberg, p. 514). Miséricorde, douceur, maîtrise de la colère et longanimité sont les vertus capables de calmer cette partie de l'âme : cf. *Pratique* 15. La dernière phrase de la scholie est presque identique à une autre de *Pratique* 21 : τὰ γὰρ φοβερὰ φάσματα ἐκ τῆς ταραχῆς τοῦ θυμοῦ πέφυκε γίνεσθαι.

3, 30   < μὴ φιλεχθρήσῃς πρὸς ἄνθρωπον μάτην,
            μή τι εἰς σὲ ἐργάσηται κακόν >

37. Αὕτη ἡ πρὸς τὸν πλησίον ἔχθρα ἀπεργάζεταί τινα κακόν.

Adest in A.

PROCOPE : Ἡ πρὸς τὸν πλησίον ἔχθρα κακίαν ἐργάζεται.

ΙΚ. — Εὐαγρίου Ι   Anon. Κ. — 1 post πλησίον add. γὰρ Κ.

3, 33   < κατάρα θεοῦ ἐν οἴκοις ἀσεβῶν ·
            ἐπαύλεις δὲ δικαίων εὐλογοῦνται >

38. Ἄγνοια κυρίου ἐν ψυχαῖς ἀσεβῶν · γνῶσις δὲ θεοῦ ἐν ψυχαῖς δικαίων.

ΑΒ. — 2 ψυχαῖς Β Ζ : ψυχῇ Α.

PROCOPE : Ἤγουν ἄγνοια θεοῦ ἐν ψυχαῖς ἀσεβῶν καὶ τοὐναντίον.

ΙΚ Ν. — Ὠριγένους. Εὐαγρίου infra Ι   Anon. Κ Ν. — 1 Ἤγουν — τοὐναντίον ΙΚ : καὶ ἡ τοῦ θεοῦ ἄγνοια ἐν ταῖς ψυχαῖς αὐτῶν Ν.

3, 34   < κύριος ὑπερηφάνοις ἀντιτάσσεται ·
            ταπεινοῖς δὲ δίδωσιν χάριν >

39. Ὥσπερ τοῖς ἀδίκοις ὁ κύριος ὡς δικαιοσύνη ἀντιτάσσεται καὶ τοῖς ψεύσταις ὡς ἀλήθεια, οὕτω καὶ τοῖς ὑπερηφάνοις ὡς ταπεινοφροσύνη ἀντιτάσσεται.

ΑΒ. — 1 Ὥσπερ Α : om. Β ‖ ὡς δικαιοσύνη Α : ὁ δίκαιος Β ‖ 2-3 οὕτω καὶ — ἀντιτάσσεται Α : οὕτω καί τοῖς λοιποῖς ὁμοίως Β.

PROCOPE : Ἀντιτάσσεται δὲ κύριος τοῖς μὲν ἀδίκοις ὡς δικαιοσύνη, τοῖς δὲ ψεύσταις ὡς ἀλήθεια, τοῖς δὲ ὑπερηφάνοις ὡς ταπεινοφροσύνη.

ΙΚ ΜΝ. — Εὐαγρίου Ι Μ   Anon. Κ Ν. — 1 μὲν ΙΚ Μ : om. Ν ‖ 2 δὲ[1] ΙΚ Μ : om. Ν ‖ δὲ[2] ΙΚ Μ : om. Ν.

3, 30 *Ne conçois pas sans motif de l'inimitié pour quel-*
qu'un,
de peur qu'il ne te fasse du mal

37. Cette « inimitié » pour le prochain rend mauvais.

Cf. schol. 120, où il est dit que l'inimitié est la malice.

3, 33 *La malédiction de Dieu est dans les maisons des*
impies,
mais les campements des justes sont bénis

38. L'ignorance du Seigneur est dans les âmes des
« impies », la science de Dieu dans celles des « justes ».

3, 34 *Le Seigneur s'oppose aux orgueilleux,*
mais il accorde sa grâce aux humbles

39. « Le Seigneur s'oppose » aux êtres injustes en tant
que justice et aux menteurs en tant que vérité ; de même
il « s'oppose aux orgueilleux » en tant qu'humilité.

Sur les *épinoiai* du Christ, voir Introduction, p. 51-52.

3, 35   < δόξαν σοφοὶ κληρονομήσουσιν ·
οἱ δὲ ἀσεβεῖς ὕψωσαν ἀτιμίαν >

40. Γνῶσιν σοφοὶ κληρονομήσουσιν · οἱ δὲ ἀσεβεῖς
ἐτίμησαν ἀγνωσίαν.

Adest in A.

PROCOPE : "Ἄλλος ἔφη · γνῶσιν οἱ σοφοὶ κληρονομήσουσιν · οἱ δὲ
ἀσεβεῖς ἐτίμησαν ἀγνωσίαν.

IK MN. — Εὐαγρίου IK M   Anon. N. — 1 "Ἄλλος ἔφη IK :
ἢ MN ‖ γνῶσιν — κληρονομήσουσιν IK : δόξαν τὴν γνῶσίν
φησι MN ‖ 1-2 οἱ — ἀγνωσίαν IK N : om. M.

4, 2 ¹   < δῶρον γὰρ ἀγαθὸν δωροῦμαι ὑμῖν >

41. Σημειωτέον ἐνταῦθα ὅτι δῶρον ἀγαθὸν ὀνομάζει
τὸν νόμον διὰ τὸν λαμβάνοντα δῶρα ἐν κόλπῳ ἀδίκως καὶ
μὴ κατευοδούμενον ᵃ. Ἐκεῖ γὰρ δῶρα ἄδικα τὰ προστάγματα
λέγει τοῦ πονηροῦ, ἅπερ ὁ νοῦς δεχόμενος οὐ κατευοδοῦται ᵃ
5 ἐν ταῖς ὁδοῖς αὐτοῦ.

a. Cf. Prov. 17, 23

AB. — 1 Σημειωτέον — ὅτι A : om. B ‖ ὀνομάζει A : ὀνοματίζει
B ‖ 2-3 διὰ — κατευοδούμενον A : om. B ‖ 3 Ἐκεῖ γὰρ δῶρα
ἄδικα A : δῶρα δὲ ἄδικα B.

PROCOPE : Σημειωτέον ὅτι δῶρον ἀγαθὸν ὀνομάζει τὸν νόμον διὰ
τὸν λαμβάνοντα δῶρα ἐν κόλπῳ ἀδίκως καὶ μὴ κατευοδούμενον ᵃ.
Δηλοῖ γὰρ ἐκεῖ τὰ προστάγματα τοῦ πονηροῦ, ἅπερ ὁ νοῦς δεχόμενος
οὐ κατευοδοῦται ᵃ.

IK MN. — Anon. — 1 Σημειωτέον — νόμον IK M : δῶρον
τὸν νόμον ὀνομάζει N ‖ 2 λαμβάνοντα IK M : λαβόντα N ‖
κατευοδούμενον hic des. N ‖ 3 δηλοῖ K M : δῆλα [γράφεται
δηλοῖ in mg.] I ‖ προστάγματα I M : πράγματα K.

3, 35   *Les sages auront la gloire en héritage,*
          mais les impies ont exalté le déshonneur

40. « Les sages auront » la science « en héritage », « mais
les impies » ont honoré l'ignorance.

4, 2 [1]   *Car je vous fais un bon cadeau*

41. Il faut noter ici qu'il nomme « bon cadeau » la loi,
à cause de « celui qui reçoit injustement des cadeaux en
son sein et ne prospère pas [a] ». Dans ce dernier passage
en effet, il appelle « cadeaux injustes » les ordres du malin ;
l'intellect qui les reçoit « ne prospère pas [a] » dans ses voies.

Cf. schol. 166.

4, 2 ² < τὸν ἐμὸν νόμον μὴ ἐγκαταλίπητε >

42. Οὗτος ἐγκαταλιμπάνει τὸν νόμον ὁ παραβαίνων αὐτόν.

Adest in A.

PROCOPE : Οὗτος δὲ ἐγκαταλιμπάνει τὸν νόμον ὁ παραβαίνων αὐτόν.

IK MN. — Hoc scholion cum scholio 41 concatenaverunt IK M Anon. N. — Οὗτος δὲ IK M : om. N.

───────────

4, 8 ¹ < περιχαράκωσον αὐτήν, καὶ ὑψώσει σε >

43. Εἰ ἐφ' ἡμῖν ἐστι τὸ χαρακῶσαι τὴν σοφίαν, αἱ δὲ ἀρεταί εἰσιν ἐφ' ἡμῖν, οἱ χάρακες ἄρα δηλοῦσιν ἐνταῦθα τὰς ἀρετάς, αἵτινες ὑψοῦσι τὴν γνῶσιν τὴν τοῦ θεοῦ.

AB. — 1-3 Εἰ — ἀρετάς Α : χαρακῶσαι τὴν σοφίαν · χάρακες αἱ ἀρεταί Β ‖ 2 ἄρα IK Tisch. : ἄρα Α.

PROCOPE : Εἰ ἐφ' ἡμῖν ἐστι τὸ χαρακῶσαι τὴν σοφίαν, αἱ δὲ ἀρεταί εἰσιν ἐφ' ἡμῖν, οἱ χάρακες ἄρα δηλοῦσιν ἐνταῦθα τὰς ἀρετάς, αἵτινες ὑψοῦσι τὴν γνῶσιν τὴν τοῦ θεοῦ.

IK MN. — Εὐαγρίου I M Anon. K N. — 1-2 Εἰ — ἡμῖν IK : om. MN ‖ 2 οἱ χάρακες — ἀρετάς IK : χάρακας [λέγει add. N] τὰς ἀρετάς MN ‖ 3 τὴν² K : om. I MN.

───────────

4, 9 < ἵνα δῷ τῇ σῇ κεφαλῇ στέφανον χαρίτων ·
στεφάνῳ δὲ τρυφῆς ὑπερασπίσῃ σου >

44. Στέφανος χαρίτων καὶ στέφανος τρυφῆς ἡ γνῶσίς ἐστιν ἡ τοῦ θεοῦ, ἥτις καὶ ὑπερασπίζει ἡμῶν πάντα λογισμὸν ἐμπαθῆ καὶ πᾶσαν ἀπωθουμένη γνῶσιν ψευδῆ.

AB. — 2 θεοῦ hic des. B.

4, 2 ² *N'abandonnez pas ma loi*

42. Celui-là « abandonne la loi » qui la transgresse.

Cf. schol. 27.

4, 8 ¹ *Entoure (la sagesse) de palissades, et elle t'élévera*

43. S'il dépend de nous d'« entourer de palissades » la sagesse et que les vertus dépendent de nous, les « palissades » désignent donc ici les vertus qui « élèvent » la science de Dieu.

Cf. schol. 15.

4, 9 *Afin que (la sagesse) pose sur ta tête une couronne de grâces*
et qu'elle te protège d'une couronne de délices

44. La « couronne de grâces » et la « couronne de délices » sont la science de Dieu qui nous « protège » en repoussant toute pensée passionnée et toute fausse science.

Cf. schol. 7.

Procope : Καὶ στέφανος χαρίτων καὶ τρυφῆς ἡ τοῦ θεοῦ γνῶσις
ὑπερασπίζουσα ἡμῶν καὶ πάντα λογισμὸν ἐμπαθῆ καὶ γνῶσιν ἀπωθουμένη ψευδῆ.

IK MN. — Εὐαγρίου I M   Anon. K N. — 1 Καὶ — γνῶσις
IK : ἡ καὶ τοῦ θεοῦ ἡ γνῶσις στέφανος χαρίτων καὶ στέφανος
τρυφῆς λέγεται MN ‖ 2-3 ἀπωθουμένη [ἀπο- M] ψευδῆ IK
M : ψευδῆ ἀπωθουμένη N.

4, 10   < ἄκουε, υἱέ, καὶ δέξαι ἐμοὺς λόγους
          καὶ πληθυνθήσεταί σοι ἔτη ζωῆς σου,
          ἵνα σοι γένωνται πολλαὶ ὁδοὶ βίου >

45. Αὗται αἱ πολλαὶ ὁδοὶ εἰς μίαν ἄγουσιν ὁδὸν τὴν
εἰποῦσαν · « ἐγώ εἰμι ἡ ὁδός [a]. » Πολλὰς δὲ εἴρηκεν ὁδοὺς
τὰς ἀρετὰς τὰς φερούσας ἐπὶ τὴν γνῶσιν τὴν τοῦ Χριστοῦ.

a. Jn 14, 6
Adest in A.

Procope : Αὗται δὲ εἰς μίαν καταντῶσιν ὁδὸν τὴν εἰποῦσαν ·
« ἐγώ εἰμι ἡ ὁδός [a]. » Αἱ πολλαὶ γὰρ ὁδοὶ τῶν θείων ἀρετῶν ἐπὶ τὴν
γνῶσιν φέρουσι τὴν τοῦ Χριστοῦ.

IK MN. — Εὐαγρίου I   Anon. K MN. — 1-2 τὴν — ὁδός
IK : τὸν Χριστόν MN ‖ 2 θείων IK : om. MN ‖ 3 τὴν IK :
om. MN.

4, 15   < ἐν ᾧ ἂν τόπῳ στρατοπεδεύσωσιν, μὴ ἐπέλθῃς ἐκεῖ ·
          ἔκκλινον δὲ ἀπ’ αὐτῶν καὶ παράλλαξον >

46. Τούτου τοῦ στρατοῦ ὁ τόπος ἐστὶν ἡ κακία καὶ ἡ
ψευδώνυμος γνῶσις [a].

a. Cf. I Tim. 6, 20
Adest in A.

Procope : Ἡ γὰρ κακία τόπος αὐτῶν καὶ ἡ ψευδώνυμος γνῶσις [a].

IK MN. — Anon.

4, 10   *Mon fils, écoute-moi et reçois mes paroles,*
et les années de ta vie se multiplieront pour toi,
afin que tu aies de nombreuses voies de vie

45. Ces « nombreuses voies » mènent à la voie unique
qui a dit : « Je suis la voie [a]. » Par ces « voies nombreuses »,
il désigne les vertus qui conduisent à la science du Christ.

Cf. schol. 21.

4, 15   *Ne t'approche pas du lieu où ils font camper leur*
armée,
mais détourne-toi d'eux et éloigne-toi

46. Le « lieu de cette armée » est la malice et la pseudo-
science [a].

Cf. schol. 10 *ad Ps.* 36, 10 : « Le lieu du pécheur, c'est la malice »
(*Vaticanus 754*, f. 106ʳ : collation M.-J. RONDEAU).

4, 16 < οὐ γὰρ μὴ ὑπνώσωσιν, ἐὰν μὴ κακοποιήσωσιν,
ἀφῄρηται ὁ ὕπνος ἀπ' αὐτῶν, οὐ κοιμῶνται >

47. Εἰ τοῖς ἀγαπητοῖς αὐτοῦ δίδωσιν ὁ κύριος ὕπνον [a],
οἱ δὲ ἀσεβεῖς οὐκ εἰσὶν αὐτοῦ ἀγαπητοί, τοῖς ἀσεβέσιν ἄρα
οὐ δίδωσιν ὕπνον ὁ κύριος. Ἐντεῦθεν δὲ ἔστι καὶ πιθανῶς
δεῖξαι ὅτι οὐδὲ καθεύδειν πεφύκασιν οἱ δαίμονες.

a. Cf. Ps. 126, 2

A. — 2 ἄρα IKN Z Tisch. : ἄρα A.

PROCOPE : Εἰ δὲ τοῖς ἀγαπητοῖς αὐτοῦ δίδωσιν ὕπνον ὁ κύριος[a],
οἱ δὲ ἀσεβεῖς οὐκ ἀγαπητοί, τοῖς ἀσεβέσιν ἄρα οὐ δίδωσιν ὕπνον.
Πιθανῶς δὲ λέξεις ἐντεῦθεν μηδὲ καθεύδειν τοὺς δαίμονας.

IK MN. — Εὐαγρίου I   Anon. K MN. — 2 οἱ [εἰ K e corr.]
— ἀγαπητοί IK M : om. N ‖ ἄρα IK N : ἄρα M ‖ δίδωσιν
hic des. N ‖ ὕπνον hic des. M.

4, 17 < οἵδε γὰρ σιτοῦνται σῖτα ἀσεβείας ·
οἴνῳ δὲ παρανόμῳ μεθύσκονται >

48. Ἐντεῦθεν γινώσκομεν τίσι τρέφεται ὁ στρατὸς τῆς
ἀντικειμένης δυνάμεως · σῖτα γάρ, φησίν, αὐτοῦ ἐστιν ἡ
ἀσέβεια [a] καὶ οἶνος παρανομία.

Adest in A.

PROCOPE : Ἔγνωμεν ἐντεῦθεν τίσι τρέφεται τῶν ἀντικειμένων
δυνάμεων ὁ στρατός · σῖτα γὰρ αὐτῶν ἡ ἀσέβεια καὶ οἶνος παρανομία.

IK MN. — Anon. — 1-2 Ἔγνωμεν — στρατός IK M :
om. N ‖ 2 σῖτα γὰρ αὐτῶν IK M : τῶν ἀσεβῶν σῖτα sic inc. N ‖
ante οἶνος add. ὁ K.

4, 18 < αἱ δὲ ὁδοὶ τῶν δικαίων ὁμοίως φωτὶ λάμπουσιν,
προπορεύονται καὶ φωτίζουσιν, ἕως κατορθώσῃ ἡ
ἡμέρα >

4, 16   *Car ils ne dormiront pas qu'ils n'aient fait le mal,*
       le sommeil leur est retiré, ils n'ont aucun repos

47. Si le Seigneur accorde le sommeil à ses bien-aimés [a]
et si les impies ne sont pas ses bien-aimés, le Seigneur
n'accorde donc aucun sommeil aux impies. On peut aussi
conjecturer à partir de ce verset que les démons ne dorment
pas non plus.

4, 17   *Car ils se nourrissent d'un pain d'impiété*
       et s'enivrent d'un vin inique

48. Par ce texte nous apprenons de quoi « se nourrit »
l'armée de la puissance adverse, car il est dit que son pain
est l'impiété et son vin l'iniquité.

Cf. schol. 252. Dans *Antirrhétique* VIII, 32, Évagre recommande
de lire ce verset des Proverbes à « l'âme qui veut apprendre quelle
est la nourriture des démons amers ».

4, 18   *Les voies des justes resplendissent comme la lumière,*
       elles précèdent et éclairent, jusqu'à ce que le jour
         se lève

49. Προπορεύονται ἡμῶν αἱ ἀρεταὶ καὶ φωτίζουσιν ἡμᾶς, ἕως ἂν ὁ ἥλιος τῆς δικαιοσύνης ª τὴν ἑαυτοῦ ἡμέραν ἡμῖν ἐπιλάμψῃ.

a. Cf. Mal. 3, 20
Adest in A.

PROCOPE : Προπορεύονται ἡμῶν αἱ ἀρεταὶ καὶ φωτίζουσιν ἡμᾶς, ἕως ἂν ὁ ἥλιος τῆς δικαιοσύνης ª τὴν ἑαυτοῦ ἡμέραν ἡμῖν ἐπιλάμψῃ.

MN. — Εὐαγρίου M Anon. N. — 1 post Προπορεύονται add. γὰρ N ‖ 2 ἑαυτοῦ N : ἑαυτῆς M.

4, 19 < αἱ δὲ ὁδοὶ τῶν ἀσεβῶν σκοτειναί,
οὐκ οἴδασιν πῶς προσκόπτουσιν >

50. Οὐδὲ τὸν τρόπον πῶς ἁμαρτάνουσιν οἱ ἀσεβεῖς ἐπίστανται οὐδὲ τὴν αἰτίαν γινώσκουσι πόθεν προσκόπτουσιν, ἀλλ' οὐδ' αὐτὸ τοῦτο ἴσασιν ὅτι παρανομοῦσιν, ὅπερ ἐστὶ γνώρισμα τῆς ἐσχάτης ἀνοίας.

A. — 2 προσκόπτουσιν IK Z Tisch. : προκόπτουσιν A.

PROCOPE : Οὐκ ἴσασι τοίνυν πῶς ἁμαρτάνουσιν, οὐ πόθεν προσκόπτουσιν, ἀλλ' οὐδὲ ἴσασιν αὐτὸ τοῦτο ὅτι παρανομοῦσιν, ὃ δὴ γνώρισμα τῆς ἐσχάτης κακίας.

IK. — Εὐαγρίου I Anon. K.

4, 21 < ὅπως μὴ ἐκλίπωσίν σε αἱ πηγαί σου,
φύλασσε αὐτὰς ἐν σῇ καρδίᾳ >

51. Πηγὰς λέγει τὰς ἀρετάς, ἀφ' ὧν γεννᾶται τὸ ὕδωρ τὸ ζῶν ª, ὅπερ ἐστὶν ἡ γνῶσις ἡ τοῦ Χριστοῦ. Καὶ ὁ Δαυίδ ·

a. Cf. Jn 4, 11

AB. — 1 post λέγει add. ὁ Σολομῶν B ‖ γεννᾶται B IKMN Z Tisch. : γεννῶσιν A.

49. Les vertus nous « précèdent » et nous « éclairent »,
« jusqu'à ce que » le soleil de justice[a] fasse resplendir
sur nous son jour.

Le soleil de justice, c'est le Christ qui donne la lumière de la
science à ceux qui ont pratiqué les vertus : cf. schol. 122.

4, 19 *Les voies des impies sont ténébreuses,*
ils ne savent pas comment ils achoppent

50. Les « impies » ignorent de quelle façon ils pèchent et
ne savent pas pour quelle raison ils « achoppent ». Ils
ignorent même qu'ils commettent l'iniquité, ce qui est
la marque de la plus totale inconscience.

Sur l'inconscience et l'ignorance des impies : schol. 58 et schol.
ad Eccl. 4, 17, qui a un texte voisin : « ' Ils ne savent pas comment
ils achoppent ', ignorant même qu'ils commettent l'iniquité »
(*Coislin 193*, f. 23[v]).

4, 21 *Afin que les sources ne t'abandonnent pas,*
garde-les en ton cœur

51. Il appelle « sources » les vertus d'où sort l'eau vive [a],
c'est-à-dire la science du Christ. Et David dit : « Les

« ὤφθησαν, φησίν, αἱ πηγαὶ τῶν ὑδάτων καὶ ἀνεκαλύφθησαν τὰ θεμέλια τῆς οἰκουμένης ᵇ », παρὰ τὴν ἐπιδημίαν
5 δηλονότι τοῦ σωτῆρος ἡμῶν Χριστοῦ.

b. Ps. 17, 16

PROCOPE : Πηγὰς λέγει τὰς ἀρετάς, ἀφ᾿ ὧν γεννᾶται τὸ ὕδωρ τὸ
ζῶν ᵃ, ἡ γνῶσις ἡ τοῦ Χριστοῦ. Καὶ ὁ Δαυίδ · « ὤφθησαν, φησίν, αἱ
πηγαὶ τῶν ὑδάτων καὶ ἀνεκαλύφθησαν τὰ θεμέλια τῆς οἰκουμένης ᵇ »,
παρὰ τὴν ἐπιδημίαν δηλαδὴ τοῦ Χριστοῦ.

IK MN. — Anon. — 2 ἧ² I MN : om. K ‖ Χριστοῦ hic des.
MN ‖ φησίν K : om. I ‖ 3 ἀνεκαλύφθησαν K : -φθη I.

4, 25 < οἱ ὀφθαλμοί σου ὀρθὰ βλεπέτωσαν ·
τὰ δὲ βλέφαρά σου νευέτω δίκαια >

52. Ὅσοι λογισμοὺς ἔχουσιν ἀπαθεῖς καὶ δόγματα
ἀληθῆ, οὗτοι ὁρῶσιν ὀρθά.

Adest in A.

PROCOPE : Ὀρθὰ γὰρ ὁρῶσιν οἱ λογισμοὺς ἔχοντες ἀπαθεῖς καὶ
δόγματα ἀληθῆ.

IK MN. — Εὐαγρίου I Anon. K MN. — 1 γὰρ IK : δὲ
MN ‖ οἱ λογισμοὺς — ἀπαθεῖς IK M : καὶ οἱ λογισμοὺς
ἀπαθεῖς ἔχοντες N.

4, 27 < μὴ ἐκκλίνῃς εἰς τὰ δεξιὰ μηδὲ εἰς τὰ ἀριστερά ·
ἀπόστρεψον δὲ σὸν πόδα ἀπὸ ὁδοῦ κακῆς >

53. Ἡ ἀρετὴ γὰρ μεσότης · διὸ καὶ τὴν ἀνδρείαν μεταξὺ
τῆς θρασύτητος καὶ τῆς δειλίας εἶναί φασιν. Νῦν δὲ ὀνομάζει
δεξιὰ οὐ τὰ φύσει δεξιά, ἀλλὰ τὰ φαινόμενά τισι διὰ τὰς
ἡδονὰς δεξιά · « βορέας γάρ, φησίν, σκληρὸς ἄνεμος ·

AB. — 1 Ἡ A : om. B ‖ post μεσότης add. ἐστί B ‖ 2 τῆς...
τῆς A : om. B ‖ δειλίας hic des. B

sources des eaux ont été vues et les fondements de la terre ont été dévoilés[b]. » Ceci a eu lieu bien évidemment lors de la venue du Christ notre Sauveur.

Cf. schol. 9 *ad Ps.* 17, 16 : « Il appelle sources des eaux les vertus, car c'est d'elles que sort la science... » (*Vaticanus 754*, f. 64[r] : collation M.-J. Rondeau).

4, 25   *Que tes yeux regardent droit*
  et que tes paupières fassent le signe qui convient

52. Ceux qui possèdent des pensées impassibles et des doctrines vraies voient « droit ».

4, 27   *Ne t'écarte ni à droite ni à gauche*
  et détourne ton pied de la voie mauvaise

53. La vertu est en effet un juste milieu; ainsi dit-on que le courage se situe entre la témérité et la lâcheté. Il nomme maintenant « à droite » non pas ce qui est par nature à droite, mais ce que les plaisirs font paraître tel à certains. Car (Salomon) dit : « L'aquilon est un vent

5 ὀνόματι δὲ ἐπιδέξιος καλεῖται ᵃ », βορέαν λέγων συμβολικῶς
τὸν πονηρόν, ἀφ' οὗ ἐξεκαύθη πάντα τὰ κακὰ ἐπὶ τῆς γῆς ᵇ.

a. Prov. 27, 16   b. Cf. Jér. 1, 14

6 ἀφ' A e corr.

PROCOPE (?) : Μέσης γὰρ οὔσης τῆς ἀρετῆς.

IK MN. — < Εὐαγρίου > I   Anon. K MN.

Lignes 1-2. L'idée selon laquelle la vertu est un juste milieu vient
évidemment d'ARISTOTE ; cf., entre autres textes, *Éthique à Nicomaque* II, 5 (1106 b 27) : Μεσότης τις ἄρα ἐστὶν ἡ ἀρετή. Elle a été
fréquemment reprise par les Pères (voir M. AUBINEAU, *Grégoire
de Nysse. Traité de la virginité*, SC 119, Paris 1966, p. 352, note 2) ;
elle réapparaît ici même dans la scholie 213. L'exemple habituellement
donné, qui provient également d'Aristote, est celui du courage situé
entre la témérité et la lâcheté (cf. schol. 98 et 249).

Lignes 2-5. Évagre est gêné de devoir donner un contenu négatif
à l'expression εἰς τὰ δεξιά, car, pour un esprit grec, la droite ne peut

---

4, 27b   < αὐτὸς δὲ ὀρθὰς ποιήσει τὰς τροχιάς σου ·
τὰς δὲ πορείας σου ἐν εἰρήνῃ προάξει* >

54. Συμφωνεῖ τούτοις τὸ « ἐὰν μὴ κύριος οἰκοδομήσῃ
οἶκον » καὶ « φυλάξῃ πόλιν ᵃ » καὶ ἑξῆς.

a. Ps. 126, 1

A. — 2 φυλάξῃ Z : φυλάξει A.

Lemme biblique. Nous avons corrigé προάξαι de l'*Alexandrinus*
en προάξει (*Vatic.* et *Sin.*).

Ce verset, également cité dans la scholie 212, souligne la nécessité
de la grâce du Seigneur et met en garde contre l'orgueil qui consiste
à s'attribuer tout le mérite de ses bonnes actions : cf. *Pratique*,
Prol. 8-17 ; *Exhortation* I, 5 (*PG* 79, 1236 AB). Même utilisation de

rude, or il est nommé *épidéxios* (qui souffle vers la droite) [a] »,
appelant symboliquement « aquilon » le malin qui attise
tous les maux de la terre [b].

être que synonyme de bien. Il tourne la difficulté en établissant une
distinction entre ce qui est réellement à droite et ce qui l'est seulement
en apparence et en alléguant l'Écriture, qui qualifie le vent mauvais
du Nord d'ἐπιδέξιος. Ce faisant, il s'est peut-être souvenu de la
remarque faite, à propos de ce même verset de *Prov.* 4, par GRÉGOIRE
DE NAZIANZE dans le *Discours* 32 (§ 6) : Dieu loue ce qui est naturellement à droite (τὸ φύσει δεξιόν), mais condamne ce qui paraît être
à droite et ne l'est pas (τοῦ φαινομένου δεξιοῦ καὶ οὐκ ὄντος). Les
termes utilisés de part et d'autre sont en effet étonnamment proches.
On notera que GRÉGOIRE DE NYSSE interprète de la même manière
le mot ἐπιδέξιος de *Prov.* 27, 16 dans l'*Homélie* X *sur le Cantique
des cantiques* (*Gregorii Nysseni opera...*, vol. VI, p. 299, l. 16-17
Langerbeck).

Lignes 5-6. L'identification de l'aquilon avec le diable se trouve
déjà chez ORIGÈNE, *De princ.* II, 8, 3.

4, 27b *Mais (Dieu) lui-même redressera tes sentiers
et guidera tes pas dans la paix*

54. Ceci concorde avec le verset : « Si le Seigneur ne
bâtit la maison » et « ne garde la ville [a] », etc.

Ps. 126, 1 chez GRÉGOIRE DE NAZIANZE, *Discours* 37, 13 et chez
CASSIEN, *Conférence* XII, 15 : « Lorsqu'on a bien compris toute la
portée de ce verset : ' Si le Seigneur ne bâtit la maison, c'est en vain
que travaillent ceux qui la bâtissent ', on ne se fait point de sa
pureté un mérite orgueilleux, parce que l'on voit trop bien qu'on
la doit à la miséricorde du Seigneur et non à sa propre diligence ;
on ne s'emporte pas non plus contre les autres avec une rigueur
impitoyable, parce que l'on sait que la vertu de l'homme n'est rien,
si elle n'est aidée de la vertu divine » (trad. Pichery, *SC* 54).

5, 3 < μὴ πρόσεχε φαύλῃ γυναικί·
μέλι γὰρ ἀποστάζει ἀπὸ χειλέων γυναικὸς πόρνης,
ἢ πρὸς καιρὸν λιπαίνει σὸν φάρυγγα,
4 ὕστερον μέντοι* πικρότερον χολῆς εὑρήσεις
καὶ ἠκονημένον μᾶλλον μαχαίρας διστόμου >

55. Τὸ λίπος τὴν ἡδονὴν σημαίνει, ἀφ' ἧς τίκτεται ἡ
ἀκαθαρσία, ἧς ἔκγονον κακία καὶ ἄγνοια, ὧν οὐδὲν ἔστι
πικρότερον ἐν τοῖς γεγονόσιν εὑρεῖν.

Adest in A.

PROCOPE : Σημαίνει δὲ τὸ λίπος τὴν ἡδονήν, ἀφ' ἧς ἡ ἀκαθαρσία,
ἧς ἔκγονον ἡ κακία καὶ ἄγνοια, ὧν πικρότερόν ἐστιν οὐδέν.

IK MN. — Εὐαγρίου M Εὐαγρίου supra I Anon. K N.
— 2 ante ἄγνοια add. ἡ N.

5, 5 [1-2] < τῆς γὰρ ἀφροσύνης οἱ πόδες κατάγουσιν
τοὺς χρωμένους αὐτῇ μετὰ θανάτου εἰς τὸν
ᾅδην >

56. Ἣν ἀνωτέρω πόρνην [a] εἶπεν, νῦν ἀφροσύνην ὠνόμασεν.

a. Cf. Prov. 5, 3
Adest in A.

PROCOPE : Ἣν δὲ ἀνωτέρω πόρνην [a] εἶπεν, νῦν ἀφροσύνην ὠνόμασεν.

IK MN. — Εὐαγρίου I Ὠριγένους M Anon. K N. —
1 πόρνην εἶπεν IK M : εἶπε πόρνην N.

---

57. Ὑπὲρ τῶν μετὰ θανάτου καταβαινόντων εἰς τὸν
ᾅδην προσεύχεται ὁ Δαυὶδ λέγων · « καταβήτωσαν εἰς
ᾅδου ζῶντες [a]. »

a. Ps. 54, 16
Adest in A.

5, 3 *Ne prête pas attention à la femme mauvaise,*
      car le miel dégoutte des lèvres de la prostituée.
      Elle te graisse un moment la gorge,
   4 *mais en définitive tu trouveras cela plus amer que*
      le fiel
      et plus affilé qu'un glaive à double tranchant

55. La « graisse » désigne le plaisir, celui-ci engendre
l'impureté, laquelle produit la malice et l'ignorance,
au-delà desquels on ne peut rien « trouver » au monde
de « plus amer ».

Lemme biblique. Dans la scholie 211, Évagre cite le verset 4 avec
la leçon μέντοι qui est celle du *Vaticanus* et du *Sinaiticus* et non
avec la leçon δὲ de l'*Alexandrinus*.

Le plaisir procuré par la malice est trompeur : schol. 81, 114, 211
et 271.

5, 5 [1-2] *Car les pieds de la folie font descendre*
         ceux qui ont commerce avec elle dans l'Hadès,
         avec la mort

56. Celle qu'il avait appelée plus haut « prostituée [a] »,
il l'a maintenant nommée « folie ».

---

57. C'est pour ceux qui « descendent dans l'Hadès avec
la mort » que David fait cette prière : « Qu'ils descendent
dans l'Hadès vivants [a]! »

Il s'agit naturellement ici de la mort provoquée par le péché ;
cf. *KG* I, 41 : « Mort et maladie de l'âme, en effet, est la malice... »
(trad. A. Guillaumont). Évagre cite souvent, à propos de cette mort,
le texte d'*Éz.* 18, 20 (ψυχὴ ἡ ἁμαρτάνουσα αὕτη ἀποθανεῖται) :
schol. 77 ; schol. 2 *ad Ps.* 87, 5 ; schol. *ad Eccl.* 7, 17 (*Coislin 193*,
f. 31[r]) ; *Pensées* 21 (*PG* 79, 1224 C) ; *Antirrhétique*, prol. (p. 472,
l. 10). Sur les différentes sortes de morts, voir la note à la scholie 218.

5, 6 < ὁδοὺς γὰρ ζωῆς οὐκ ἐπέρχεται ·
        σφαλεραὶ δὲ αἱ τροχιαὶ αὐτῆς καὶ οὐκ εὔγνωστοι >

58. Εἰ οὐκ εὔγνωστοί εἰσιν αἱ τροχιαί, καλῶς εἴρηται
τὸ « οὐκ οἴδασι πῶς προσκόπτουσιν [a] ».

    a. Prov. 4, 19

    Adest in A.

PROCOPE : Περὶ ὧν εἴρηται · « οὐκ οἴδασι πῶς προσκόπτουσιν [a]. »

IK. — Εὐαγρίου I   Anon. K.

5, 8 < μακρὰν ποίησον ἀπ᾽ αὐτῆς σὴν ὁδόν ·
        μὴ ἐγγίσῃς πρὸς θύραις οἴκων αὐτῆς >

59. Ὁδὸν εἶπεν ἐνταῦθα τὸν ἐπὶ τὴν ἀρετὴν ὁδεύοντα
νοῦν. Ἢ τάχα τὴν ἀρετὴν προστάσσει χωρίζειν ἡμᾶς ἀπὸ
κακίας.

    Adest in A.

PROCOPE : Τὴν ὁδὸν λέγων τὸν ἐπὶ τὴν ἀρετὴν ὁδεύοντα νοῦν ἢ
καὶ τὴν ἀρετὴν κελεύει τῆς κακίας χωρίσαι.

IK MN. — Ὠριγένους M Anon. IK N. — 1 Τὴν ὁδὸν
λέγων IK : ὁδὸν φησι M τουτέστι N ‖ ἐπὶ τὴν ἀρετὴν IK M :
ἐπ᾽ ἀρετὴν N ‖ ἢ IK N : ἡ M ‖ 2 χωρίσαι IK N : χωρῆσαι M.

5, 9 < ἵνα μὴ πρόῃ ἄλλοις ζωήν σου
        καὶ σὸν βίον ἀνελεήμοσιν >

60. Ἐντεῦθεν γινώσκομεν ὅτι τὸ θυμικὸν μέρος ἐπικρατεῖ
ἐν τοῖς δαίμοσιν · « ἀνελέημων γὰρ θυμός, φησίν, καὶ ὀξεῖα
ὀργή [a]. »

    a. Prov. 27, 4

    A. — 1 Ἐντεῦθεν IKMN Z : ἐνταῦθα A.

5, 6 *Car elle ne s'avance pas sur des voies de vie,*
et ses sentiers sont glissants et mal connus

58. Si « ses sentiers sont mal connus », c'est à juste titre
qu'il a été dit : « (Les impies) ne savent pas comment ils
achoppent [a]. »

Cf. scholie 50.

5, 8 *Éloigne d'elle ton chemin*
et n'approche pas des portes de sa maison

59. Ici il a appelé « chemin » l'intellect qui chemine vers
la vertu. Ou peut-être qu'il nous ordonne de séparer la
vertu de la malice.

5, 9 *De peur d'abandonner ta vie à d'autres*
et ton existence à des gens sans pitié

60. Par ce texte nous apprenons que la partie irascible
prédomine chez les démons, car il est dit : « Leur colère
est sans pitié et leur courroux féroce [a]. »

Les démons se caractérisent par la prédominance de l'élément

PROCOPE : Ἐντεῦθεν μανθάνομεν ὅτι τὸ θυμικὸν μέρος ἐπικρατεῖ
ἐν τοῖς δαίμοσιν · « ἀνελεήμων γάρ, φησίν, ὁ θυμός [a]. »

IK MN. — Εὐαγρίου K   Anon. I MN. — 1 post Ἐντεῦθεν
add. τοίνυν MN ‖ ἐπικρατεῖ IK M : κρατεῖ N ‖ 2 φησίν K :
om. I MN.

5, 11 [2] < ἡνίκα ἂν κατατριβῶσιν σάρκες σώματός σου >

61. Διὰ τῶν κακιῶν οἱ πονηροὶ κατατρίβουσι τὰς σάρκας
τὰς τοῦ Χριστοῦ καὶ τὸ αἷμα καταναλίσκουσι κοινὸν αὐτὸ
ἡγησάμενοι [a] · « ὁ τρώγων γάρ μου, φησί, τὴν σάρκα καὶ
πίνων μου τὸ αἷμα ἔχει ζωὴν αἰώνιον, κἀγὼ ἀναστήσω
5 αὐτὸν τῇ ἐσχάτῃ ἡμέρᾳ [b]. »

a. Cf. Hébr. 10, 29   b. Jn 6, 54

A. — 2 τὰς A : om. Tisch.

PROCOPE : Διὰ δὲ τῶν κακιῶν οἱ πολλοὶ πατατρίβουσι τὰς τοῦ
Χριστοῦ σάρκας καὶ τὸ αἷμα καταναλίσκουσι κοινὸν αὐτὸ ἡγησάμενοι [a] ·
« ὁ τρώγων γάρ μου, φησί, τὸ σῶμα καὶ πίνων μου τὸ αἷμα ἔχει ζωὴν
αἰώνιον, κἀγὼ ἀναστήσω αὐτὸν ἐν τῇ ἐσχάτῃ ἡμέρᾳ [b]. »

IK MN. — Εὐαγρίου IK   Anon. MN. — 1 δὲ IK M : om.
N ‖ κακιῶν K MN : κακῶν I ‖ 2 Χριστοῦ K p. corr. MN :
κυρίου IK a. corr. ‖ ἡγησάμενοι IK : ἡγούμενοι MN ‖ 3-4 ὁ
τρώγων — ἡμέρᾳ IK : om. MN ‖ 3 γάρ μου I : μου γάρ K ‖
τὸ σῶμα — μου I : om. K.

5, 14 < παρ' ὀλίγον ἐγενόμην ἐν παντὶ κακῷ*
ἐν μέσῳ ἐκκλησίας καὶ συναγωγῆς >

62. Ἦν ὅτε οὐκ ἦν κακία καὶ ἔσται ὅτε οὐκ ἔσται ·
οὐκ ἦν δὲ ὅτε οὐκ ἦν ἀρετή, οὐδὲ ἔσται ὅτε οὐκ ἔσται ·
ἀνεξάλειπτα γὰρ τὰ σπέρματα τῆς ἀρετῆς. Πείθει δέ με
καὶ οὗτος παρ' ὀλίγον καὶ οὐ τελείως ἐν παντὶ κακῷ γεγονὼς
5 καὶ ὁ πλούσιος ἐν τῷ ᾅδῃ διὰ κακίαν κρινόμενος καὶ

A. — 5 κρινόμενος IKN Z ܀ ܪ ܠ ܠܡ. Codex syro-hexaplaris Ambrosianus C 313 inf. : γενόμενος A.

irascible ; cf. *KG* I, 68 : « Il y a chez les anges prédominance de *nous* et de feu, chez les hommes (prédominance) d'*épithumia* et de terre, chez les démons (prédominance) de *thumos* et d'air... » (trad. A. Guillaumont), et *KG* III, 34 : « Le démon est la nature raisonnable qui, à cause de l'abondance de *thumos*, est déchue du service de Dieu » (trad. A. Guillaumont).

5, 11 [2] *Quand seront usées les chairs de ton corps*

61. Par les vices les méchants « usent les chairs » du Christ et répandent son sang qu'ils tiennent pour profane [a]. Car (le Christ) a dit : « Celui qui mange ma chair et boit mon sang a la vie éternelle, et moi, je le ressusciterai au dernier jour [b]. »

Évagre interprète symboliquement les chairs et le sang du Christ : les chairs sont les vertus et le sang est la science, cf. *Moines* 118-119 et schol. *ad Eccl.* 2, 25 (*Coislin 193*, f. 19ʳ). Par leurs vices, les démons cherchent à détruire ces vertus et cette science que les hommes veulent au contraire acquérir. Sur ce thème, voir aussi la scholie 77 et les scholies 1 *ad Ps.* 26, 2 et 15 *ad Ps.* 67, 24. Pour l'expression « user les chairs », voir *Moines* 103 : « Donne du vin aux vieillards et porte des aliments aux malades, car ils ont usé (κατέτριψαν) les chairs de leur jeunesse. »

5, 14 *J'ai presque été dans le mal absolu, au milieu de l'assemblée et du conseil*

62. Il y avait un temps où la malice n'existait pas et il y en aura un où elle n'existera plus. Mais il n'y avait pas de temps où la vertu n'existait pas et il n'y en aura pas où elle n'existera plus, car les semences de vertu sont indestructibles. Je n'en veux pour preuve que cet homme qui a « presque », mais non complètement « été dans le mal absolu », et aussi ce riche qui, alors qu'il était condamné

οἰκτείρων τοὺς ἀδελφούς ᵃ. Τὸ δὲ ἐλεεῖν σπέρμα τυγχάνει τὸ
κάλλιστον τῆς ἀρετῆς.

a. Cf. Lc 16, 19-31

PROCOPE : Ἦν ὅτε οὐκ ἦν κακία καὶ ἔσται ὅτε οὐκ ἔσται · οὐκ ἦν
δὲ ὅτε οὐκ ἦν ἀρετή, οὐδὲ ἔσται ὅτε οὐκ ἔσται · ἀνεξάλειπτα γὰρ τὰ
σπέρματα τῆς ἀρετῆς. Πείθει δέ με καὶ οὗτος παρ' ὀλίγον καὶ οὐ
τελείως ἐν παντὶ κακῷ γεγονὼς καὶ ὁ πλούσιος ἐν τῷ ᾅδη διὰ τὴν
5 κακίαν κρινόμενος καὶ οἰκτείρων τοὺς ἀδελφούς ᵃ. Τὸ δὲ ἐλεεῖν σπέρμα
τυγχάνει τὸ κάλλιστον τῆς ἀρετῆς.

IK N. — Εὐαγρίου I Anon. K N. — 2 ἀρετή IK : ἡ ἀρετή
N ‖ 5-6 σπέρμα — κάλλιστον IK : σπέρμα κάλλιστόν ἐστι N.

Lemme biblique. Comme le montre son commentaire, Évagre
lisait κακῷ *(Vatic., Sin.)* et non κακῷ μου *(Alex.).*

5, 15 < πῖνε ὕδατα ἀπὸ σῶν ἀγγείων
          καὶ ἀπὸ σῶν φρεάτων πηγῆς >

63. Ἡ γνῶσις καὶ φρέαρ ἐστὶ καὶ πηγή. Τοῖς μὲν γὰρ
προσελθοῦσι ταῖς ἀρεταῖς βαθὺ φρέαρ εἶναι δοκεῖ, τοῖς δὲ
ἀπαθέσι καὶ καθαροῖς πηγή. Οὕτω καὶ ὁ σωτὴρ « ἐκαθέζετο
ἐπὶ τῇ πηγῇ, ὥρα ἦν ὡσεὶ ἕκτη ᵃ ». Ἡ δὲ Σαμαρεῖτις
5 φρέαρ αὐτὴν ὀνομάζει · « κύριε γάρ, φησίν, οὔτε ἄντλημα
ἔχεις καὶ τὸ φρέαρ ἐστὶ βαθύ ᵇ. »

a. Jn 4, 6   b. Jn 4, 11

A. — 2 ταῖς ἀρεταῖς IKMN Z : τὴν ἀρετὴν A.

PROCOPE : Κατ' ἀναγωγὴν δὲ ἡ γνῶσις καὶ φρέαρ ἐστὶ καὶ πηγή.
Τοῖς γὰρ προσελθοῦσι ταῖς ἀρεταῖς βαθὺ φρέαρ εἶναι δοκεῖ, τοῖς δὲ
ἀπαθέσι καὶ καθαροῖς πηγή. Οὕτω καὶ ὁ σωτὴρ « ἐκαθέζετο ἐπὶ τῇ
πηγῇ, ὥρα ἦν ὡσεὶ ἕκτη ᵃ ». Ἡ δὲ Σαμαρεῖτις φρέαρ αὐτὸ ὀνομάζει,
5 « κύριε, λέγουσα, οὔτε ἄντλημα ἔχεις καὶ τὸ φρέαρ ἐστὶ βαθύ ᵇ ».

IK MN. — Εὐαγρίου I M Anon. K N. — 1 Κατ' ἀναγωγὴν
IK : κατὰ διάνοιαν MN ‖ καὶ¹ IK : om. MN ‖ 3 πηγή hic
des. N ‖ 3-4 ἐπὶ τῇ πηγῇ IK : ἐπὶ τῇ γῇ M ‖ 4 ὥρα — ἕκτη
IK : om. M ‖ Σαμαρεῖτις K : Σαμαρείτις I M.

dans l'Hadès à cause de sa malice, avait pitié de ses frères [a] :
la pitié constitue la plus belle semence de vertu.

Évagre réutilise ici un texte qui apparaît en quatre autres endroits
de son œuvre : *KG* I, 40 ; *Lettre* 43 (p. 596, l. 4-7) ; *Lettre* 59 (p. 608,
l. 23-26) ; *Pensées* 65 (*PG* 40, 1240 A). Il s'est contenté de l'adapter
au verset commenté en y insérant la phrase καὶ οὗτος παρ' ὀλίγον —
γεγονώς qui ne se trouve dans aucun des quatre passages parallèles.
Affirmation très nette que le mal prendra fin et que tous les êtres
seront restaurés dans leur état premier. Ces semences de vertu
placées en eux sont le gage de leur salut final. Autres mentions de
ces semences : *KG* I, 39 ; *Pensées* 7 (*PG* 79, 1209 A) = *Lettre* 18
(p. 578, l. 20) ; schol. 21 *ad Ps.* 36, 25 ; 3 *ad Ps.* 125, 5 ; 4 *ad Ps.* 136, 7
(τῶν φυσικῶν τῆς ἀρετῆς σπερμάτων); *Pratique* 57 (τῶν φυσικῶν
σπερμάτων).

5, 15 *Bois l'eau de tes cruches*
et de la source de tes puits

63. La science est à la fois un « puits » et une « source » :
pour ceux qui s'approchent des vertus, elle semble être
un « puits » profond, tandis que pour les impassibles et les
purs, elle semble être une source. C'est ainsi que le Sauveur
« s'était assis près de la source, alors que l'on était environ
à la sixième heure [a] ». Or, la Samaritaine nomme cette
source « puits », puisqu'elle dit : « Seigneur, tu n'as rien
pour puiser, et le puits est profond [b]. »

ORIGÈNE avait déjà remarqué que dans cet épisode de la Samaritaine il était d'abord question de source, et ensuite de puits, mais
l'interprétation qu'il donne des deux mots est totalement différente :
la source qui coule au ras du sol est le sens littéral et superficiel de
l'Écriture et le puits le sens spirituel et profond (*Hom. sur Jérémie*
XVIII, 4). Voir aussi sa remarque sur ce verset des Proverbes dans
Hom. sur les Nombres XII, I : « Ainsi donc, selon les Proverbes déjà
cités, là où il est question de puits en même temps que de sources,
il faut comprendre qu'il s'agit du Verbe de Dieu : puits, s'il cache
quelque chose profond mystère ; source, s'il déborde sur les peuples et les
arrose » (trad. Méhat, *SC* 29). Évagre et Origène, dont les interprétations divergent, partagent au moins la même attention au détail
du texte scripturaire.

5, 18   < ἡ πηγή σου τοῦ ὕδατος ἔστω σοι ἰδία
καὶ συνευφραίνου μετὰ γυναικὸς τῆς ἐκ νεότητός
σου >

64. Εἰ ἡ γυνὴ ἐνταῦθα τὴν τοῦ θεοῦ γνῶσιν σημαίνει,
αὕτη δὲ ἐκ νεότητος ἡμῖν ἐδόθη, ἡ γνῶσις ἄρα τοῦ θεοῦ
ἀπ' ἀρχῆς ἡμῖν ἐδόθη, ἥντινα ἀνωτέρω διδασκαλίαν ὁ
Σολομὼν νεότητος λέγει · « υἱὲ γάρ, φησί, μή σε καταλάβῃ
5 βουλὴ κακή » — τὸν διάβολον λέγων ὡς κακῶς βουλευσά-
μενον —, « ἡ ἀπολείπουσα διδασκαλίαν νεότητος καὶ
διαθήκην θείαν ἐπιλελησμένη [a]. » Λήθη δὲ καὶ ἀπόλειψις
γνώσεως καὶ κτήσεως δεύτεραι, ὥσπερ καὶ ὑγείας νόσος
ἐσχάτη καὶ ζωῆς θάνατος δεύτερος. Ἅμα δὲ καὶ τοῦτο
10 ἰστέον ὅτιπερ ἡ αὐτὴ γνῶσις καὶ μήτηρ λέγεται καὶ γυνὴ
καὶ ἀδελφή. Μήτηρ μὲν ἐπειδὴ ὁ διδάξας με δι' αὐτῆς με
γεγέννηκεν, ὡς Παῦλος διὰ τοῦ εὐαγγελίου Γαλάτας [b].
Γυνὴ δὲ ὅτι συνοῦσά μοι τίκτει τὰς ἀρετὰς καὶ δόγματα
ὀρθά, εἴγε « ἡ σοφία ἀνδρὶ τίκτει φρόνησιν [c] ». Ἀδελφὴ
15 δὲ ὅτι ἐγώ τε καὶ αὐτὴ ἐκ τοῦ ἑνὸς γεγόναμεν θεοῦ καὶ
πατρός [d] · « εἶπον γάρ, φησίν, τὴν σοφίαν σὴν ἀδελφὴν
εἶναι [e]. »

a. Prov. 2, 17   b. Cf. I Cor. 4, 15   c. Prov. 10, 23
d. Cf. Éphés. 4, 6   e. Prov. 7, 4

A. — 1 Εἰ A : om. Tisch. ‖ 2-3 ἡ γνῶσις — ἐδόθη restitui e
IKM : om. A Z ‖ 4 γάρ IK Z : om. A ‖ 12 Γαλάτας IKMN Z
Tisch. : Γαλάταις A.

PROCOPE : Κατὰ δὲ διάνοιαν · εἰ ἡ γυνὴ ἐνταῦθα τὴν τοῦ θεοῦ
γνῶσιν σημαίνει, ἡ γνῶσις ἄρα τοῦ θεοῦ ἀπ' ἀρχῆς ἡμῖν ἐδόθη, ἣν
ἀνωτέρω διδασκαλίαν ἔφη νεότητος · « μή σε γάρ, ἔλεγε, καταλάβῃ
βουλὴ κακὴ ἡ ἀπολείπουσα διδασκαλίαν νεότητος καὶ διαθήκην θείαν
5 ἐπιλελησμένη [a]. » Λήθη δὲ καὶ ἀπόλειψις γνώσεως καὶ κτήσεως
δεύτεραι. Ἡ αὐτὴ δὲ γνῶσις καὶ μητὴρ λέγεται, ἐπειδήπερ ὁ διδάξας

IK MN. — Εὐαγρίου I M Anon. K N. — 1 εἰ K M : om.
I N ‖ 1-2 τὴν τοῦ θεοῦ γνῶσιν IK M : τὴν γνῶσιν τοῦ θεοῦ N ‖
2 ἡ γνῶσις — ἐδόθη IK M : om. N ‖ 3-6 μή σε — δεύτεραι IK :
om. MN ‖ 5 κτήσεως I : κτίσεως K ‖ 6 δεύτεραι scripsi : δευτέρη
K δευτερεῖ I ‖ ἐπειδήπερ IK M : ἐπείπερ N.

5, 18 *Que ta source d'eau t'appartienne en propre,*
et réjouis-toi avec la femme de ta jeunesse

64. Si « la femme » désigne ici la science de Dieu et si
celle-ci nous a été donnée « dès notre jeunesse », la science
de Dieu nous a donc été donnée dès l'origine. C'est elle que
Salomon appelle plus haut « enseignement de jeunesse » :
« Mon fils, dit-il en effet, qu'elle ne s'empare pas de toi,
la mauvaise décision » — c'est-à-dire le diable, parce qu'il
a pris une mauvaise décision —, « elle qui a abandonné
l'enseignement de sa jeunesse et oublié l'alliance divine [a]. »
L'oubli et l'abandon sont seconds par rapport à la science
et à la possession, tout comme la maladie vient après la
santé et comme la mort est seconde par rapport à la vie.
Il faut également savoir que cette même science est appelée
« mère », « épouse » et « sœur ». « Mère », parce que celui qui
m'a instruit m'a engendré grâce à elle, comme Paul a
engendré les Galates par l'Évangile [b]. « Épouse », parce
qu'en s'unissant à moi elle enfante les vertus et les doctrines
vraies, car il est dit que « la sagesse donne à son mari la
prudence comme enfant [c] ». « Sœur », parce qu'elle et moi
sommes issus de l'unique Dieu et Père [d] ; il est dit en
effet : « Dis que la sagesse est ta sœur [e]. »

Lignes 1-4. La femme de la jeunesse symbolise la science dont
jouissaient les intellects avant leur déchéance (le mouvement pour
reprendre la terminologie évagrienne).

Lignes 4-7. Reprise de l'exégèse de *Prov.* 2, 17 faite dans la
scholie 23.

Lignes 7-9. Évagre revient souvent sur cette idée que la science
et la vertu sont antérieures à la malice et à l'ignorance qui ne sont
que la privation des premières. Cf. *KG* I, 41 : « Si la mort est seconde
par rapport à la vie et la maladie seconde par rapport à la santé,
il est évident que la malice est seconde par rapport à la vertu... »
(trad. A. Guillaumont). Voir aussi schol. 77 ; *KG* II, 8 ; *Lettre* 42
(p. 596, l. 7-9) ; schol. 8 *ad Ps.* 9, 18 ; etc.

Lignes 9-17. La scholie 2 *ad Ps.* 127, 3 a un développement
parallèle sur la sagesse épouse et sœur : « L'épouse de l'intellect,

με δι᾽ αὐτῆς με γεγέννηκεν, ὡς ὁ Παῦλος διὰ τοῦ εὐαγγελίου Γαλάτας ᵇ·
καὶ γυνή, ὅτι συνοῦσά μοι τίκτει ἀρετὰς καὶ δόγματα ὀρθά, εἴγε « ἡ
σοφία ἀνδρὶ τίκτει φρόνησιν ᶜ »· καὶ ἔστιν ἀδελφή, ὅτι ἐγώ τε καὶ
10 αὐτὴ ἐκ τοῦ ἑνὸς γεγόναμεν θεοῦ ᵈ καὶ « εἶπον γάρ, φησί, τὴν σοφίαν
σὴν ἀδελφὴν εἶναι ᵉ ».

7 με¹ ΙΚ Μ : om. Ν ‖ ὡς ΙΚ Μ : καὶ Ν ‖ ante Γαλάτας
add. τοὺς Ν ‖ 8 καὶ γυνή ΙΚ : ἀλλὰ καὶ γυνή Ν ἀλλὰ γυνή
Μ ‖ 9 καὶ ἔστιν ἀδελφή ΙΚ : ἀλλὰ καὶ ἀδελφή ΜΝ ‖ 10 ante
γεγόναμεν transp. θεοῦ Ν ‖ καὶ ΙΚ Μ : om. Ν.

─────────────────────────────

5, 19   < ἔλαφος φιλίας καὶ πῶλος σῶν χαρίτων ὁμιλείτω
σοι·
ἡ δὲ ἰδία ἡγείσθω σου καὶ συνέστω σοι ἐν παντὶ
καιρῷ·
ἐν γὰρ ταύτῃ τῇ φιλίᾳ συμπεριφερόμενος πολλοστὸς
ἔσῃ >

65. Εἰ « χάρις καὶ φιλία ἐλευθεροῖ ᵃ », ἀρετὴ δὲ καὶ
γνῶσις ἐλευθεροῖ ψυχὴν λογικήν, ἡ χάρις καὶ ἡ φιλία ἀρετὴ
καὶ γνῶσίς ἐστιν. Εἰ δὲ ἡ ἔλαφος ἐκ τῆς φιλίας, ὁ δὲ πῶλος
ἐκ τῆς χάριτος γεννᾶται, ἡ μὲν ἔλαφός ἐστιν θεωρίας σύμβο-
5 λον, ὁ δὲ πῶλος τῆς ἀπαθείας· ἡ μὲν γὰρ ἐξ ἀρετῶν, ἡ δὲ
ἐκ τῆς γνώσεως γίνεσθαι πέφυκεν.

a. Prov. 25, 10

Α. — 4 τῆς χάριτος Α : τῶν χαρίτων ΙΚΜΝ Ζ ‖ θεωρίας
Α ΙΚΜΝ : τῆς θεωρίας Ζ.

PROCOPE : Εἰ « χάρις καὶ φιλία ἐλευθεροῖ ᵃ », ἀρετὴ δὲ καὶ γνῶσις
ἐλευθεροῖ ψυχὴν λογικήν, ἡ χάρις καὶ ἡ φιλία ἀρετὴ καὶ γνῶσίς ἐστιν.
Εἰ δὲ ἡ ἔλαφος ἐκ τῆς φιλίας, ὁ δὲ πῶλος ἐκ τῶν χαρίτων γεννᾶται,
ἡ μὲν ἔλαφός ἐστι θεωρίας σύμβολον, ὁ δὲ πῶλος τῆς ἀπαθείας· αὕτη
5 γὰρ ἐξ ἀρετῶν, ἐκ δὲ τῆς γνώσεως θεωρία λογικῆς διδασκαλίας, δι᾽
ὧν ἀρετὴ καὶ γνῶσις θεοῦ.

ΙΚ ΜΝ. — < Εὐαγρίου> Ι Μ Anon. Κ Ν. — 3 Εἰ δὲ ἡ
ΙΚ : ἡ δὲ ΜΝ ‖ 4 μὲν ΙΚ Μ : οὖν Ν.

c'est la sagesse, car il est dit : ' Éprends-toi d'elle, et elle te gardera ;
honore-la, afin qu'elle t'entoure de ses bras (*Prov.* 4, 6.8) ' et que
tu acquières auprès d'elle des paroles sages et des doctrines vraies.
L'Écriture l'appelle encore sœur : ' Dis que la sagesse est ta sœur
(*Prov.* 7, 4) ' ; elle est également nommée sœur du fait qu'elle aussi
est issue du Père de tous (cf. *Éphés.* 4, 6)... » (*Vaticanus 754*, f. 320ʳ⁻ᵛ :
collation M.-J. Rondeau). Voir aussi les scholies 79, 88 et 197.

5, 19 *Qu'elle vive avec toi, cette biche d'amitié et ce faon*
            de grâces,
                 qu'elle soit considérée comme ton bien propre et
                 qu'elle demeure avec toi en toute cir-
                 constance,
      car si tu vis dans cette amitié, tu seras nombreux

65. Si « la grâce et l'amitié libèrent [a] » et que la vertu
et la science libèrent l'âme raisonnable, la « grâce » et
l'« amitié » sont la vertu et la science. Si la « biche » naît
de l'« amitié » et le « faon » de la « grâce », la « biche » est
le symbole de la contemplation et le « faon » le symbole de
l'impassibilité, car cette dernière résulte des vertus et
la première de la science.

Ici le mot πῶλος désigne le faon de la biche précédemment nommée,
et Évagre voit dans ces deux animaux les deux degrés de la vie
spirituelle. Dans les commentaires qu'il donne de *Ps.* 17, 34, la biche
(ou le cerf) symbolise celui qui, ayant affermi ses pieds par la *praktikè*,
peut s'élever sur les hauteurs de la contemplation : schol. 17 *ad Ps.* 17,
34 et *Lettre sur la sainte Trinité* (Ps.-BASILE, *Lettre* 8, 12). En glosant
le mot φιλία par γνῶσις ou θεωρία, Évagre ébauche un thème qui
occupera une grande place dans ces scholies, celui de la science
conçue comme amitié spirituelle (voir Introduction, p. 53-54).

66. Ἰδία τῆς λογικῆς φύσεώς ἐστιν ἡ ἀρετὴ καὶ ἡ γνῶσις ἡ τοῦ θεοῦ.

ΑΒ′. — 1 Ἰδία Α : διὰ Β′.

Procope : cf. fragment précédent, l. 5-6.

---

67. Τὸ πολλοστὸν εἶναι τὸ πλῆθός ἐστιν ἔχειν θεωρημάτων. Πλῆθος δέ ἐστιν τῶν ὠφελουμένων.

Adest in A.

Procope : Τὸ δὲ πολλοστὸς γνῶσιν ἐμφαίνει θεωρημάτων.

ΙΚ Ν. — Anon. — 1 δὲ ΙΚ : οὖν Ν.

5, 20 < μὴ πολὺς ἴσθι πρὸς ἀλλοτρίαν
μηδὲ συνέχου ἀγκάλαις ταῖς μὴ ἰδίαις >

68. Τὸ « μὴ πολὺς ἴσθι πρὸς ἀλλοτρίαν », τινὲς μὲν περὶ τῆς ἔξωθεν σοφίας νομίσουσι λέγεσθαι, πρὸς ἣν χρονίζειν οὐκ ἀναγκαῖον διὰ τὰς ἐγκεκρυμμένας ἀπάτας · τινὲς δὲ περὶ τῆς κακίας ἐκλήψονται καὶ τὸ μὴ πολὺν εἶναι πρὸς
5 αὐτὴν ἑρμηνεύσουσιν οὕτως, ὅτι οὐ δυνατὸν ἄνθρωπον ὄντα παντάπασιν ἀπέχεσθαι πονηρῶν λογισμῶν, μὴ χρονίζειν μέντοιγε ἐν αὐτοῖς δυνατὸν καὶ ὅτι ἀγκάλας τὰς ἀλλοτρίας τοὺς πονηροὺς λογισμοὺς ὀνομάζει τοὺς συνέχοντας τὴν ψυχὴν καὶ μὴ λανθάνοντας τὸν καρδιογνώστην θεόν [a].

a. Cf. Act. 1, 24 et 15, 8

Α. — 7 αὐτοῖς ΙΚ Ζ Tisch. : αὐταῖς Α ‖ ἀγκάλας Α : ἐγκάλας Tisch.

Procope : Μὴ ἐνδιατρίψῃς, φασί τινες, τῇ ἔξω σοφίᾳ διὰ τὰς ἐγκεκρυμμένας ἀπάτας ἢ καὶ περὶ κακίας ὁ λόγος. Ἀδύνατον μὲν γὰρ ἄνθρωπον πονηρῶν παντάπασιν ἀπέχεσθαι λογισμῶν, μὴ χρονί-

ΙΚ Μ. — Anon. — 2 ἀπάτας hic des. Μ.

66. Le « bien propre » de la nature raisonnable est la vertu et la science de Dieu.

---

67. « Être nombreux », c'est posséder un grand nombre de contemplations. Le grand nombre est aussi celui de ceux qui en tirent profit.

La formule τὸ πλῆθος τῶν θεωρημάτων est tout à fait origénienne ; cf. notamment *Comm. sur S. Jean* II, 172 : τὸ πλῆθος τῶν περὶ θεοῦ θεωρημάτων καὶ γνώσεως, ou encore *Contre Celse* VI, 19 : τὴν βαθύτητα τοῦ πλήθους τῶν ... περὶ θεοῦ θεωρημάτων. La contemplation, et en particulier la contemplation naturelle, est placée sous le signe de la multiplicité ; elle montre la sagesse pleine de variété du Créateur : cf. *Éphés.* 3, 10.

5, 20   *Ne t'attarde pas auprès de l'étrangère*
et ne te laisse pas serrer par des étreintes qui ne
t'appartiennent pas en propre

68. Certains penseront que le verset : « Ne t'attarde pas auprès de l'étrangère » s'applique à la sagesse profane, auprès de laquelle il ne faut pas s'attarder à cause des tromperies qu'elle recèle. D'autres comprendront qu'il s'agit de la malice et interpréteront le verset : « Ne t'attarde pas auprès d'elle » de cette façon : Il est impossible, tant que l'on est homme, de se tenir tout à fait à l'écart des mauvaises pensées, mais il est malgré tout possible de ne pas s'attarder en elles ; et il nomme « étreintes » étrangères les mauvaises pensées qui enserrent l'âme et n'échappent pas à Dieu qui connaît les cœurs [a].

La première interprétation était celle de CLÉMENT D'ALEXANDRIE dans *Strom.* I, 28, 9. La seconde reprend une idée chère à Évagre ; cf. *Pratique* 6 : « ... Que toutes ces pensées troublent l'âme ou ne la troublent pas, cela ne dépend pas de nous ; mais qu'elles s'attardent ou ne s'attardent pas, qu'elles déclenchent les passions ou ne les

ζειν μέντοι δυνατὸν ἐν αὐτοῖς · ὡς ἐπὶ τὰς ἀγκάλας τῆς ἀλλοτρίας
5 τοὺς πονηροὺς λογισμοὺς τοὺς συνέχοντας τὴν ψυχὴν καὶ μὴ λανθάνοντας
τὸν καρδιογνώστην θεόν [a].

6, 1 < υἱέ, ἐὰν ἐγγύῃ σὸν φίλον,
          παραδώσεις σὴν χεῖρα ἐχθρῷ >

69. Πᾶς ὁ τὸν φίλον τῶν ἀποστόλων Χριστὸν ἐγγυώμενος
ὡς δικαιοσύνην καὶ ἀλήθειαν παραδίδωσι τὴν ἑαυτοῦ ψυχὴν
τοῖς ἐχθροῖς τοῖς εἰωθόσι πολεμεῖν τοῖς ἀνθρώποις διὰ τὴν
πρὸς τὸν σωτῆρα φιλίαν · φιλία γάρ ἐστιν πνευματικὴ
5 γνῶσις θεοῦ, καθ᾽ ἣν καὶ οἱ ἅγιοι φίλοι χρηματίζουσι τοῦ
θεοῦ. Οὕτω καὶ Ἰωάννης ὁ βαπτιστὴς φίλος ἦν τοῦ νυμφίου [a]
καὶ Μωσῆς [b] καὶ οἱ ἀπόστολοι [c] · « οὐκέτι γάρ, φησίν,
ὑμᾶς καλῶ δούλους, ἀλλὰ φίλους [c]. » « Παρόξυνε δέ »,
φησίν, διὰ προσευχῶν καὶ δεήσεων, « καὶ τὸν φίλον σου ὃν
10 ἐνεγυήσω [d] » λέγων · « φύλαξόν με, κύριε, ἐκ χειρὸς
ἁμαρτωλοῦ [e] » καὶ « ἀπὸ ἀνδρὸς ἀδίκου ῥῦσαί με [f] » καὶ
« ἕνεκα τῶν ἐχθρῶν μου μὴ παραδῷς με εἰς χεῖρας θλιβόντων
με [g] », « ὅτι ἕνεκέν σου θανατούμεθα ὅλην τὴν ἡμέραν ·
ἐλογίσθημεν ὡς πρόβατα σφαγῆς [h] ».

a. Cf. Jn 3, 29   b. Cf. Ex. 33, 11   c. Cf. Jn 15, 15   d.
Prov. 6, 3   e. Ps. 139, 5   f. Ps. 139, 2   g. Ps. 26, 11-12
h. Ps. 43, 23

A. — 1 τῶν ἀποστόλων A : om. IKN Z ‖ 7 Μωσῆς Z Tisch. :
Μωσῆς A ‖ 8 ἀλλὰ φίλους IKN Z : om. A ‖ 10 ἐνεγυήσω Rahlfs :
ἐνηγγυήσω A N ἐγγυήσω IK ‖ 12 παραδῷς A : παράδος
Tisch. ‖ χεῖρας A : ψυχὰς IK Rahlfs.

PROCOPE : Ἦ καὶ ἄλλως. Ὁ τὸν φίλον Χριστὸν ἐγγυώμενος ὡς
δικαιοσύνην καὶ ἀλήθειαν παραδίδωσι τὴν ἑαυτοῦ ψυχὴν τοῖς ἐχθροῖς
τοῖς εἰωθόσι πολεμεῖν τοῖς ἀνθρώποις διὰ τὴν πρὸς τὸν σωτῆρα
φιλίαν ·

IK N v. notam. — Anon. — 1 Ἦ καὶ ἄλλως IK : καὶ N ‖
2 ἀλήθειαν N : αὐτῷ IK ‖ 2-3 τοῖς ἐχθροῖς τοῖς εἰωθόσι N :
οἷς ἔθος IK ‖ 3 τοῖς[a] N : om. IK ‖ διὰ N : om. IK.

déclenchent pas, voilà qui dépend de nous » (trad. A. et Cl. Guillaumont). Sur le même sujet, voir aussi schol. 82, 115, 154 ; schol. 3
ad Ps. 17, 6 ; *Pensées* 23 (*PG* 79, 1225 D - 1228 B) ; etc.

6, 1 *Mon fils, si tu te portes garant de ton ami,*
tu livreras ta main à l'ennemi

69. Quiconque « se porte garant » de l'ami des apôtres,
le Christ, en assurant qu'il est la justice et la vérité,
« livre » son âme aux « ennemis » qui ont l'habitude de
combattre les hommes à cause de leur amitié pour le
Sauveur. L'amitié spirituelle est en effet la science de Dieu
dans laquelle les saints reçoivent le titre d'amis de Dieu.
C'est ainsi que Jean-Baptiste était l'ami de l'Époux [a],
tout comme Moïse [b] et les apôtres [c]. (Le Christ) a en effet
dit : « Je ne vous appelle plus serviteurs, mais amis [c]. »
« N'hésite pas à irriter », par des prières et des supplica-
tions, « ton ami dont tu t'es porté garant [d] », en disant :
« Garde-moi Seigneur de la main du pécheur [e], délivre-moi
de l'homme injuste [f] et, à cause de mes ennemis, ne me
livre pas aux mains de mes oppresseurs [g] », car « c'est
à cause de toi qu'on nous met à mort tout le jour et qu'on
nous compte pour des brebis d'abattoir [h] ».

Apparat critique de Procope. Dans N, la scholie est divisée en deux
parties.

Sur l'amitié spirituelle, voir Introduction, p. 53-54. Évagre cite
toujours *Jn* 15, 15 sous cette forme abrégée qui permet de rapprocher
les deux termes antithétiques de « serviteurs » et d'« amis » : schol. 143
ad Prov. et schol. 4 *ad Ps.* 22, 5.

φιλία γάρ ἐστι πνευματικὴ γνῶσις θεία, καὶ οἱ ἅγιοι φίλοι χρηματί-
5 ζουσι τοῦ θεοῦ, ὡς ὁ βαπτιστὴς φίλος τοῦ νυμφίου [a] καὶ Μωϋσῆς [b]
καὶ οἱ ἀπόστολοι [c] · « οὐκέτι γὰρ ὑμᾶς, φησίν, καλῶ δούλους, ἀλλὰ
φίλους [c].» « Παρόξυνε δέ », φησίν, διὰ προσευχῶν καὶ δεήσεων, « καὶ
τὸν φίλον σου ὃν ἐνεγυήσω [d] » λέγων · « ῥῦσαί με, κύριε, ἐκ χειρὸς
ἁμαρτωλοῦ [e], ἀπὸ ἀνδρὸς ἀδίκου ῥῦσαί με [f] » καὶ « ἕνεκα τῶν ἐχθρῶν
10 μου μὴ παραδῷς με εἰς ψυχὰς θλιβόντων με [g] » καὶ « ἕνεκέν σου θανατούμεθα ὅλην τὴν ἡμέραν [h] ».

4 γάρ IK : δέ N ‖ 4-5 φίλοι χρηματίζουσι I N : φιλοχρη-
ματίζουσι K ‖ 5 φίλος τοῦ νυμφίου IK : om. N ‖ καὶ IK :
om. N ‖ Μωϋσῆς K : -σῆς I Μωσῆς N ‖ 6 οἱ I N : om. K ‖
φησίν IK : om. N ‖ 7 φίλους hic des. primum fg. in N ‖ ἢ
καὶ παρόξυνε sic inc. secundum fg. in N ‖ δέ IK : om. N ‖
προσευχῶν καὶ δεήσεων N : προσευχῆς καὶ δεήσεως IK ‖ 8 ἐνεγυήσω Rahlfs : ἐνεγγυήσω N ἐγγυήσω IK ‖ ῥῦσαί με IK N :
ἐξελοῦ με in mg. I ‖ 9 ἁμαρτωλοῦ hic des. N.

6, 4 < μὴ δῷς ὕπνον σοῖς ὄμμασιν
μηδὲ ἐπινυστάξῃς σοῖς βλεφάροις >

70. Ὕπνος μέν ἐστι ψυχῆς ἡ κατ' ἐνέργειαν ἁμαρτία ·
νυσταγμὸς δὲ τὸ πρῶτον ἐν τῇ ψυχῇ συνιστάμενον ἀκάθαρτον
νόημα. Διὸ καὶ πρὸ τοῦ νυσταγμοῦ ὁ λόγος τὸν ὕπνον
κωλύει · « ἐρρέθη γάρ, φησί, τοῖς ἀρχαίοις · οὐ φονεύσεις ·
5 ἐγὼ δὲ λέγω · οὐκ ὀργισθήσῃ [a].» Καὶ ἐνταῦθα γὰρ φαίνεταί
μοι τὸν ὕπνον κωλύων ὁ νόμος, τὸν δὲ νυσταγμὸν τὸ εὐαγγέλιον τοῦ Χριστοῦ, εἴγε ὁ μὲν περικόπτει τὴν κατ' ἐνέργειαν
ἁμαρτίαν, τὸ δὲ τὴν κατὰ διάνοιαν πρῶτον συνισταμένην
κακίαν.

a. Matth. 5, 21-22

AB. — 4 κωλύει B IKN : καλεῖ A ‖ 5 ὀργισθήσῃ A : -σει B ‖
Καὶ A : om. B ‖ 8 τὸ δὲ A : ὁ δὲ B ‖ πρῶτον A : πρώτην B IK.

PROCOPE : Καὶ ἄλλως. Ὕπνος ἐστὶ ψυχῆς ἡ κατ' ἐνέργειαν ἁμαρτία,
νυσταγμὸς δὲ τὸ πρῶτον ἐν τῇ ψυχῇ συνιστάμενον ἀκάθαρτον φρόνημα.

IK N. — Εὐαγρίου IK Anon. N. — 1 ψυχῆς IK : om. N.

6, 4 *N'accorde ni sommeil à tes yeux*
ni assoupissement à tes paupières

70. Le « sommeil » de l'âme est le péché en acte, l'« assoupissement » la représentation impure qui se forme d'abord
dans l'âme. Voilà pourquoi le texte biblique interdit le
« sommeil » avant l'« assoupissement ». Le Christ dit en
effet : « Il a été dit aux Anciens : Tu ne tueras pas, mais
moi je vous dis : Tu ne te mettras pas en colère ᵃ. » Ici
il me paraît évident que la loi interdit le « sommeil » et
l'Évangile du Christ l'« assoupissement », puisque l'une
retranche le péché en acte et l'autre la malice qui se forme
d'abord en pensée.

Évagre a donné une interprétation identique de ce verset dans
la *Lettre* 30 : « (Salomon) a appelé ' sommeil ' de la nature raisonnable
le péché en acte qui prive l'âme de la sainte lumière, mais il a appelé
' assoupissement ' la pensée qui survient d'abord dans l'âme » (p. 586,
l. 17-18). L'idée selon laquelle l'Ancien Testament a seulement
interdit le péché en acte, tandis que le Nouveau a aussi interdit le
péché en pensée, idée qui a son origine dans *Matth.* 5, 21-30, apparaît

Διὸ καὶ πρὸ τοῦ νυσταγμοῦ ὁ λόγος τὸν ὕπνον κωλύει · « ἐρρέθη γάρ,
φησίν, τοῖς ἀρχαίοις · οὐ φονεύσεις · ἐγὼ δὲ λέγω · οὐκ ὀργισθήσῃ ᵃ. »
5 Καὶ ἐνταῦθα τοίνυν φαίνεταί μοι τὸν ὕπνον κωλύων ὁ νόμος, τὸν δὲ
νυσταγμὸν τὸ εὐαγγέλιον τοῦ Χριστοῦ, εἴγε ὁ μὲν περικαθαίρει τὴν
κατ᾽ ἐνέργειαν ἁμαρτίαν, τὸ δὲ τὴν κατὰ διάνοιαν πρώτην συνισταμένην κακίαν.

3 πρὸ — κωλύει ΙΚ : πρὸ τοῦ ὕπνου τὸν νυσταγμὸν ὁ λόγος
κωλύει Ν ‖ 5 Καὶ — νόμος ΙΚ : κωλύει οὖν ἐνταῦθα τὸν
ὕπνον ὁ νόμος Ν ‖ 6 εὐαγγέλιον hic des. Ν.

6, 6　　< ἴθι* πρὸς τὸν μύρμηκα, ὦ ὀκνηρέ,
　　　　καὶ ζήλωσον ἰδὼν τὰς ὁδοὺς αὐτοῦ
　　　　καὶ γενοῦ ἐκείνου σοφώτερος ·
7　　　　ἐκείνῳ* γὰρ γεωργίου μὴ ὑπάρχοντος
　　　　μηδὲ τὸν ἀναγκάζοντα ἔχων
　　　　μηδὲ ὑπὸ δεσπότην ὤν,
8 ¹　　　ἑτοιμάζεται θέρους τὴν τροφήν >

71. Σημειωτέον ἐνταῦθα ὅτι τὴν τοῦ μύρμηκος φυσικὴν
καὶ ἐναρμόνιον κίνησιν σοφίαν καλεῖ · καὶ γὰρ ὁ σοφώτερος
σοφοῦ σοφώτερος λέγεται. Πῶς δὲ καὶ οὐκ ἔστιν ὑπὸ
δεσπότην, εἴγε τὰ σύμπαντα δοῦλα τοῦ θεοῦ ᵃ ; Ἢ μήποτε
5 ὁ θεὸς δεσπότης λέγεται διχῶς, ὡς δημιουργὸς καὶ ὡς
γινωσκόμενος. Διὸ καὶ ὁ Παῦλος γράφει · « νυνὶ δὲ ἐλευθερωθέντες μὲν ἀπὸ τῆς ἁμαρτίας, δουλωθέντες δὲ τῷ
θεῷ », δηλονότι κατ᾽ ἀρετὴν καὶ γνῶσιν, « ἔχετε τὸν
καρπὸν ὑμῶν εἰς ἁγιασμόν, τὸ δὲ τέλος ζωὴν αἰώνιον ᵇ. »
10 Εἰ δὲ τοῦ τοιούτου τέλους ἄμοιρός ἐστιν ὁ μύρμηξ, ἄλογος
ὤν, δηλονότι καὶ τῆς τοιαύτης δουλείας ἐλεύθερος, καλῶς
οὖν λέγεται μὴ εἶναι ὑπὸ δεσπότην ὁ μύρμηξ κατὰ ταύτην
τὴν δεσποτείαν καὶ εἶναι πάλιν ὑπὸ δεσπότην ὡς δημιουργὸν
ἔχων τὸν θεόν.

a. Cf. Ps. 118, 91　　b. Rom. 6, 22

A. — 2 καὶ¹ ΙΚ : om. A Ζ.

en plusieurs endroits de l'œuvre d'Évagre : schol. 6 *ad Ps.* 73, 13-14 ;
25 *ad Ps.* 118, 61 ; 3 *ad Ps.* 123, 7 ; *Lettre* 8 (p. 572, l. 18-20). Elle se
retrouve dans un des *Chapitres des disciples d'Évagre*, absent du ms.
d'Athènes, mais conservé sous le nom d'Évagre dans la chaîne de
Nicétas sur l'Évangile de Luc : « Moïse fait sortir l'homme du péché
en acte, mais Jésus, qui vient après, effectue une seconde circoncision,
celle du péché en pensée » (éd. A. Mai, *Scriptorum vet. nova collectio*,
t. IX, Rome 1837, p. 675 ; rapprochement déjà fait par Urs von
Balthasar, « *Hiera* », p. 205. Sur ces *Chapitres des disciples*, voir
l'Avant-Propos, p. 7, note 2).

6, 6   *Ô paresseux, va vers la fourmi,*
           vois et cherche à imiter ses voies,
           deviens plus sage qu'elle ;
     7   *car, alors qu'elle n'a pas de champ cultivé,*
           qu'elle n'a personne pour la contraindre
           et qu'elle ne dépend d'aucun maître,
     8 ¹   *elle prépare pour elle sa nourriture, en été*

71. Il faut noter ici qu'il appelle « sagesse » le mouvement naturel harmonieux de « la fourmi ». Et en effet c'est
celui qui est plus sage qu'un autre qui l'est déjà qui est
appelé « plus sage ». Comment (la fourmi) peut-elle « ne
dépendre d'aucun maître », alors que « tout est soumis
à Dieu [a] » ? A moins que Dieu ne soit appelé « maître »
de deux façons différentes : comme créateur et comme
objet de science. C'est pourquoi Paul écrit : « Mais maintenant libérés du péché et soumis à Dieu », dans la vertu et
la science évidemment, « vous produisez comme fruit la
sainteté dont la fin est la vie éternelle [b]. » Si la fourmi, en
tant qu'animal sans raison, n'a pas part à une telle fin,
elle est bien évidemment aussi exempte d'une telle soumission. On a donc raison de dire qu'« elle ne dépend d'aucun
maître », pour ce qui est de cette dépendance, et qu'à
l'inverse « elle dépend d'un maître », en ce qu'elle a Dieu
pour créateur.

PROCOPE : Σημειωτέον δὲ ὅτι τὴν τοῦ μύρμηκος ἐνταῦθα φυσικὴν καὶ ἐναρμόνιον κίνησιν σοφίαν καλεῖ · καὶ γὰρ ὁ σοφώτερος σοφοῦ σοφώτερος λέγεται.

IK N. — Hoc scholion cum scholio 70 concatenaverunt codd. — 1 Σημειωτέον IK : σημείωσαι N ‖ δὲ IK : om. N ‖ 2 καὶ ἐναρμόνιον IK : om. N ‖ 2-3 καὶ² — λέγεται IK : om. N.

PROCOPE (rédaction IK) : Εἰ δὲ πάντα δοῦλα θεοῦ ᵃ, πῶς οὐχ ὑπὸ δεσπότην ἐστίν ; Ὅτι δεσπότης ὁ θεὸς ἡμῶν καὶ δημιουργὸς ἢ ὡς γινωσκόμενος κατὰ τὸν Παῦλον εἰπόντα · « νυνὶ δὲ ἐλευθερωθέντες μὲν ἀπὸ τῆς ἁμαρτίας, δουλωθέντες δὲ τῷ θεῷ », δηλονότι κατ᾽ ἀρετὴν
5 καὶ γνῶσιν, « ἔχετε τὸν καρπὸν ὑμῶν εἰς ἁγιασμόν, τὸ δὲ τέλος ζωὴν αἰώνιον ᵇ.» Τοιαύτην οὖν ὁ μύρμηξ, ἄλογος ὤν, οὐκ ὑφίσταται δεσποτείαν.

IK. — Hoc fg. sequitur Σημειωτέον — λέγεται. — 3 τὸν I : om. K.

PROCOPE (rédaction MN) : Πῶς δὲ οὐκ ἔστιν ὑπὸ δεσπότην, εἴγε τὰ σύμπαντα δοῦλα θεοῦ ᵃ ; Ἢ δηλονότι δεσπότης διχῶς λέγεται καὶ ὡς δημιουργὸς καὶ ὡς γινωσκόμενος. Τῆς οὖν γνώσεως τὸ τέλος ζωὴ αἰώνιος ᵇ ἧς ἄμοιρος ὁ μύρμηξ, ἄλογος ὤν, δῆλον ὡς καὶ τῆς
5 τοιαύτης δουλείας ἐλεύθερος.

MN. — Εὐαγρίου M Hoc fg. sequitur Σημειωτέον — καλεῖ in N. — 1 δὲ N : om. M ‖ 1-2 εἴγε — θεοῦ M : πάντα γὰρ δοῦλα θεοῦ εἰσι N ‖ 2 ᵃΗ — λέγεται M : τὸ δεσπότης διχῶς νοεῖται N.

6, 8a ¹ < ἢ πορεύθητι πρὸς τὴν μέλισσαν...
    8b ¹ ἧς τοὺς πόνους βασιλεῖς καὶ ἰδιῶται πρὸς ὑγείαν προσφέρονται* >

72. Διὰ μὲν τοῦ μύρμηκος ἔοικεν ὁ Σολομὼν τὴν πρακτικὴν ὁδὸν ἡμῖν ὑπογράφειν, διὰ δὲ τῆς μελίσσης τὴν θεωρίαν τῶν γεγονότων σημαίνειν καλαῦ τοῦ τοῦ ποιήσαντος, ἥντινα καὶ καθαροὶ καὶ ἀκάθαρτοι καὶ σοφοὶ καὶ ἀνόητοι ᵃ

a. Cf. Rom. 1, 14

AB. — 1-2 Διὰ — ὑπογράφειν A : διὰ τὴν τοῦ μύρμηκος τὴν πρακτικήν B ‖ 3 σημαίνειν A : om. B.

Lemme biblique. Au v. 6, ἴθι est la leçon de l'*Alexandrinus* avant correction. Au v. 7, nous avons préféré la leçon ἐκείνῳ du *Vaticanus* à la leçon ἐκείνου de l'*Alexandrinus*.

Cf. le texte parallèle de la scholie 40 *ad Ps.* 118, 91 : « Si ' tout est soumis à Dieu (*Ps.* 118, 91) ', comment Salomon, dans les Proverbes, peut-il dire au sujet de la fourmi : ' Car, alors qu'elle n'a pas de champ, qu'elle n'a personne pour la contraindre et qu'elle ne dépend d'aucun maître, elle prépare pour elle sa nourriture, en été ' ? Peut-être que ce qui est dit dans les Proverbes signifie ceci : Alors qu'elle n'est pas sous la contrainte d'une loi et n'a pas part à la science, elle prépare pour elle sa nourriture, en été. Car Dieu est appelé maître de deux façons différentes : soit comme créateur, soit comme objet de science. C'est pourquoi Paul écrit : ' Mais maintenant libérés du péché et soumis à Dieu ', dans la vertu et la science évidemment, ' vous produisez comme fruit la sainteté dont la fin est la vie éternelle (*Rom.* 6, 22). ' Si la fourmi n'a pas part à une telle fin, elle est évidemment aussi exempte de cette soumission. Salomon a donc raison de dire que la fourmi ' ne dépend d'aucun maître ', pour ce qui est de cette dépendance » (*Vaticanus 754,* f. 302ᵛ : collation M.-J. Rondeau).

6, 8a ¹ *Ou bien va voir l'abeille...*
   8b ¹ *Rois et particuliers portent ses labeurs à leur bouche, pour leur santé*

72. Par « la fourmi », Salomon nous décrit vraisemblablement la voie pratique, tandis que par l'« abeille » il désigne la contemplation des créatures et du Créateur lui-même, que purs et impurs, sages et insensés ᵃ « portent à leur

5 πρὸς τὴν τῆς ψυχῆς ὑγείαν προσφέρονται. Καὶ φαίνεται
μέν μοι ὁ κηρὸς αὐτῶν τῶν πραγμάτων λόγον ἐπέχειν,
τὸ δ' ἐναποκείμενον αὐτῷ μέλι σύμβολον εἶναι τῆς θεωρίας
αὐτῶν. Καὶ ὁ μὲν κηρὸς παρελεύσεται · « ὁ οὐρανὸς γάρ,
φησίν, καὶ ἡ γῆ παρελεύσεται b » · τὸ δὲ μέλι οὐ παρελεύσεται.
10 Οὐδὲ γὰρ οἱ λόγοι παρελεύσονται τοῦ σωτῆρος ἡμῶν
Χριστοῦ c, περὶ ὧν λέγει ὁ Σολομών · « κηρία μέλιτος
λόγοι καλοί, γλύκασμα δὲ αὐτῶν ἴασις ψυχῆς d » · καὶ ὁ
Δαυίδ · « ὡς γλυκέα, φησί, τῷ λάρυγγί μου τὰ λόγιά σου,
ὑπὲρ μέλι τῷ στόματί μου e. »

b. Matth. 24, 35   c. Cf. ibid.   d. Prov. 16, 24   e.
Ps. 118, 103

5 ὑγείαν Α : ὑγίειαν Β ‖ 6 μέν Α : om. Β ‖ ὁ κηρὸς Α : ὀκνηρὸς Β ‖ 10 οἱ Α : om. Β ‖ 11 Σολομών Α : -ῶν Β.

PROCOPE : Ἄλλος δὲ δηλοῖ διὰ μὲν τοῦ μύρμηκος τὴν πρακτικὴν
ὁδόν, διὰ δὲ τῆς μελίσσης τὴν θεωρίαν τῶν γεγονότων καὶ αὐτοῦ τοῦ
ποιήσαντος, ἥντινα καθαροὶ καὶ ἀκάθαρτοι καὶ σοφοὶ καὶ ἀνόητοι a
πρὸς τὴν τῆς ψυχῆς ὑγίειαν προσφέρονται. Καὶ δηλοῦν ἔοικεν ὁ μὲν
5 κηρὸς τὰ πράγματα, τὸ δὲ ἐναποκείμενον αὐτῷ μέλι τὴν θεωρίαν
αὐτῶν. Καὶ ὁ μὲν κηρὸς παρελεύσεται, οἱ δὲ λόγοι τοῦ σωτῆρος οὐ
παρελεύσονται c, περὶ ὧν εἶπεν ὁ Σολομών · « κηρία μέλιτος λόγοι
καλοί, γλύκασμα δὲ αὐτῶν ἴασις ψυχῆς d » · καὶ ὁ Δαυίδ · « ὡς γλυκέα
τῷ λάρυγγί μου τὰ λόγιά σου, ὑπὲρ μέλι τῷ στόματί μου e. »

IK MN. — Διδύμου. Εὐαγρίου supra IK Εὐαγρίου M
Anon. N. — 1 Ἄλλος δὲ IK : ἄλλως δὲ M ἢ N ‖ δηλοῖ post
μύρμηκος transp. N ‖ πρακτικὴν K MN : προφητικὴν I ‖ 2 μελίσσης I : -ττης K MN ‖ 3 καί a IK : om. MN ‖ 4 ὑγίειαν IK
M : ὑγείαν N ‖ 6 λόγοι τοῦ σωτῆρος IK : τοῦ σωτῆρος λόγοι
MN ‖ 6-7 οὐ παρελεύσονται K M : οὐ μὴ παρελεύσονται I οὐ
μὴ παρελθῶσι N ‖ 7 ὁ IK N : om. M ‖ 8 ἴασις IK N : -σεις M ‖
ψυχῆς hic des. MN.

bouche pour la santé » de leur âme. Il me semble aussi
que la cire correspond aux réalités elles-mêmes, tandis que
le miel qu'elle contient est le symbole de leur contemplation. Et la cire passera, car il est dit : « Le ciel et la terre
passeront [b]. » Mais le miel ne passera pas, car elles ne
passeront pas les paroles du Christ notre Sauveur [c], dont
Salomon parle en ces termes : « Les bonnes paroles sont
des rayons de miel, leur douceur guérit l'âme [d] », et David :
« Comme tes paroles sont douces à ma gorge, plus que le
miel à ma bouche ! [e] »

Lemme biblique. Il ressort de la scholie qu'Évagre lisait προσφέρονται, qui est la leçon du *Vaticanus* et du *Sinaiticus,* et non φέρονται,
qui est celle de l'*Alexandrinus.*

Le même symbolisme de la fourmi et de l'abeille est développé dans
la *Lettre sur la sainte Trinité* (Ps.-BASILE, *Lettre* 8, 12) : « Tantôt il
nous propose l'irréprochable ouvrière, la fourmi, et par elle il nous
décrit la voie active (τὴν πρακτικὴν ὁδὸν ἡμῖν ὑπογράφει); tantôt
c'est l'ouvrage que façonne avec la cire l'industrieuse abeille, et
par elle il suggère la contemplation naturelle (τὴν φυσικὴν θεωρίαν
αἰνίττεται) à laquelle se trouve encore mêlée la doctrine de la sainte
Trinité, s'il est vrai qu'à l'aide de la beauté des créatures on contemple
par analogie l'auteur de leur existence » (trad. Courtonne). La réalité
sensible symbolisée par les rayons de cire disparaîtra, mais pas les
logoi de la réalité symbolisés par le miel. Cf. *KG* I, 20 : « Quand
resteront en nous seulement les intellections de tout ce qui a été
produit par accident, alors seulement celui qui est connu sera seul
connu de celui qui connaît » ; et la version S¹ ajoute : « Comme il est
écrit : ' Le ciel et la terre passeront, mais mes paroles ne passeront
pas ' » (trad. A. Guillaumont). En citant ce texte de *Matthieu,*
Évagre joue évidemment sur le mot *logoi* : paroles, mais aussi raisons
et intellections constitutives de la « gnose » (un tel jeu sur le mot
logos, avec référence à *Matth.,* se trouve déjà chez ORIGÈNE, *Contre
Celse* V, 22).

73. Τὸ ἀποτέλεσμα τοῦ πόνου πόνον ὠνόμασεν.

A. — πόνον IKMN Z : πόνους A.

PROCOPE : Το ἀποτέλεσμα δὲ τοῦ πόνου πόνον ὠνόμασεν.

IK MN. — Hoc scholion cum scholio 72 concatenaverunt codd.

6, 9 < ἕως τίνος, ὀκνηρέ, κατάκεισαι;
πότε δὲ ἐξ ὕπνου ἐγερθήσῃ; >

74. Ὁ ὕπνος οὗτος μόνῃ πέφυκεν ἐπισυμβαίνειν ψυχῇ λογικῇ · σημαίνει γὰρ ἐνταῦθα κακίαν καὶ ἀγνωσίαν, ὧν ἡ ἀγρυπνία ποιεῖ τινα « ὡς στρουθίον μονάζον ἐπὶ δώματι [a] ».

a. Ps. 101, 8

AB. — ὡς στρουθίον μονάζον [-ζων B M] ἐπὶ δώματι [δόματι M δώματος Z δόματος B] B IKMN Z : om. A.

PROCOPE : Ὕπνος οὗτος ψυχῆς σημαίνει λογισμῶν κακίαν καὶ ἀγνωσίαν, ὧν ἡ ἀγρυπνία ποιεῖ τινα « ὡς στρουθίον μονάζον ἐπὶ δώματι [a] ».

IK MN. — <Διδύμου> IK <Εὐαγρίου> M Anon. N. — 1 Ὕπνος οὗτος ψυχῆς σημαίνει λογισμῶν [λογισμῶν σημαίνει K] κακίαν [-κίας M] καὶ ἀγνωσίαν IK M : ὕπνος ψυχῆς λογισμῶν κακία καὶ ἀγνωσία N ‖ 2 μονάζον IK N : -ζων M ‖ 3 δώματι IK : δόματι M δώματ (?) N.

6, 11 < εἶτ᾿ ἐμπαραγίνεταί σοι ὥσπερ κακὸς ὁδοιπόρος ἡ πενία
καὶ ἡ ἔνδεια ὥσπερ ἀγαθὸς δρομεύς >

75. Πενία ἐστὶ στέρησις γνώσεως · ἔνδεια δὲ σπάνις τῶν ἀρετῶν.

Adest in A.

73. Il a appelé « labeur » le produit du labeur.

Remarque stylistique identique dans la scholie 33 *ad Ps.* 104, 44, plus développée dans la scholie 19 *ad Ps.* 77, 49 : « La cause a été désignée du même nom (ὁμωνύμως) que l'effet. Car le résultat (ἀποτέλεσμα) de la colère a été aussi nommé colère, et le résultat du courroux nommé courroux ; le produit des labeurs est lui aussi appelé labeur, et c'est la même chose pour l'espérance » (*Vaticanus 754*, f. 198ᵛ : collation M.-J. Rondeau).

6, 9　*Jusqu'à quand, paresseux, resteras-tu couché ?*
　　　　Quand sortiras-tu de ton sommeil ?

74. Ce « sommeil » n'arrive qu'à l'âme raisonnable, car il désigne ici la malice et l'ignorance; la vigilance à leur égard rend « semblable à un moineau solitaire sur un toit [a] ».

Sur le sommeil de l'âme, voir scholie 70. Ici l'ἀγρυπνία est la vigilance de l'âme et non la pratique ascétique de la veille. Le texte de *Ps.* 101, 8 est habituellement cité à propos de la seconde : voir notamment schol. 374 *ad Prov.* ; schol. 4 *ad Ps.* 101, 8 ; *Moines* 46.

6, 11　*Puis chez toi survient, comme un mauvais voyageur,*
　　　　　　la pauvreté,
　　　et l'indigence, comme un bon coureur

75. « La pauvreté » est la privation de science, « l'indigence » le manque de vertus.

174   PROVERBES 6, 11.13.17

PROCOPE : Ἤγουν πενία μέν ἐστι στέρησις γνώσεως · ἔνδεια δὲ
σπάνις τῶν ἀρετῶν.

IK MN. — Διδύμου I Anon. K MN. — 1 Ἤγουν IK :
ἢ Μ ἢ Ν ‖ ἐστι IK : om. MN.

6, 13 < ὁ δ' αὐτὸς ἐννεύει ὀφθαλμῷ, σημαίνει δὲ ποδί,
διδάσκει δὲ ἐννεύμασιν δακτύλων >

76. Προσεκτέον ἐνταῦθα μήποτε ἄρα διὰ τῶν τοιούτων
κινημάτων τοῦ σώματος γινώσκουσιν οἱ ἀντικείμενοι τοὺς
ἑαυτῶν λογισμοὺς ἐν ἡμῖν τρεφομένους, ἐπειδὴ καρδιογνώστην [a] μόνον τὸν θεὸν πεπιστεύκαμεν εἶναι.

a. Cf. Act. 1, 24 et 15, 8

A. — 1 ἄρα Z Tisch. : ἄρα A ‖ 3-4 καρδιογνώστην A e corr.

PROCOPE : Καὶ μήποτε διὰ τῶν τοιούτων κινημάτων τοῦ σώματος
γινώσκουσιν οἱ δαίμονες τοὺς ἐν ἡμῖν λογισμούς · καρδιογνώστης [a]
γὰρ μόνος ὁ θεός ἐστιν.

IK MN. — Εὐαγρίου IK M Anon. N. — 1 Καὶ — τοιούτων
IK M : ἢ δι' ὧν Ν ‖ 2 γινώσκουσιν post δαίμονες transp. N ‖
λογισμούς hic des. N.

6, 17 < ὀφθαλμὸς ὑβριστοῦ, γλῶσσα ἄδικος,
χεῖρες ἐκχέουσαι αἷμα δίκαιον >

77. Πᾶς ὁ τρώγων τὰς σάρκας τοῦ Χριστοῦ καὶ πίνων
τὸ αἷμα αὐτοῦ [a] κτᾶται αἷμα δίκαιον, οὗ στερισκομένη
λέγεται ἀποθνήσκειν ψυχὴ λογική · « ψυχὴ γάρ, φησίν, ἡ
ἁμαρτάνουσα αὐτὴ ἀποθανεῖται [b]. » Εἰ δέ ἐστιν αἷμα
5 δίκαιον, ἔστιν δηλονότι καὶ αἷμα ἄδικον, ὅπερ συνάγουσιν

a. Cf. Jn 6, 54   b. Éz. 18, 20

AB. — 1-3 Πᾶς — λογική A : om. B ‖ 3 ἢ A : om. B ‖ 4 ἀποθανεῖται hic des. B.

Cf. schol. 5 *ad Ps.* 142, 8 : « ... ' Donnez l'ivresse à ceux qui sont dans le chagrin et donnez du vin à boire à ceux qui souffrent, afin qu'ils oublient leur pauvreté (*Prov.* 31, 6-7) ', c'est-à-dire leur ignorance, car cette pauvreté concerne la nature raisonnable... » (*Vaticanus 754*, f. 343ʳ : collation M.-J. Rondeau).

6, 13   *Le même cligne de l'œil, fait des appels du pied et des signes avec ses doigts*

76. Il faut ici se demander si par hasard ce n'est pas à de tels mouvements du corps que les adversaires savent lesquelles de leurs pensées sont nourries en nous, car nous croyons que seul Dieu connaît les cœurs [a].

Les démons ne connaissent l'état intérieur de l'homme que par son comportement extérieur et ses paroles. Dieu seul est « cardiognoste ». Cf. A. et Cl. GUILLAUMONT, *Traité pratique*, p. 606-609, qui se réfèrent à *Pratique* 47, *Pensées* 27, *Lettre* 16, schol. 10 *ad Ps.* 32, 15 et 4 *ad Ps.* 55, 7.

6, 17   *L'œil de l'insolent, la langue injuste, les mains qui répandent un sang juste*

77. Quiconque mange les chairs du Christ et boit son sang [a] a « un sang juste »; privée de ce sang, l'âme raisonnable meurt, car il est dit que « l'âme pécheresse mourra [b] ». S'il y a un « sang juste », il y a évidemment aussi un sang

ἐν ἑαυτοῖς οἱ κατεσθίοντες τὸ δεδομένον βρῶμα λαοῖς
τοῖς Αἰθίοψιν [c] καὶ τρεφόμενοι τῷ ἄρτῳ τοῦ ψεύδους [d]. Καὶ
οἱ μὲν θύοντες θεοῖς ἀλλοτρίοις τὸ δίκαιον ἑαυτῶν αἷμα
καταναλίσκουσιν· οἱ δὲ ἑαυτοὺς θυσίαν προσάγοντες τῷ
10 μόνῳ θεῷ τὸ ἄδικον διαφθείρουσιν αἷμα. Ἀκολουθήσει δὲ
πάντως τῇ μὲν φθορᾷ τοῦ ἀδίκου αἵματος ἡ γένεσις τοῦ
δικαίου αἵματος καὶ τῇ φθορᾷ τοῦ δικαίου αἵματος ἡ γένεσις
τοῦ ἀδίκου αἵματος. Ἀλλὰ τοῦτο μὲν νῦν γενέσθαι πέφυκεν,
ἀπ' ἀρχῆς δὲ οὐχ οὕτως· οὐ γὰρ κατὰ φθορὰν κακίας
15 ὑπέστη δικαιοσύνη, ὡς οὐδὲ κατὰ φθορὰν νόσου ὑγεία,
τῶν παιδίων μετὰ τῆς ὑγείας ἀπ' ἀρχῆς τικτομένων.

c. Cf. Ps. 73, 14   d. Cf. Prov. 20, 17 (Théodotion)

6 τὸ IK : τὸν A Z ‖ 13 γενέσθαι A : γίνεσθαι Tisch. ‖ 16 παιδίων A : παίδων Tisch.

PROCOPE : Πᾶς δὲ ὁ τρώγων τὰς σάρκας τοῦ Χριστοῦ καὶ πίνων
τὸ αἷμα αὐτοῦ [a] κτᾶται αἷμα δίκαιον, οὗ δὴ στερισκομένη λέγεται
ἀποθνήσκειν ψυχὴ λογική· «ψυχὴ γὰρ ἁμαρτάνουσα, φησίν, αὐτὴ
ἀποθανεῖται [b].» Εἰ δέ ἐστιν αἷμα δίκαιον, ἔστι καὶ ἄδικον, ὅπερ
5 συνάγουσιν ἐν ἑαυτοῖς οἱ κατεσθίοντες τὸ δεδομένον βρῶμα λαοῖς
τοῖς Αἰθίοψι [c] καὶ τρεφόμενοι τῷ ἄρτῳ τοῦ ψεύδους [d]. Καὶ ἐπιθύοντες
θεοῖς ἀλλοτρίοις τὸ δίκαιον ἑαυτῶν αἷμα καταναλίσκουσιν· οἱ δὲ
ἑαυτοὺς θυσίαν προσάγοντες τῷ μονῷ θεῷ τὸ ἄδικον διαφθείρουσιν
αἷμα. Ἡ γὰρ θατέρου αἵματος ἀναίρεσις τῷ ἑτέρῳ δίδωσι γένεσιν·
10 ἀπ' ἀρχῆς δὲ οὐχ οὕτως· οὐ γὰρ κατὰ φθορὰν κακίας ὑπέστη δικαιοσύνη, ὡς οὐδὲ κατὰ φθορὰν νόσου ὑγίεια, τῶν παίδων μετὰ τῆς ὑγιείας
ἀπ' ἀρχῆς τικτομένων.

IK. — Εὐαγρίου. — 3 αὐτὴ I : αὕτη K ‖ 6 ἐπιθύοντες I :
ἐπενθύοντες K ‖ 7 καταναλίσκουσιν K : -σκοντες I ‖ 11
ὑγιείας I : ὑγείας K.

6, 19 < ἐκκαίει ψεύδη μάρτυς ἄδικος
        καὶ ἐπιπέμπει κρίσεις ἀνὰ μέσον ἀδελφῶν >

78. Ἀδελφοί εἰσιν οἱ τὸ τῆς υἱοθεσίας ἔχοντες χάρισμα [a]

a. Cf. Rom. 8, 15

AB. — 1 τὸ A : om. Tisch.

injuste qu'accumulent en eux ceux qui mangent la nourriture donnée aux peuples éthiopiens [c] et se nourrissent du
pain de mensonge [d]. Et les uns, en sacrifiant aux dieux
étrangers, répandent leur « sang juste », les autres, en
s'offrant en sacrifice au Dieu unique, éliminent le sang
injuste. L'élimination du sang injuste sera nécessairement
suivie de la production du « sang juste », et inversement
l'élimination du « sang juste » sera suivie de la production
du sang injuste. Mais c'est ce qui se passe maintenant;
à l'origine, il n'en était pas ainsi, car la justice n'a pas paru
avec l'élimination de la malice, pas plus que la santé n'a
paru avec l'élimination de la maladie, puisque les nouveaux-
nés au départ viennent au monde en bonne santé.

Sur le symbolisme de la chair et du sang du Christ, voir la note
à la scholie 61. Dans les dernières lignes, Évagre revient sur cette
idée que le bien et la science sont antérieurs au mal et à l'ignorance :
cf. schol. 64 (texte et note).

6, 19   *Le témoin injuste allume des mensonges*
      et provoque des discordes entre frères

78. Les « frères » sont ceux qui possèdent le charisme
de filiation adoptive [a] et dépendent d'un même père, le

καὶ ὑπὸ τὸν αὐτὸν ὄντες πατέρα Χριστόν, οὓς χωρίζειν
ἐπιχειρεῖ ὁ μάρτυς τῆς ἀδικίας, ταραχὰς ἐν αὐτοῖς ἐμβάλλων
καὶ κρίσεις. Τὸ δὲ ἐκκαίει, ὡς οἶμαι, προστέθειται διὰ
5 τοὺς ἐμπαθεῖς λογισμοὺς ἀνάπτοντας θυμὸν μὲν πρὸς
ὀργὴν καὶ μῖσος, ἐπιθυμίαν δὲ πρὸς αἰσχρὰς ἐργασίας.
Τούτους τοὺς λογισμοὺς καὶ ὁ ἅγιος Παῦλος ὠνόμασεν
τοῦ πονηροῦ βέλη πεπυρωμένα τιτρώσκοντα τὴν ψυχὴν
καὶ θάνατον ἐργαζόμενα [b].

b. Cf. Éphés. 6, 16

4 Τὸ hic inc. B ‖ δὲ ἐκκαίει A : δ' ἐκκαίειν B ‖ 5 μὲν A :
om. B ‖ 6 αἰσχρὰς A e corr. ‖ 7 καὶ ὁ ἅγιος A : om. B.

PROCOPE : Ἀδελφοί εἰσιν οἱ τὸ τῆς υἱοθεσίας ἔχοντες χάρισμα [a]
καὶ ὑπὸ τὸν αὐτὸν ὄντες πατέρα Χριστόν, οὓς μάρτυς ἄδικος ταράττων
χωρίζειν ἐπιχειρεῖ. Τὸ δὲ ἐκκαίει διὰ τοὺς ἐμπαθεῖς εἴρηκε λογισμοὺς
ἀνάπτοντας θυμὸν μὲν εἰς μῖσος, ἐπιθυμίαν δὲ πρὸς αἰσχρὰς ἐργασίας.
5 Καὶ ὁ θεῖος δὲ Παῦλος τούτους ὠνόμασε τοῦ πονηροῦ βέλη πεπυρωμένα
τιτρώσκοντα πρὸς θάνατον τὴν ψυχήν [b].

IK MN. — <Εὐαγρίου> IK   Anon. MN. — 1-2 Ἀδελφοί —
ὑπὸ τὸν αὐτὸν IK M : ἀδελφοὶ οἱ ὑπὸ τὸν αὐτὸν N ‖ 3 εἴρηκε
IK : εἴρηται MN ‖ 4 ἐργασίας hic des. MN.

6, 20   < φύλασσε, υἱέ, νόμους πατρός σου
        καὶ μὴ ἀπώσῃ θεσμοὺς μητρός σου...
22 [1]   ἡνίκα ἂν περιπατῇς, ἐπάγου αὐτήν, καὶ μετὰ σοῦ
        ἔστω >

79. Τὴν μητέρα προστάσσει ἐπάγεσθαι, ἥτις ἐστὶν ἡ
σοφία γεννῶσα ἡμᾶς κατὰ θεόν. Καίτοι ἐχρῆν αὐτὸν εἰπεῖν
τὸν πατέρα · οὗτος γὰρ πρὸς τὸ συνεῖναι τῷ υἱῷ μᾶλλον
ἐπιτηδειότερος. Ἀλλ' ἐπειδὴ οὐ δυνατὸν αὐτὸν γνῶναι
5 τὸν θεὸν πρὸ τῆς τῶν γεγονότων θεωρίας, τούτου χάριν

AB. — 4 ἐπιτηδειότερος A : -τερον B ‖ αὐτὸν A : αὐτῇ B.

Christ; ce sont eux que « le témoin de l'injustice » essaie
de diviser, en jetant parmi eux troubles et « discordes ».
Le mot « allume » a, je pense, été ajouté à cause des pensées
passionnées qui, en enflammant la partie irascible et la
partie concupiscible, poussent l'une vers la colère et la
haine, l'autre vers les actions honteuses; ce sont ces
pensées que saint Paul a nommées traits enflammés du
malin qui blessent l'âme et provoquent sa mort [b].

Autres mentions de cette filiation adoptive : schol. 101, 163, 169
et 210 *ad Prov.* ; 8 *ad Ps.* 24, 16 ; 12 *ad Ps.* 102, 17 ; schol. *ad Eccl.* 4, 8
(*Coislin 193*, f. 22v). Dans le système très hiérarchisé d'Évagre, il faut
d'abord être fils du Christ, avant de devenir fils de Dieu. Évagre
n'hésite pas à appliquer au Christ le titre de père, titre que lui donnait
l'ancienne littérature chrétienne (voir les textes rassemblés par
G. Racle, « A propos du Christ-père dans l'*Homélie pascale* de
Méliton de Sardes », *RSR* 50 [1962], p. 400-408), mais qui n'apparaît
plus dans la liste d'*épinoiai* dressée par Origène au début de son
Commentaire sur S. Jean. En recevant l'esprit de filiation adoptive,
les gnostiques deviennent donc fils du Christ et par voie de conséquence frères les uns des autres (cf. schol. 210) ; ce thème est à
rapprocher de celui de l'amitié spirituelle. Les traits enflammés
d'*Éphés.* 6, 16 sont toujours interprétés des mauvaises pensées : voir
notamment schol. 2 *ad Ps.* 10, 2 ; 3 *ad Ps.* 75, 4 ; *Lettre* 27 (p. 584,
l. 3).

6, 20   *Mon fils, garde les lois de ton père*
   et ne repousse pas les ordonnances de ta mère...
   22 [1]   *Quand tu te promènes, emmène-la, et qu'elle reste*
   avec toi

79. Il ordonne « d'emmener la mère », c'est-à-dire la
sagesse qui nous a enfantés en Dieu. Il aurait cependant
dû parler du père, car c'est à lui plutôt qu'il revient de
vivre avec son fils. Mais c'est parce qu'il n'est pas possible
de connaître Dieu avant d'avoir contemplé les êtres créés

τὴν μητέρα καὶ οὐ τὸν πατέρα προστάσσει ἐπάγεσθαι,
ἵνα διὰ τῆς μητρὸς ὁ υἱὸς ἴδῃ τὸν πατέρα [a] · ἐὰν γὰρ αὐτὴ
μὴ γεννήσῃ αὐτόν, οὐ βλέπει τὸ φῶς, ὅπερ ἐστὶ ἡ γνῶσις
αὐτοῦ τοῦ θεοῦ.

a. Cf. Jn 6, 46

8 ἡ A : om. B IK Z.

PROCOPE : Τὴν μητέρα δὲ ἐπάγεσθαι κελεύει, ἀλλ' οὐ τὸν πατέρα,
ἐπεὶ μὴ ἔστι γνῶναι τὸν θεὸν πρὸ τῆς τῶν γεγονότων θεωρίας · ἐὰν
γὰρ αὐτὴ μὴ γεννήσῃ αὐτόν, οὐ βλέπει τὸ φῶς, ὅπερ ἐστὶ γνῶσις
αὐτοῦ τοῦ θεοῦ.

IK. — Anon. — 3 αὐτὴ K : αὕτη I.

6, 23   < ὅτι λύχνος ἐντολὴ νόμου καὶ φῶς
          καὶ ὁδὸς ζωῆς, ἔλεγχος καὶ παιδεία >

80. Ὅτι ἡ ἐντολὴ τοῦ νόμου λύχνος ἐστὶ καὶ φῶς. Καὶ
τάχα λύχνος ἐστὶν ἡ παλαιὰ διαθήκη · « ἐκεῖνος γὰρ ἦν ὁ
λύχνος ὁ καιόμενος καὶ φαίνων [a] » · φῶς δὲ ἡ νέα διαθήκη ·
« ἐγὼ γάρ, φησίν, εἰμὶ τὸ φῶς τοῦ κόσμου [b]. »

a. Jn 5, 35   b. Jn 8, 12

AB. — 2 λύχνος hic inc. B ‖ post λύχνος add. ὁ καιόμενος B ‖
ἐστὶν A : om. B.

6, 26 [1]   < τιμὴ γὰρ πόρνης ὅση καὶ ἑνὸς ἄρτου >

81. Τοσαύτη γάρ ἐστιν ἡ ἡδονὴ τῆς κακίας ὅση καὶ ἑνὸς
ἄρτου.

Adest in A.

PROCOPE : Ἤγουν τοσαύτη ἐστὶν ἡ ἡδονὴ τῆς κακίας ὅση καὶ ἑνὸς
ἄρτου.

IK MN. — Εὐαγρίου M   Anon. IK N. — 1 Ἤγουν IK :
ἢ MN ‖ ἡ IK N : om. M.

qu'il lui ordonne « d'emmener sa mère » et non son père, afin que par la mère le fils puisse voir le père [a] ; car si elle ne le met pas au monde, il ne voit pas le jour, c'est-à-dire la science de Dieu lui-même.

Il faut se rappeler qu'Évagre identifie la sagesse à la contemplation naturelle (cf. schol. 3) ; celle-ci est une étape obligée sur la voie qui mène à la contemplation de Dieu lui-même.

6, 23   *Car le commandement de la loi est une lampe et*
            une lumière,
      une voie de vie, une réprimande et une instruction

80. « Car le commandement de la loi est une lampe et une lumière. » Et peut-être que la « lampe » est l'Ancien Testament : « Car celui-ci était la lampe qui brûlait et luisait [a] » ; et que la « lumière » est le Nouveau Testament, car (le Christ) a dit : « Je suis la lumière du monde [b]. »

6, 26 [1]   *Le prix de la prostituée ne dépasse pas celui d'un*
               pain

81. En effet le plaisir procuré par la malice « ne dépasse pas celui d'un pain ».

6, 27   < ἀποδήσει τις πῦρ ἐν κόλπῳ, τὰ δὲ ἱμάτια οὐ κατακαύσει;
28   ἢ περιπατήσει τις ἐπ' ἀνθράκων πυρός, τοὺς δὲ
πόδας οὐ κατακαύσει; >

82. Οὗτος ἀποδεσμεῖ τὸ πῦρ ἐν τῷ κόλπῳ, ὁ συγχωρῶν
τὸν ἀκάθαρτον λογισμὸν ἐν τῇ καρδίᾳ χρονίζοντα διαφθείρειν
τοὺς ὀρθοὺς λογισμούς. Καὶ οὗτος ἐπὶ τῶν ἀνθράκων
περιπατεῖ, ὁ διὰ τῆς κατ' ἐνέργειαν ἁμαρτίας τὴν ἑαυτοῦ
5 ψυχὴν ἀπολλύων.

AB. — 2 χρονίζοντα A : -ζειν B.

PROCOPE : Καὶ ἄλλως. Ἀποδεσμεῖ πῦρ ἐν τῷ κόλπῳ ὁ συγχωρῶν
ἀκάθαρτον λογισμὸν ἐγχρονίζοντα τῇ καρδίᾳ διαφθείρειν τοὺς ὀρθοὺς
λογισμούς · περιπατεῖ δὲ ἐπ' ἀνθράκων ὁ διὰ τῆς κατ' ἐνέργειαν
ἁμαρτίας τὴν ἰδίαν ἀπολλύων ψυχήν.

IK MN. — Εὐαγρίου M Anon. IK N. — 1 Καὶ ἄλλως
IK M : ἢ N ‖ Ἀποδεσμεῖ — κόλπῳ IK M : om. N ‖ ὁ IK M :
om. N ‖ 2 διαφθείρειν IK M : -φθείρει N ‖ 4 ἀπολλύων ante
τὴν ἰδίαν transp. N.

─────────────────────────

6, 29   < οὕτως ὁ εἰσελθὼν πρὸς γυναῖκα ὕπανδρον
οὐκ ἀθωωθήσεται οὐδὲ πᾶς ὁ ἁπτόμενος αὐτῆς >

83. Γυναῖκα ὕπανδρον τὴν κακίαν λέγει · ταύτης γὰρ
ἀνὴρ ὁ διάβολος ὁ γεννῶν μετ' αὐτῆς τοὺς παρανόμους υἱούς.
Καὶ ὁ σωτὴρ δὲ ἐν τοῖς εὐαγγελίοις πρὸς τοὺς Ἰουδαίους ·
« ὑμεῖς, φησίν, ἐκ τοῦ πατρὸς ὑμῶν τοῦ διαβόλου ἐστέ [a]. »

a. Jn 8, 44

AB. — 2 ὁ[2] B IKMN Z : om. A ‖ 4 ὑμῶν B IKMN : om. A ‖
ἐστέ ante φησίν transp. B.

PROCOPE : Γυνὴ δὲ ὕπανδρος ἡ κακία, ἧς ἀνὴρ ὁ διάβολος ὁ γεννῶν
μετ' αὐτῆς τοὺς παρανόμους υἱούς, πρὸς οὕς φησι ὁ σωτήρ · « ὑμεῖς
ἐκ τοῦ πατρὸς ὑμῶν τοῦ διαβόλου ἐστέ [a]. »

IK MN. — Hoc scholion cum scholio 82 concatenaverunt
codd. — 2 παρανόμους IK M : πονηροὺς N ‖ υἱούς hic des. N.

6, 27   *Coudra-t-on du feu dans son sein sans brûler ses*
           vêtements?

     28   *Ou bien marchera-t-on sur des charbons ardents sans*
           se brûler les pieds?

82. Celui-là « coud du feu dans son sein », qui laisse la
pensée impure s'attarder dans son cœur et détruire les
pensées droites. Et celui-là « marche sur des charbons »,
qui cause la perte de son âme par le péché en acte.

Sur les pensées qui s'attardent, voir la scholie 68 (texte et note),
et sur le péché en acte, la scholie 70 (texte et note). Dans sa scholie,
Évagre substitue au verbe ἀποδεῖν du lemme le verbe ἀποδεσμεῖν,
de sens voisin, mais d'un emploi encore plus rare.

6, 29   *Ainsi celui qui va chez la femme mariée*
           ne restera pas impuni, non plus que celui qui s'unit
           à elle

83. Il appelle « femme mariée » la malice, car son mari,
c'est le diable qui lui donne des enfants illégitimes. Et
dans les Évangiles le Sauveur dit aux Juifs : « Vous avez
pour père le diable [a]. »

Cf. schol. 7 *ad Ps.* 26, 10 : « Bienheureux celui qui a été abandonné
par son père, le diable, et par la femme de ce dernier, la malice,
avec laquelle il engendre des enfants illégitimes ... » (*Vaticanus 754*,
f. 84r : collation M.-J. Rondeau).

6, 30   < οὐ θαυμαστὸν ἐάν τις ἁλῷ κλέπτων ·
        κλέπτει γὰρ ἵνα ἐμπλήσῃ ψυχὴν πεινῶσαν ·
    31   ἐὰν δὲ ἁλῷ, ἀποτείσει ἑπταπλάσια
        καὶ πάντα τὰ ὑπάρχοντα αὐτοῦ δοὺς ῥύσεται
        ἑαυτόν >

84. Ἐὰν δὲ ἁλῷ ὑπὸ γνώσεως ἀληθοῦς, ἀποθήσεται
πᾶσαν γνῶσιν ψευδῆ ὁ πρότερον δι' ἔνδειαν γνώσεως
κλέπτων ἀπὸ τῆς μωρανθείσης ὑπὸ τοῦ σωτῆρος ἡμῶν
σοφίας [a].

a. Cf. I Cor. 1, 20
Adest in A.

PROCOPE : Ἐὰν ἁλῷ ὑπὸ γνώσεως ἀληθοῦς, ἀποθήσεται πᾶσαν
γνῶσιν ψευδῆ πρότερον κλέπτων δι' ἔνδειαν γνώσεως ἀπὸ τῆς μωρανθείσης ὑπὸ τοῦ σωτῆρος ἡμῶν γνώσεως [a].

IK M. — Εὐαγρίου K Anon. I M. — 1 ἀποθήσεται I M :
ἀπωθήσεται K.

6, 32   < ὁ δὲ μοιχὸς δι' ἔνδειαν φρενῶν ἀπώλειαν τῇ ψυχῇ
        αὐτοῦ περιποιεῖται >

85. Πᾶς ὁ κοινωνήσας τῇ κακίᾳ μοιχός ἐστιν τοῦ διαβόλου
τοῦ πρώτου γήμαντος τὴν κακίαν καὶ ἀπ' ἀρχῆς γεγονότος
ἀνθρωποκτόνου [a].

a. Cf. Jn 8, 44
Adest in AB.

6, 34   < μεστὸς γὰρ ζήλου θυμὸς ἀνδρὸς αὐτῆς
        οὐ φείσεται ἐν ἡμέρᾳ κρίσεως >

86. Ἐνταῦθα δείκνυσιν ὅτι τὸν διάβολον ἕξομεν τῶν
πεπραγμένων ἡμῖν κατήγορον ἐν ἡμέρᾳ τῆς κρίσεως. Τοῦτο

6, 30 *Rien d'étonnant à ce qu'on soit pris à voler,*
car on vole pour rassasier une âme affamée ;
31 *mais si l'on est pris, on rendra sept fois plus*
et on ne se sauvera qu'après avoir donné tous ses
biens

84. « Mais s'il est pris » par la science véritable, il abandonnera toute fausse science celui qui précédemment,
parce qu'il manquait de science, « volait » la sagesse qui
a été rendue stupide par notre Sauveur a.

Pour Évagre, les voleurs ne sont pas les philosophes grecs qui ont
plagié la Bible hébraïque — c'est le thème bien connu du larcin
des Grecs qui a été exposé par les apologistes juifs et repris par Clément
d'Alexandrie ; voir A. Méhat, *Étude sur les « Stromates » de Clément
d'Alexandrie*, Paris 1966, p. 356-361 —, mais au contraire ceux qui
ont dû emprunter leurs doctrines aux philosophes grecs, en attendant
que le Christ vienne révéler la science véritable et rendre caduque
la philosophie païenne. Ce thème est plus longuement développé
dans les scholies 287-288.

6, 32 *Et l'adultère, par manque d'esprit, cause la perte*
de son âme

85. Quiconque s'unit à la malice est coupable d'« adultère » vis-à-vis du diable qui a le premier épousé la malice
et qui est depuis l'origine homicide a.

La présentation du diable sous les traits d'un mari jaloux qui tue
ses rivaux ne manque pas de saveur.

6, 34 *Car l'âme de son mari est remplie de jalousie*
et ne l'épargnera pas le jour du jugement

86. Ici il montre que « le jour du jugement » nous aurons
le diable pour nous reprocher nos actes. C'est aussi ce que

δὲ καὶ ὁ ἅγιος Παῦλός φησιν · « ἵν' ὁ ἐξ ἐναντίας ἐντραπῇ
μηδὲν ἔχων τι λέγειν περὶ ἡμῶν φαῦλον [a]. »

a. Tite 2, 8
Adest in A.

PROCOPE : Δείκνυται δὲ ὅτι τὸν διάβολον ἕξομεν τῶν πεπραγμένων
ἡμῖν κατήγορον ἐν ἡμέρᾳ τῆς κρίσεως κατὰ τὸ ἀποστολικόν · « ἵνα
ὁ ἐξ ἐναντίας ἐντραπῇ μηδὲν ἔχων λέγειν περὶ ὑμῶν φαῦλον [a]. »

IK MN. — Εὐαγρίου M Anon. IK N. — 1 Δείκνυται
δὲ IK : ἐκ τούτου δείκνυται δὲ M ἐκ τούτου δὲ δείκνυται N ‖
πεπραγμένων I MN : διαπεπραγμένων K ‖ 2 τῆς IK M :
om. N ‖ κρίσεως hic des. MN.

7, 1a < υἱέ, τίμα τὸν κύριον καὶ ἰσχύσεις ·
πλὴν δὲ αὐτοῦ μὴ φοβοῦ ἄλλον >

87. Εἰ διὰ τῆς παραβάσεως τοῦ νόμου τις τὸν θεὸν
ἀτιμάζει [a], διὰ τοῦ ποιεῖν δηλονότι τὸν νόμον τιμᾷ τὸν θεόν.

a. Cf. Rom. 2, 23

AB. — 1 διὰ A e corr. ‖ τις A : ὁ ἄνθρωπος B ‖ 2 διὰ — νόμον A :
δηλονότι τὸν νόμον ποιῶν B.

PROCOPE (?) : Τιμᾶταί ὁ θεός, τηρουμένων αὐτοῦ τῶν ἐντολῶν.

IK MN. — Anon. — 1 ὁ IK : om. MN ‖ τηρουμένων —
ἐντολῶν IK M : διὰ τῆς τῶν ἐντολῶν τηρήσεως N.

7, 4 < εἶπον τὴν σοφίαν σὴν ἀδελφήν εἶναι ·
τὴν δὲ φρόνησιν γνώριμον περιποίησαι σεαυτῷ >

88. Ἀδελφὴ ἡμῶν ἡ σοφία ἐστίν, διότι ὁ ποιήσας τὴν
ἀσώματον φύσιν πατὴρ καὶ ταύτην πεποίηκεν. Σοφίαν δὲ
ἐνταῦθα λέγει οὐ τὸν υἱὸν τοῦ θεοῦ, ἀλλὰ τὴν θεωρίαν
σωμάτων καὶ ἀσωμάτων καὶ τῆς ἐν αὐτοῖς κρίσεως καὶ

dit saint Paul : « Afin que l'adversaire soit confus de n'avoir
rien de mal à dire de nous [a]. »

7, 1a   *Mon fils, honore le Seigneur, et tu seras fort ;*
            ne crains personne d'autre que lui

87. Si « c'est par la transgression de la loi qu'on déshonore Dieu [a] », c'est évidemment par la pratique de la loi
qu'on « l'honore ».

Cf. schol. 204, 299 et 344.

7, 4   *Dis que la sagesse est ta sœur ;*
           prends la prudence comme amie pour toi

88. « La sagesse » est notre « sœur », puisque le Père qui
a créé la nature incorporelle l'a aussi créée. Ici par « la
sagesse », il ne désigne pas le Fils de Dieu, mais la contemplation des corps et des incorporels, ainsi que celle du
jugement et de la providence qui sont en eux. La prudence,

5 προνοίας, ἧς εἶδός ἐστι καὶ ἡ φρόνησις καὶ ἡ γνῶσις καὶ ἡ
παιδεία καὶ ἡ σύνεσις.

Adest in A.

Procope : Ἀδελφὴ ἡμῶν τῶν γεγονότων ἡ θεωρία, κρίσεώς τε
καὶ προνοίας, συμπαραχθεῖσα τοῖς ἀσωμάτοις, ἧς εἴδη φρόνησις,
γνῶσις, παιδεία, σύνεσις.

IK. — Anon.

Lignes 1-2. Allusion à la première création, celle de la nature
incorporelle. Pour Évagre, le Christ-Sagesse est un intellect créé,
en tout semblable aux autres intellects. Cf. aussi la scholie 64, où

7, 5 < ἵνα σε τηρήσῃ ἀπὸ γυναικὸς ἀλλοτρίας καὶ
πονηρᾶς,
ἐάν σε λόγοις τοῖς πρὸς χάριν ἐμβάληται >

89. Οἱ πρὸς χάριν ἐμβαλλόμενοι λόγοι οἱ ἐμπαθεῖς εἰσι
λογισμοί.

Adest in A.

Procope : Ἢ καὶ λόγοι πρὸς χάριν οἱ ἐμπαθεῖς λογισμοί.

IK MN. — Anon. — 1 λόγοι — χάριν IK : om. MN ‖ οἱ IK
N : om. M.

7, 6 < ἀπὸ γὰρ θυρίδος ἐκ τοῦ οἴκου αὐτῆς εἰς τὰς
πλατείας παρακύπτουσα,
7   ὃν ἂν ἴδῃ τῶν ἀφρόνων τέκνων νεανίαν ἐνδεῆ φρενῶν
8   παραπορευόμενον παρὰ γωνίαν ἐν διόδοις οἴκων
αὐτῆς
9   καὶ λαλοῦντα ἐν σκότει ἑσπερινῷ,
ἡνίκα ἂν ἡσυχία νυκτερινὴ ᾖ καὶ γνοφώδης*,
10   ἡ δὲ γυνὴ συναντᾷ αὐτῷ εἶδος ἔχουσα πορνικόν,
ἣ ποιεῖ νέων ἐξίπτασθαι καρδίας >

la science, l'instruction et l'intelligence sont en effet les termes spécifiques qui désignent cette sagesse.

il est dit que la science peut être appelée mère, épouse ou sœur : « ... Sœur, parce qu'elle et moi sommes issus de l'unique Dieu et Père. »

Lignes 2-5. Évagre refuse d'identifier dans ce texte (ἐνταῦθα) la sagesse avec le Christ, mais voit en elle la contemplation naturelle, comme dans les scholies 3 et 79.

Lignes 5-6. Vertu suprême, la sagesse peut être considérée comme une vertu générique dont les autres vertus ne sont que les espèces (cf. εἶδος) ; dans la scholie 101, elle est le terme générique (γένος) qui englobe la science et l'instruction.

7, 5 *Afin de te garder de la femme étrangère et mauvaise,*
   si elle te provoque avec des paroles flatteuses

89. « Les paroles flatteuses avec lesquelles elle te provoque » sont les pensées passionnées.

7, 6 *Car de la fenêtre de sa maison elle se penche vers*
       les larges rues ;
   7 *si elle voit parmi les garçons insensés un jeune*
       homme privé de sens,
   8 *qui rase l'angle, sur le chemin de sa maison,*
   9 *et qui parle dans l'obscurité du soir,*
       quand est venu le calme de la nuit et des ténèbres,
  10 *cette femme l'accoste à la façon des prostituées,*
       elle qui fait s'envoler les cœurs des jeunes

90. Τὴν σάρκα τοῦ ἀνθρώπου θυρίδα νῦν ὀνομάζει · διὰ
γὰρ ταύτης ὁ πονηρὸς τὰς ἀπάτας τοῖς ἀνθρώποις ἐργάζεται
τοῖς βουλομένοις ὁδεύειν τὴν πλατεῖαν ὁδὸν καὶ εὐρύχωρον
καὶ ἀπάγουσαν ἐπὶ τὴν ἀπώλειαν [a]. 'Αλλ' ἐνταῦθα προσ-
5 εκτέον τί φησιν ὁ Σολομὼν περὶ τῆς κακίας, ὅτι οὐχ αὕτη
τὸν ἄνθρωπον ἐν ἀρχαῖς ἐπὶ τὴν πλατεῖαν ἀπάγει οὐδ᾽
ἀναγκάζει πορεύεσθαι ἐν διόδοις οἴκων αὐτῆς ἢ προσεγγίζειν
γωνίᾳ ἢ λαλεῖν ἐν σκότει ἑσπερινῷ, ἀλλ' ἐὰν ἴδῃ τινὰ ἑαυτὸν
ἐπιδιδόντα ταῖς ἡδοναῖς, εὐθὺς « συναντᾷ αὐτῷ εἶδος ἔχουσα
10 πορνικόν, ἢ ποιεῖ νέων ἐξίπτασθαι καρδίας ».

a. Cf. Matth. 7, 13

A. — 5 οὐχ αὕτη A : οὐκ αὐτὴ Z ‖ 6 πλατεῖαν IK Z : κακίαν
A ἀπάτην MN ‖ 10 ἐξίπτασθαι Z Rahlfs : ἐξαπατᾶσθαι A.

PROCOPE : Καλεῖ δὲ θυρίδα τοῦ ἀνθρώπου τὴν σάρκα, δι᾽ ἧς ὁ
πονηρὸς τὰς ἀπάτας ἐργάζεται τοῖς τὴν πλατεῖαν βουλομένοις ὁδεύειν [a].
Διδάσκει δὲ διὰ τῶν ἑξῆς ὡς οὐκ αὐτὸς τὸν ἄνθρωπον ἐπὶ τὴν πλατεῖαν
ἀπάγει, ἀλλ' ἐὰν ἴδῃ τινὰ ταῖς ἡδοναῖς ἑαυτὸν ἐπιδιδόντα, συνεπιτίθεται
5 σὺν εἴδει πορνικῷ συναντήσας.

IK MN. — Anon. — 1 Καλεῖ δὲ θυρίδα IK : θυρίδα δὲ καλεῖ
MN ‖ 2 τοῖς … βουλομένοις I MN : τοὺς… βουλομένους K ‖ ὁδεύειν
hic des. primum fg. in MN ‖ 3 Διδάσκει — αὐτὸς IK : διδάσκει
δὲ ὡς οὐκ αὐτὸς sic inc. secundum fg. in M οὐ γὰρ ὁ δαίμων
sic inc. secundum fg. in N ‖ πλατεῖαν IK : ἀπάτην MN ‖
4 ἀπάγει IK M p. corr. : ἀνάγει N ἐπάγει M a. corr. ‖ 5 σὺν
IK : ἐν MN.

_____

91. 'Ησυχίαν νυκτερινὴν καὶ γνοφώδη τὴν ἀκάθαρτον
κατάστασιν ὠνόμασε τῆς ψυχῆς, καθ' ἣν ἀναπτομένη τὴν
ἁμαρτίαν διὰ τοῦ σώματος κατεργάζεται.

Adest in AB.

PROCOPE : 'Ησυχίαν δὲ νυκτερινὴν καὶ γνοφώδη τὴν ἀκάθαρτον
κατάστασιν ὠνόμασε τῆς ψυχῆς, καθ' ἣν ἀναπτομένη τὴν ἁμαρτίαν
διὰ τοῦ σώματος κατεργάζεται.

IK N. — Hoc scholion cum scholio 90 concatenaverunt IK
Anon. N. — 1 'Ησυχίαν — γνοφώδη IK : om. N ‖ 2 ἀναπτομένη
I N : ἀναπεμπομένη K ‖ 3 κατεργάζεται IK : ἐργάζεται N.

90. C'est la chair de l'homme qu'il nomme maintenant « fenêtre » ; c'est en effet par elle que le malin abuse les hommes qui veulent aller par la voie large et spacieuse, celle qui mène à la perdition[a]. Mais ici il faut bien faire attention à ce que Salomon dit de la malice : ce n'est pas elle qui au départ pousse l'homme vers « la rue large » et le force à s'avancer « sur le chemin de sa maison », à s'approcher de l'« angle » ou à « parler dans l'obscurité du soir », mais c'est lorsqu'elle le voit s'abandonner lui-même aux plaisirs qu'aussitôt « elle l'accoste à la façon des prostituées, elle qui fait s'envoler les cœurs des jeunes ».

Lemme biblique. Il ressort de la scholie 91 qu'Évagre lisait, au verset 9, γνοφώδης qui est la leçon du *Vaticanus* et du *Sinaiticus*, et non γνόφος qui est celle de l'*Alexandrinus*.

Apparat critique de Procope. Dans les mss MN, la scholie est divisée en deux parties.

Lignes 4-10. Comparer avec ce que dit Origène en *De princ.* III, 2, 2 : « Ainsi c'est nous les hommes qui procurons les occasions et les principes des péchés, mais ce sont les puissances adverses qui les déploient en tout sens et, si possible, sans fin » (trad. Harl-Dorival-Le Boulluec, *Études Aug.*).

---

91. Il a nommé « calme de la nuit et des ténèbres » l'état impur de l'âme ; lorsqu'elle est dans cet état, elle s'enflamme et consomme son péché avec le corps.

7, 12   < χρόνον γάρ τινα ἔξω ῥέμβεται,
         χρόνον δὲ ἐν πλατείαις, παρὰ πᾶσαν γωνίαν
         ἐνεδρεύει,
13 ¹   εἶτα ἐπιλαβομένη ἐφίλησεν αὐτόν >

92. Οἱ μὲν ἐν ταῖς πλατείαις ῥεμβόμενοι μοιχείας καὶ
πορνείας καὶ κλοπῆς ᵃ λαμβάνουσι λογισμούς · οἱ δὲ ἔξω
τούτων ῥεμβόμενοι παρὰ φύσιν κινοῦνται ἀρρένων κοίτην
ἐπιζητοῦντες ᵇ καὶ ἄλλων τινῶν ἀπειρημένων πραγμάτων
5 φαντασίας λαμβάνοντες.

        a. Cf. Matth. 15, 19   b. Cf. I Cor. 6, 9 et I Tim. 1, 10

        A. — 4 ἀπειρημένων A : ἀπαγορευομένων Z.

   PROCOPE : Οἱ μὲν ἐν ταῖς πλατείαις ῥεμβόμενοι μοιχείας καὶ
   πορνείας καὶ κλοπῆς ᵃ λαμβάνουσι λογισμούς · οἱ δὲ ἔξω τούτων
   ῥεμβόμενοι ἡδονὰς τὰς παρὰ φύσιν μετέρχονται ᵇ.

   IK MN. — Anon. — 1 μὲν IK M : om. N || 2-3 τούτων
   ῥεμβόμενοι MN : om. IK.

_____

93. Εἰ τῶν λογισμῶν οἱ μὲν καθαροί εἰσιν, οἱ δὲ ἀκάθαρτοι
καὶ εἰ μὲν τῶν γραμμῶν αἱ μὲν εὐθεῖαι καλοῦνται, αἱ δὲ
κεκλασμέναι εὐθεῖαι, γωνία δέ ἐστιν κεκλασμένη εὐθεῖα,
γωνία ἄρα νοητή ἐστιν ἀκάθαρτος λογισμός. Τὸ οὖν παρὰ
5 πᾶσαν γωνίαν ἐνεδρεύειν τὴν κακίαν δηλοῖ τὸ διὰ πάντων
τῶν ἀκαθάρτων λογισμῶν αὐτὴν ἐξαπατᾶν τὴν ψυχήν.
Φίλημα δὲ δαιμονιῶδές ἐστιν νόημα ἐμπαθὲς πρὸς αἰσχρὰν
ἐργασίαν τὴν ψυχὴν ἐκκαλούμενον.

   AB. — 1-6 Εἰ — ψυχήν A : om. B || 4 ἄρα Tisch. : ἄρα A ||
   5 γωνίαν Z Tisch. : κακίαν A || 6 λογισμῶν Z Tisch. : om. A ||
   7 Φίλημα hic inc. B || φίλημα A : φέλημα (sic) Tisch. || δὲ A :
   om. B || 8 τὴν ψυχὴν ἐκκαλούμενον A : ἐκκαλουμένη τὴν
   ψυχήν B.

   PROCOPE : Φίλημα δαιμονιῶδές ἐστι νόημα ἐμπαθὲς πρὸς αἰσχρὰν
   ἐργασίαν ἐκκαλούμενον τὴν ψυχήν.

   IK MN. — Anon. — 1 ἐστι IK M : om. N.

7, 12   *Car elle erre un moment au dehors,*
         un moment sur les places ; elle s'embusque à chaque
                         angle,
     13 ¹ *puis elle le saisit et lui donne un baiser*

92. Ceux qui « errent sur les places » ont des pensées
d'adultère, de fornication et de vol ª. Ceux qui « errent en
dehors » d'elles ont des mouvements contre nature : ils
cherchent à coucher avec des hommes ᵇ et imaginent
certaines autres choses défendues.

Cette scholie classe les péchés les plus graves en deux catégories.
Les mises en garde contre l'homosexualité, et plus particulièrement
contre la pédérastie, sont fréquentes dans la littérature monastique
égyptienne ; Évagre lui-même, dans *Bases* 5, déconseille à l'ermite
d'avoir à ses côtés un petit serviteur qui pourrait être une occasion
de chute. A noter que le premier stique de *Prov.* 7, 12 est cité dans
Pensées 26 (*PG* 79, 1231 A), à propos de pensées dont la perversité
est d'autant plus grande que la matière (ὕλη) nécessaire à leur
réalisation fait défaut. Il est également fait allusion à « ces imagina-
tions de choses défendues » (πρὸς τὰς ἀπειρημένας φαντασίας) en
Pratique 46, mais le contexte est différent.

---

93. Si certaines pensées sont pures, d'autres impures,
et si certaines lignes sont appelées droites, d'autres lignes
brisées, et que « l'angle » soit une ligne brisée, « l'angle »
intelligible est donc la pensée impure. Par conséquent,
que la malice « s'embusque à chaque angle » signifie qu'elle
abuse l'âme par toutes les pensées impures. Le « baiser »
démoniaque est la représentation passionnée qui incite
l'âme à l'action honteuse.

Lignes 1-6. Interprétation similaire du mot γωνία en schol. 4
ad Ps. 25, 6 ; 5 *ad Ps.* 26, 6 ; 14 *ad Ps.* 76, 19.

Lignes 7-8. Comparer avec *Réflexions* 7 : « Le baiser blâmable
de l'intellect, c'est la représentation passionnée d'un objet sensible.
C'est pourquoi le Sauveur dit à ses disciples : ' Ne saluez personne
sur le chemin ' de la vertu (*Lc* 10, 4) ».

194   PROVERBES 7, 15-17.19-20

7, 15   < ἕνεκα τούτου ἐξῆλθον εἰς συνάντησίν σου* ·
           ποθοῦσα τὸ σὸν πρόσωπον εὕρηκά σε ·
16   κειρίαις τέτακα τὴν κλίνην μου ·
           ἀμφιτάποις δὲ ἔστρωκα τοῖς ἀπ᾿ Αἰγύπτου ·
17   διέρραγκα τὴν κοίτην μου κρόκῳ ·
           τὸν δὲ οἶκόν μου κινναμώμῳ >

94. Ἡ κακία ζητεῖ τὸ πρόσωπον τῆς ψυχῆς ἡμῶν
καταισχῦναι διὰ τῶν κειριῶν καὶ τῆς κλίνης καὶ τῶν ἀμφι-
τάπων καὶ τοῦ κρόκου καὶ τοῦ κινναμώμου, ἅπερ κακὰ
καὶ διάφορα πάθη σημαίνει παρὰ τοῖς ἐφευρεταῖς γινόμενα
5 τῶν κακῶν [a].

a. Cf. Rom. 1, 30

AB. — 2 καταισχῦναι hic des. B.

Procope : Ἡ κακία ζητεῖ τὸ πρόσωπον τῆς ψυχῆς ἡμῶν καταισχῦναι διὰ τῶν κειριῶν καὶ τῆς κλίνης καὶ τῶν ἀμφιταπήτων καὶ τοῦ
κρόκου καὶ τοῦ κινναμώμου, ἅπερ πάθη σημαίνει διάφορα.

ΙΚ ΜΝ. — Εὐαγρίου ΙΚ Μ Anon. Ν. — 2-3 διὰ τῶν
κειριῶν [κειρίων Κ κηρίων Ι] — διάφορα ΙΚ : δι᾿ ὦν ἀπαριθμεῖται
ἅπερ πάθη δηλοῖ διάφορα ΜΝ.

7, 19   < οὐ γὰρ πάρεστιν ὁ ἀνήρ μου ἐν οἴκῳ ·
           πεπόρευται δὲ ὁδὸν μακράν,
20   ἔνδεσμον ἀργυρίου λαβὼν ἐν χειρὶ αὐτοῦ ·
           δι᾿ ἡμερῶν πολλῶν ἐπανήξει εἰς τὸν οἶκον αὐτοῦ >

95. Εἰ « δι᾿ ἡμερῶν πολλῶν ἐπανήξει εἰς τὸν οἶκον αὐτοῦ »,
πάνυ πνευματικῶς ἐνατενίσας τῇ οἰκονομίᾳ ὁ Παῦλος
ἔσχατον ἐχθρὸν γράφει καταργεῖσθαι τὸν θάνατον [a].

a. Cf. I Cor. 15, 26
Adest in A.

Procope : Εἰ διὰ πολλῶν ἡμερῶν, πνευματικῶς ὁ Παῦλος ἐνατενίσας τῇ οἰκονομίᾳ ἔσχατον ἐχθρὸν ἔφη καταργεῖσθαι τὸν διάβολον [a].

ΙΚ Μ. — Anon. — 1 Εἰ ΙΚ : ἢ Μ ‖ 2 ἔφη ΙΚ : om. Ν.

7, 15   *C'est pour cela que je suis sortie à ta rencontre ;*
          je désirais ton visage et je t'ai trouvé.
    16   *J'ai tendu mon lit avec des sangles,*
          je l'ai recouvert de couvertures doubles d'Égypte,
    17   *j'ai aspergé ma couche de safran*
          et ma maison de cinnamome

94. La malice cherche à faire honte au « visage » de notre âme au moyen des « sangles », du « lit », des « couvertures doubles », du « safran » et de « la cinnamome », lesquels désignent les diverses passions mauvaises se trouvant chez ceux qui sont ingénieux au mal [a].

Lemme biblique. Nous avons rejeté la leçon μου de l'*Alexandrinus* pour adopter la leçon σου du *Vaticanus*, plus satisfaisante.

Il est dit en *KG* IV, 55 que la vertu est le visage de l'âme. Cf. l'interprétation du « visage des justes » dans la scholie 353.

7, 19   *Car mon mari n'est pas à la maison,*
          il est parti pour un long voyage,
    20   *il a pris une bourse pleine d'argent dans sa main*
          et sera de retour à la maison dans plusieurs jours

95. S'il est vrai qu'« il sera de retour à la maison dans plusieurs jours », c'est après avoir fixé son regard de façon tout à fait spirituelle sur l'économie du salut que Paul a écrit que « le dernier ennemi, la mort, serait détruit [a]. »

Le diable sera finalement sauvé ; cf. ORIGÈNE, *De princ.* III, 6, 5 : « Il sera ' détruit ' donc, non pas de manière à ne pas être, mais de façon à ne pas être ' ennemi ' et ' mort '. Car ' rien n'est impossible ' pour le Tout-Puissant, et aucun être n'est incurable pour son créateur » (trad. Harl-Dorival-Le Boulluec, *Études Aug.*).

7, 22 [1] < ὁ δὲ ἐπηκολούθησεν αὐτῇ κεπφωθείς >

96. Τῶν ἐρωδιῶν τρία γένη εἰσίν, ὅ τε κέπφος καὶ ὁ
λευκὸς καὶ ὁ ἀστερίας καλούμενος. Τούτων ὁ κέπφος
χαλεπῶς εὐνάζεται καὶ ὀχεύει · κράζει τε γὰρ καὶ ὀχεύων
αἷμα, ὥς φασιν, ἀφίησι ἐκ τῶν ὀφθαλμῶν καὶ τίκτει φαύλως
5 καὶ ὀδυνηρῶς. Ταῦτα μὲν οὖν ἀπὸ τῶν τοῦ Ἀριστοτέλους
ἐκ Τῶν περὶ τὰ ζῷα ἱστοριῶν παρεθήκαμεν. Ἔοικε δὲ ἡ
γραφὴ ἀπὸ τῆς ἱστορίας τοῦ ζῴου τοῦ κέπφου τὴν λέξιν
πεποιηκέναι τοῦ πειθουμένου τῇ πόρνῃ γυναικί, κεπφουμένου
καὶ ἐξομοιουμένου τῷ ὀρνέῳ δι' ἀκολασίαν. [Οἷον δια-
10 κινηθείς.]

A. — 3 εὐνάζεται ΙΚΜΝ Ζ Tisch.: εὔνααι διὰ Α ‖ 9-10 Οἷον
διακινηθείς Α : οἷον διακινηθέντος scripsit Tisch. (v. notam).

Procope : Τῶν ἐρωδιῶν τρία γένη, ὅ τε κέπφος καὶ ὁ λευκὸς καὶ
ὁ ἀστερίας. Ὁ δὲ κέπφος χαλεπῶς εὐνάζεται καὶ ὀχεύει · κράζει τε
γὰρ καὶ αἷμα τῶν ὀφθαλμῶν ἀφίησι καὶ τίκτει ἐν ὀδύνῃ, καθά φησι
Ἀριστοτέλης ἐν τῷ Περὶ ζῴων. Τῷ οὖν ὀρνέῳ τὸν πειθόμενον τῇ
5 πόρνῃ δι' ἀκολασίαν ἀπείκασεν.

ΙΚ ΜΝ. — ἀπὸ Εὐαγρίου Μ   Anon. ΙΚ Ν. — 1 τῶν ἐρωδιῶλ
τρία γένη ΙΚ : τρία γένη ἐρωδιῶν ΜΝ ‖ 2 ἀστερίας ΜΝ : ἀστίας
Κ ἀστὰς Ι ‖ δὲ ΙΚ : τοίνυν ΜΝ ‖ 3-4 καθά — ζῴων ΙΚ : om.
ΜΝ ‖ 4 Τῷ οὖν ΙΚ Μ : τῷ αὐτῷ τοίνυν Ν ‖ 5 ἀπείκασεν ΙΚ Μ :
ἀπεικάζει Ν.

7, 26 < πολλοὺς γὰρ τρώσασα καταβέβληκεν
           καὶ ἀναρίθμητοί εἰσιν, οὓς πεφόνευκεν >

97. Τιτρώσκει μὲν ἡμᾶς τοῖς λογισμοῖς · φονεύει δὲ
ταῖς ἁμαρτίαις.

Adest in A.

Procope : Τιτρώσκει μὲν οὖν τοῖς λόγοις · φονεύει δὲ ταῖς
ἁμαρτίαις.

ΙΚ ΜΝ. — Εὐαγρίου Ι   Anon. Κ ΜΝ. — 1 μὲν οὖν ΙΚ :
τοίνυν αὕτη ΜΝ.

7, 22 [1]   *Et il l'a suivie, se conduisant comme un héron*

96. Il existe trois sortes de hérons : le *kepphos*, le blanc et celui qu'on appelle étoilé. Le *kepphos* a du mal à s'accoupler et à saillir ; il pousse en effet des cris, et pendant la saillie, du sang, dit-on, sort de ses yeux ; sa ponte est de mauvaise qualité et douloureuse. Nous avons tiré ce texte de l'*Histoire des animaux* d'Aristote, mais l'Écriture, semble-t-il, évoque à travers cette histoire de héron celui qui succombe à la prostituée, lequel « se conduit comme un héron » et ressemble par son intempérance à cet oiseau. [C'est-à-dire profondément troublé.]

Citation d'ARISTOTE, *Histoire des animaux*, IX, 1 (609 b 21-25). Notre traduction s'inspire de celle qu'a donnée P. Louis dans la *Collection des Univ. de France* en 1969. Dans la scholie d'Évagre, πέλλος est remplacé par κέπφος. La même substitution de termes se retrouve également dans un texte de la chaîne IV, repris par la chaîne II et la chaîne vaticane (où il est attribué à Hippolyte ; voir RICHARD, « Fragments d'Hippolyte », I, p. 276-279). Οἷον διακινηθείς me paraît être une glose indépendante au mot κεπφωθείς. Il n'y a donc pas lieu d'accorder le participe à ce qui précède comme l'a fait Tischendorf.

7, 26   *Car elle en a blessé et abattu beaucoup,*
et ceux qu'elle a tués sont innombrables

97. Elle nous « blesse » par les pensées, nous « tue » par les péchés.

8, 2 < ἐπὶ γὰρ τῶν ὑψηλῶν ἄκρων ἐστίν ·
ἀνὰ μέσον δὲ τῶν τρίβων ἕστηκεν >

98. Μεταξὺ θρασύτητος καὶ δειλίας ἡ ἀνδρεία ἕστηκεν.

Adest in A.

8, 3 < παρὰ γὰρ πύλαις δυναστῶν παρεδρεύει ·
ἐν δὲ εἰσόδοις ὑμνεῖται >

99. Τὴν σοφίαν ποτὲ μὲν ἐν ἐξόδοις [a], ποτὲ δὲ ἐν εἰσόδοις
ὑμνεῖσθαί φησιν, τουτέστι παρὰ τοῖς ἐξερχομένοις ἀπὸ τῆς
κακίας καὶ εἰσερχομένοις εἰς τὴν ἀρετήν · ἔξοδον γὰρ καὶ
εἴσοδον τὸν ἐξερχόμενον καὶ εἰσερχόμενον ὀνομάζει. Πολ-
5 λάκις δὲ ἐσημειωσάμεθα τὴν συνήθειαν αὐτοῦ ταύτην, ὅτι
ἀπὸ τῶν ἕξεων ὀνομάζει τοὺς κεκτημένους τὰς ἕξεις ἤτοι
τὰς ἀρίστας ἢ τὰς χειρίστας.

a. Cf. Prov. 1, 20

A. — 1 εἰσόδοις IKMN Z Tisch. : ἐξόδοις A ‖ 4 ἐξερχόμενον A
e corr. ‖ 7 ἢ scripsi : καὶ A.

PROCOPE : Καὶ λέγεταί ποτε μὲν ἐν ἐξόδοις [a], ποτὲ δὲ ἐν εἰσόδοις
ὑμνεῖσθαι παρὰ τοῖς ἐξερχομένοις ἐκ τῆς κακίας καὶ εἰσερχομένοις
εἰς τὴν ἀρετήν · συνηθῶς γὰρ ἀπὸ τῶν ἕξεων ὀνομάζει τοὺς κεκτημένους.

IK M. — Εὐαγρίου IK Anon. M. — 2 παρὰ τοῖς IK :
πταοι (αοι supra lin.) M ‖ 3 ἀρετήν hic des. M.

8, 5 < νοήσατε, ἄκακοι, πανουργίαν ·
οἱ δὲ ἀπαίδευτοι, ἔνθεσθε καρδίαν >

100. Καρδίαν ἐνταῦθα τὴν ἀρετὴν εἴρηκεν τὴν ἐπι-
συμβαίνουσαν τῇ καρδίᾳ.

Adest in A.

PROCOPE : Ἢ καρδίαν λέγει τὴν ἀρετήν.

IK MN. — Anon. — Ἢ καρδίαν IK N : καρδίαν δὲ M.

8, 2   *Car la sagesse est sur les sommets élevés*
et elle se tient au milieu des chemins

98. Le courage se tient entre la témérité et la lâcheté.

Cf. schol. 53.

8, 3   *Car elle siège aux portes des princes*
et elle est célébrée aux entrées

99. Il est dit que la sagesse « est célébrée » tantôt « aux sorties »[a], tantôt « aux entrées », c'est-à-dire chez ceux qui sortent de la malice et entrent dans la vertu. Il nomme en effet « sortie » et « entrée » celui qui sort et celui qui entre. Nous avons souvent noté cette habitude de (Salomon) qui consiste à désigner par leurs états les personnes qui possèdent des états, soit excellents, soit mauvais.

Lignes 1-4. Cf. l'interprétation du mot ἔξοδος dans la scholie 12.
Lignes 4-7. Évagre se montre à nouveau attentif au mode d'expression propre de l'Écriture (συνήθεια ou ἔθος : cf. note à la scholie 7). Il croit reconnaître ici une métonymie : l'individu est désigné par l'état (ἕξις) moral, bon ou mauvais, qui est le sien. Même type de remarque ou d'exégèse dans le nombreuses scholies : schol. 102, 289, 299, 346 et 358 B *ad Prov.* ; schol. 7 *ad Ps.* 10, 7 ; 3 *ad Ps.* 62, 9 ; 7 *ad Ps.* 83, 12 ; 64 *ad Ps.* 118, 143 ; 1 *ad Ps.* 145, 7. Les périphrases ἕξις ἀρίστη et ἕξις χειρίστη servent à qualifier la vertu et le vice : cf. schol. 102, 184, 358 B et 371 *ad Prov.* ; schol. 2 *ad Ps.* 70, 4 ; *KG* VI, 21 ; *Pratique* 70.

8, 5   *Vous qui êtes sans malice, comprenez la subtilité,*
et vous qui êtes sans instruction, mettez en vous le cœur

100. Ici il a appelé « cœur » la vertu qui survient dans le cœur.

8, 10 [1-2] < λάβετε παιδείαν καὶ μὴ ἀργύριον
καὶ γνῶσιν ὑπὲρ χρυσίον δεδοκιμασμένον...
11 [1] κρείσσων γὰρ σοφία λίθων πολυτελῶν >

101. Τὴν σοφίαν ἐνταῦθα ὡς γένος ἔλαβε τῆς παιδείας
καὶ τῆς γνώσεως · παιδείαν γὰρ καὶ γνῶσιν προτάξας,
ἐπάγει · « κρεῖσσον γὰρ σοφία λίθων πολυτελῶν », ὡς
τῆς παιδείας καὶ τῆς γνώσεως περιεχομένης ἐν τῇ σοφίᾳ,
5 ἥτις ἐστὶν πρῶτον χάρισμα τοῦ πνεύματος τοῦ ἁγίου, εἴπερ
« διὰ τοῦ πνεύματος δίδοται λόγος σοφίας [a] ». Τὸ δ' αὐτὸ
τοῦτο λέγεται καὶ πνεῦμα υἱοθεσίας [b].

a. I Cor. 12, 8   b. Cf. Rom. 8, 15

A. — 3 κρεῖσσον A : κρείσσων IK Z.

PROCOPE : Ὡς δὲ γένος εἴληφε τὴν σοφίαν τῆς τε παιδείας καὶ τῆς
γνώσεως. Μετὰ γὰρ ταῦτα ἐπήγαγε · « κρείσσων γὰρ σοφία λίθων
πολυτελῶν », ἥτις ἐστὶ πρῶτον χάρισμα τοῦ πνεύματος τοῦ ἁγίου,
εἴπερ « διὰ τοῦ πνεύματος δίδοται λόγος σοφίας [a] ». Τὸ δὲ αὐτὸ λέγοιτο
5 καὶ πνεῦμα υἱοθεσίας [b].

IK — Εὐαγρίου supra.

Sur la sagesse conçue comme terme générique, voir la scholie 88.

8, 13 [1-2] < φόβος κυρίου μισεῖ ἀδικίαν,
ὕβριν τε καὶ ὑπερηφανίαν καὶ ὁδοὺς πονηρῶν >

102. Σημειωτέον ὅτι ἀδικίαν καὶ ὕβριν καὶ ὑπερηφανίαν
τὸν ἄδικον καὶ ὑβριστὴν καὶ ὑπερήφανον λέγει, ἀπὸ τῆς
χειρίστης ἕξεως ὀνομάζων αὐτόν.

Adest in A.

PROCOPE (?) : Ὁ φοβούμενος τὸν κύριον τὴν χειρίστην γνῶσιν καὶ
πρᾶξιν μισεῖ.

IK M. — Anon.

8, 10 [1-2] *Recevez l'instruction et non l'argent,*
            la science plutôt que l'or éprouvé...

     11 [1]   *La sagesse vaut en effet mieux que les pierres*
            précieuses

101. Ici il a pris la « sagesse » comme terme générique de
« l'instruction » et de « la science », car après avoir placé
en tête « l'instruction » et « la science », il ajoute : « La
sagesse vaut en effet mieux que les pierres précieuses. »
« L'instruction » et « la science » sont comprises dans « la
sagesse », qui est le premier don du Saint Esprit, puisque
« c'est par l'Esprit qu'est donné un discours de sagesse [a] ».
Ce même don est également appelé « esprit de filiation
adoptive [b] ».

Évagre identifie l'esprit de filiation adoptive de *Rom.* 8, 15 avec
la sagesse, qui est le premier des charismes de l'Esprit mentionnés
par Paul dans *I Cor.* 12, 8 ; cf. *KG* VI, 51 : « Si la partie rationnelle
est la plus précieuse de toutes les puissances de l'âme et qu'elle seule
soit affectée par la sagesse, la sagesse est la première de toutes les
vertus. C'est elle en effet que notre sage maître (sans doute Grégoire
de Nazianze) a aussi appelée esprit de filiation adoptive » (texte grec
dans Hausherr, « Nouveaux fragments », p. 232).

8, 13 [1-2] *La crainte du Seigneur hait l'injustice,*
             l'insolence, l'orgueil et les voies des méchants

102. Il faut noter qu'il appelle « injustice, insolence et
orgueil » la personne injuste, insolente et orgueilleuse, la
désignant par son état mauvais.

Cf. schol. 99. L'exégèse de ce verset est reprise dans la scholie 299.

9, 2 [1-2] < ἔσφαξεν τὰ ἑαυτῆς θύματα,
　　　　　　　ἐκέρασεν εἰς κρατῆρα τὸν ἑαυτῆς οἶνον >

103. Ἡ αὐτὴ τροφὴ καὶ κρέας ὀνομάζεται καὶ ἄρτος [a]
καὶ γάλα [b] καὶ λάχανα [c] καὶ οἶνος. Πλὴν οἱ ἄφρονες ὡς
ἄρτων αὐτῆς λέγονται μεταλαμβάνειν καὶ ὡς οἴνου κεκερασμένου [d]. Εἰ δὲ τοῦτο, πῶς νοήσωμεν τὸ « ἄρτον ἀγγέλων
5 ἔφαγεν ἄνθρωπος [e] » ;

　　a. Cf. Prov. 9, 5　　b. Cf. Hébr. 5, 12-13 ; I Cor. 3, 2
　　c. Cf. Rom. 14, 2　　d. Cf. Prov. 9, 5　　e. Ps. 77, 25

A. — 3 ἄρτων IKM : ἄρτον A N Z ‖ αὐτῆς IKMN : αὐτοῦ Z
αὐτοὺς A ‖ 3-4 οἴνου κεκερασμένου Z : οἶνος κεκερασμένος
A ‖ 4 νοήσωμεν A M : -σομεν Z IKN.

Procope : Ἡ δὲ αὐτὴ τροφὴ καὶ κρέας ὀνομάζεται καὶ ἄρτος [a]
καὶ γάλα [b] καὶ λάχανα [c] καὶ οἶνος. Πλὴν οἱ ἄφρονες ὡς ἄρτων αὐτῆς
λέγονται μεταλαμβάνειν. Πῶς οὖν νοήσωμεν τὸ « ἄρτον ἀγγέλων
ἔφαγεν ἄνθρωπος [e] » ;

IK MN. — Εὐαγρίου I　Anon. K MN. — 2 ἄρτων IK M :
ἄρτον N ‖ 3 νοήσωμεν M : -σομεν IK N.

Ce symbolisme des nourritures, qui remonte à Philon et aux écrits
pauliniens, permet de souligner que la connaissance est adaptée à la

---

104. Κρατήρ ἐστιν γνῶσις πνευματικὴ τοὺς περὶ ἀσωμάτων καὶ σωμάτων καὶ κρίσεως καὶ προνοίας περιέχουσα
λόγους.

Adest in A.

Procope : Κρατήρ ἐστι γνῶσις πνευματικὴ τοὺς περὶ ἀσωμάτων
καὶ σωμάτων καὶ κρίσεως καὶ προνοίας περιέχουσα λόγους.

IK MN. — <Εὐαγρίου> I　Anon. K MN. — 1-2 ἀσωμάτων
καὶ σωμάτων IK : σωμάτων καὶ ἀσωμάτων MN.

9, 2 [1-2] *Elle a immolé ses victimes,*
elle a mêlé son vin dans le cratère

103. La même nourriture est à la fois nommée « viande »,
« pain [a] », « lait [b] », « légumes [c] » et « vin ». Mais il est dit
que les insensés n'y ont part que sous la forme de « pain »
et de « vin mêlé » [d]. S'il en est ainsi, comment faut-il comprendre le verset : « L'homme a mangé le pain des anges [e] » ?

capacité des bénéficiaires : cf. schol. 107, 153 et 210. Dans la scholie 10
ad Ps. 77, 25, Évagre glose le verbe ἐσθίειν par γινώσκειν, et ajoute
que « l'intellect mange ce qu'il connaît et ne mange pas ce qu'il ne
connaît pas » (*Vaticanus 754*, f. 196[v] : collation M.-J. Rondeau).
Le pain des anges (dénomination biblique de la manne : cf. *Ps.* 77, 25
et *Sag.* 16, 20) est la contemplation supérieure dont jouissent les
anges et à laquelle certains hommes ont accès, dès ici-bas. Cf. *KG* I,
23 : « Les intellections des choses qui sont sur la terre sont ' les biens
de la terre '. Mais si les anges saints ' connaissent ' ceux-ci, selon
la parole de la Thécuite, les anges de Dieu mangent les biens de la
terre. Mais il est dit que ' l'homme a mangé le pain des anges ' ;
il est donc évident que quelques-uns aussi parmi les hommes ont
connu les intellections de ce qui est sur la terre » (trad. A. Guillaumont). Sur ce sujet, voir A. GUILLAUMONT, *Képhalaia gnostica*,
p. 277 ; « Un philosophe au désert », p. 49 ; HAUSHERR, *Leçons*,
p. 143-144.

---

104. Le « cratère », c'est la science spirituelle qui comprend les raisons concernant les incorporels et les corps,
le jugement et la providence.

Cf. *KG* V, 32 : « Ce qui est contenu dans la première coupe
ressemble au vin, qui est la science des incorporels ; et ce qui (est
contenu) dans la seconde porte le signe de l'eau, je veux dire la
contemplation des corps. Et c'est là la coupe qui de ces deux a été
mélangée pour nous par la Sagesse » (trad. A. Guillaumont).

9, 3 [1] < ἀπέστειλεν τοὺς ἑαυτῆς δούλους >

105. Εἰ Παῦλος ὁ ἀπόστολος δοῦλός ἐστι Χριστοῦ [a], ὁ δὲ Χριστὸς σοφία ἐστίν [b], Παῦλος ἄρα ὁ ἀπόστολος δοῦλος σοφίας ἐστίν. Ὡσαύτως δὲ καὶ ἐπὶ τῶν λοιπῶν ἀποστόλων καὶ τῶν προφητῶν τὸν λόγον συνάξομεν, δούλους τῆς σοφίας
5 αὐτοὺς ἀποδείξαντες.

a. Cf. Rom. 1, 1   b. Cf. I Cor. 1, 24
A. — 2 ἄρα Tisch. : ἄρα A.

PROCOPE (?) : Μωϋσέα, προφήτας, ἀποστόλους.

IK MN. — Anon. — Ante Μωϋσέα [Μωϋσέα IK Μωσέα MN] add. Δούλους δέ φησι N.

9, 3 [2] < συγκαλοῦσα μετὰ ὑψηλοῦ κηρύγματος ἐπὶ κρατῆρα λέγουσα >

106. Τοῦτο τὸ κήρυγμα μόνον ἐστὶν ὑψηλὸν τόπους γνώσεως κηρῦσσον θεοῦ.

Adest in A.

PROCOPE : Τοῦτο δὲ τὸ κήρυγμα μόνον ἐστὶν ὑψηλὸν τὸ περὶ γνώσεως κηρῦσσον θεοῦ.

IK MN. — Hoc scholion cum scholio 104 concatenaverunt codd. — 1 δὲ MN : om. IK ‖ τὸ[1] K MN : om. I ‖ 2 κηρῦσσον I N : -ρύσσων K -ρύσσον M.

9, 5 < ἔλθατε, φάγετε τῶν ἐμῶν ἄρτων
καὶ πίετε οἶνον ὃν ἐκέρασα ὑμῖν >

107. Οὐκ εἶπεν τῶν ἐμῶν κρεῶν · « τελείων γάρ ἐστιν ἡ στερεὰ τροφή [a]. »

a. Hébr. 5, 14
Adest in A.

9, 3 [1] *Elle a envoyé ses serviteurs en apôtres*

105. Si l'apôtre Paul est le serviteur du Christ [a] et si le Christ est la sagesse [b], l'apôtre Paul est donc le serviteur de la sagesse. Nous parviendrons à la même conclusion à propos des autres apôtres et des prophètes, en démontrant qu'ils sont les « serviteurs » de la sagesse.

9, 3 [2] *Elle convie à son cratère en faisant cette annonce sublime*

106. Seule est « sublime » cette « annonce » qui annonce la région de la science de Dieu.

Τόποι γνώσεως : cf. *KG* II, 6, 54 ; *Pensées* (recension longue, éd. Muyldermans, p. 52).

9, 5 *Venez, mangez de mon pain
et buvez le vin que j'ai mêlé pour vous*

107. Elle n'a pas dit de ma viande, car « la nourriture solide est pour les parfaits [a] ».

Cf. schol. 103.

9, 8 ¹ < μὴ ἔλεγχε κακούς, ἵνα μὴ μισῶσίν σε >

108. Οὐ δεῖ ἁμαρτάνοντας ἐλέγχειν τοὺς κακούς, μᾶλλον δὲ περὶ φόβου θεοῦ αὐτοῖς διαλέγεσθαι, ὅστις πείθει αὐτοὺς ἀποστῆναι κακίας.

Adest in A.

PROCOPE : Οὐ δεῖ ἁμαρτάνοντας ἐλέγχειν τοὺς κακούς, μᾶλλον δὲ περὶ φόβου θεοῦ αὐτοῖς διαλέγεσθαι, ὅστις αὐτοὺς ἀποστῆναι πείθει κακίας.

IK M. — Anon.

9, 10a   < τὸ δὲ γνῶναι νόμον διανοίας ἐστὶν ἀγαθῆς >

109. Εἰ « τὸ γνῶναι τὸν νόμον διανοίας ἐστὶν ἀγαθῆς », καὶ τὸ ποιῆσαι τὴν ἐντολὴν διανοίας ἐστὶν ἀγαθῆς. Πλὴν πρότερον τὸ ποιῆσαι τὴν ἐντολὴν τοῦ γνῶναι τὸν νόμον, εἴπερ ἡ γνῶσις μετὰ τὴν κάθαρσιν προσγίνεσθαι πέφυκεν.

Adest in A.

PROCOPE : Ὥστε καὶ τὸ ποιῆσαι τὴν ἐντολὴν διανοίας ἐστὶν ἀγαθῆς, ὅπερ πρότερον τοῦ γνῶναι τὸν νόμον, εἴπερ ἡ γνῶσις μετὰ τὴν κάθαρσιν γίνεται.

IK MN. — Εὐαγρίου I Εὐαγρίου supra K Anon. MN.
— 1 ἐστίν IK N : om. M ‖ ἀγαθῆς hic des. M.

9, 12a   < ὃς ἐρείδεται ἐπὶ ψεύδεσιν, οὗτος ποιμανεῖ ἀνέμους ·
ὁ δ' αὐτὸς διώξεται ὄρνεα πετόμενα >

110. Παντὶ ἀνέμῳ τῆς διδασκαλίας περιφερόμενος ᵃ καὶ ναυαγήσας περὶ τὴν πίστιν ᵇ.

a. Cf. Éphés. 4, 14   b. Cf. I Tim. 1, 19
Adest in A.

9, 8 [1] *Ne reprends pas les méchants, de peur qu'ils ne te haïssent*

108. Il ne faut pas « reprendre les méchants » lorsqu'ils commettent une faute, mais plutôt leur parler de la crainte de Dieu qui les amènera à s'éloigner de la malice.

Les reproches adressés aux pécheurs doivent être tempérés et de préférence indirects : schol. 339 *ad Prov.* ; schol. 1 *ad Ps.* 37, 2 ; *Pensées* 27 (*PG* 79, 1232 C) ; *Lettre* 55 (p. 602, l. 12-14 ; texte grec conservé par les Florilèges damascéniens).

9, 10a *Il appartient à l'intelligence saine de connaître la loi*

109. S'« il appartient à l'intelligence saine de connaître la loi », il lui appartient aussi de mettre en pratique le commandement. Mais il faut mettre en pratique le commandement avant de pouvoir « connaître la loi », car la connaissance vient après la purification.

9, 12a *Qui s'appuye sur des mensonges fera paître les vents,
et le même poursuivra des oiseaux en vol*

110. Ballotté à tout vent d'enseignement [a] et ayant fait naufrage dans la foi [b].

PROCOPE (?) : ["Όστις — ποιμαίνει ἀνέμους περὶ ὧν ὁ Παῦλός φησι ·
« κλυδωνιζόμενοι καὶ] περιφερόμενοι παντὶ ἀνέμῳ τῆς διδασκαλίας ᵃ. »

IK MN. — Anon. — 1 ὁ Παῦλός φησι IK : φησι ὁ Παῦλος N
φησι Παῦλος M.

9, 12b   < ἀπέλιπεν γὰρ ὁδοὺς τοῦ ἑαυτοῦ ἀμπελῶνος ·
          τοὺς δὲ ἄξονας τοῦ ἰδίου γεωργίου πεπλάνηται >

111. Ἀπέλιπεν γὰρ τὴν ἄμπελον τὴν εἰποῦσαν · « ἐγώ
εἰμι ἡ ἄμπελος, ὑμεῖς τὰ κλήματα », καί · « ὁ πατήρ μου ὁ
γεωργός ἐστιν ᵃ. »

a. Jn 15, 1.5
A. — 1 Ἀπέλιπεν Z : Ἀπέλειπεν A.

PROCOPE : ... καὶ τὸν εἰπόντα · « ἐγώ εἰμι ἡ ἄμπελος, ὑμεῖς τὰ
κλήματα, ὁ πατήρ μου ὁ γεωργός ᵃ. »

IK. — Anon.

9, 12c ³   < συνάγει δὲ χερσὶν ἀκαρπίαν >

112. Ἀκαρπία ἐστὶ κακία καὶ ἄγνοια.

Adest in A.

PROCOPE : Ἀκαρπία δὲ κακία καὶ ἄγνοια.

IK MN. — Εὐαγρίου I   Anon. K MN. — Ἀκαρπία IK N :
ἀκαρπίαν M.

9, 13   < γυνὴ ἄφρων καὶ θρασεῖα ἐνδεὴς ψωμοῦ γίνεται,
         ἢ οὐκ ἐπίσταται αἰσχύνην >

113. Ὡς διδακτῆς οὔσης τῆς αἰσχύνης, εἴρηται τὸ « οὐκ

Mêmes allusions scripturaires dans les scholies 125, 264, 266 *ad Prov.* ; 3 *ad Ps.* 65, 6 ; 1 *ad Ps.* 106, 3. Sur la métaphore du naufrage, voir la note à la scholie 266.

9, 12b   *Car il a abandonné les voies de sa vigne*
          et s'est égaré sur les sentiers de son propre champ

111. Car il a abandonné la vigne qui a dit : « Je suis la vigne, vous les sarments », et : « Mon Père est le jardinier [a]. »

9, 12c [3]   *Il recueille dans ses mains la stérilité*

112. « La stérilité » est la malice et l'ignorance.

Sur le thème de la stérilité (ἀκαρπία ou ἀτεκνία), voir schol. 9 *ad Ps.* 34, 12 ; *KG* VI, 60, 62 ; *Lettre* 41 (p. 594, l. 19-20).

9, 13   *La femme insensée et arrogante en vient à manquer*
          d'une bouchée de pain,
          elle ne connaît pas la honte

113. Il a été dit qu'« elle ne connaissait pas la honte »,

ἐπίσταται αἰσχύνην ». Καὶ ὁ Δαυὶδ τὸν τοῦ θεοῦ φόβον διδακτὸν εἶναι λέγει · « δεῦτε γάρ, φησίν, τέκνα, ἀκούσατέ μου, φόβον κυρίου διδάξω ὑμᾶς [a].» Εἰ δὲ ὁ φόβος καὶ ἡ
5 αἰσχύνη πάθη ψυχῆς ἐστι φυσικά, πῶς διδακτά ἐστιν ; ῍Η τάχα φόβον λέγει κυρίου τὴν διδασκαλίαν τὴν περὶ φόβου κυρίου τὴν διδάσκουσαν ἡμᾶς ὅπως δεῖ ἀπὸ κακίας ἐκκλίνειν, εἴγε « τῷ φόβῳ κυρίου ἐκκλίνει πᾶς ἀπὸ κακοῦ [b] ». Καὶ πάλιν αἰσχύνην ὀνομάζει τοὺς περὶ μετανοίας καὶ
10 αἰσχύνης λόγους τοὺς ἄγοντας ἡμᾶς εἰς συναίσθησιν τῶν οἰκείων ἁμαρτημάτων. Οὕτω καὶ ὁ Δαυὶδ φησιν · « ὄψομαι τοὺς οὐρανούς, ἔργα τῶν δακτύλων σου, σελήνην καὶ ἀστέρας ἃ σὺ ἐθεμελίωσας [c] », τουτέστιν ὄψομαι τοὺς λόγους τοὺς περὶ οὐρανῶν καὶ σελήνης καὶ ἀστέρων.

a. Ps. 33, 12   b. Prov. 15, 27   c. Ps. 8, 4

A. — 3 λέγει add. Tisch. : om. A ‖ 5 ἐστι¹ Z : εἰσι A ‖ διδακτά A : διδακτικά scripsit Tisch.

Procope : Διδακτὴν δείκνυσι τὴν αἰσχύνην ὡς καὶ τὸν τοῦ θεοῦ φόβον ὁ Δαυὶδ λέγων · « φόβον κυρίου διδάξω ὑμᾶς [a].» Καίτοι φυσικὰ ταῦτα τὰ πάθη, εἰ μὴ ἄρα φόβον λέγει κυρίου τὴν περὶ τούτου διδασκαλίαν, ὅπως ἐκκλιτέον ἀπὸ κακίας, εἴγε « τῷ φόβῳ κυρίου ἐκκλίνει
5 πᾶς ἀπὸ κακοῦ [b] ». Οὕτως αἰσχύνην τὴν περὶ μετανοίας διδασκαλίαν ἄγουσαν ἡμᾶς εἰς συναίσθησιν τῶν ἰδίων ἁμαρτημάτων. Οὕτω καὶ ὁ Δαυὶδ · « ὄψομαι τοὺς οὐρανούς, ἔργα τῶν δακτύλων σου [c] », τοὺς περὶ τῶν οὐρανῶν λόγους οὕτω καλῶν.

IK MN. — Anon. — 1 Διδακτὴν [-κτικὴν I] δείκνυσι IK : δείκνυσι διδακτὴν [-κτικὴν N] MN ‖ καὶ I MN : om. K ‖ 2 ὁ I MN : om. K ‖ 3 τὰ IK M : om. N ‖ 4 ante κυρίου add. τοῦ I ‖ 5 post οὕτως add. καὶ N ‖ διδασκαλίαν IK M : om. N ‖ 6 ἁμαρτημάτων hic des. N.

Cette scholie s'apparente au genre des questions-réponses qui est utilisé lorsque le texte scripturaire est censé comporter une difficulté (cf. schol. 23). Évagre considère que dans le verset commenté, ainsi que dans les versets psalmiques cités (Ps. 33, 12 et 8, 4), le texte biblique est elliptique et demande à être développé pour devenir intelligible. La crainte du Seigneur, qui est une vertu du début,

comme si la honte pouvait être enseignée. David aussi
dit que la crainte de Dieu peut être enseignée : « Venez,
mes enfants, écoutez-moi; je vous enseignerai la crainte
du Seigneur [a]. » Si la crainte et la honte sont des affections
naturelles de l'âme, comment peuvent-elles être enseignées ? Peut-être qu'il appelle « crainte du Seigneur »
l'enseignement qui concerne la crainte du Seigneur, lequel
nous apprend comment nous détourner de la malice,
puisque « c'est par la crainte du Seigneur qu'on se détourne
du mal [b] ». Peut-être aussi qu'il nomme « honte » les
raisons qui concernent le repentir et la honte, lesquelles
nous conduisent à prendre conscience de nos propres
fautes. De la même façon David dit : « Je verrai les cieux,
œuvres de tes doigts, la lune et les étoiles que tu as affer-
mies [c] », ce qui veut dire : Je verrai les raisons qui concernent les cieux, la lune et les étoiles.

détourne du mal, selon l'expression de *Prov.* 15, 27 qu'Évagre cite
souvent : schol. 255 *ad Prov.* ; schol. 5 *ad Ps.* 5, 8 ; 3 *ad Ps.* 13, 3 ; 5 *ad
Ps.* 18, 10 ; 1 (4) *ad Ps.* 127, 1 ; 2 *ad Ps.* 140, 3 ; schol. *ad Eccl.* 3, 14
(*Coislin 193*, f. 20ᵛ). A noter que le substantif ἔκκλισις qui correspond
au verbe ἐκκλίνειν entrait traditionnellement dans la définition de la
crainte. A la crainte-passion, définie par les philosophes comme
ἄλογος ἔκκλισις (cf. par ex. *SVF* III, n° 391, p. 95, l. 19), CLÉMENT
D'ALEXANDRIE, *Strom.* II, 4, 4, oppose la crainte de Dieu, définie
cette fois comme ἔκκλισις κακοῦ. La honte aussi peut être positive,
lorsqu'elle conduit à la prise de conscience des fautes : cf. schol. 6
ad Ps. 6, 11 ; 5 *ad Ps.* 34, 4 ; 35 *ad Ps.* 118, 78 ; la même idée est
déjà exprimée par ORIGÈNE, dans son commentaire de *Ps.* 118, 78 :
« Tant que le pécheur n'a pas conscience d'avoir péché, il ne rougit
pas ; mais lorsqu'il prend conscience de ses fautes (ὅταν δὲ εἰς
συναίσθησιν ἔλθῃ τῶν ἰδίων ἁμαρτημάτων), alors il éprouve la
honte » (trad. HARL, *Chaîne palestinienne*, p. 315 ; note, p. 658).
On rapprochera l'exégèse de *Ps.* 8, 4 qui est donnée ici de celle qui
est donnée dans la scholie 3 à ce psaume ; Évagre y glose implicite-
ment le verbe « voir » par « savoir clairement » et note qu'« on ne sait
clairement une chose que lorsqu'on en connaît à la fois la raison
(τὸν λόγον) et la cause (τὴν αἰτίαν) ».

9, 17   < ἄρτων κρυφίων ἡδέως ἅψασθε
        καὶ ὕδατος κλοπῆς γλυκεροῦ >

114. « Ἡδύνθη αὐτοῖς ἄρτος ψεύδους καὶ μετὰ τοῦτο
πλησθήσεται τὸ στόμα αὐτῶν ψηφῖδος [a]. »

a. Prov. 20, 17 (Théodotion)

Adest in A.

PROCOPE : ... κατὰ τὸ « ἡδύνθη αὐτοῖς ἄρτος ψεύδους, μετὰ τοῦτο
πλησθήσεται τὸ στόμα αὐτῶν ψηφῖδος [a] ».

IK MN. — Εὐαγρίου M Anon. IK N. — 2 πλησθήσεται
I MN : πληθυνθήσεται K.

9, 18a   < ἀλλὰ ἀποπήδησον, μὴ ἐγχρονίσῃς ἐν τῷ τόπῳ
        μηδὲ ἐπιστήσῃς τὸ σὸν ὄμμα πρὸς αὐτήν >

115. Οὐ δεῖ τὸν νοῦν ἐγχρονίζειν τοῖς φαύλοις νοήμασιν ·
« οὐδεὶς γὰρ ἀποδήσει πῦρ ἐν κόλπῳ καὶ τὰ ἱμάτια οὐ
κατακαύσει [a]. »

a. Prov. 6, 27

Adest in A.

PROCOPE : [Μακάριον δὲ τὸ ἀποπηδῆσαι ·] δεύτερον δὲ τὸ μὴ
ἐγχρονίσαι τοῖς φαύλοις νοήμασιν, [ἀλλὰ διὰ μετανοίας παλινδρομεῖν.]
« Οὐδεὶς γὰρ ἀποδήσει πῦρ ἐν κόλπῳ καὶ τὰ ἱμάτια οὐ κατακαύσει [a]. »

IK MN. — Εὐαγρίου adversus Prov. 6, 27 I   Anon. K MN.
— 3 Οὐδεὶς — κατακαύσει IK N : om. M ‖ post ἱμάτια
add. αὐτοῦ I.

9, 17   *Goûtez avec plaisir le pain que je cache*
          et l'eau douce que j'ai volée

114. « Le pain du mensonge leur a procuré du plaisir, et
ensuite leur bouche se remplira de cailloux ᵃ. »

Verset absent de la Septante et ajouté à partir de la version
grecque de Théodotion. Le texte édité par Field, *Origenis Hexapla*,
t. 2, p. 352, est légèrement différent : ἡδύνθη ἀνθρώπῳ ἄρτος ψεύδους
καὶ μετὰ τοῦτο πληρωθήσεται τὸ στόμα αὐτοῦ ψηφῖδος.

9, 18a   *Allons ! Éloigne-toi vite. Ne t'attarde pas en ce lieu,*
           et ne fixe pas ton regard sur elle

115. Il ne faut pas que l'intellect « s'attarde » dans les
représentations mauvaises, car « personne ne coudra du
feu en son sein sans brûler ses vêtements ᵃ ».

Cf. schol. 68, 82 et 248. *Prov.* 9, 18 est également cité à propos
des pensées qui nuisent par leur durée dans la scholie 4 *ad Ps.* 119, 7,
dans *Pensées* 15 (*P G* 79, 1217 A) et dans la *Lettre* 55 (p. 602, l. 15-21).

9, 18c < ἀπὸ δὲ ὕδατος ἀλλοτρίου ἀπόσχου
καὶ ἀπὸ πηγῆς ἀλλοτρίας μὴ πίῃς >

116. Ὥσπερ παρὰ τῷ θεῷ ἐστιν πηγὴ ζωῆς [a], οὕτω καὶ
παρὰ τῷ διαβόλῳ πηγὴ θανάτου. Εἰ δὲ ἡ τοῦ θεοῦ πηγὴ
ἀρετῆς καὶ γνώσεώς ἐστιν πηγή, ἡ τοῦ διαβόλου πηγὴ
δηλονότι κακίας καὶ ἀγνωσίας ἐστὶν πηγή. Ὡσαύτως δὲ
5 καὶ ἐπὶ ποταμῶν [b] καὶ φρεάτων [c] καὶ ὑδάτων καὶ ὑετῶν [d]
νοητέον.

a. Ps. 35, 10   b. Cf. Prov. 9, 18 ; 18, 4   c. Cf. Prov. 5, 15 ;
23, 27   d. Cf. Prov. 26, 1 ; 28, 3

Adest in A.

PROCOPE : Ὥσπερ παρὰ τῷ θεῷ ἐστι πηγὴ ζωῆς [a], οὕτω καὶ παρὰ
τῷ διαβόλῳ θανάτου πηγή. Εἰ δὲ ἡ τοῦ θεοῦ ἀρετῆς καὶ γνώσεως,
δῆλον ὡς ἡ τοῦ διαβόλου κακίας καὶ ἀγνωσίας. Ὡσαύτως ἐπὶ ποταμῶν [b]
καὶ φρεάτων [c] καὶ ὕδατος καὶ ὑετῶν [d] νοητέον.

IK MN. — Anon. — 1 post Ὥσπερ add. δὲ N ‖ καὶ IK M :
om. N ‖ 2 ἡ I MN : om. K ‖ 3 post Ὡσαύτως add. καὶ K ‖
4 καὶ φρεάτων καὶ ὕδατος IK M : om. N.

10, 2 < οὐκ ὠφελήσουσιν θησαυροὶ ἀνόμους ·
δικαιοσύνη δὲ ῥύσεται ἐκ θανάτου >

117. « Οὐκ ὠφελήσουσι θησαυροὶ ἀνόμους », οὓς ἐπὶ γῆς
ἐθησαύρισαν, « ὅπου σὴς καὶ βρῶσις ἀφανίζει καὶ ὅπου
κλέπται διορύσσουσι καὶ κλέπτουσιν [a] ».

a. Matth. 6, 19

Adest in A.

PROCOPE : Ἐπὶ γῆς γὰρ ἐθησαύρισαν, « ὅπου σὴς καὶ βρῶσις
ἀφανίζει καὶ ὅπου κλέπται διορύσσουσι καὶ κλέπτουσιν [a] ».

IK MN. — Anon. — 1 <Ἐ>πὶ K ‖ γὰρ K MN : om. I ‖
σὴς IK N : σῆς M ‖ 2 ἀφανίζει hic des. N.

9, 18c *Abstiens-toi de boire de l'eau étrangère*
et ne bois pas à la source étrangère

116. De même qu'il y a auprès de Dieu une « source »
de vie [a], de même il y a auprès du diable une « source »
de mort. Et si la « source » de Dieu est une source de vertu
et de science, la « source » du diable est évidemment une
source de malice et d'ignorance. On interprétera de la
même façon aussi les mots « fleuves [b] », « puits [c] », « eau »
et « pluie [d] ».

Sur l'image de la source, voir les scholies 51 et 63.

10, 2 *Les trésors ne serviront pas aux iniques,*
mais la justice délivrera de la mort

117. « Ils ne serviront pas aux iniques les trésors » qu'ils
auront amassés sur terre, « là où la mite et la rouille
détruisent et où les voleurs percent et volent [a] ».

10, 3   < οὐ λιμοκτονήσει κύριος ψυχὴν δικαίαν·
        ζωὴν δὲ ἀσεβῶν ἀνατρέψει >

118. Εἰ ἡ ζωὴ τῶν ἀσεβῶν ἡ κακία ἐστίν, ταύτην δὲ
ἀνατρέψει ὁ κύριος, ἔσονται δηλονότι ποτὲ οἱ ἀσεβεῖς οὐκ
ἀσεβεῖς· μετὰ γὰρ ταύτην τὴν ἀνατροπὴν ὁ κύριος παραδώσει
τὴν βασιλείαν τῷ θεῷ καὶ πατρί [a], ἵνα γένηται ὁ θεὸς τὰ
5 « πάντα ἐν πᾶσιν [b] ».

a. Cf. I Cor. 15, 24   b. I Cor. 15, 28
Adest in A.

PROCOPE : Ἡ δὲ ζωὴ τῶν ἀσεβῶν κακία ἐστίν, ταύτην δὲ ἀνατρέψει
ὁ κύριος καὶ ἔσονταί ποτε οὐκ ἀσεβεῖς· μετὰ γὰρ ταύτην τὴν ἀνατροπὴν
ὁ κύριος παραδώσει τὴν βασιλείαν τῷ θεῷ καὶ πατρί [a], ἵνα γένηται
ὁ θεὸς τὰ « πάντα ἐν πᾶσιν [b] ».

IK MN. — Εὐαγρίου I   Anon. K MN. — 1 ζωὴ τῶν ἀσεβῶν
IK : τῶν ἀσεβῶν ζωὴ MN || κακία IK N : κακή M || δὲ[a] IK M :
οὖν N || 2 ὁ IK M : om. N || 3 τὴν βασιλείαν restitui e codd. A Z.

10, 17 < ὁδοὺς ζωῆς φυλάσσει παιδεία·
        παιδεία δὲ ἀνεξέλεγκτος πλανᾶται >

119. Παιδείαν ἀνεξέλεγκτον ὀνομάζει τὴν κακὴν τῆς
ψυχῆς πολιτείαν, ἥτις καὶ πλάνης αὐτῇ γίνεται πρόξενος.

Adest in A.

PROCOPE : ... καὶ ἡ κακὴ δὲ τῆς ψυχῆς πολιτεία λανθάνουσα
πλάνην ποιεῖ.

IK MN. — Anon.

10, 3 *Le Seigneur n'affamera pas l'âme juste,*
mais renversera la vie des impies

118. Si « la vie des impies » est la malice et que « le
Seigneur doive la renverser », il est évident qu'un jour
les impies ne seront plus impies. Car, après ce « renverse-
ment », « le Seigneur remettra son royaume à Dieu le
Père [a] », afin que Dieu soit « tout en tous [b] ».

Allusion aux deux moments de l'eschatologie : destruction de
toute malice et remise du royaume au Père. On trouvera un bref
et dense exposé de l'eschatologie origéniste d'Évagre dans A. GUIL-
LAUMONT, *Képhalaia gnostica*, p. 39 ; *Cours du Collège de France 1980-
1981*, p. 410. Les textes de *I Cor.* 15, 24-28 occupent une place de
première importance dans ces conceptions : schol. 95 *ad Prov.* ; 20 *ad
Ps.* 9, 37 ; 14 *ad Ps.* 21, 29 ; 1 *ad Ps.* 92, 1 ; schol. *ad Eccl.* 1, 11 (*Coislin
193*, f. 17ʳ⁻ᵛ) ; *KG* VI, 15, 33 et 70 ; *Lettre à Mélanie* (Frankenberg,
p. 616, l. 23-24).

10, 17 *L'instruction réserve des voies de vie,*
mais l'instruction sans réprimandes égare

119. Il nomme « instruction sans réprimandes » le mauvais comportement de l'âme qui la conduit à « l'égare-
ment ».

Cf. schol. 148.

10, 18 < καλύπτουσιν ἔχθραν χείλη δίκαια ·
         οἱ δὲ ἐκφέροντες λοιδορίας ἀφρονέστατοί εἰσιν >

120. Ἔχθραν τὴν κακίαν λέγει · διὰ γὰρ ταύτης ἐχθροὶ
γινόμεθα τοῦ θεοῦ · « εἰ γὰρ ἐχθροὶ ὄντες, φησὶν ὁ Παῦλος,
κατηλλάγημεν τῷ θεῷ διὰ τοῦ θανάτου τοῦ υἱοῦ αὐτοῦ [a]. »
Εἰ δὲ ἡ ἔχθρα ἡ κακία ἐστίν, ἡ φιλία ἡ ἀρετή ἐστιν καὶ ἡ
5 γνῶσις ἡ τοῦ θεοῦ, δι' ἧς φίλοι γινόμεθα τοῦ θεοῦ καὶ τῶν
ἁγίων δυνάμεων · ἐπὶ γὰρ ταύτης τῆς φιλίας οἱ τοῦ αὐτοῦ
φίλοι καὶ ἀλλήλων εἰσὶ φίλοι.

a. Rom. 5, 10

AB. — 2 ὁ A : om. B ‖ 4 ἡ[1] A : om. B.

Procope : Τὴν κακίαν λέγει, δι' ἧς ἐχθροὶ γινόμεθα τοῦ θεοῦ ·
« εἰ γὰρ ἐχθροὶ ὄντες, φησὶν ὁ Παῦλος, κατηλλάγημεν τῷ θεῷ διὰ τοῦ
θανάτου τοῦ υἱοῦ αὐτοῦ [a] ». Εἰ δὲ ἡ ἔχθρα κακία, ἡ φιλία ἀρετὴ καὶ
γνῶσις τοῦ θεοῦ, δι' ἧς φίλοι γινόμεθα τοῦ θεοῦ καὶ τῶν ἁγίων δυνά-
5 μεων · ἐπὶ γὰρ ταύτης τῆς φιλίας οἱ τοῦ αὐτοῦ φίλοι καὶ ἀλλήλων εἰσὶ
φίλοι.

IK MN. — Anon. — 1 Τὴν κακίαν λέγει IK M : ἔχθραν
λέγει τὴν κακίαν N ‖ 2-3 εἰ — αὐτοῦ IK : om. MN ‖ 4 ante
τοῦ θεοῦ[1] add. ἡ IK ‖ 5 αὐτοῦ IK M : θεοῦ N.

10, 24 [2] < ἐπιθυμία δὲ δικαίου δεκτή >

121. « Κύριε, ἐναντίον σου πᾶσα ἡ ἐπιθυμία μου [a] »,
φησὶν ὁ Δαυίδ.

a. Ps. 37, 10
Adest in A.

10, 18 *Les lèvres justes cachent l'inimitié,*
mais ceux qui profèrent des insultes sont tout à fait
sots

120. Il appelle « inimitié » la malice, car par elle nous devenons ennemis de Dieu. Paul dit ceci : « Si, étant en effet ennemis, nous avons été réconciliés avec Dieu par la mort de son Fils [a] ». Si « l'inimitié » est la malice, l'amitié est la vertu et la science de Dieu grâce auxquelles nous devenons amis de Dieu et des saintes puissances, car dans cette amitié les amis de la même personne sont aussi les amis les uns des autres.

Sur l'amitié spirituelle, voir l'Introduction, p. 53-54. Les démons mettent tout en œuvre pour nous séparer de nos amis et nous faire retourner à l'état d'inimitié antérieur (cf. schol. 150). La dernière phrase de cette scholie est reprise littéralement dans la scholie 304.

10, 24 [2] *Le désir du juste est agréé*

121. « Seigneur, tout mon désir est devant toi [a] », dit David.

Ce verset psalmique peut être prononcé quand la puissance concupiscible de l'âme a retrouvé sa fonction naturelle qui est de tendre vers la vertu et d'être remplie du désir de Dieu : cf. schol. 29 *ad Prov.* (texte et note) ; schol. 6 *ad Ps.* 37, 10 ; *Pratique* 86 ; *KG* IV, 73.

10, 27 < φόβος κυρίου προστίθησιν ἡμέρας·
ἔτη δὲ ἀσεβῶν ὀλιγωθήσεται >

122. Εἰ «φόβος κυρίου προστίθησιν ἡμέρας », « ἀρχὴ
δὲ σοφίας φόβος κυρίου [a] », αἱ ἡμέραι αὗται μέρη τῆς
σοφίας εἰσὶν ὑπὸ τοῦ ἡλίου τῆς δικαιοσύνης [b] γινόμεναι,
ὑπὲρ ὧν εὔχεται καὶ ὁ Δαυὶδ λέγων· « μὴ ἀναγάγῃς με
5 ἐν ἡμίσει ἡμερῶν μου [c]. » Ταύτας δὲ τὰς ἡμέρας καὶ
Ἀβραὰμ πληρώσας ἀπέθανε, περὶ οὗ εἴρηται· « καὶ
Ἀβραὰμ ἀπέθανε πρεσβύτης καὶ πλήρης ἡμερῶν [d]. »

a. Prov. 1, 7   b. Cf. Mal. 3, 20   c. Ps. 101, 25   d.
Gen. 25, 8

AB. — 5 μου B M Z : om. A IKN ‖ 7 πρεσβύτης AB :
πρεσβύτερος Tisch.

PROCOPE : Εἰ δὲ ὁ « φόβος κυρίου προστίθησιν ἡμέρας », « ἀρχὴ δὲ
σοφίας φόβος κυρίου [a] », αἱ ἡμέραι αὗται μέρος τῆς σοφίας εἰσὶν
ὑπὸ τοῦ ἡλίου τῆς δικαιοσύνης [b] γινόμεναι, ὑπὲρ ὧν ὁ Δαυὶδ εὔχεται
λέγων· « μὴ ἀναγάγῃς με ἐν ἡμίσει ἡμερῶν μου [c] », ἃς καὶ Ἀβραὰμ
5 πληρώσας « ἀπέθανε πρεσβύτερος καὶ πλήρης ἡμερῶν [d] ».

IK MN. — Εὐαγρίου M Anon. IK N — 1-2 Εἰ — κυρίου
IK M : om. N ‖ 1 ὁ IK : om. M ‖ 2 αἱ ἡμέραι hic inc. N ‖
3 ὑπὲρ K MN : περὶ I ‖ 4 λέγων post ἡμίσει transp. N ‖ ἡμερῶν
hic des. N ‖ μου M : om. IK N ‖ 5 πλήρης I M : πλήρεις K.

10, 30 < δίκαιος τὸν αἰῶνα οὐκ ἐνδώσει·
ἀσεβεῖς δὲ οὐκ οἰκήσουσιν γῆν >

123. Τὸν αἰῶνα ἀντὶ τοῦ διὰ βίου. Καὶ ὁ Παῦλος· « οὐ
μὴ φάγω, φησίν, κρέα εἰς τὸν αἰῶνα, ἵνα μὴ τὸν ἀδελφόν
μου σκανδαλίσω [a] », αἰῶνα τὸ συμπαρεκτεινόμενον τῇ
συστάσει τῆς ζωῆς αὐτοῦ διάστημα ὀνομάζων.

a. I Cor. 8, 13

Adest in A.

10, 27 *La crainte du Seigneur augmente le nombre des jours,*
mais les années des impies seront abrégées

122. Si « la crainte du Seigneur augmente le nombre des jours » et si « la crainte du Seigneur est le commencement de la sagesse [a] », ces « jours », produits par le « soleil de justice [b] », sont des parts de sagesse. C'est pour eux que David fait cette prière : « Ne m'emmène pas au milieu de mes jours [c]. » C'est après avoir atteint la plénitude de ces jours que mourut Abraham dont il est dit : « Et Abraham mourut vieux et plein de jours [d]. »

Les jours symbolisent les parts de science données par le Christ, soleil de justice : cf. schol. 14 *ad Ps.* 36, 18 ; 13 *ad Ps.* 101, 25 ; 5 *ad Ps.* 108, 8 ; 7 *ad Ps.* 117, 24 ; 3 *ad Ps.* 119, 5. Dans sa *Lettre sur la sainte Trinité* (Ps.-BASILE, *Lettre* 8, 7, l. 59-61), Évagre commentait ainsi *Act.* 1, 6-7 : « Quant aux temps et aux moments, ne va pas me les imaginer sensibles, mais comme des sortes d'intervalles de connaissance qui sont produits par le soleil intelligible » (trad. Courtonne). Dans cette conception spirituelle du temps, la vieillesse d'Abraham devient un symbole de perfection. La citation de *Gen.* 25, 8 apparaît également dans les scholies 12 *ad Ps.* 54, 24 et 3 *ad Ps.* 119, 5. Voir aussi *Lettre* 49 : « Un intellect n'est pas plus ancien qu'un autre dans le temps — car ce qui est incorporel est aussi intemporel —, mais il devient plus ancien, s'il l'emporte en vertu et en science » (p. 598, l. 3-4).

10, 30 *Le juste ne faillira pas en ce siècle,*
et les impies n'habiteront pas la terre

123. « En ce siècle » est mis pour en cette vie. Et Paul dit : « Je me passerai de viande jusqu'à la fin de ce siècle, afin de ne pas scandaliser mon frère [a] », nommant « siècle » l'intervalle de temps coextensif à ce qui constitue sa vie.

PROCOPE : Αἰῶνα δὲ τὸ διὰ βίου φησίν. Καὶ ὁ Παῦλος · « οὐ μὴ φάγω κρέα εἰς τὸν αἰῶνα [a]. »

IK MN. — Anon. — 1 τὸ I M : τὸν K N ‖ ante καὶ add. ὡς N ‖ 2 φάγω I MN : φάγωμαι K.

Le mot αἰών a souvent embarrassé les commentateurs : cf. les remarques d'ORIGÈNE (De princ. II, 3, 5 ; Comm. sur S. Matthieu XV, 31 ; De oratione XXVII, 15) et de GRÉGOIRE DE NAZIANZE (Discours 38, 8 et 45, 4). Il figurera en bonne place dans les différentes Synopses de la sainte Écriture (toutes postérieures au ivᵉ siècle) :

10, 32 < χείλη ἀνδρῶν δικαίων ἀποστάζει χάριτας ·
στόμα δὲ ἀσεβῶν ἀποστρέφεται >

124. Στόμα νῦν τὸν νοῦν εἴρηκεν.

Adest in A.

PROCOPE : Στόμα νῦν τὸν νοῦν εἴρηκεν.

IK MN. — Εὐαγρίου M Anon. IK N.

11, 14 < οἷς μὴ ὑπάρχει κυβέρνησις, πίπτουσιν ὥσπερ
φύλλα ·
σωτηρία δὲ ὑπάρχει ἐν πολλῇ βουλῇ >

125. Παντὶ ἀνέμῳ τῆς διδασκαλίας περιφερόμενοι [a] καὶ ναυαγοῦντες περὶ τὴν πίστιν [b].

a. Cf. Éphés. 4, 14   b. cf. I Tim. 1, 19

Adest in A.

PROCOPE : Οὗτοι γὰρ παντὶ ἀνέμῳ περιφερόμενοι διδασκαλίας [a] ναυαγοῦσι περὶ τὴν πίστιν [b].

IK MN. — Εὐαγρίου I M Anon. K N. — 1 Οὗτοι γὰρ IK M : ἢ καὶ οἱ N.

cf. par ex. Hadrien, *Isagoge in Sanctas Scripturas, P G* 98, 1297 BC.
Sur l'évolution du sens de ce mot, voir A.-J. Festugière, « Le sens
philosophique du mot ΑΙΩΝ », *Études de philosophie grecque*, Paris
1971, p. 254-272. Ici, Évagre donne à αἰών le sens de durée de la vie
individuelle. Il ne faut cependant pas oublier que le mot a habituellement chez lui une autre signification ; il désigne l'espace de temps
au cours duquel les natures raisonnables sont réparties d'une certaine
manière, dans des mondes et des corps correspondant à leur degré
spirituel : cf. la définition de *K G* III, 36, reprise dans la scholie 11
ad Ps. 5, 12. L'expression συμπαρεκτεινόμενος τῇ συστάσει, qui
indique la coïncidence totale de deux objets, se retrouve dans :
Pratique 3 ; *K G* IV, 35 et 49.

10, 32 *Les lèvres des hommes justes distillent des grâces,*
mais la bouche des impies se tord

124. Il a maintenant appelé « bouche » l'intellect.

Interprétation symbolique des diverses parties du corps : schol. 230
et 317.

11, 14 *Ceux qui sont sans pilote tombent comme des feuilles,*
mais le salut est dans une volonté ferme

125. Ballottés à tout vent d'enseignement [a] et faisant
naufrage dans la foi [b].

Cf. schol. 110, 264 et 266.

ΙΙ, 15 < πονηρὸς κακοποιεῖ, ὅταν συμμείξῃ δικαίῳ ·
μισεῖ δὲ ἦχον ἀσφαλείας >

126. Ἦχον ἀσφαλείας τοὺς περὶ σωτηρίας λόγους
ὠνόμασεν.

Adest in A.

PROCOPE : Οὕτω δὲ τοὺς περὶ σωτηρίας λόγους ὠνόμασεν.

ΙΚ ΜΝ. — Εὐαγρίου supra I Anon. Κ ΜΝ.

ΙΙ, 17 < τῇ ψυχῇ αὐτοῦ ἀγαθὸν ποιεῖ ἀνὴρ ἐλεήμων ·
ἐξολλύει δὲ αὐτοῦ σῶμα ὁ ἀνελεήμων >

127. Ἐνταῦθα τὴν ψύχην ἄντικρυς προσεῖπεν σῶμα. Καὶ
ὁ Χριστὸς δὲ ἐν τοῖς εὐαγγελίοις σῶμα τὴν ψυχὴν ὀνομάζει,
« ὁ λύχνος, λέγων, τοῦ σώματός ἐστιν ὁ ὀφθαλμός [a] »,
λύχνον μὲν εἰπὼν τὸν νοῦν — αὐτὸς γάρ ἐστιν γνώσεως
5 δεκτικός —, σῶμα δὲ τὸ θυμικὸν καὶ ἐπιθυμητικὸν μέρος
τῆς ψυχῆς, ὅπερ τινὲς μὲν ἄλογον, τινὲς δὲ παθητικὸν μέρος
καλοῦσιν.

a. Matth. 6, 22

ΑΒ. — 1-2 Ἐνταῦθα — ὀνομάζει Α : om. Β ‖ 3-4 ὁ λύχνος
— νοῦν Α : λύχνον τοῦ σώματος τὸν νοῦν λέγει sic inc. Β ‖
5 καὶ ἐπιθυμητικὸν Α : om. Β ‖ 6 post ψυχῆς add. λέγει Β.

PROCOPE : Ἢ τὴν ψυχὴν ἐνταῦθα κέκληκε σῶμα, ὡς καὶ ὁ σωτὴρ
ἐν εὐαγγελίοις, « ὁ λύχνος, λέγων, τοῦ σώματός ἐστιν ὁ ὀφθαλμός [a] »,
λύχνον μὲν τὸν νοῦν ὡς δεκτικὸν γνώσεως εἰπών, σῶμα δὲ θυμὸν καὶ
ἐπιθυμίαν.

ΙΚ ΜΝ. — Εὐαγρίου I Anon. Κ ΜΝ. — 1-4 Ἢ τὴν ψυχὴν
— ἐπιθυμίαν ΙΚ Μ : λύχνος ἐστὶ ὁ νοῦς ὡς δεκτικὸς γνώσεως ·
σῶμα δὲ θυμὸς καὶ ἐπιθυμία Ν ‖ 2 λέγων post ἐστιν transp. Μ.

II, 15 *Le méchant fait du mal, quand il rencontre le juste,*
      et il hait le son de la sécurité

126. Il a nommé « son de la sécurité » les raisons qui
concernent le salut.

Cf. schol. 9 *ad Ps.* 39, 11 : « Le Christ révèle à la nature raisonnable
les raisons qui concernent la miséricorde et la vérité, ainsi que les
raisons qui concernent le salut. Et les raisons qui concernent la
miséricorde et la vérité, tu les trouveras dans la contemplation,
les raisons qui concernent le salut dans la pratique » (*Vaticanus 754,*
f. 114ʳ : collation M.-J. Rondeau).

II, 17 *L'homme miséricordieux fait du bien à son âme,*
      mais celui qui est sans pitié anéantit son propre
      corps

127. Ici, par « le corps » il a sans détour désigné l'âme.
Le Christ aussi, dans les Évangiles, nomme l'âme « corps »,
lorsqu'il dit : « La lampe du corps, c'est l'œil [a] », appelant
« lampe » l'intellect — celui-ci est en effet fait pour recevoir
la science — et « corps » la partie irascible et concupiscible
de l'âme, celle que certains appellent partie irrationnelle
et d'autres partie passionnée.

Même exégèse de *Matth.* 6, 22 (et *Lc* 11, 34) dans la scholie 16
ad Ps. 17, 29. On la trouve déjà dans deux fragments caténiques
sur *Lc* 11, 34 attribués à Origène, éd. Rauer, *GCS* 49ª (1959),
fragments 186-187 (= *SC* 87, fragments 78-79). L'intellect est
essentiellement conçu comme un réceptacle de la gnose. Sur la façon
de désigner les puissances irascible et concupiscible de l'âme, voir
la note à la scholie 3.

11, 21 < χειρὶ χεῖρας ἐμβαλὼν ἀδίκως οὐκ ἀτιμώρητος
ἔσται ·
ὁ δὲ σπείρων δικαιοσύνην λήμψεται μισθὸν
πιστῶν >

128. Οὗτος χειρὶ χεῖρας ἐμβάλλει ἀδίκως ὁ κακῶν
γινόμενος πραγμάτων καὶ δογμάτων διδάσκαλος. Καὶ οὗτος
σπείρει δικαιοσύνην ὁ περὶ ἀρετῶν καὶ θεοῦ γνώσεως
προϊέμενος λόγους.

Adest in A.

PROCOPE : Καὶ ἄλλως. Χειρὶ χεῖρας ἐμβάλλει ὁ κακὸς πραγμάτων
ἢ δογμάτων διδάσκαλος · ὁ δὲ περὶ ἀρετῶν καὶ γνώσεως διδάσκων
θεοῦ σπείρει δικαιοσύνην.

IK MN. — Εὐαγρίου I Anon. K MN. — 1 Καὶ ἄλλως
IK M : om. N ‖ 3 θεοῦ ante διδάσκων transp. N.

11, 24 < εἰσὶν οἳ τὰ ἴδια σπείροντες πλείονα ποιοῦσιν ·
εἰσὶν δὲ καὶ οἳ συνάγοντες ἐλαττονοῦνται >

129. Τοῖς τὰ ἴδια σπείρουσι καὶ πλείονα ποιοῦσιν ἀντίκεινται οἱ συνάγοντες καὶ ἐλαττονούμενοι. Εἰ δὲ οἱ τὰ
ἴδια σπείροντές εἰσιν οἱ εἰς τὸ πνεῦμα σπείροντες καὶ ζωὴν
θερίζοντες [a], οἱ συνάγοντές εἰσιν οἱ εἰς τὴν σάρκα σπείροντες
5 καὶ φθορὰν [a] συνάγοντες ἑαυτοῖς.

a. Cf. Gal. 6, 8

Adest in A.

PROCOPE : Καὶ ἄλλως. Εἰ οἱ τὰ ἴδια σπείροντές εἰσιν οἱ εἰς τὸ
πνεῦμα σπείροντες καὶ ζωὴν θερίζοντες [a], οἱ συνάγοντές εἰσιν οἱ
εἰς τὴν σάρκα σπείροντες καὶ φθορὰν [a] συνάγοντες ἑαυτοῖς.

IK MN. — Εὐαγρίου I M Anon. K N. — 1 Καὶ IK M :
om. N ‖ Εἰ I : om. K MN ‖ εἰσιν IK M : om. N ‖ 2 post
οἳ¹ add. δὲ MN ‖ εἰσιν IK : om. MN ‖ 3 τὴν IK : om. MN ‖
ante ἑαυτοῖς add. ἐν I ‖ ἑαυτοῖς ante συνάγοντες transp. MN.

II, 21 *Celui qui a mis injustement ses mains dans une*
autre main ne sera pas impuni,
mais celui qui sème la justice recevra le salaire des
fidèles

128. Celui-là « met injustement ses mains dans une
autre main » qui se fait le maître d'actions et de doctrines
mauvaises. Et celui-là « sème la justice » qui répand les
raisons concernant les vertus et la science de Dieu.

II, 24 *Il y en a qui, en semant leurs propres biens, les*
augmentent,
et d'autres qui en amassant s'appauvrissent

129. A ceux qui « sèment leurs propres biens » et qui
« les augmentent » s'opposent ceux qui « amassent » et
« s'appauvrissent ». Si ceux qui « sèment leurs propres
biens » sont ceux qui sèment dans l'Esprit et qui récoltent
la vie [a], ceux qui « amassent » sont ceux qui sèment dans
la chair et amassent pour eux-mêmes la corruption [a].

II, 26 < ὁ συνέχων σῖτον ὑπολίποιτο* αὐτὸν τοῖς ἔθνεσιν ·
εὐλογία δὲ εἰς κεφαλὴν τοῦ μεταδιδόντος >

130. Ὅμοιόν ἐστι τούτῳ καὶ τὸ ὑπὸ τοῦ σωτῆρος ἡμῶν
ἐν τοῖς εὐαγγελίοις λεγόμενον · « οὐδεὶς λύχνον ἅψας
τίθησιν αὐτὸν ὑπὸ τὸν μόδιον, ἀλλ' ἐπὶ τὴν λυχνίαν καὶ
φαίνει πᾶσι τοῖς ἐν τῇ οἰκίᾳ ᵃ. »

a. Lc 11, 33 + Matth. 5, 15

A. — 1 τούτῳ καὶ τὸ Z : τοῦτο τὸ A.

Lemme biblique. L'*Alexandrinus* a ὑπολείποτο.

Il ne fait guère de doute que, pour Évagre, les deux versets mis

---

II, 27 < τεκταινόμενος ἀγαθὰ ζητεῖ χάριν ἀγαθήν ·
ἐκζητοῦντα δὲ κακά, καταλήμψεται αὐτόν >

131. Εἰ τεκτονική ἐστιν ἐργασία ἀγαθῶν καὶ πρακτικὴ
ἐστιν ἐργασία ἀρετῶν, ἡ πρακτική ἐστιν ἡ τεκτονική.

A. — 2 ἀρετῶν IKMN Z : ἀγαθῶν A.

PROCOPE : Εἰ δὲ τεκτονική ἐστιν ἐργασία ἀγαθῶν καὶ πρακτικὴ
ἐστιν ἐργασία ἀρετῶν, ἡ πρακτική ἐστιν ἡ τεκτονική.

IK MN. — Εὐαγρίου I M Anon. K N.

II, 30 < ἐκ καρποῦ δικαιοσύνης φύεται δένδρον ζωῆς ·
ἀφαιροῦνται δὲ ἄωροι ψυχαὶ παρανόμων >

132. Τοῦτο τὸ δένδρον τῆς ζωῆς ἐστι τὸ φυτευθὲν ἐν
μέσῳ τοῦ παραδείσου, οὗ ἅψασθαι μετὰ τὴν ἁμαρτίαν ᵃ
κωλύεται ὁ Ἀδὰμ τὰ σπέρματα τῆς δικαιοσύνης ἀποβαλών,
ἀφ' ὧν φύεται τὸ δένδρον τῆς ζωῆς.

a. Cf. Gen. 2, 9 ; 3, 22

Adest in A.

II, 26 *Que celui qui amasse du blé le mette en réserve pour les nations.*
La bénédiction est sur la tête de celui qui partage

130. Il y a une similitude entre ce verset et ce que notre Sauveur dit dans les Évangiles : « Nul n'allume une lampe pour la placer sous le boisseau, mais pour la placer sur le lampadaire, et elle brille pour tous ceux qui sont dans la maison [a]. »

en parallèle s'appliquent aux gnostiques qui ont le devoir de transmettre la science qu'ils ont reçue : cf. schol. 269.

11, 27 *Celui qui construit le bien cherche une bonne grâce, mais celui qui recherche le mal, le mal l'atteindra*

131. Si ce « travail de construction » est l'accomplissement du « bien » et que la pratique soit l'accomplissement des vertus, la pratique est ce « travail de construction ».

II, 30 *L'arbre de vie naît du fruit de la justice, et les âmes des iniques sont emportées avant le temps*

132. Cet « arbre de vie » est celui qui était planté au milieu du Paradis; après le péché, il est interdit à Adam d'y toucher [a], puisqu'il a rejeté les semences de justice desquelles « naît l'arbre de vie ».

PROCOPE : Τοῦτο τὸ δένδρον τῆς ζωῆς ἐστι τὸ φυτευθὲν ἐν μέσῳ
τοῦ παραδείσου, οὗ ἅψασθαι μετὰ τὴν ἁμαρτίαν κωλύεται [a] Ἀδὰμ
τὰ σπέρματα τῆς δικαιοσύνης ἀποβαλών, ἀφ᾽ ὧν φύεται τὸ δένδρον
τῆς ζωῆς.

IK MN. — Εὐαγρίου Κ Μ   Anon. I N. — 1 Τοῦτο — ζωῆς
IK Μ : δένδρον ζωῆς Ν.

12, 2   < κρείσσων ὁ εὑρὼν χάριν παρὰ κυρίῳ ·
          ἀνὴρ δὲ παράνομος παρασιωπηθήσεται >

133. « Μήποτε παρασιωπήσῃς ἀπ᾽ ἐμοῦ, φησὶν ὁ Δαυίδ,
καὶ ὁμοιωθήσομαι τοῖς καταβαίνουσιν εἰς λάκκον [a]. »

a. Ps. 27, 1

Adest in A.

PROCOPE : « Μήποτε γὰρ παρασιωπήσῃς ἀπ᾽ ἐμοῦ καὶ ὁμοιωθήσομαι
τοῖς καταβαίνουσιν εἰς λάκκον [a]. »

IK Μ. — Εὐαγρίου supra I   Anon. Κ Μ. — 1 παρασιωπήσῃς Μ : -πήσεις I ἀποσιωπήσῃς Κ.

13, 22   < ὁ ἀγαθὸς ἀνὴρ κληρονομήσει υἱοὺς υἱῶν ·
           θησαυρίζεται δὲ δικαίοις πλοῦτος ἀσεβῶν >

134. Πλοῦτος ἀσεβῶν κακία. Οἱ δὲ δίκαιοι ἐξαναλώσουσιν
αὐτὸν δηλονότι διὰ τῆς ἀγαθῆς διδασκαλίας ἤτοι νῦν ἢ καὶ
ἐν τῷ αἰῶνι τῷ μέλλοντι γενόμενοι ἐπάνω πέντε καὶ δέκα
πόλεων [a]. Καὶ ὁ Παῦλός φησιν · « κατὰ δὲ τὴν σκληρότητά
5 σου καὶ ἀμετανόητον καρδίαν θησαυρίζεις σεαυτῷ ὀργὴν ἐν
ἡμέρᾳ ὀργῆς καὶ ἀποκαλύψεως δικαιοκρισίας τοῦ θεοῦ [b]. »

a. Cf. Lc 19, 17.19   b. Rom. 2, 5

Adest in A.

Lemme biblique. Évagre cite habituellement ce verset avec la leçon ἀπὸ καρπῶν : cf. schol. 32, 325, et ici même ἀφ' ὧν.

Cf. schol. 32.

12, 2 *Mieux vaut trouver grâce auprès du Seigneur,*
il se détournera en silence de l'homme inique

133. David dit : « De peur que tu ne te détournes en silence de moi et que je ne ressemble à ceux qui descendent dans la fosse [a]. »

Cf. schol. 1 *ad Ps.* 27, 1, où il est dit que la « fosse » de l'intellect, c'est l'ignorance, et celle de l'âme, la malice.

13, 22 *L'homme bon laissera pour héritiers les fils de ses fils,*
mais la richesse des impies est thésaurisée pour les justes

134. La « richesse des impies » est la malice. Les justes la dilapideront évidemment par leur bon enseignement, soit maintenant, soit dans le monde à venir, quand ils auront été placés à la tête de cinq ou de dix villes [a]. Et Paul dit : « Par ton endurcissement et par l'impénitence de ton cœur, tu thésaurises contre toi un trésor de colère, pour le jour de la colère où se révélera le juste jugement de Dieu [b]. »

PROCOPE : "Η καὶ πλοῦτος ἀσεβῶν κακία ἢν ἀναλώσουσι διὰ τῆς
ἀγαθῆς διδασκαλίας οἱ δίκαιοι εἴτε νῦν εἴτε ἐν τῷ αἰῶνι τῷ μέλλοντι
γενόμενοι ἐπάνω πέντε καὶ δέκα πόλεων [a], λέγοντος καὶ Παύλου ·
« κατὰ δὲ τὴν σκληρότητά σου καὶ ἀμετανόητον καρδίαν θησαυρίζεις
5 σεαυτῷ ὀργὴν ἐν ἡμέρᾳ ὀργῆς καὶ ἀποκαλύψεως δικαιοκρισίας τοῦ
θεοῦ [b]. »

IK M. — Εὐαγρίου M Anon. IK. — 1-2 διὰ τῆς ἀγαθῆς
διδασκαλίας K M : διὰ τῆς διδασκαλίας τῆς ἀγαθῆς I ‖ 2 τῷ[1] I :
om. K M ‖ 3 γενόμενοι I M : γινόμενοι K ‖ πόλεων hic des. M ‖
5 ante δικαιοκρισίας add. καὶ I.

Toute cette scholie évoque le thème de la destruction de la malice :
partielle en ce monde, elle sera totale dans le monde à venir (voir

---

14, 7   < πάντα ἐναντία ἀνδρὶ ἄφρονι ·
        ὅπλα δὲ αἰσθήσεως χείλη σοφά >

135. « Οὐκ ἀντιτάσσεται » γὰρ τῇ σοφίᾳ « οὐδὲν
πονηρόν [a] », διότι ὅπλον ἐστὶν ἀκαταμάχητον · μόνον γὰρ
πρὸς αὐτὴν ἀδυνατοῦσιν οἱ δαίμονες.

a. Prov. 3, 15

AB. — 3 αὐτὴν A : ταύτην B IKM Z.

PROCOPE : « Οὐδὲν γὰρ πονηρὸν ἀντιτάσσεται [a] » τῇ σοφίᾳ · μόνον
γὰρ πρὸς ταύτην ἀδυνατοῦσιν οἱ δαίμονες.

IK M. — Anon.

14, 9   < οἰκίαι ἀφρόνων ὀφειλήσουσι καθαρισμόν ·
        οἰκίαι δὲ δικαίων δεκταί >

136. Ἵνα καθαροὶ γενόμενοι ἴδωσι τὸν θεόν [a] · τοῦτο
γάρ ἐστι τὸ μακάριον τέλος ὅπερ πάσῃ λογικῇ φύσει
τετήρηται.

a. Cf. Matth. 5, 8

A. — 1 ἴδωσι IKMN Z : ὄψωνται A.

l'Introduction, p. 49-50). Selon une interprétation qui remonte à
ORIGÈNE (voir notamment *De Princ.* II, 11, 2-3), les deux bons
serviteurs de la parabole des mines, qui ont reçu autorité sur cinq
ou dix villes, figurent les justes qui, dans le monde à venir, deviendront des anges et seront chargés de conduire et d'instruire les âmes
des degrés inférieurs ; cf. *KG* VI, 24 : « Si ceux qui, dans le monde
à venir, seront des anges dominent aussi ' sur cinq ' ou ' sur dix villes ',
il est évident qu'ils recevront aussi la science qui peut pousser les
âmes raisonnables de la malice à la vertu et de l'ignorance à la science
de Dieu » (trad. A. Guillaumont), et scholie 10 *ad Ps.* 48, 15 : « Dans
le siècle à venir, ceux qui sont droits seront placés à la tête de cinq
villes » (*Vaticanus 754*, f. 132ʳ : collation M.-J. Rondeau). Dans
les *Lettres* 23 (p. 580, l. 16-17), 36 et 37 (p. 590, l. 10 et 23), Évagre
souhaite à ses correspondants d'être placés dans le monde à venir
à la tête de ces cinq ou dix villes.

14, 7 *Tout est contraire à l'homme insensé,*
   mais les lèvres sages sont des armes de sens

135. En effet « rien de mauvais ne résiste à la sagesse [a] »,
parce qu'elle est une « arme » invincible : devant elle seulement les démons sont impuissants.

Cf. schol. 30.

14, 9 *Les maisons des insensés auront besoin d'être puri-*
   fiées,
   mais les maisons des justes seront agréées

136. Afin que, devenus purs, ils voient Dieu [a], car c'est
la fin bienheureuse réservée à chaque nature raisonnable.

PROCOPE : "Ινα καθαροὶ γενόμενοι ἴδωσι τὸν θεόν [a] · τοῦτο γὰρ
πάσῃ λογικῇ φύσει τὸ μακάριον τέλος.

IK MN. — Anon. — 1 "Ινα IK M : μήποτε N.

La science de Dieu est la fin bienheureuse réservée aux natures

---

14, 14 < τῶν ἑαυτοῦ ὁδῶν πλησθήσεται θρασυκάρδιος ·
ἀπὸ δὲ τῶν διανοημάτων αὐτοῦ ἀνὴρ ἀγαθός >

137. Διανοήματα νῦν εἶπεν τὰς ἕξεις τῶν ἀρετῶν, ἄσπερ
ταῖς ὁδοῖς τοῦ θρασυκαρδίου ἀντέθηκεν.

A. — 1 ἀρετῶν A Z : ἀνδρείων IKM ‖ ἄσπερ IKM Z : ἅπερ A
ὥσπερ Tisch.

PROCOPE : "Η καὶ διανοήματα τῶν ἀνδρείων αἱ ἕξεις, ἄσπερ
ταῖς ὁδοῖς τοῦ θρασυκαρδίου ἀντέθηκεν.

IK M. — Anon. — 1 διανοήματα τῶν IK : διανοημάτων M ‖
ἀνδρείων K M : ἀνδρίων I ‖ 2 ταῖς IK : τοῖς M.

14, 18 < μεριοῦνται ἄφρονες κακίαν ·
οἱ δὲ πανοῦργοι κρατήσουσιν αἰσθήσεως >

138. Ἀντέθηκε τὴν κακίαν τῇ αἰσθήσει. Εἰ δὲ ἡ κακία
τῇ ἀρετῇ ἀντίκειται, ἡ αἴσθησις νῦν σημαίνει τὴν ἀρετήν.

Adest in A.

PROCOPE : Ἀντέθηκε δὲ τὴν κακίαν τῇ αἰσθήσει. Εἰ δὲ ἡ κακία
τῇ ἀρετῇ ἀντίκειται, ἡ αἴσθησις νῦν σημαίνει τὴν ἀρετήν.

IK MN. — Εὐαγρίου M Anon. IK N. — 1 Ἀντέθηκε
IK N : ἀντέθεικεν M.

raisonnables. Cf. schol. *ad Eccl.* 7, 2 : Τέλος τοῦ ἀνθρώπου ἡ μακαριότης... (*Coislin 193*, f. 29ʳ) ; et aussi ἡ ἐσχάτη μακαριότης du Prologue du *Traité pratique* [9] ; τὸ τέλος καὶ ἡ ἐσχάτη μακαριότης de la *Lettre sur la sainte Trinité* (Ps.-Basile, *Lettre* 8, 7, l. 3, 17-18 et 30).

I4, 14 *Le téméraire se rassasiera de ses propres voies,*
       et l'homme de bien de ses réflexions

137. Maintenant il a appelé « réflexions » les états vertueux qu'il a opposés aux « voies du téméraire ».

I4, 18 *Les insensés se partageront la malice,*
       mais les astucieux s'empareront du sens

138. Il a opposé la « malice » au « sens ». Si la malice s'oppose à la vertu, le « sens » désigne maintenant la vertu.

La vertu joue dans la saisie des réalités intelligibles un rôle analogue à celui que joue la sensibilité dans la perception des réalités sensibles : cf. schol. 5.

15, 6 < ἐν πλεοναζούσῃ δικαιοσύνῃ ἰσχὺς πολλή ·
οἱ δὲ ἀσεβεῖς ὁλόρριζοι ἐκ γῆς ὁλοῦνται >

139. « Ἐὰν μὴ περισσεύσῃ ὑμῶν ἡ δικαιοσύνη πλέον
τῶν γραμματέων καὶ φαρισαίων, οὐ μὴ εἰσέλθητε εἰς τὴν
βασιλείαν τῶν οὐρανῶν [a]. »

a. Matth. 5, 20

A. — 2 γραμματέων καὶ φαρισαίων IKM Z : φαρισαίων
καὶ γραμματέων A N.

PROCOPE : « Ἐὰν γάρ, φησί, μὴ περισσεύσῃ ὑμῶν ἡ δικαιοσύνη
πλέον τῶν γραμματέων καὶ φαρισαίων, οὐ μὴ εἰσέλθητε εἰς τὴν βασιλείαν τῶν οὐρανῶν [a]. »

IK MN. — Εὐαγρίου IK M Anon. N. — 1 φησί IK M :
om. N ‖ περισσεύσῃ MN : -σσεύῃ IK ‖ ὑμῶν post δικαιοσύνῃ
transp. N ‖ 2 γραμματέων καὶ φαρισαίων IK M : φαρισαίων
καὶ γραμματέων N.

15, 10 < παιδεία ἀκάκου γνωρίζεται ὑπὸ τῶν παριόντων ·
οἱ δὲ μισοῦντες ἐλέγχους τελευτῶσιν αἰσχρῶς >

140. Ἐλέγχους νῦν τὰς ἐντολὰς εἶπεν · αὗται γὰρ ἡμᾶς
ἐλέγχουσιν ἁμαρτάνοντας.

Adest in A.

PROCOPE : Ἢ καὶ τὰς ἐντολὰς ἐλέγχους εἶπεν · αὗται γὰρ ἡμᾶς
ἐλέγχουσιν ἁμαρτάνοντας.

IK MN. — Εὐαγρίου IK M Anon. N.

15, 15 < πάντα τὸν χρόνον οἱ ὀφθαλμοὶ τῶν κακῶν προσδέ-
χονται κακά ·
οἱ δὲ ἀγαθοὶ ἡσυχάζουσιν διὰ παντός >

15, 6   *Il y a une grande force dans la surabondance de la justice,*
mais les impies seront éliminés de la terre jusqu'à la racine

139. « Si votre justice ne surpasse pas celle des scribes et des pharisiens, vous n'entrerez pas dans le royaume des cieux [a]. »

15, 10   *L'instruction de celui qui est sans malice est connue par les passants,*
mais ceux qui haïssent les réprimandes finissent misérablement

140. Maintenant il a appelé « réprimandes » les commandements, car ils nous reprennent quand nous commettons une faute.

Texte repris dans la scholie 147.

15, 15   *Les yeux des méchants espèrent tout le temps le mal,*
mais les gens de bien vivent constamment dans la tranquillité

141. Ἡσυχία ἐστὶν ἀποχὴ κακίας.

Adest in A.

PROCOPE : Ἡσυχία ἐστὶν ἡ ἀποχὴ τῆς κακίας.

IK MN (?) — Εὐαγρίου K Anon. I MN. — Ἡσυχία —
κακίας IK : καὶ ἡσυχάζουσιν ἀπὸ κακίας M καὶ ἡσυχάζουσιν
ἀπὸ κακίας ἤτοι ἀπέχονται N.

15, 24 < ὁδοὶ ζωῆς διανοήματα συνετοῦ,
        ἵνα ἐκκλίνας ἐκ τοῦ ᾅδου σωθῇ >

142. Ὁδοὺς ζωῆς λέγει τὰς πρακτικὰς ἀρετὰς τὰς
φερούσας ἐπὶ τὴν γνῶσιν.

A. — 1 Ὁδοὺς A : Ὁδὸς Tisch.

PROCOPE : Ὁδοὺς λέγει ζωῆς τὰς πρακτικὰς ἀρετὰς τὰς φερούσας
ἐπὶ τὴν γνῶσιν.

IK MN. — Εὐαγρίου M Anon. IK N. — 1 λέγει post
ζωῆς transp. N.

15, 28a < δεκταὶ παρὰ κυρίῳ ὁδοὶ ἀνθρώπων δικαίων ·
        διὰ δὲ αὐτῶν καὶ οἱ ἐχθροὶ φίλοι γίνονται >

143. Παύλου κηρύξαντος · « οἵ ποτε ὄντες ἐχθροὶ κατηλ-
λάγησαν τῷ θεῷ διὰ τοῦ θανάτου τοῦ υἱοῦ αὐτοῦ [a] » · πλὴν
προσεκτέον εἰ πάντες οἱ ἐχθροὶ διὰ τῶν δικαίων φίλοι
γίνονται, ἵνα καὶ πᾶσιν εἴπῃ ὁ Χριστός · « οὐκέτι ὑμᾶς
5 καλῶ δούλους, ἀλλὰ φίλους [b]. »

a. Rom. 5, 10   b. Jn 15, 15
A. — 4 ὑμᾶς A p. corr. : ἡμᾶς A a. corr.

141. La « tranquillité », c'est se tenir à l'écart de la malice.

Cf. schol. 17.

15, 24 *Les réflexions de l'homme intelligent sont des voies de vie,*
afin qu'il s'écarte de l'Hadès et soit sauvé

142. Il appelle « voies de vie » les vertus pratiques qui conduisent à la science.

Cf. schol. 21, 59 et 198.

15, 28a *Les voies des hommes justes sont agréables au Seigneur,*
grâce à eux, même les ennemis deviennent des amis

143. Paul a proclamé ceci : « Ceux qui étaient autrefois ennemis ont été réconciliés à Dieu par la mort de son Fils [a]. » Mais il faut bien voir que ce sont tous les « ennemis » qui deviennent « grâce aux justes » des « amis », afin qu'à tous aussi le Christ puisse dire : « Je ne vous appelle plus serviteurs, mais amis [b]. »

PROCOPE : Πλὴν προσεκτέον εἰ πάντες οἱ ἐχθροὶ τῶν δικαίων φίλοι γίνονται, ἵνα καὶ πᾶσιν εἴπῃ ὁ Χριστός · « οὐκέτι ὑμᾶς καλῶ δούλους, ἀλλὰ φίλους [b]. »

IK MN. — Εὐαγρίου M Anon. IK N. — 2 ὁ IK M : om. N.

16, 10 < μαντεῖον ἐπὶ χείλεσι βασιλέως ·
ἐν δὲ κρίσει οὐ μὴ πλανηθῇ τὸ στόμα αὐτοῦ >

144. Καρδιογνώστης [a] ἐστὶν ὁ Χριστὸς καὶ κρινεῖ τὴν οἰκουμένην ἐν δικαιοσύνῃ [b].

a. Cf. Act. 1, 24 ; 15, 8   b. Cf. Act, 17, 31
Adest in A.

PROCOPE : Ὁ οὖν καρδιογνώστης [a] ἐστὶν ὁ Χριστὸς καὶ κρινεῖ πᾶσαν τὴν οἰκουμένην [b].

IK MN. — Εὐαγρίου I M Anon. K N. — 1 Ὁ οὖν IK M : ἢ ὅτι N ‖ κρινεῖ I N : κρίνει K M.

16, 14 < θυμὸς βασιλέως ἄγγελος θανάτου ·
ἀνὴρ δὲ σοφὸς ἐξιλάσεται αὐτόν >

145. Ὁ ἄγγελος ὁ τοὺς περὶ κολάσεως ἐπιστάμενος λόγους θυμὸς τοῦ θεοῦ καλεῖται.

Adest in A.

PROCOPE : Καὶ ἄλλως. Ὁ ἄγγελος ὁ τοὺς περὶ κολάσεως ἐπιστάμενος λόγους ἄγγελος καλεῖται θυμοῦ θεοῦ.

IK MN. — Εὐαγρίου I M Anon. K N. — 1 Καὶ ἄλλως IK : καὶ N om. M ‖ post ἄγγελος add. δὲ N ‖ 2 θεοῦ IK : om. MN.

Sur l'amitié spirituelle, voir l'Introduction, p. 53-54. A noter l'insistance sur le mot « tous ». Ce verset des Proverbes est cité dans la scholie 20 *ad Ps.* 9, 37.

16, 10 *Il y a un oracle sur les lèvres du roi,*
et au jugement sa bouche ne se trompera pas

144. Le Christ « connaît les cœurs [a] » et « jugera la terre entière avec justice [b] ».

Sur le Christ juge, voir l'Introduction, p. 52.

16, 14 *La colère du roi est un ange de mort,*
mais l'homme sage l'apaisera

145. « L'ange » qui connaît les raisons concernant le châtiment est appelé « colère » de Dieu.

16, 16 < νοσσιαὶ σοφίας αἱρετώτεραι χρυσίου* ·
    νοσσιαὶ δὲ φρονήσεως αἱρετώτεραι ὑπὲρ ἀργύ-
    ριον >

146. Γνῶσις σοφίας ὑπὲρ χρυσίον · γνῶσις δὲ φρονήσεως
ὑπὲρ ἀργύριον.

Adest in A.

PROCOPE : "Αλλος ἔφη τὸ νοσσιαὶ γνώσεις.

IK. — Anon. — νοσσιαὶ K : νοσιαὶ I ‖ γνώσεις I : γνῶσις K.

16, 17 [3-4] < ὁ δεχόμενος παιδείαν ἐν ἀγαθοῖς ἔσται ·
    ὁ δὲ φυλάσσων ἐλέγχους σοφισθήσεται >

147. Ἐλέγχους λέγει τὰς ἐντολὰς τοῦ θεοῦ · αὗται γὰρ
ἡμᾶς ἐλέγχουσιν ἁμαρτάνοντας.

Adest in A.

PROCOPE : "Η τὰς ἐντολὰς τοῦ θεοῦ · αὗται γὰρ ἡμᾶς ἐλέγχουσιν
ἁμαρτάνοντας.

IK MN. — Εὐαγρίου infra I   Anon. K MN. — 1 "Η IK N :
ἡ M ‖ ἡμᾶς post ἐλέγχουσιν transp. N.

16, 22 < πηγὴ ζωῆς ἔννοια τοῖς κεκτημένοις ·
    παιδεία δὲ ἀφρόνων κακή >

148. Τὴν παιδείαν τὴν ἀνεξέλεγκτον [a] νῦν παιδείαν
ἀφρόνων ὠνόμασεν. Εἰ δὲ παιδεία ἀφρόνων ἡ κακία ἐστίν,
ἡ ἀνεξέλεγκτος παιδεία [a] ἡ ἀφροσύνη ἐστίν.

a. Cf. Prov. 10, 17
Adest in A.

PROCOPE : "Η καὶ τὴν κακίαν τὴν ἀνεξέλεγκτον οὕτως ἐκάλεσεν.

IK MN. — Εὐαγρίου M Anon. IK N. — 1 ἀνεξέλεγκτον
I MN : -λεκτον K.

16, 16 *Les nids de la sagesse sont préférables à l'or,*
          et les nids de la prudence préférables à l'argent

146. La connaissance « de la sagesse » est préférable à
« l'or », la connaissance « de la prudence » préférable à
« l'argent ».

Lemme biblique. L'*Alexandrinus* a χρυσίῳ.

16, 17[3-4]   *Celui qui reçoit l'instruction prospérera,*
            et celui qui observe les réprimandes deviendra
            sage

147. Il appelle « réprimandes » les commandements de
Dieu, car ils nous reprennent lorsque nous commettons
une faute.

Cf. schol. 140.

16, 22 *Une pensée est une source de vie pour ceux qui la*
          possèdent,
          mais l'instruction des sots est mauvaise

148. « L'instruction sans réprimandes [a] » il l'a maintenant nommée « instruction des sots ». Si « l'instruction
des sots » est la malice, « l'instruction sans réprimandes [a] »
est la sottise.

Cf. schol. 119.

16, 23 < καρδία σοφοῦ νοήσει τὰ ἀπὸ τοῦ ἰδίου στόματος ·
ἐπὶ δὲ χείλεσιν φορέσει ἐπιγνωμοσύνην >

149. Τὴν γνῶσιν ἐπιγνωμοσύνην εἶπεν παρὰ τὸ πάντα
αὐτὴν ἐπιγινώσκειν τὰ πράγματα.

Adest in A.

PROCOPE : Ἐπιγνωμοσύνην τὴν γνῶσιν ἐκάλεσεν · ἐπιγινώσκει
γὰρ ἅπαντα.

IK N. — Anon. — 1 Ἐπιγνωμοσύνην I N : εὐγνωμοσύνην K ‖
ἐκάλεσεν IK : καλεῖ N.

16, 28 < ἀνὴρ σκολιὸς διαπέμπεται κακά
καὶ λαμπτῆρα δόλου πυρσεύει κακοῖς καὶ
διαχωρίζει φίλους >

150. Λόγος τοὺς δαίμονας παρὰ τοῦ διαβόλου μανθάνοντας
ἐπιχειρεῖν τοῖς ἁγίοις καὶ πειρᾶσθαι χωρίζειν αὐτοὺς ἀπὸ
τῆς γνώσεως, ἥτις πέφυκε συνάπτειν αὐτοὺς πρὸς φιλίαν
ταῖς ἐπουρανίοις δυνάμεσι. Τὸ δ᾽ αὐτὸ τοῦτο καὶ ὁ Σολομών,
5 ὡς οἶμαι, διὰ ταύτης τῆς παροιμίας δεδήλωκε, σκολιὸν
μὲν ἄνδρα λέγων τὸν σατανᾶν, πυρσευομένους δὲ δόλους
τοὺς κακοὺς δαίμονας ἀντὶ τοῦ διδασκομένους καὶ φίλους
τοὺς ἁγίους τοὺς διὰ τῆς γνώσεως συναπτομένους ἀλλήλοις.

A. — 4 ἐπουρανίοις Z Tisch. : -νίαις A IKM ‖ 6 πυρσευομένους A : πορευομένους Tisch. ‖ δόλους IKMN Tisch. :
δόλοις A ‖ 7 ἀντὶ τοῦ IKMN : ἀντὶ τοὺς A.

PROCOPE : Λόγος δέ τις ἔφη τοὺς δαίμονας παρὰ τοῦ διαβόλου
μανθάνοντας πειρᾶσθαι τοὺς ἁγίους χωρίζειν τῆς γνώσεως, ἥτις
πέφυκε συνάπτειν αὐτοὺς πρὸς φιλίαν ταῖς ἐπουρανίοις δυνάμεσι.

IK MN. — Anon. — 1-2 Λόγος — γνώσεως IK M : ὁ
διάβολος χωρίζει τοὺς ἁγίους τῆς γνώσεως N ‖ 3 πρὸς φιλίαν
IK M : om. N ‖ ἐπουρανίοις scripsi : -νίαις IK M οὐρανίαις N.

16, 23 *Le cœur du sage comprendra ce qui sort de sa propre*
bouche,
et il portera sur ses lèvres la clairvoyance

149. Il a appelé « clairvoyance » la science, étant donné
qu'elle voit clairement toutes les réalités.

Les mots ἐπιγνώμων et ἐπιγνωμοσύνη sont, dans la Septante,
propres au livre des Proverbes. Le second est d'ailleurs attesté
pour la première fois dans ce verset ; il réapparaîtra plus tard, chez
le Pseudo-Denys l'Aréopagite. Le tour παρὰ τὸ + infinitif, utilisé
par Évagre, est caractéristique des étymologies : voir l'étymologie
(non évagrienne) de λύχνος donnée dans l'Appendice II, p. 483, n. 1.

16, 28 *L'homme pervers répand le mal autour de lui,*
il allume un flambeau de ruse avec le mal et divise
les amis

150. On dit que les démons qui sont à l'école du diable
s'attaquent aux saints et essaient de les séparer de la
science qui les lie d'amitié aux puissances célestes. C'est
la même chose, je pense, que Salomon a aussi voulu
exprimer par ce proverbe; en effet il appelle « homme
pervers » Satan, « ruses allumées » les méchants démons
— « allumées » est mis pour enseignées — et « amis » les
saints qui sont liés les uns aux autres par la science.

La première partie de la scholie, introduite par le mot λόγος,
semble être une citation, au moins jusqu'à γνώσεως ; nous n'avons
pas réussi jusqu'à présent à déterminer si Évagre se cite lui-même
ou s'il cite quelqu'un d'autre. Pareille construction de λόγος avec
une infinitive se trouve également dans la scholie 5 *ad Ps.* 132, 3.
La science lie (συνάπτει) les saints aux anges ; cf. schol. 189 :
« L'amitié spirituelle est la vertu et la science de Dieu, grâce auxquelles
nous nous lions (συναπτόμεθα) d'amitié avec les saintes puissances » ;
et *Pratique* 56 : « La nourriture (de l'âme) est la science, qui seule a
coutume de nous unir (συνάπτειν) aux puissances saintes, puisque

Καὶ νῦν οὖν ἔοικε δηλοῦν σκολιὸν μὲν ἄνδρα τὸν σατανᾶν, πυρσευομέ-
5 νους δὲ δόλους τοὺς δαίμονας ἀντὶ τοῦ διδασκομένους καὶ φίλους τοὺς
διὰ τῆς γνώσεως ἀλλήλοις συναπτομένους ἁγίους.

4 Καὶ IK M : om. N ‖ μὲν IK : om. MN ‖ σατανᾶν IK :
διάβολον MN ‖ 5 δόλους K MN : λόγους I.

16, 30 < **στηρίζων ὀφθαλμοὺς αὐτοῦ λογίζεται διεστραμ-
μένα,
ὁρίζει* δὲ τοῖς χείλεσιν αὐτοῦ πάντα τὰ κακά ·
οὗτος κάμινός ἐστιν κακῶν** >

151. Ταύτης τῆς καμίνου ἐκτινάσσει τὴν φλόγα πνεῦμα
δρόσου διασυρίζον [a].

a. Cf. Dan. 3, 49-50
Adest in A.

PROCOPE : Τῆς καμίνου ἐκτινάσσει τὴν φλόγα πνεῦμα διασυρίζον [a].

IK M. — Anon. — διασυρίζον IK : -ζων M.

16, 33 < **εἰς κόλπους ἐπέρχεται πάντα τοῖς ἀδίκοις ·
παρὰ δὲ κυρίου πάντα τὰ δίκαια** >

152. Σημειωτέον ὅτι κόλπους ἐνταῦθα τὰς καρδίας
εἴρηκε τῶν ἀδίκων. Οἶμαι δὲ ὅτι καὶ πανταχοῦ ὁ κόλπος
ἤτοι τὸν νοῦν ἢ τὴν γνῶσιν σημαίνει. Εἰ δ' ἐστὶ καὶ κόλπος
ψεκτός, τὴν ἀγνωσίαν δηλονότι δηλώσει.

A. — 1 κόλπους Z : κόλπον A.

PROCOPE : Ὁ δὲ ψεκτὸς κόλπος τὴν ἀγνωσίαν δηλοῖ.

IK MN. — Εὐαγρίου I M Anon. K N. — κόλπος N :
τόπος IK M τέλος add. in mg. K.

l'union (συνάφεια) avec les incorporels résulte naturellement d'une disposition semblable » (trad. A. et Cl. Guillaumont). Pour une vue d'ensemble sur ce thème de l'amitié spirituelle, voir l'Introduction, p. 53-54.

16, 30 *Ayant les yeux fixes, il médite des desseins pervers et avec ses lèvres définit tout ce qui est mal : c'est une fournaise de malice*

151. C'est la flamme de cette « fournaise » que secoue un souffle de rosée sifflant au travers [a].

Lemme biblique. Nous avons adopté la leçon ὁρίζει donnée par le *Vaticanus* et le *Sinaiticus*, là où l'*Alexandrinus* donne ὀργίζει.

16, 33 *Tous (les maux) s'abattent sur les êtres injustes, dans leurs seins, mais tout ce qui est juste vient du Seigneur*

152. Il faut noter qu'il a ici appelé « seins » les cœurs des « êtres injustes ». Je pense que partout également le « sein » désigne soit l'intellect soit la science. Mais s'il y a aussi un « sein » blâmable, il désignera évidemment l'ignorance.

Le mot κόλπος est habituellement glosé par καρδία ou par νοῦς : schol. 41 et 166. Il figure dans la liste des dénominations bibliques de l'âme de la scholie 317. C'est évidemment le contexte qui permet de décider du sens laudatif (ἐπαινετός) ou péjoratif (ψεκτός) d'un mot.

17, 2 < οἰκέτης νοήμων κρατήσει δεσποτῶν ἀφρόνων ·
ἐν δὲ ἀδελφοῖς διελεῖται μέρη >

153. Εἰ « πᾶς ὁ ποιῶν τὴν ἁμαρτίαν δοῦλός ἐστι τῆς
ἁμαρτίας ᵃ », πᾶς ὁ ἀποστὰς τῆς κακίας καὶ διὰ τῶν ἀρετῶν
κρατήσας δαιμόνων ἀφρόνων κεκράτηκε δεσποτῶν. Ὁ δὲ
τοιοῦτος γενήσεται καὶ οἰκονόμος μυστηρίων θεοῦ ᵇ, κατ'
5 ἀναλογίαν τῆς καταστάσεως ἑκάστῳ τῶν ἀδελφῶν διδοὺς
γνῶσιν πνευματικὴν καὶ τὸν μὲν Κορίνθιον γάλα ποτίζων ᶜ,
τὸν δὲ Ἐφέσιον τρέφων στερεωτέρᾳ τροφῇ ᵈ, περὶ ὕψους
καὶ μήκους καὶ πλάτους καὶ βάθους ᵉ διαλεγόμενος καὶ διὰ
τούτων τῶν διαστημάτων τὴν τῆς λογικῆς φύσεως σημαίνων
10 διαίρεσιν, ἥτις τοὺς περὶ κρίσεως καὶ προνοίας τοῦ θεοῦ
λόγους ἐμπεριέχει, πάνυ βαθυτάτους ὑπάρχοντας καὶ ἐκφεύγοντας τὴν ἀνθρωπίνην κατάστασιν. Οὕτω καὶ Ἰησοῦς ὁ
τοῦ Ναυῆ τὴν γῆν τῆς ἐπαγγελίας ἐμέρισεν ταῖς δώδεκα
φυλαῖς ᶠ, ἥτις ἐστὶν τῆς τοῦ θεοῦ καὶ τῶν ὑπ' αὐτοῦ γεγο-
15 νότων γνώσεως σύμβολον. Πλὴν τοῦτο ἰστέον ὅτι οἱ περὶ
τῆς σαρκώσεως τοῦ Χριστοῦ λόγοι καὶ τῆς ἐπιδημίας
αὐτοῦ ἐν τῇ Ἰούδα γνώσει ἐναπόκεινται · ἐν γὰρ τῷ τούτου
κλήρῳ γεννᾶται Χριστός. Οἶμαι δὲ τοὺς περὶ προνοίας
λόγους εἶναι ἁρμόζοντας τῇ καταστάσει τοῦ κρυπτοῦ Ἰούδα
20 καὶ Βενιαμίν, ἅτινα ὀνόματα διαφόρων καὶ καθαρῶν κατα-
στάσεων ἡγοῦμαι διαγνωρίσματα, εἴγε Ἰούδας μὲν ἐξομο-
λογούμενος ἑρμηνεύεται, Βενιαμὶν δὲ υἱὸς ἡμερῶν ἢ υἱὸς
δεξιᾶς.

a. Jn 8, 34   b. Cf. I Cor. 4, 1   c. Cf. I Cor. 3, 2
d. Cf. Hébr. 5, 12   e. Cf. Éphés. 3, 18   f. Cf. Jos. 13, 7

A. — 13 Ναυῆ ΙΚΜΝ : Ναυὴ Α ‖ 17 τῇ ΙΚΜΝ : γῇ Α.

PROCOPE : Καὶ ἄλλως. Εἰ « πᾶς ὁ ποιῶν τὴν ἁμαρτίαν δοῦλός
ἐστι τῆς ἁμαρτίας ᵃ », πᾶς ὁ ἀποστὰς τῆς κακίας διὰ τῆς ἀρετῆς τῶν
δαιμόνων ἀφρόνων ὄντων ἐκράτησε δεσποτῶν, ὃς καὶ οἰκονόμος θεοῦ
μυστηρίων γενήσεται ᵇ, κατὰ ἀναλογίαν τῆς καταστάσεως ἑκάστῳ
5 τῶν ἀδελφῶν διδοὺς γνῶσιν πνευματικὴν, τὸν μὲν Κορίνθιον γάλα

ΙΚ ΜΝ. — Εὐαγρίου ΙΚ Μ Anon. Ν.

17, 2 *Le serviteur avisé dominera des maîtres sots,*
et il répartira les parts entre ses frères

153. S'il est vrai que « quiconque commet le péché est
esclave du péché [a] », quiconque a rejeté la malice et a
dominé par les vertus les démons « a dominé des maîtres
sots ». Un tel homme deviendra aussi économe des mystères
de Dieu [b] ; il distribuera à chaque frère la science spirituelle
convenant à son état ; il fera boire du lait au Corinthien [c],
mais il donnera une nourriture plus solide à l'Éphésien [d] :
il lui parlera de la hauteur, de la largeur, de la longueur
et de la profondeur [e] et lui fera connaître par ces dimensions
la division de la nature raisonnable, laquelle renferme en
elle les raisons qui concernent le jugement et la providence
de Dieu, raisons tout à fait profondes qui échappent à la
condition humaine. De la même façon Jésus fils de Navé
partagea entre les douze tribus la Terre promise [f] qui
symbolise la science de Dieu et de ses créatures. Mais il
faut savoir que les raisons qui concernent l'incarnation
et la venue du Christ sont contenues dans la connaissance
de Juda, car c'est dans sa part qu'est né le Christ. Et
je crois que les raisons qui concernent la providence
conviennent à l'état du Juda et du Benjamin cachés, car
leurs noms, je pense, indiquent différents degrés de pureté,
puisque Juda est traduit par pénitent et Benjamin par fils
des jours ou fils de la droite.

Lignes 4-12. Évagre commente d'abord en termes pauliniens le
second stique du verset. Cet économe des mystères de Dieu peut tout
aussi bien être un directeur spirituel qu'un ange. Nous retrouvons
le symbolisme des nourritures déjà rencontré dans les scholies 103
et 107. Le couple Corinthiens-Éphésiens correspond au couple
débutants-parfaits (cf. schol. 210). Dans la scholie 33, Évagre avait
déjà vu dans les quatre dimensions d'*Éphés.* 3, 18 les divers ordres
de créatures corporelles : anges, hommes, démons terrestres et
démons infernaux.

Lignes 12-23. Abandonnant les références pauliniennes, Évagre

ποτίζων^c, τὸν δὲ Ἐφέσιον τρέφων στερεωτέρᾳ τροφῇ ^d, περὶ μήκους
καὶ ὕψους καὶ πλάτους καὶ βάθους ^e διαλεγόμενος καὶ διὰ τούτων τῶν
διαστημάτων τὴν τῆς λογικῆς φύσεως σημαίνων διαίρεσιν, ἥτις τοὺς
περὶ κρίσεως καὶ προνοίας τοῦ θεοῦ λόγους ἐμπεριέχει διὰ βάθος
10 ὑπερβάλλον ἐκφεύγοντας τὴν ἀνθρωπίνην κατάστασιν. Τούτων σύμβολον Ἰησοῦς ὁ τοῦ Ναυῆ ταῖς δώδεκα φυλαῖς μερίσας τὴν γῆν ^f. Οἱ
μέντοι περὶ τῆς σαρκώσεως λόγοι τοῦ Χριστοῦ ἐν τῇ Ἰούδα ἐναπόκεινται γνώσει, οὗ ἐν τῷ κλήρῳ γεννᾶται Χριστός.

> 7 καὶ ὕψους Ι ΜΝ : ἐξ ὕψους Κ ‖ καὶ βάθους ante καὶ πλά-
> τους transp. ΜΝ supra lineam in Κ ‖ 8 σημαίνων post διαίρεσιν
> transp. Ν ‖ 9 κρίσεως καὶ ΙΚ Μ : om. Ν ‖ τοῦ [om. Μ]
> θεοῦ λόγους ἐμπεριέχει ΙΚ Μ : περιέχει λόγους θεοῦ Ν ‖
> βάθος ΙΚ Ν : βάθους Μ ‖ 10 ὑπερβάλλον ΙΚ Μ : -βαλὸν Ν ‖
> ἐκφεύγοντας Ι ΜΝ : -φυγόντας Κ ‖ 11 ὁ ΙΚ : om. ΜΝ ‖ Ναυῆ
> Κ ΜΝ : Ναυῆ Ι ‖ 12 Ἰούδα ΙΚ Ν : Ἰούδα Μ ‖ 12-13 ἐναπό-
> κεινται Ι ΜΝ : -κειται Κ.

17, 4 < κακὸς ὑπακούει γλώσσης παρανόμων ·
    δίκαιος δὲ οὐ προσέχει χείλεσιν ψευδέσιν >

154. Οὗτος ὑπακούει ταῖς γλώσσαις τῶν παρανόμων
ὁ τοὺς ἀδίκους δεχόμενος παρ' αὐτῶν λογισμοὺς καὶ σπεύδων
ἐνεργεῖν κατ' αὐτούς, οἷς ὁ δίκαιος λέγεται μὴ προσέχειν,
τουτέστιν μὴ ἐπὶ πλέον τρέφειν ἐν ἑαυτῷ.

Adest in A.

Procope : Καὶ ἄλλως. Ὑπακούει ὁ τοὺς ἀδίκους δεχόμενος παρ'
αὐτῶν λογισμούς, ἐπισπεύδων ἐνεργεῖν κατ' αὐτούς, οὓς ὁ δίκαιος οὐ
στρέφει ἐπὶ πλέον ἐν ἑαυτῷ.

ΙΚ ΜΝ. — Εὐαγρίου Ι Μ   Anon. Κ Ν. — 2 αὐτῶν ΙΚ Μ :
αὐτῷ Ν.

revient à l'Ancien Testament : le partage évoqué par le verset lui
rappelle le partage de la Terre promise entre les douze tribus. La
Terre promise figure pour lui la totalité de la science (science des
êtres et science de Dieu) et chaque tribu une partie de cette science.
Il a ici, comme dans la scholie 379 et dans plusieurs scholies aux
Psaumes, recours à l'herméneutique des noms hébreux : voir S. Wütz,
Onomastica sacra (*TU* 41), Leipzig 1914-1915.

17, 4 *Le méchant obéit à la langue des iniques,*
mais le juste ne prête aucune attention aux lèvres
menteuses

154. Celui-là « obéit aux langues des iniques » qui reçoit
les pensées injustes venant de ces derniers et qui s'empresse
de faire ce qu'elles suggèrent; c'est à ces pensées que « le
juste ne prête aucune attention », ce qui signifie qu'il ne
les nourrit pas davantage en lui.

Cf. schol. 68 (texte et note).

17, 6a   < τοῦ πιστοῦ ὅλος ὁ κόσμος τῶν χρημάτων ·
τοῦ δὲ ἀπίστου οὐδὲ ὀβολός >

155. Ὁ πιστός, φησίν, ὄψεται τοὺς λόγους τοῦ κόσμου
τούτου, οὕστινας χρήματα τοῦ νοῦ τροπικῶς προσηγόρευσεν ·
ὁ δὲ ἄπιστος οὐδὲ τοῦ τυχόντος πράγματος γνώσεται τὸν
λόγον διὰ τὴν ἀκαθαρσίαν τῆς ψυχῆς αὐτοῦ. Ὅτι δὲ πλοῦτος
5 ψυχῆς ἡ γνῶσίς ἐστιν ἡ τοῦ θεοῦ, ὁ Παῦλος διδάσκει δι᾽ ὧν
γράφει τὸ « ἐν παντὶ ἐπλουτίσθητε ἐν πάσῃ γνώσει καὶ
πάσῃ σοφίᾳ [a] ». Εἰ δέ τις βούλοιτο δεῖξαι μὴ ταύτην τὴν
ἔννοιαν εἶναι ταύτης τῆς παροιμίας, λεγέτω ποῦ ηὐπόρησαν
χρημάτων οἱ περιελθόντες « ἐν μηλωταῖς, ἐν αἰγείοις
10 δέρμασιν, κακουχούμενοι, θλιβόμενοι, ὑστερούμενοι [b] » · πῶς
δὲ καὶ ὁ ἄπιστος οὐχ ἕξει ὀβολόν, πολλῶν ἀπίστων περιβεβλημένος πλοῦτον, πολλῶν λέγω δὴ βασιλέων καὶ ἀρχόντων
τοῦ κόσμου τούτου [c].

a. I Cor. 1, 5   b. Hébr. 11, 37   c. Cf. Jn 12, 31

A. — 8 ηὐπόρησαν A : εὐπόρησαν IK Z ‖ 10 κακουχούμενοι
I Z Tisch. : κακοχούμενοι A K ‖ 11 οὐχ Z Tisch. : οὐκ A ‖
11-12 περιβεβλημένος A : περιβεβλημένων Tisch.

PROCOPE : Ἤγουν ὁ πιστὸς ὄψεται τοὺς λόγους τοῦ κόσμου τούτου
χρήματα τοῦ νοῦ τροπικῶς εἰρημένους · ὁ δὲ ἄπιστος οὐδὲ τοῦ
τυχόντος ὄψεται πράγματος τὸν λόγον δι᾽ ἀκαθαρσίαν ψυχῆς. Ὅτι
γὰρ πλοῦτος ψυχῆς ἡ γνῶσις, ἔφη καὶ Παῦλος · « ἐν παντὶ ἐπλου-
5 τίσθητε ἐν πάσῃ γνώσει καὶ πάσῃ σοφίᾳ [a]. » Ἄλλως γὰρ οὐδαμοῦ
χρημάτων εὐπόρησαν οἱ περιελθόντες « ἐν αἰγείοις δέρμασι, κακουχούμενοι, θλιβόμενοι, ὑστερούμενοι [b] ». Ἀλλὰ καὶ ἄπιστοι πλουτοῦσι,
βασιλεῖς τε τοῦ κόσμου τούτου καὶ ἄρχοντες [c].

IK M. — Anon. — 1 post λόγους add. πράγματα I ‖ 3 ψυχῆς
hic des. M ‖ 6-7 κακουχούμενοι I : κακοχούμενοι K.

Lignes 1-4. Même type d'interprétation qu'à la fin de la scholie 113.

17, 6a *Le fidèle possède le monde entier des richesses,*
mais l'infidèle n'a même pas une obole

155. « Le fidèle », veut-il dire, verra les raisons de ce
monde, qu'il a appelées de façon figurée « richesses » de
l'intellect, « mais l'infidèle », à cause de l'impureté de son
âme, ignorera jusqu'à la raison d'être d'une chose sans
importance. Que la science de Dieu soit la richesse de
l'âme, Paul l'enseigne quand il écrit : « Vous vous êtes
enrichis en tout, en science et en sagesse [a]. » Si quelqu'un
veut montrer que tel n'est pas le sens de ce proverbe, qu'il
dise où se sont enrichis ceux qui errent « vêtus de peaux
de moutons et de toisons de chèvres, maltraités, opprimés,
dénués [b] »! Qu'il dise aussi comment il se fait que l'infidèle
n'aie pas une obole, alors qu'il s'est emparé de la richesse
de nombreux infidèles, je veux bien sûr parler des nombreux
rois et archontes de ce monde [c]!

Le contemplatif qui est capable de dépasser les apparences sensibles
parvient à saisir la raison d'être de ce monde (ses *logoi*), tandis que
l'impur en est réduit à une connaissance grossière et superficielle.

Lignes 4-7. La vertu et la science sont la richesse des justes, et à
l'inverse la malice et l'ignorance celle des impies : cf. schol. 134 et
189 ; schol. 4 bis *ad Ps.* 64, 10 ; *KG* II, 8 ; *Lettre* 42 ; etc. La citation
de *I Cor*, 1, 5 n'est pas conforme au texte habituel qui a ἐν παντὶ λόγῳ
καὶ πάσῃ γνώσει. Le texte donné par Évagre, que l'on lit également
sous cette forme particulière dans la scholie 237 et dans de nombreuses
scholies aux Psaumes, semble être le produit de la combinaison de
I Cor. 1, 5 et de *Rom.* 11, 33 qui évoque « l'abîme de la richesse, de
la sagesse et de la science de Dieu ».

Lignes 7-13. Évagre s'en prend à ceux qui veulent s'en tenir à
une interprétation littérale du verset des Proverbes ; la citation
d'*Hébr.* 11, 37 s'applique naturellement aux moines, qui, privés de
tout, ne peuvent que s'enrichir spirituellement.

17, 7 < οὐχ ἁρμόσει ἄφρονι χείλη πιστά
οὐδὲ δικαίῳ χείλη ψευδῆ >

156. « Τίς γὰρ μετοχὴ δικαιοσύνῃ καὶ ἀδικίᾳ ἢ τίς
κοινωνία φωτὶ πρὸς σκότος [a] ; »

a. II Cor. 6, 14
Adest in A.

17, 9 < ὃς κρύπτει ἀδικήματα ζητεῖ φιλίαν ·
ὃς δὲ μισεῖ κρύπτειν, διΐστησιν φίλους καὶ
οἰκείους >

157. Διὰ μὲν τῆς δικαιοσύνης τὴν ἀδικίαν κρύπτομεν,
διὰ δὲ τῆς σωφροσύνης τὴν ἀκολασίαν καὶ πάλιν διὰ τῆς
ἀγάπης τὸ μῖσος καὶ διὰ τῆς ἀφιλαργυρίας τὴν πλεονεξίαν.
Κρύπτομεν δὲ καὶ διὰ τῆς ταπεινοφροσύνης τὴν ὑπερηφανίαν
5 καὶ διὰ τῆς πραΰτητος τὴν θρασύτητα, ζητοῦντες τὴν
πνευματικὴν φιλίαν, ἥτις τὴν ἁγίαν γνῶσιν σημαίνει. Καὶ
παρὰ τῷ Παύλῳ δὲ συμπολῖταί τινες τῶν ἁγίων λέγονται
γεγονέναι καὶ οἰκεῖοι τῆς Ἱερουσαλήμ, « ἐποικοδομηθέντες
ἐπὶ τῷ θεμελίῳ τῶν ἀποστόλων καὶ προφητῶν [a] ».

a. Éphés. 2, 19-20
A. — 2 τῆς[1] Ζ : om. A.

PROCOPE : Καὶ ἄλλως. Διὰ μὲν δικαιοσύνης τὴν ἀδικίαν κρύπτομεν,
διὰ δὲ σωφροσύνης τὴν ἀκολασίαν, δι' ἀγάπης δὲ τὸ μῖσος, διὰ τῆς
ἀφιλαργυρίας τὴν πλεονεξίαν, διὰ τῆς ταπεινοφροσύνης τὴν ὑπερηφανίαν, διὰ τῆς πραότητος τὴν θρασύτητα, ζητοῦντες τὴν πνευματικὴν
5 φιλίαν, ἥτις τὴν ἁγίαν γνῶσιν σημαίνει. Καὶ παρὰ Παύλῳ δὲ συμπολῖταί τινες τῶν ἁγίων λέγονται γεγονέναι καὶ οἰκεῖοι τῆς Ἱερουσαλήμ,
« ἐποικοδομηθέντες ἐπὶ τῷ θεμελίῳ τῶν ἀποστόλων καὶ προφητῶν [a] ».

IK MN. — Εὐαγρίου Κ Anon. I MN. — 2 δὲ[1] IK M :
om. N ‖ σωφροσύνης IK N : -σύνην M ‖ δὲ[2] IK : om. MN ‖
2-4 διὰ τῆς — θρασύτητα IK : καὶ ἐπὶ τῶν λοιπῶν MN ‖ 3
ἀφιλαργυρίας I : φιλαργυρίας K ‖ τῆς I : om. K ‖ 4 τῆς I :
om. K ‖ 5 σημαίνει hic des. MN ‖ 6 ante οἰκεῖοι add. οἱ K.

17, 7 *Les lèvres dignes de foi ne conviendront pas à l'insensé,*
ni les lèvres menteuses au juste

156. « Quel rapport y a-t-il en effet entre la justice et
l'injustice ou quelle union entre la lumière et les
ténèbres [a] ? »

17, 9 *Celui qui cache ses méfaits recherche l'amitié,*
mais celui qui a horreur de les cacher divise amis
et familiers

157. Par la justice nous « cachons » l'injustice, par la
continence l'intempérance, et encore par la charité la
haine, par le désintéressement la cupidité. Nous cachons
aussi par l'humilité l'orgueil et par la douceur la témérité.
Ainsi nous « recherchons l'amitié » spirituelle, c'est-à-dire
la science sainte. Chez Paul certains sont dits être les
concitoyens des saints et les familiers de Jérusalem,
« édifiés sur la fondation des apôtres et des prophètes [a] ».

Chaque vertu chasse le vice qui lui est opposé ; c'est le sujet d'un
petit opuscule sur *Les vices opposés aux vertus* (*PG* 79, 1140 B-
1144 D), qui est habituellement attribué à Évagre. Sur l'amitié
spirituelle, voir l'Introduction, p. 53-54. La citation d'*Éphés.* 2, 20
éclaire le sens du mot οἰκεῖος.

17, 13 < ὃς ἀποδίδωσιν κακὰ ἀντὶ ἀγαθῶν,
οὐ κινηθήσεται κακὰ ἐκ τοῦ οἴκου αὐτοῦ* >

158. Εἰ ὁ κακὰ ἀντὶ κακῶν ἀποδιδοὺς παράνομος, πόσῳ
μᾶλλον ὁ κακὰ ἀντὶ ἀγαθῶν ἀποδιδοὺς παρανομώτερος ;
Τοιοῦτος δὲ ἐγένετο κατὰ τὴν ἔρημον πρὸς τὸν θεὸν ὁ
Ἰσραήλ, πρὸς ὃν Μωσῆς ἐν τῷ Δευτερονομίῳ φησίν ·
5 « γενεὰ σκολιὰ καὶ διεστραμμένη ταῦτα κυρίῳ ἀνταποδίδοτε ᵃ. »

a. Deut. 32, 5-6

A. — 3 ἐγένετο Ζ : ἐγίνετο Α ‖ 4 Μωσῆς Tisch. : Μωσὴς Α.

PROCOPE : Εἰ γὰρ ὁ κακὰ ἀντὶ κακῶν ἀποδιδοὺς παράνομος, πόσῳ
μᾶλλον ὁ ἀντ᾽ ἀγαθῶν, ὁποῖος ἦν ὁ Ἰσραὴλ ἐν τῇ ἐρήμῳ πρὸς τὸν
θεόν, πρὸς ὃν ὁ Μωϋσῆς ἐν τῷ Δευτερονομίῳ φησίν · « γενεὰ σκολιὰ
καὶ διεστραμμένη ταῦτα κυρίῳ ἀνταποδίδοτε ᵃ. »

IK MN. — Anon. — 1 Εἰ γὰρ IK M : εἰ δὲ καὶ Ν ‖ 2 ὁ [τοῦ Κ]
ἀντ᾽ ἀγαθῶν IK M : ὁ κακὰ ἀντὶ ἀγαθῶν Ν ‖ ἀγαθῶν hic des.
MN ‖ 3 Μωϋσῆς Κ : -σῆς Ι ‖ τῷ Ι : om. Κ.

17, 14 < ἐξουσίαν δίδωσιν λόγοις ἀρχὴ δικαιοσύνης ·
προηγεῖται δὲ τῆς ἐνδείας στάσις καὶ μάχη >

159. Δικαιοσύνῃ ἕπεται γνῶσις · προηγεῖται δὲ τῆς
ἀγνοίας κακία.

Adest in A.

PROCOPE : Εἰ οὖν τῇ δικαιοσύνῃ ἕπεται γνῶσις, προηγεῖται τῆς
ἀγνοίας κακία.

IK MN. — Εὐαγρίου supra Ι Μ   Anon. Κ Ν.

I7, 13 *S'il rend le mal pour le bien,*
le mal ne s'éloignera pas de sa maison

158. Si celui qui rend le mal pour le mal est inique,
comme il l'est davantage « celui qui rend le mal pour le
bien » ! Au désert, c'est de cette façon que se comporta
envers Dieu Israël, à qui Moïse dit dans le Deutéronome :
« Génération perverse et tordue, voilà ce qu'en échange
vous donnez au Seigneur [a]. »

Lemme biblique. Nous avons préféré le texte du *Vaticanus* et du
Sinaiticus à celui de l'*Alexandrinus* qui donne : εἰς τοὺς οἴκους
αὐτοῦ.

I7, 14 *Le commencement de la justice donne libre cours aux*
paroles,
      mais la dissension et la querelle précèdent l'indi-
gence

159. La science suit la justice, et le vice « précède »
l'ignorance.

17, 15 < ὃς δίκαιον κρίνει τὸν ἄδικον, ἄδικον δὲ τὸν δίκαιον,
          ἀκάθαρτος καὶ βδελυκτὸς παρὰ θεῷ >

160. Ὅμοιός ἐστιν τούτῳ ὁ λέγων τὸ πικρὸν γλυκὺ
καὶ τὸ γλυκὺ πικρὸν καὶ τὸ μὲν φῶς ὀνομάζων σκότος,
τὸ δὲ σκότος φῶς [a].

a. Cf. Is. 5, 20
Adest in A.

PROCOPE : Ὅμοιος ὁ λέγων τὸ πικρὸν γλυκὺ καὶ τὸ γλυκὺ πικρὸν
καὶ τὸ μὲν φῶς ὀνομάζων σκότος, τὸ δὲ σκότος φῶς [a].

IK M. — Anon. — 1 πικρὸν[a] hic des. M.

17, 16 < ἵνα τί ὑπῆρξε* χρήματα ἄφρονι;
          κτήσασθαι γὰρ σοφίαν* ἀκάρδιος οὐ δυνήσεται >

161. Χρήματα ἄφρονός ἐστιν αἱ περὶ τὰ καθ᾽ ἕκαστον
αὐτοῦ πράγματα ἀφροσύναι · διὰ ταύτας γὰρ καὶ ἀκάρδιος
γεγονὼς κτήσασθαι σοφίαν ἀδυνατεῖ.

Adest in A.

PROCOPE : Ἄλλως δὲ χρήματά ἐστιν ἄφρονος αἱ περὶ τὰ καθ᾽
ἕκαστον αὐτοῦ πράγματα ἀφροσύναι, δι᾽ ἅπερ ἀκάρδιος γεγονὼς
κτήσασθαι σοφίαν ἀδυνατεῖ.

IK MN. — Εὐαγρίου I M Anon. K N. — 1 Ἄλλως δὲ
IK : ἄλλως M καὶ N ‖ χρήματά K MN : χρῆμά I ‖ ἐστιν IK :
om. MN ‖ 2 δι᾽ ἅπερ I MN : διόπερ K.

17, 16a < ὃς ὑψηλὸν ποιεῖ τὸν ἑαυτοῦ οἶκον, ζητεῖ συντρι-
          βήν ·
          ὁ δὲ σκολιάζων τοῦ μαθεῖν ἐμπεσεῖται εἰς κακά >

17, 15 *Celui qui trouve juste l'injuste et injuste le juste*
est impur et en abomination devant Dieu

160. Celui qui appelle l'amer doux et le doux amer et
qui nomme la lumière ténèbres et les ténèbres lumière [a]
ressemble à cet homme.

17, 16 *Que sert au sot de posséder des richesses?*
Car, stupide, il ne pourra acquérir la sagesse

161. « Les richesses du sot », ce sont les sottises qu'il
commet dans chacun de ses actes ; c'est à cause d'elles qu'il
est devenu « stupide » et qu'il est incapable d'« acquérir
la sagesse ».

Lemme biblique. Nous avons corrigé l'*Alexandrinus* qui a ὕπερξεν.
Il ressort de la scholie qu'Évagre lisait γὰρ σοφίαν *(Vaticanus* et
Sinaiticus) et non δὲ σοφίας *(Alexandrinus).*

17, 16a *Celui qui construit une maison élevée cherche la*
ruine,
et celui qui prend une voie oblique pour s'ins-
truire tombera dans le mal

162. « Ὁ δὲ σκολιάζων τοῦ μαθεῖν », ὅτι « κύριος ὑπερηφάνοις ἀντιτάσσεται [a] », « ἐμπεσεῖται εἰς κακά ».

a. Prov. 3, 34
Adest in A.

PROCOPE : Ὑπερηφάνοις γὰρ ὁ θεὸς ἀντιτάσσεται.

IK M. — Anon.

―――――

17, 17 [1-2] < εἰς πάντα καιρὸν φίλος ὑπαρχέτω σοι ·
ἀδελφοὶ δὲ ἐν ἀνάγκαις χρήσιμοι ἔστωσαν >

163. Εἰ οἱ τοῦ Χριστοῦ υἱοὶ ἀλλήλων εἰσὶν ἀδελφοί, οἱ ἄγγελοι δὲ καὶ οἱ δίκαιοι ἄνθρωποι Χριστοῦ εἰσιν υἱοί, οἱ ἄγγελοι ἄρα καὶ οἱ ἅγιοι ἄνθρωποι ἀλλήλων εἰσὶν ἀδελφοί, τῷ τῆς υἱοθεσίας γεννώμενοι πνεύματι [a].

a. Cf. Rom. 8, 15
A. — 3 ἄρα Tisch. : ἄρα A.

―――――

17, 17 [3] < τούτου γὰρ χάριν γεννῶνται >

164. « Τούτου γὰρ χάριν γεννῶνται » ὑπὸ τῆς σοφίας, ἵνα ἀνθρώπους ὁδηγήσωσιν ἀπὸ κακίας ἐπ' ἀρετὴν καὶ ἀπὸ ἀγνωσίας ἐπὶ γνῶσιν θεοῦ, εἴγε « καὶ αὐτὴ ἡ κτίσις στενάζει καὶ συνωδίνει ἡμῖν καὶ ὑπετάγη τῇ ματαιότητι οὐχ
5 ἑκοῦσα [a] ».

a. Rom. 8, 20-22
Adest in A.

PROCOPE : Ὑπὸ τῆς σοφίας, ἵν' ἀνθρώπους ὁδηγῶσιν ἀπὸ κακίας εἰς ἀρετὴν καὶ ἀπὸ ἀγνωσίας εἰς ἐπίγνωσιν θεοῦ.

IK MN. — Anon. — 1 ante Ὑπὸ add. διὰ τοῦτο γὰρ γεννῶνται N ‖ ἵν' IK M : ἵνα N.

162. « Celui qui prend une voie oblique pour s'instruire tombera dans le mal », parce que « le Seigneur s'oppose aux orgueilleux [a] ».

17, 17 [1-2]   *Aie en toute circonstance un ami,*
             et que les frères te soient utiles dans les nécessités

163. Si les fils du Christ sont « frères » les uns des autres et si les anges et les hommes justes sont les fils du Christ, les anges et les hommes saints sont donc « frères » les uns des autres, car ils sont engendrés par l'esprit de filiation adoptive [a].

Sur ce thème de la fraternité : schol. 78 (texte et note).

17, 17 [3]   *C'est en effet pour cela qu'ils sont engendrés*

164. « Ils sont en effet engendrés » par la sagesse pour mener les hommes de la malice à la vertu et de l'ignorance à la science de Dieu, car « la création, elle aussi, gémit et souffre avec nous et elle a été soumise à la vanité, sans le vouloir [a] ».

La fonction angélique consiste à ramener les natures déchues vers la vertu et la science : cf. schol. 189 ; *KG* V, 4, 7 ; VI, 86, 90. Cette fonction est également exercée par les astres : *KG* III, 37 ; VI, 88. C'est à ces derniers qu'Origène avait appliqué le texte de *Rom.* 8, 20-22 en *De princ.* I, 7, 5, avant de l'appliquer aux anges en *De princ.* II, 9, 7 et III, 5, 4. L'expression οὐχ ἑκοῦσα semble impliquer que certains anges n'ont pas été constitués anges à la suite d'une faute, mais, comme malgré eux, pour venir en aide aux êtres déchus.

C'est en tout cas ce que dit clairement ORIGÈNE en *De princ.* III, 5, 4 :
« Les âmes sont descendues d'un état élevé à un état inférieur, et
non seulement les âmes qui ont mérité cela à cause de la diversité
de leurs mouvements, mais aussi celles qui, pour administrer le

17, 20 [2] < ἀνὴρ εὐμετάβολος γλώσσῃ ἐμπεσεῖται εἰς κακά >

165. Οὗτός ἐστιν εὐμετάβολος ὁ ῥᾳδίως ἀπὸ ἀρετῆς
ἐπὶ κακίαν μεταβαλλόμενος.

Adest in A.

17, 23 < λαμβάνοντος δῶρα ἐν κόλπῳ ἀδίκως οὐ κατευο-
δοῦνται ὁδοί ·
ἀσεβὴς δὲ ἐκκλίνει ὁδοὺς δικαιοσύνης >

166. Ἐν καρδίᾳ νοήματα λαμβάνοντος ἄδικα οὐ κατευο-
δοῦνται ὁδοί · τὰ γὰρ ἐμπαθῆ νοήματα ὠνόμασε δῶρα
παρὰ τῶν δαιμόνων ἡμῖν προσφερόμενα. Ἢ δῶρα ἐν κόλπῳ
ἀσεβὴς λήψεται τοῦ ἐκκλῖναι ὁδοὺς κρίσεως.

Adest in A.

PROCOPE : Ἄλλως δὲ τὰ ἐμπαθῆ νοήματα ὠνόμασε δῶρα παρὰ
τῶν δαιμόνων ἡμῖν προσφερόμενα.

IK M. — Εὐαγρίου IK Anon. M.

17, 21 < καρδία δὲ ἄφρονος ὀδύνη τῷ κεκτημένῳ αὐτήν,
οὐκ εὐφραίνεται πατὴρ ἐφ' υἱῷ ἀπαιδεύτῳ ·
υἱὸς δὲ φρόνιμος εὐφραίνει* μητέρα αὐτοῦ >

167. Ὁ μὲν φρόνιμος εὐφραίνει τὴν μητέρα · ὁ δὲ ἄφρων
ὀδυνᾷ τὴν τεκοῦσαν αὐτόν [a].

a. Cf. Prov. 17, 25
A. — 2 ὀδυνᾷ A : ὀδυνᾶται Tisch.

monde entier, ont été abaissées de ces réalités supérieures et invisibles au niveau des réalités inférieures et visibles, et cela malgré elles » (trad. Harl-Dorival-Le Boulluec, *Études Aug.*). Sur l'angélologie d'Évagre, voir A. GUILLAUMONT, *Képhalaia gnostica*, p. 106-107.

17, 20 [2]   *L'homme à la langue instable tombera dans le mal*

165. Celui-là est « instable » qui passe facilement de la vertu au vice.

17, 23   *Les voies de celui qui reçoit injustement en son sein des cadeaux ne conduisent pas à la prospérité, et l'impie se détourne des voies de la justice*

166. « Les voies de celui qui reçoit » en son cœur des représentations injustes « ne conduisent pas à la prospérité ». Il a en effet appelé « cadeaux » les représentations passionnées qui nous sont offertes par les démons. Ou bien « l'impie » recevra « des cadeaux en son sein » pour « se détourner des voies » du jugement.

Cf. schol. 41.

17, 21   *Le cœur de l'insensé est une source de douleur pour celui qui le possède, et un père ne se réjouit pas d'avoir un fils sans instruction, mais un fils avisé fait la joie de sa mère*

167. Celui qui est « avisé fait la joie de sa mère », mais « l'insensé est une cause de douleur pour sa génitrice [a] ».

Lemme biblique. La scholie qui suit nous a fait préférer le présent εὐφραίνει *(Vaticanus* et *Sinaiticus)* au futur εὐφρανεῖ *(Alexandrinus).*

17, 24 < πρόσωπον συνετὸν ἀνδρὸς σοφοῦ ·
        οἱ δὲ ὀφθαλμοὶ τοῦ ἄφρονος ἐπ' ἄκρα γῆς >

168. Καρδία δὲ ἄφρονος ἐν ἄκρᾳ κακίᾳ.

Adest in A.

17, 25 < ὀργὴ πατρὶ υἱὸς ἄφρων
        καὶ ὀδύνη τῇ τεκούσῃ αὐτοῦ >

169. Ὁ μὲν φρόνιμος υἱὸς καὶ τεκοῦσαν ἔχει καὶ μητέρα ·
ὁ δὲ ἄφρων υἱὸς μόνον τεκοῦσαν · ἡ γὰρ μήτηρ καὶ τεκοῦσά
ἐστιν · ἡ δὲ τεκοῦσα οὐ πάντως ἐστὶν καὶ μήτηρ. Ἐὰν
γὰρ ἀποθάνῃ τὸ τεχθὲν ἐν κακίᾳ καὶ ἀγνωσίᾳ, τεκοῦσα
5 μέν ἐστιν, μήτηρ δὲ οὐκ ἔστιν, ὅτι μηδὲ τοῦ τῆς υἱοθεσίας
πνεύματος [a] μετέσχηκε τὸ τεχθέν. Ὡσαύτως δὲ καὶ ἐπὶ
τῶν αἰσθητῶν μητέρων νοηθήσεται καὶ ἐπὶ τοῦ θανάτου
τοῦ αἰσθητοῦ · τὴν γὰρ μητέρα ἐροῦμεν καὶ τεκοῦσαν ·
τὴν δὲ τεκοῦσαν οὐκέτι μητέρα τοῦ παιδίου ἀποθανόντος.

a. Cf. Rom. 8, 15
Adest in A.

PROCOPE : Ὁ τεχθεὶς ἔν τε κακίᾳ καὶ ἀγνωσίᾳ ἀπέθανεν · τούτου
δὲ μήτηρ οὐκ ἔστιν, εἰ καὶ τέτοκεν · ἡ γὰρ μήτηρ καὶ τεκοῦσα, οὐ
πάντως δὲ ἡ τεκοῦσα καὶ μήτηρ, διότι μὴ τοῦ τῆς υἱοθεσίας τὸ τεχθὲν
μετέσχηκε πνεύματος [a].

IK MN. — Anon. — 1 τε IK M : τῇ N ‖ ἀπέθανεν IK M :
om. N ‖ 2 ἡ IK N : εἰ M ‖ 4 μετέσχηκε I MN : μέτεσχε K.

Simple récriture qui n'est attesté que dans A. Sans doute prépare-t-elle, en rapprochant les versets 21³ et 25², l'exégèse de la scholie 169.

17, 24 *L'homme sage a un visage intelligent,*
mais les yeux de l'insensé sont à l'extrémité de
la terre

168. Le cœur de « l'insensé » est dans une malice extrême.

17, 25 *Le fils insensé est une source de colère pour son*
père
et une source de douleur pour sa génitrice

169. Le fils avisé a en même temps une génitrice et une mère, mais « le fils insensé » n'a qu'une « génitrice », car la mère est aussi la « génitrice », mais la « génitrice » n'est pas nécessairement mère. En effet, si le rejeton meurt dans la malice et l'ignorance, il y a une « génitrice », mais pas de mère, car le rejeton n'a pas même eu part à l'esprit de filiation adoptive ª. Il faudra penser qu'il en va de même des mères charnelles et de la mort physique : on dira que la mère est aussi la « génitrice », mais que la « génitrice » n'est plus mère quand son nouveau-né est mort.

Nouvelle variation sur le thème de l'enfantement spirituel qui permet de devenir fils du Christ. Sur l'interprétation particulière de *Rom.* 8, 15, voir la note à la scholie 78. La fin de cette scholie n'est pas sans rappeler la fin de la scholie *ad Eccl.* 4, 8, où, après une exégèse symbolique, Évagre indique la validité de l'interprétation littérale : « ... si l'on veut aussi saisir le sens simple de ces versets... » (*Coislin 193*, f. 22ᵛ).

17, 26 < ζημιοῦν ἄνδρα δίκαιον οὐ καλόν
        οὐδὲ ὅσιον ἐπιβουλεύειν δυνάσταις δικαίοις >

170. Οὐ γὰρ ζητοῦσι τὰ ἡμῶν, ἀλλ᾽ ἡμᾶς [a].

a. Cf. II Cor. 12, 14
Adest in A.

PROCOPE : Οὐ γὰρ ζητοῦσι τὰ ἡμῶν, ἀλλ᾽ ἡμᾶς [a].
IK MN. — Anon.

17, 27 < ὃς φείδεται ῥῆμα προέσθαι σκληρόν, ἐπιγνώμων ·
        μακρόθυμος δὲ ἀνὴρ φρόνιμος >

171. Τὸν λογισμὸν τὸν κινοῦντα θυμὸν ὠνόμασεν ῥῆμα
σκληρόν. Ἢ τὸν λόγον τὸν κινοῦντα τοῦ πλησίον αὐτοῦ
θυμὸν ὠνόμασεν ῥῆμα σκληρόν.

Adest in A.

PROCOPE : Τὸν λογισμὸν δὲ τὸν κινοῦντα θυμὸν ὠνόμασε ῥῆμα
σκληρὸν ἢ λόγον εἰς τοῦτο κινητικόν.

IK MN. — Anon. — 1-2 Τὸν λογισμὸν δὲ τὸν [τὸν om. I]
κινοῦντα — κινητικόν IK : ῥῆμα σκληρὸν τὸν λογισμὸν τὸν
κινοῦντα — κινητικός (sic) M ῥῆμα σκληρὸν ὠνόμασε τὸν
κινοῦντα λόγον θυμὸν Ν.

17, 28 < ἀνοήτῳ ἐπερωτήσαντι σοφίαν* σοφία λογισθήσε-
        ται ·
        ἐνεὸν δέ τις ἑαυτὸν ποιήσας δόξει φρόνιμος
        εἶναι >

172. Εἰ οὗτος ἐρωτᾷ περὶ σοφίας ὁ βουλόμενός τι περὶ
σοφίας μαθεῖν, οὗτος σιωπᾷ ἀπὸ σοφίας ὁ μηθὲν θέλων
γνῶναι περὶ σοφίας · διὸ καὶ φρονιμώτερος λέγεται εἶναι
ὁ πρότερος τοῦ δευτέρου.

Adest in A.

17, 26   *Il n'est pas bien de punir l'homme juste*
ni permis de comploter contre des princes justes

170. Car ils ne recherchent pas nos biens, mais nos
personnes [a].

Le verbe ζητοῦσι a pour sujet les « princes justes » du verset, dans
lesquels il faut voir les anges ou les gnostiques.

17, 27   *Qui s'abstient de prononcer une parole dure est*
clairvoyant,
et le longanime est un homme sensé

171. Il a nommé « parole dure » la pensée qui déclenche
la colère. Ou bien il a nommé « parole dure » la parole qui
déclenche la colère du prochain.

17, 28   *Si l'insensé s'enquiert de la sagesse, cela lui sera*
compté pour sagesse,
mais si quelqu'un reste muet, il passera pour
avisé

172. Si celui-là « s'enquiert de la sagesse » qui veut
apprendre quelque chose sur elle, celui-à se détourne
en silence de la sagesse qui ne veut rien savoir d'elle. Voilà
pourquoi le premier est dit être plus « avisé » que le second.

PROCOPE (?) : Κρείττων γὰρ τοῦ μηδὲ ζητοῦντος μαθεῖν.

IK N. — Anon. — γὰρ IK : οὖν N ‖ ante τοῦ add. οὗτος N ‖ τοῦ I N : τοὺς K ‖ μηδὲ I N : μηδὲν K ‖ ζητοῦντος I N : -ντας K.

18, 1 < προφάσεις ζητεῖ ἀνὴρ βουλόμενος χωρίζεσθαι ἀπὸ
φίλων ·
ἐν παντὶ δὲ καιρῷ ἐπονείδιστος ἔσται >

173. Προφάσεις λέγει τὰς ἁμαρτίας · « τοῦ προφασίζεσθαι γάρ, φησίν, προφάσεις ἐν ἁμαρτίαις [a]. » Φίλους δὲ πάντας τοὺς ἁγίους οἷς δι᾽ ἀρετῆς συνήπτετο.

a. Ps. 140, 4

A. — 3 τοὺς ἁγίους οἷς IKMN Z : τοὺς ἁγίους τοὺς οἷς A.

PROCOPE : Προφάσεις λέγει τὰς ἁμαρτίας · « τοῦ προφασίζεσθαι γάρ, φησί, προφάσεις ἐν ἁμαρτίαις [a]. » Φίλους δὲ τοὺς ἁγίους οἷς συνῆπτο δι᾽ ἀρετῆς.

IK MN. — Anon. — 1 λέγει IK N : om. M ‖ 1-2 τοῦ — ἁμαρτίαις K in mg. in I : om. MN ‖ 2 φησί K : om. I.

18, 2 < οὐ χρείαν ἔχει σοφίας ἐνδεὴς φρενῶν ·
μᾶλλον γὰρ ἄγεται* ἀφροσύνῃ >

174. Ἠγάπησεν γὰρ τὸ σκότος μᾶλλον ἢ τὸ φῶς [a].

a. Cf. Jn 3, 19
Adest in A.

PROCOPE : Διότι ἠγάπησε μᾶλλον τὸ σκότος ἢ τὸ φῶς [a].

IK MN. — Anon. — μᾶλλον IK M : om. N.

Lemme biblique. L'*Alexandrinus* a omis σοφίαν.

Le verbe σιωπᾶν est suivi de la préposition ἀπό comme παρασιωπᾶν dans *Ps.* 27, 1 (texte cité dans la scholie 133).

18, 1   *L'homme qui veut se séparer de ses amis cherche des prétextes,*
en toute circonstance il sera blâmé

173. Il appelle « prétextes » les péchés, car il est dit : « Pour fournir des prétextes à ses péchés [a]. » Et il appelle « amis » tous les saints auxquels cet homme était lié par la vertu.

Sur l'amitié spirituelle, voir l'Introduction, p. 53-54.

18, 2   *Celui qui est privé d'esprit n'a pas besoin de sagesse,*
car il préfère être conduit par la folie

174. Car il a préféré les ténèbres à la lumière [a].

Lemme biblique. L'*Alexandrinus* a ἀγάγεται.

18, 5 < θαυμάσαι πρόσωπον ἀσεβοῦς οὐ καλὸν
οὐδὲ ὅσιον ἐκκλίνειν τὸ δίκαιον ἐν κρίσει >

175. Ὁ τὴν ἐνυπάρχουσαν κακίαν τῷ διαβόλῳ ἀποδεχόμενος καὶ κατ᾽ αὐτὴν ἐνεργῶν, οὗτος θαυμάζει τὸ
πρόσωπον τοῦ ἀσεβοῦς.

Adest in A.

Procope : Τοιοῦτος δὲ καὶ ὁ τὴν ὑπάρχουσαν τῷ διαβόλῳ κακίαν
ἀποδεχόμενος καὶ κατ᾽ αὐτὴν ἐνεργῶν.

IK M. — Anon. — 2 ἀποδεχόμενος Ι Μ : ὑπο- Κ.

Avec l'expression θαυμάζειν πρόσωπον, nous nous trouvons
devant un « septantisme » caractérisé : cf. M. Harl, *La Bible*

18, 6 < χείλη ἄφρονος ἄγουσιν αὐτὸν* εἰς κακά ·
τὸ δὲ στόμα αὐτοῦ τὸ θρασὺ* θάνατον ἐπικαλεῖ-
ται >

176. Εἰ ὁ θάνατος γεννᾶται ἀπὸ θρασύτητος, ὁ δὲ θάνατος
χωρίζει ψυχὴν ἀπὸ τῆς ὄντως ζωῆς, ἡ θρασύτης ἡμᾶς
ἀποχωρίζει ἀπὸ τοῦ εἰπόντος · « ἐγώ εἰμι ἡ ζωή ᵃ.» Καὶ
ὥσπερ ἐκ τῆς θρασύτητος γεννᾶται ὁ θάνατος, οὕτως ἐκ
5 τῆς πραΰτητος ἡ ζωή · ἀντίκειται γὰρ τῇ θρασύτητι ἡ
πραΰτης.

a. Cf. Jn 11, 25 ; 14, 6

AB. — 1 Εἰ A : om. B ‖ 2 ante ψυχὴν add. τὴν B ‖ ὄντως A :
ὄντος B ‖ 3 ἀποχωρίζει A : ἀνα- B ‖ 4 ἐκ¹ A : ἀπὸ B ‖ 5 ζωή
hic des. B ‖ τῇ θρασύτητι Z : τὴν θρασύτητα A (ante τὴν
θρασ- rest. πρὸς Tisch).

Procope : Εἰ ὁ θάνατος γεννᾶται ἀπὸ θρασύτητος, ὁ δὲ θάνατος
χωρίζει ψυχὴν ἀπὸ τῆς ὄντως ζωῆς, ἡ θρασύτης ἄρα ἡμᾶς χωρίζει
ἀπὸ τοῦ εἰπόντος · « ἐγώ εἰμι ἡ ζωή ᵃ.» Οὐκοῦν ἡ πραΰτης γεννᾷ τὴν
ζωήν.

IK MN. — Anon. — 2 ἡ θρασύτης hic inc. N ‖ ἄρα ΙΚ Μ :
om. N ‖ 3 Οὐκοῦν ἡ πραΰτης ΙΚ Μ : ἡ δὲ πραότης Ν.

18, 5 *Il n'est pas bien d'admirer le visage de l'impie*
ni permis de s'écarter de la justice dans un
jugement

175. Celui qui accepte la malice présente dans le diable et fait ce qu'elle demande « admire le visage de l'impie ».

d'Alexandrie. La Genèse, Paris 1986, p. 181-182, note à *Gen.* 19, 21. Plus loin, le mot πρόσωπον sera associé à d'autres verbes : αἰδεῖσθαι (*Prov.* 24, 23, cité dans la scholie 315), αἰσχύνεσθαι (*Prov.* 22, 26 et 28, 21), θεραπεύειν (*Prov.* 29, 26). Évagre prend le mot πρόσωπον tantôt au sens de visage, tantôt au sens de personne ; selon le sens retenu, le mot figurera le diable ou les anges, les vices ou les vertus. Voir notamment la scholie 353 et la scholie 1 *ad Ps.* 81, 2 : « Les visages des pécheurs, ce sont les vices sur lesquels se modèlent les injustes » (*Vaticanus 754*, f. 209ʳ : collation M.-J. Rondeau).

18, 6 *Les lèvres de l'insensé le conduisent au mal,*
et sa bouche arrogante appelle la mort

176. Si « la mort » est engendrée par « l'arrogance » et que la mort sépare l'âme de la vraie vie, « l'arrogance » nous sépare de celui qui a dit : « Je suis la vie [a]. » Et de même que « l'arrogance » engendre « la mort », de même la douceur engendre la vie, car la douceur est le contraire de « l'arrogance ».

Lemme biblique. L'Alexandrinus a αὐτά et θρασύν.

La θρασύτης a déjà été présentée comme le vice opposé à la douceur dans la scholie 157.

18, 8[1] < ὀκνηροὺς καταβάλλει φόβος >

177. Ὀκνηροὺς καταβάλλει φόβος ἤτοι ὁ ἐχθρὸς φόβος [a]
ἢ ὁ τοῦ κυρίου χωρίζων αὐτοὺς τοῦ ὄκνου διὰ ἔργων ἀγαθῶν.

a. Cf. Ps. 63, 2

Adest in A.

PROCOPE : Ἤτοι ὁ ἐχθρὸς φόβος [a] ἢ ὁ τοῦ κυρίου τοῦ ὄκνου δι᾽
ἔργων χωρίζων αὐτοὺς ἀγαθῶν.

IK M. — Εὐαγρίου infra I M Anon. K. — 1 ἢ IK : ἢ M
ἢ sup. l. K.

Distinction entre une crainte négative, qui est terreur devant

18, 8[2] < ψυχαὶ δὲ ἀνδρογύνων πεινάσουσιν >

178. Ἀνδρόγυνός ἐστιν ὁ μήτε διδάσκειν ἄλλον δυνάμενος
μήτε μανθάνειν ὑφ᾽ ἑτέρου βουλόμενος.

Adest in A.

PROCOPE : Ἀνδρόγυνος δὲ ὁ μήτε διδάσκειν δυνάμενος μήτε μανθάνειν ἐθέλων.

IK MN. — Hoc scholion cum scholio 177 concatenaverunt
IK M Anon. N. — 1 δὲ IK M : om. N.

18, 9 < ὁ μὴ ἰώμενος ἑαυτὸν ἐν τοῖς ἔργοις αὐτοῦ
ἀδελφός ἐστιν τοῦ λυμαινομένου ἑαυτόν >

179. Καὶ ὁ Παῦλός φησιν · «ἐὰν οὖν τις ἐκκαθάρῃ
ἑαυτόν, ἔσται σκεῦος χρήσιμον τῷ δεσπότῃ [a]. »

a. II Tim. 2, 21

Adest in A.

18, 8 [1]   *La crainte terrasse les paresseux*

177. « La crainte » qui « terrasse les paresseux » est soit
la crainte ennemie [a], soit la crainte du Seigneur qui les
éloigne de la paresse par les bonnes œuvres.

l'ennemi (le diable) et découragement devant l'œuvre à accomplir,
et la crainte du Seigneur, qui est le point de départ du processus
spirituel. Cf. commentaire d'ἐχθρὸς φόβος dans la scholie 1 *ad
Ps.* 63, 2 : « La crainte ennemie, c'est soit la crainte provoquée en
nous par l'ennemi, soit la crainte qui est à l'opposé du courage que
demande le Christ, lorsqu'il dit : ' Soyez courageux, c'est moi ;
ne craignez pas (*Matth.* 14, 27) ' » (*Vaticanus 754*, f. 159v : collation
M.-J. Rondeau).

18, 8 [2]   *Les âmes des androgynes auront faim*

178. « L'androgyne », c'est celui qui ne peut enseigner
aux uns ni ne veut apprendre des autres.

Cf. sommaire du ch. 14 de la *Conférence* XIV de Cassien : « L'âme
immonde est incapable de transmettre comme de recevoir la science
spirituelle » (trad. Pichery, *SC* 54).

18, 9   *Celui qui ne se soigne pas par ses propres œuvres
est frère de celui qui souille sa propre personne*

179. Et Paul dit : « Si donc quelqu'un se purifie de
toute souillure, il sera un vase utile pour le maître [a]. »

PROCOPE : Καὶ ὁ Παῦλος δέ φησιν · « ἐάν τις ἐκκαθάρῃ ἑαυτόν, ἔσται σκεῦος χρήσιμον τῷ δεσπότῃ ᵃ. »

IK. — Anon. — 1 ὁ I : om. K.

Cf. schol. *ad Eccl.* 1, 15 : « Il ne peut recevoir une seconde parure,

---

18, 10 < ἐκ μεγαλωσύνης ἰσχύος ὄνομα κυρίου ·
αὐτῷ δὲ προσδραμόντες δίκαιοι ὑψοῦνται >

180. Τὸ ὄνομα τοῦ κυρίου τὴν τοῦ θεοῦ γνῶσιν σημαίνει. Καὶ διὰ μὲν τοῦ ὀρθοῦ βίου προστρέχουσιν αὐτῷ οἱ δίκαιοι · διὰ δὲ θεωρίας ὑψοῦνται.

Adest in A.

PROCOPE : Τὸ ὄνομα κυρίου τοῦ θεοῦ γνῶσιν σημαίνει. Καὶ διὰ μὲν τοῦ ὀρθοῦ βίου προστρέχουσιν αὐτῷ οἱ δίκαιοι · διὰ δὲ τῆς θεωρίας ὑψοῦνται.

IK MN. — Εὐαγρίου supra M Anon. IK N. — 1 ante κυρίου add. τοῦ K.

18, 12 < πρὸ συντριβῆς ὑψοῦται καρδία ἀνδρὸς
καὶ πρὸ δόξης ταπεινοῦται >

181. Ὥσπερ τῇ ὑπερηφανίᾳ ἕπεται συντριβή, οὕτως τῇ ταπεινώσει δόξα.

Adest in A.

Peut-être allusion au *Magnificat* (*Lc* 1, 48 et 51) : ὅτι ἐπέβλεψεν ἐπὶ τὴν ταπείνωσιν τῆς δούλης αὐτοῦ... διεσκόρπισεν ὑπερηφάνους...

s'il ne se purifie pas par les vertus et ne fabrique pas un vase utile (σκεῦος χρήσιμον) pour le maître » (*Coislin 193*, f. 18ʳ). Dans les deux cas Évagre cite le texte paulinien avec la leçon χρήσιμον, alors que le texte habituel a εὔχρηστον. Les mots σκεῦος χρήσιμον se rencontrent bien en *Sag.* 13, 11, mais dans un contexte tout différent. Ce vase qu'il faut purifier, c'est évidemment l'intellect, destiné à recevoir la science.

18, 10 *Le nom du Seigneur est d'une grande force,*
et les justes qui ont couru vers lui s'élèvent

180. « Le nom du Seigneur » désigne la science de Dieu. Et « les justes courent vers lui » par leur vie droite, ils « s'élèvent » par la contemplation.

Même interprétation du « nom de Dieu » dans la scholie 1 *ad Ps.* 53, 3. Pour le reste, comparer avec la scholie 17 *ad Ps.* 17, 34 : « Nos pieds, comme ceux du cerf, sont affermis par la pratique, et nous nous élevons par la contemplation » (*Vaticanus 754*, f. 66ʳ : collation M.-J. Rondeau).

18, 12 *Le cœur de l'homme s'élève avant la ruine*
et s'humilie avant la gloire

181. De même que « la ruine » suit l'orgueil, de même « la gloire » suit l'humiliation.

Cf. Grégoire de Nazianze, *Discours* 4, 32 : ὕβρει μὲν ἔπεται συντριβή· ταπεινώσει δὲ εὐδοξία (« comme la ruine succède à l'arrogance, la bonne réputation fait suite à l'humiliation » [*SC* 309, trad. Bernardi]).

18, 13 < ὃς ἀποκρίνεται λόγον πρὶν ἀκοῦσαι,
ἀφροσύνη αὐτῷ ἐστιν καὶ ὄνειδος >

182. Χρηστέον τούτῳ τῷ ῥητῷ πρὸς τοὺς μὴ λαβόντας
μὲν γνῶσιν παρὰ θεοῦ, διδάσκειν δὲ ἄλλους ἐπιχειροῦντας.
Καὶ ὁ Δαυίδ φησιν· « τοῦ ἀκοῦσαι φωνὴν αἰνέσεώς σου
καὶ » τότε « διηγήσασθαι » καὶ ἄλλοις « τὰ θαυμάσιά
5 σου ᵃ ». Καὶ πάλιν ὁ Σολομών φησιν· « ἃ εἶδον οἱ ὀφθαλμοί
σου, λέγε ᵇ. »

a. Ps. 25, 7   b. Prov. 25, 7

Adest in A.

PROCOPE : Τοιοῦτος ὁ μὴ λαβὼν γνῶσιν παρὰ θεοῦ καὶ διδάσκειν
ἑτέρους ἐπιχειρῶν. Ὅθεν ὁ Δαυίδ ἔφη· « τοῦ ἀκοῦσαί με φωνὴν
αἰνέσεώς σου καὶ » τότε « διηγήσασθαι » ἄλλοις « τὰ θαυμάσιά σου ᵃ ».
Καὶ ὁ Σολομών φησιν· « ἃ εἶδον οἱ ὀφθαλμοί σου, λέγε ᵇ. »

IK MN. — Εὐαγρίου M Εὐαγρίου supra I Anon. K N.
— 1 post Τοιοῦτος add. καὶ N ‖ διδάσκειν K MN : -σκων I ‖ 2
ἐπιχειρῶν hic des. MN ‖ 3 διηγήσασθαι I : διηγεῖσθαι K ‖
ἄλλοις K : om. I.

18, 14 < θυμὸν ἀνδρὸς πραΰνει θεράπων φρόνιμος·
ὀλιγόψυχον δὲ ἄνδρα τίς ὑποίσει; >

183. Ὥσπερ ὁ κύριος ἡμῶν πάρδαλις ἀπορουμένη ᵃ
λέγεται γίνεσθαι πρὸς τοὺς πλημμελοῦντας καὶ πέτρα
σκανδάλου ᵇ πρὸς τοὺς ἀπειθοῦντας, οὕτω καὶ ὀλιγόψυχος
ἐπὶ τοῖς ἁμαρτάνουσιν. Δύναται δὲ ὀλιγόψυχον λέγειν καὶ
5 τὸν πονηρὸν καὶ πάντα δαίμονα ἀρετῆς ἐκπεπτωκότα καὶ
γνώσεως.

a. Cf. Os. 13, 7-8   b. Cf. Rom. 9, 32-33

A. — 5 πάντα δαίμονα ... ἐκπεπτωκότα IK Z : πάντας
δαίμονας ... ἐκπεπτωκότας A.

I8, 13 *Celui qui répond par une parole avant d'avoir écouté,*
c'est pour lui folie et motif de blâme

182. Il faut utiliser ce verset contre ceux qui n'ont pas
reçu de Dieu la science, mais se mettent à enseigner les
autres. Et David dit : « Pour écouter la voix de ta louange »
et alors « raconter » aux autres aussi « tes merveilles [a] ».
Salomon dit encore : « Dis ce que tes yeux ont vu [b]. »

Cette scholie vise les pseudo-directeurs spirituels qui se mettent
à enseigner sans en avoir la compétence ; cf. schol. 2 *ad Ps.* 83, 4 :
« Il faut d'abord s'efforcer de trouver pour soi une maison, dans
laquelle on pourra recevoir Dieu, et ensuite (seulement) transformer
les autres aussi en maisons de Dieu. Utilisons ce verset contre les
hommes impurs qui se mettent aussi à enseigner » (*Vaticanus 754*,
f. 212[r] : collation M.-J. Rondeau) ; et *Antirrhétique* VII, 13 : « Contre
la pensée qui nous conseille, avant que nous ne nous soyons corrigés,
de diriger les frères et de conduire les âmes dans la science du Christ. »

I8, 14 *Le serviteur avisé calme la colère de l'homme ;*
mais qui supportera l'homme prompt à s'emporter ?

183. De même qu'il est dit que notre Seigneur devient
un léopard affamé [a] pour les négligents et une pierre de
scandale [b] pour les incrédules, de même il est dit qu'il
devient un « homme prompt à s'emporter » pour les
pécheurs. Il se peut aussi que (Salomon) appelle « homme
prompt à s'emporter » le malin et chaque démon déchu de
la vertu et de la science.

PROCOPE : "Ὥσπερ ὁ κύριος ἡμῶν πάρδαλις ἀπορουμένη ᵃ λέγεται πρὸς τοὺς ἁμαρτάνοντας καὶ πέτρα σκανδάλου ᵇ πρὸς τοὺς ἀπιστοῦντας, οὕτω καὶ ὀλιγόψυχος ἐπὶ τοῖς ἁμαρτάνουσιν. Λέγοι δ' ἂν καὶ τὸν πονηρὸν καὶ πάντα δαίμονα ἀρετῆς ἐκπεπτωκότα.

IK MN. — <Εὐαγρίου> I M Anon. K N. — 3 ἁμαρτάνουσιν hic des. MN.

Sur les *épinoiai* du Christ, voir l'Introduction, p. 51-53. Le texte d'Osée mentionne à la suite trois animaux sauvages : la panthère,

---

18, 16 < δόμα ἀνθρώπου ἐμπλατύνει αὐτὸν
καὶ παρὰ δυνάσταις καθιζάνει αὐτόν >

184. Τὸν βίον τὸν ὀρθὸν νῦν εἶπεν δόμα ἀνθρώπου, ὅστις αὐτὸν πλατύνει καὶ παρέχει τοῦ πληρώματος ἄξιον τοῦ θεοῦ ᵃ, ὅπερ καθέδραν τῶν ἁγίων δυνάμεων ὀνομάζει · νοῦ γὰρ καθέδρα ἐστὶν ἕξις ἀρίστη δυσκίνητον ἢ ἀκίνητον
5 διατηροῦσα τὸν καθεζόμενον.

a. Cf. Éphés. 3, 19

AB. — 1-3 Τὸν — ὀνομάζει A : om. B ‖ 2 πλατύνει καὶ παρέχει Z : παρέχει καὶ πλατύνει καὶ παρέχει A ‖ 3 νοῦ hic inc. B ‖ 4 γὰρ A : om. B ‖ ante δυσκίνητον add. ἢ B.

PROCOPE : "Ἡ τὸν ὀρθὸν βίον νῦν ἔφη δόμα ἀνθρώπου, ὅστις αὐτὸν πλατύνων παρέχει τοῦ πληρώματος ἄξιον τοῦ θεοῦ ᵃ, ὅπερ καθέδραν τῶν δυνάμεων ὀνομάζει · νοῦ γὰρ καθέδρα ἐστὶν ἕξις ἀρίστη δυσκίνητον ἢ ἀκίνητον διατηροῦσα τὸν καθεζόμενον.

IK MN. — Εὐαγρίου M Anon. IK N. — 1 Ἡ IK M : om. N ‖ νῦν IK M : om. N ‖ ἀνθρώπου IK M : om. N ‖ 2 πλατύνων IK N : -ὕνον M ‖ 3 δυνάμεων K MN : δυναμένων I.

18, 18 < ἀντιλογίας παύει κλῆρος* ·
ἐν δὲ δυνάσταις ὁρίζει >

le léopard et l'ourse. Évagre a par erreur appliqué au second le
participe ἀπορουμένη qui qualifiait le troisième. L'application au
Christ de l'adjectif ὀλιγόψυχος ne peut se comprendre que si l'on en
fait un antonyme de μακρόθυμος, comme en *Prov.* 14, 29 et *Isaïe* 57,
17. L'ὀλιγόψυχος n'est donc pas un faible et un pusillanime, mais
quelqu'un qui n'a pas l'âme de se contenir et s'emporte facilement,
en somme un violent. Tout le début de cette scholie évoque en effet
la violence du Christ dirigée contre la négligence, l'impiété et le
péché (thème repris dans la scholie 195). Ainsi compris, cet adjectif
peut également renvoyer au diable et aux démons, dont l'irascibilité
est une des principales caractéristiques : cf. schol. 60.

18, 16 *Le don de l'homme le met au large*
et le fait siéger parmi les princes

184. Maintenant il a appelé « don de l'homme » la vie
droite ; celle-ci le « met au large » et le rend digne de
la plénitude de Dieu [a], qu'il nomme « siège » des saintes
puissances. Car le « siège » de l'intellect, c'est l'état excellent
qui maintient celui qui est assis dans une position immobile
ou difficile à mouvoir.

La vie droite est le don que doit faire l'homme (cf. schol. 199 et
239) pour pouvoir atteindre cet état excellent, stable et durable,
qui n'est autre que la vertu et l'impassibilité. Cf. schol. 1 *ad Ps.* 138,
2 : « Le siège est l'état excellent de l'âme raisonnable, dans lequel
elle est difficilement mise en mouvement (δυσκίνητος) vers la
malice » (*Vaticanus 754*, f. 334ʳ : collation M.-J. Rondeau) ; ce
dernier texte se retrouve dans *KG* VI, 21, à cette variante près que
καθέδρα est remplacé par vertu. Sur le thème de l'élargissement
du cœur, voir schol. 12 (texte et note).

18, 18 *La part d'héritage fait cesser les contestations*
et trace une limite entre les princes

185. "Ανοιαν παύει γνῶσις · αὕτη γάρ ἐστιν ὁ κλῆρος τῆς φύσεως τῆς λογικῆς.

Adest in AB.

PROCOPE : "Η καὶ ἄγνοιαν παύει γνῶσις · κλῆρος γὰρ αὕτη τῆς φύσεως τῆς λογικῆς.

ΙΚ ΜΝ. — Εὐαγρίου Ι Εὐαγρίου infra Μ Anon. Κ Ν. — 1 κλῆρος γὰρ αὕτη ΙΚ Μ : αὕτη γὰρ κλῆρος Ν ‖ τῆς ΙΚ : om. ΜΝ.

18, 21 < θάνατος καὶ ζωή* ἐν χειρὶ γλώσσης ·
οἱ δὲ κρατοῦντες αὐτῆς ἔδονται τοὺς καρποὺς αὐτῆς >

186. Ἐνταῦθα λέγει τὴν ψυχὴν εἶναι θανάτου καὶ ζωῆς δεκτικήν, ἀφ᾽ ὧν τὸ αὐτεξούσιον αὐτῆς γεγονέναι κατασκευάζομεν.

Adest in A.

PROCOPE : "Ηγουν τὴν ψυχὴν νῦν λέγει θανάτου καὶ ζωῆς δεκτικήν, ἀφ᾽ ὧν τὸ αὐτεξούσιον δείκνυται.

ΙΚ Μ. — Εὐαγρίου Ι Anon. Κ Μ.

18, 22 [1] < ὃς εὗρεν γυναῖκα ἀγαθήν, εὗρεν χάριτας...
22a [2]   ὁ δὲ κατέχων μοιχαλίδα ἄφρων καὶ ἀσεβής >

187. « Ὃς εὗρεν » σοφίαν « ἀγαθήν, εὗρεν χάριτας ».

Adest in A.

---

188. « Ὁ δὲ κατέχων » κακίαν « ἄφρων καὶ ἀσεβής ».

ΑΒ. — 1 Ὁ — ἀσεβής Α : κατέχων μοιχαλίδα ἄφρων καὶ ἀσεβής, τουτέστιν κακίαν Β.

185. La science « fait cesser » la déraison, car elle est
« l'héritage » de la nature raisonnable.

Lemme biblique. Il ressort de la scholie qu'Évagre lisait κλῆρος
(Sinaiticus post correctionem et codex *Basilio-Vaticanus),* et non
σιγηρός *(Vaticanus, Alexandrinus, Sinaiticus ante correctionem).*

18, 21 *La mort et la vie sont au pouvoir de la langue,*
      et ceux qui la maîtrisent en mangeront les fruits

186. Ici il dit que l'âme est susceptible de « mort » et
de « vie », ce qui nous permet de montrer qu'elle dispose
d'un libre arbitre.

Lemme biblique. Il ressort de la scholie qu'Évagre lisait θάνατος καὶ
ζωή *(Vaticanus* et *Sinaiticus)* et non θάνατος ζωῆς *(Alexandrinus).*

Le mot γλῶσσα figure dans l'inventaire des dénominations bibliques de l'âme de la scholie 317. Sur le libre arbitre : schol. 15.

18, 22 [1]   *Qui a trouvé la femme bonne a trouvé des grâces...*
   22a [2]   *mais qui garde la femme adultère est insensé*
       et impie

187. « Qui a trouvé la bonne » sagesse « a trouvé des
grâces. »

---

188. « Qui garde » la malice « est insensé et impie ».

PROCOPE : Νοήσεις δὲ καὶ ἀγαθὴν γυναῖκα τὴν σοφίαν · μοιχαλίδα
δὲ τὴν κακίαν καὶ τὴν ἄγνοιαν.

IK N. — Anon. — 1 Νοήσεις — γυναῖκα IK : ἢ καὶ ἀγαθὴν
νοήσεις γυναῖκα N ‖ 2 τὴν κακίαν καὶ IK : om. N ‖ τὴνª I N :
om. K.

19, 4 < πλοῦτος προστίθησι φίλους πολλούς ·
        ὁ δὲ πτωχὸς καὶ ἀπὸ τοῦ ὑπάρχοντος φίλου
        λείπεται >

189. Πλοῦτος γνώσεως καὶ σοφίας προστίθησιν ἡμῖν
ἀγγέλους πολλούς · ὁ δὲ ἀκάθαρτος καὶ ἀπὸ τοῦ δοθέντος
αὐτῷ ἐκ παιδὸς ἀγγέλου χωρίζεται. Ἡ γὰρ πνευματικὴ
φιλία ἐστὶν ἀρετὴ καὶ γνῶσις θεοῦ, δι' ὧν συναπτόμεθα
5 πρὸς φιλίαν ταῖς ἁγίαις δυνάμεσιν, εἴγε οἱ μετανοοῦντες
ἄνθρωποι χαρᾶς αἴτιοι γίνονται τοῖς ἀγγέλοις ª. Οὕτως καὶ
ὁ σωτὴρ φίλους καλεῖ τοὺς δούλους ᵇ ποτὲ τῆς μείζονος
αὐτοὺς θεωρίας καταξιώσας. Οὕτω καὶ Ἀβραὰμ πλουτήσας
ἐν γνώσει τὴν μυστικὴν ἐκείνην παρατίθησι τράπεζαν τοῖς
10 κατὰ τὴν μεσημβρίαν φίλοις φανεῖσιν αὐτῷ ᶜ. Σαοὺλ δὲ
καὶ ἀπὸ τοῦ ὑπάρχοντος φίλου διὰ τὴν κακίαν χωρίζεται ·
γέγραπται γὰρ « καὶ ἀπέστη πνεῦμα θεοῦ ἀπὸ Σαοὺλ καὶ
πνεῦμα πονηρὸν παρὰ κυρίου ἔπνιγε τὸν Σαοὺλ ᵈ », πνεῦμα
κυρίου λέγων τὸν ἄγγελον · « ὁ ποιῶν γάρ, φησίν, τοὺς
15 ἀγγέλους αὐτοῦ πνεύματα καὶ τοὺς λειτουργοὺς αὐτοῦ πῦρ
φλέγον ᵉ. » Ὅτι δὲ καὶ ἄγγελοι τοὺς ἀνθρώπους πεπί-
στευνται, διδάσκει ἐν τοῖς εὐαγγελίοις ὁ κύριος · « ὁρᾶτε,
λέγων, μὴ καταφρονήσητε ἑνὸς τῶν μικρῶν τούτων, ὅτι

a. Cf. Lc. 15, 10   b. Cf. Jn 15, 15   c. Cf. Gen. 18, 1-8
d I. Sam. 16, 14   e Ps. 103, 4

AB. — 2 ἀγγέλους πολλούς B IKMN Z Florilegia : ἀγγέλους φίλους πολλούς A ‖ πολλούς hic des. B ‖ καὶ A :
om. Tisch. ‖ 5 ἁγίαις δυνάμεσιν IKMN Z Florilegium Vaticanum : ἁγίαις ἀγγελικαῖς δυνάμεσιν A ‖ 7 τῆς IK Z Tisch. :
τοὺς A.

19, 4 *La richesse augmente le nombre des amis,*
    mais le pauvre est même délaissé par l'ami qu'il a

189. « La richesse » de la science et de la sagesse « augmente le nombre » de nos anges, mais l'impur est même
séparé de l'ange qui lui a été donné dès l'enfance. Car
l'amitié spirituelle est la vertu et la science de Dieu, grâce
auxquelles nous nous lions d'amitié avec les saintes
puissances, s'il est vrai que les hommes qui se convertissent
deviennent cause de joie pour les anges [a]. Ainsi le Sauveur
appelle ses serviteurs amis [b], lorsqu'il les a jugés dignes de
recevoir une contemplation supérieure. Ainsi Abraham
qui s'est enrichi en science prépare cette table mystique
aux amis qui lui sont apparus en plein midi [c]. Saül est
même séparé « de l'ami qu'il a », à cause de sa malice,
car il est écrit : « Et l'Esprit de Dieu s'éloigna de Saül,
et un esprit malin venant du Seigneur le tourmentait [d]. »
Ici l'ange est appelé « esprit du Seigneur », car il est dit :
« Celui qui fait de ses anges des esprits et de ses serviteurs
un feu brûlant [e] ». Que les anges aient la charge des
hommes, le Seigneur l'enseigne dans les Évangiles lorsqu'il
dit : « Gardez-vous de mépriser aucun de ces petits, parce

οἱ ἄγγελοι αὐτῶν διὰ παντὸς βλέπουσι τὸ πρόσωπον τοῦ
20 πατρός μου τοῦ ἐν οὐρανοῖς ᶠ. » Καὶ πάλιν ὁ Ἰακώβ · « ὁ
ἄγγελος ὁ ῥυόμενός με ἀπὸ πάντων τῶν κακῶν ᵍ ». Καὶ ὁ
Ζαχαρίας · « καὶ εἶπεν ὁ ἄγγελος ὁ λαλῶν ἐν ἐμοί ʰ. »

f. Matth. 18, 10   g. Gen. 48, 16   h. Zach. 1, 9

21 πάντων Z Rahlfs : om. A.

PROCOPE : Ἡ καὶ οὕτως. Πλοῦτος γνώσεως καὶ σοφίας προστίθησιν
ἡμῖν ἀγγέλους πολλούς · ὁ δὲ ἀκάθαρτος καὶ ἀπὸ τοῦ ἐκ παιδὸς αὐτῷ
δοθέντος ἀγγέλου χωρίζεται. Ἡ γὰρ πνευματικὴ φιλία ἐστὶν ἀρετὴ
καὶ γνῶσις, δι' ὧν συναπτόμεθα πρὸς φιλίαν ταῖς ἁγίαις δυνάμεσιν,
5 εἴγε οἱ μετανοοῦντες ἄνθρωποι χαρᾶς αἴτιοι γίνονται τοῖς ἀγγέλοις ᵃ.
Οὕτω καὶ ὁ σωτὴρ φίλους καλεῖ τοὺς ποτε δούλους ᵇ τῆς μείζονος
αὐτοὺς θεωρίας καταξιώσας. Οὕτω καὶ Ἀβραὰμ πλουτήσας ἐν γνώσει
τὴν μυστικὴν ἐκείνην παρατίθησι τράπεζαν τοῖς κατὰ τὴν μεσημβρίαν
φίλοις φανεῖσιν αὐτῷ ᶜ. Σαοὺλ δὲ καὶ ἀπὸ τοῦ ὑπάρχοντος φίλου διὰ
10 κακίαν χωρίζεται · γέγραπται γὰρ « καὶ ἀπέστη πνεῦμα ἀπὸ Σαοὺλ
καὶ πνεῦμα πονηρὸν ἀπὸ κυρίου ἔπνιγε τὸν Σαοὺλ ᵈ », πνεῦμα κυρίου
λέγων τὸν ἄγγελον · « ὁ ποιῶν γὰρ τοὺς ἀγγέλους αὐτοῦ πνεύματα ᵉ. »

IK MN. — Εὐαγρίου I M   Anon. K N. — 1 οὕτως IK M :
om. N ‖ 2-3 αὐτῷ δοθέντος I : ἀποδοθέντος K M δοθέντος N
‖ 4 συναπτόμεθα IK N : -πτώμεθα M ‖ δυνάμεσιν hic des.
MN ‖ 5 εἴγε I : οἴγε K ‖ 10 post πνεῦμα add. πονηρὸν K.

19, 5   < μάρτυς ψευδὴς οὐκ ἀτιμώρητος ἔσται ·
       ὁ δὲ ἐγκαλῶν ἀδίκως οὐ διαφεύξεται >

190. Ὅσοι τοὺς περὶ κρίσεως καὶ προνοίας ἀγνοοῦντες
λόγους τὸν δημιουργὸν βλασφημοῦσιν, οὗτοι ἐγκαλοῦσιν
ἀδίκως. Καὶ ὅσοι πάλιν ὑπὸ τῶν ἰδίων παθῶν ἐνοχλούμενοι
νομίζουσιν ἀκατόρθωτον εἶναι τὴν ἀρετήν, οὗτοι τῷ δεδωκότι
5 τὸν νόμον ἐγκαλοῦσιν ἀδίκως.

Adest in A.

PROCOPE : Οἱ τοὺς περὶ κρίσεως καὶ προνοίας ἀγνοοῦντες λόγους

IK MN. — Εὐαγρίου I   Anon. K MN.

que leurs anges voient continuellement la face de mon Père
qui est aux cieux [f]. » Et Jacob dit encore : « L'ange qui
me délivre de tous les maux [g] ». Et Zacharie : « Et l'ange
qui parle en moi a dit [h]. »

Sur la science considérée comme richesse de l'âme, voir la scholie
155 (texte et note), et sur l'amitié spirituelle, l'Introduction, p. 53-54.
L'essentiel de cette scholie est consacré aux anges et en particulier
à l'ange gardien. ORIGÈNE avait déjà affirmé, en *De princ.* II, 10, 7,
que l'on pouvait être séparé de son ange gardien : « ... puisque, est-il
dit, un ange est aux côtés de chaque fidèle, y compris ' du plus petit
dans l'Église ' (*Matth.* 18, 10), un ange dont le sauveur affirme qu'[u] il
voit toujours la face de Dieu le Père ' *(ibid.)*, on peut dire que cet
ange de Dieu, qui n'était qu'un seul être avec celui qu'il assistait,
est enlevé par Dieu à ce dernier, si celui-ci devient indigne par sa
désobéissance » (trad. Harl-Dorival-Le Boulluec, *Études Aug.*). Sur
la doctrine de l'ange gardien chez Origène et son origine, voir
J. DANIÉLOU, *Origène*, Paris 1948, p. 235-242.

19, 5 *Le faux témoin ne sera pas impuni,*
et celui qui accuse à tort n'échappera pas

190. Ceux qui blasphèment contre le Créateur, parce
qu'ils ignorent les raisons qui concernent le jugement et
la providence, ceux-là « l'accusent à tort ». Et encore,
ceux qui, parce qu'ils sont tourmentés par leurs propres
passions, pensent que la vertu ne peut être atteinte
« accusent à tort » celui qui a donné la loi.

τὸν δημιουργὸν βλασφημοῦσιν ἀδίκως. Καὶ ὅσοι πάλιν ὑπὸ τῶν ἰδίων παθῶν ἐνοχλούμενοι νομίζουσιν ἀκατόρθωτον εἶναι τὴν ἀρετήν, οὗτοι τῷ δεδωκότι τὸν νόμον ἐγκαλοῦσιν ἀδίκως.

Lignes 1-3. La première accusation est portée contre le Dieu créateur. Ce blasphème consiste à nier que les natures raisonnables ont été réparties, à la suite de leur déchéance, dans des mondes et des corps variés par un dessein providentiel de Dieu, en vue de leur propre salut. Cf. *KG* IV, 60 : « A ceux qui blasphèment contre le Créateur et parlent mal de ce corps de notre âme, qui montrera la grâce qu'ils ont reçue, alors qu'ils sont passibles, d'avoir été joints à un tel *organon* ?... » (trad. A. Guillaumont). Pour d'autres exemples

---

19, 7 ³⁻⁴ < ἔννοια ἀγαθὴ τοῖς εἰδόσιν αὐτὴν ἐγγιεῖ ·
ἀνὴρ δὲ φρόνιμος εὑρήσει αὐτήν >

191. Τὴν τοῦ θεοῦ γνῶσιν νῦν ὠνόμασεν ἔννοιαν καὶ τοὺς εἰδότας αὐτὴν τοὺς καθαροὺς τῇ καρδίᾳ ᵃ.

a. Cf. Matth. 5, 8
Adest in A.

Procope : Θεοῦ γὰρ εὑρήσει γνῶσιν ὁ καθαρὸς τῇ καρδίᾳ ᵃ.

IK MN. — Anon. — εὑρήσει γνῶσιν IK M : γνῶσιν εὑρήσει N.

19, 7 ⁵⁻⁶ < ὁ πολλὰ κακοποιῶν τελεσιουργεῖ κακίαν ·
ὃς δὲ ἐρεθίζει λόγους οὐ σωθήσεται >

192. Οἱ ἐμπαθεῖς λογισμοὶ ἐρεθίζουσι τὴν ψυχὴν πρὸς κακίαν.

Adest in A.

Procope : Καὶ ἄλλως. Οἱ ἐμπαθεῖς λογισμοὶ πρὸς κακίαν ἐρεθίζουσι τὴν ψυχήν.

IK MN. — Anon. — 1 Καὶ ἄλλως IK M : om. N.

de blasphèmes, voir A. et Cl. GUILLAUMONT, *Traité pratique*, p. 603-605, notes au ch. 46.

Lignes 3-5. La seconde accusation vise le Dieu législateur ; elle insinue que les commandements de la loi sont au-dessus des forces humaines et que la vertu est inaccessible. Or la vertu n'est pas ἀκατόρθωτος, mais seulement δυσκατόρθωτος, comme il est dit dans *Exhortation* I, 14 (n° 8 de l'éd. Muyldermans, p. 201). Le participe ἐνοχλούμενοι se trouve en *Lc* 6, 18 : οἱ ἐνοχλούμενοι ἀπὸ πνευμάτων ἀκαθάρτων. Évagre se sert souvent de la forme simple ou des formes composées de ce verbe : cf. ὀχλεῖσθαι dans *Pratique* 68, ἐνοχλεῖσθαι dans *Pensées* (recension longue, éd. Muyldermans, p. 47), παρενοχλεῖσθαι dans *Pensées* 13 (*PG* 79, 1216 A).

19, 7 [3-4] *Une bonne pensée s'approchera de ceux qui la connaissent,*
et l'homme avisé la trouvera

191. Maintenant il a nommé « pensée » la science de Dieu, et « ceux qui la connaissent » sont ceux qui ont le cœur pur [a].

19, 7 [5-6] *Celui qui fait beaucoup de mal ira jusqu'au bout de sa malice,*
et celui qui a des paroles provocantes ne sera pas sauvé

192. Les pensées passionnées « provoquent » l'âme à faire le mal.

19, 10 ¹ < οὐ συμφέρει ἄφρονι τρυφή >

193. Οὔτε ἡ νοητὴ τρυφὴ οὔτε ἡ αἰσθητὴ συμφέρει τῷ ἄφρονι. Τὴν μὲν γὰρ καταπατήσει τοῖς ποσί, χοῖρος ᵃ φιλήδονος ὤν · ὑπὸ δὲ τῆς αἰσθητῆς τρυφῆς ἡ σάρξ αὐτοῦ κινηθήσεται.

a. Cf. Matth. 7, 6
Adest in A.

PROCOPE [IK] (?) : Τῷ μὴ εἰδότι χρῆσθαι καλῶς, οὐδὲ ἡ τρυφὴ συμφέρει.

IK. — Anon.

PROCOPE [MN] (?) : Οὔτε ἡ κατὰ ψυχὴν οὔτε ἡ κατὰ σῶμα.

MN. — Anon. — Ante σῶμα add. τὸ M.

19, 11 < ἐλεήμων ἀνὴρ μακροθυμεῖ ·
τὸ δὲ καύχημα αὐτοῦ ἐπέρχεται παρανόμοις >

194. Εἰ ὁ καυχώμενος ὀρθῶς ἐν κυρίῳ καυχᾶται ᵃ, ὁ δὲ κύριος ἡμῶν σοφία ἐστίν ᵇ, ὁ καυχώμενος ἄρα ὀρθῶς ἐν σοφίᾳ καυχᾶται. Τὸ καύχημα τοίνυν τοῦ μακροθύμου καὶ ἐλεήμονος, ὅπερ ἐστὶν ἡ σοφία καὶ ἡ γνῶσις αὐτοῦ, 5 ἐπέρχεται τοῖς παρανόμοις, ἀπαλλάττον αὐτοὺς τῆς κακίας νῦν μὲν ἐνδεχομένως, ἀναγκαίως δὲ ἐν τῷ αἰῶνι τῷ μέλλοντι.

a. Cf. I Cor. 1, 31 et II Cor. 10, 17   b. Cf. I Cor. 1, 24
A. — 2 ἄρα IKMN Tisch. : ἄρα A.

PROCOPE : Εἰ ὁ καυχώμενος ὀρθῶς ἐν κυρίῳ καυχᾶται ᵃ, ὁ δὲ κύριος ἡμῶν σοφία ἐστίν ᵇ, ὁ καυχώμενος ἄρα ὀρθῶς ἐν σοφίᾳ καυχᾶται. Τὸ καύχημα τοίνυν τοῦ μακροθύμου καὶ ἐλεήμονος, ὅπερ ἐστὶν ἡ σοφία καὶ ἡ γνῶσις αὐτοῦ, ἐπέρχεται τοῖς παρανόμοις, ἀπαλλάττον

IK MN. — Anon. — 1-2 ὁ δὲ — ἐστίν IK : ὅστις ἐστὶ σοφία MN ‖ 3 ὅπερ ἐστὶν IK M : om. N ‖ 4 ἀπαλλάττον I : -ττων K MN.

19, 10 [1]   *Les délices ne sont pas utiles à l'insensé*

193. Ni « les délices » spirituelles, ni « les délices » corporelles « ne sont utiles à l'insensé », car il piétinera les unes, parce qu'il est un porc [a] ami des plaisirs, et sa chair sera excitée par les autres, « les délices » corporelles.

19, 11 *L'homme miséricordieux est longanime,*
et sa gloire s'abat sur les iniques

194. Si celui qui se glorifie comme il faut se glorifie du Seigneur [a] et que notre Seigneur soit la sagesse [b], celui qui se glorifie comme il faut se glorifie donc de la sagesse. Par conséquent, la « gloire » de l'homme « longanime » et « miséricordieux », c'est-à-dire sa sagesse et sa science, « s'abat sur les iniques » en les délivrant de la malice, maintenant dans la mesure du possible, mais de façon nécessaire dans le siècle à venir.

Le texte de *I Cor.* 1, 31 sur la bonne manière de se glorifier est également cité dans les scholies 7 *ad Ps.* 31, 11 ; 1 *ad Ps.* 51, 3 ; 25 *ad Ps.* 105, 47. La fin de la scholie revient sur le thème de la destruction de la malice : voir l'Introduction, p. 49-50. L'adverbe ἐνδεχομένως se retrouve dans *Gnostique* 33 (texte grec conservé dans le ms. *Vatopédi 57*, f. 149r).

5 αὐτοὺς τῆς κακίας νῦν μὲν ἐνδεχομένως, ἀναγκαίως δὲ ἐν τῷ αἰῶνι τῷ
μέλλοντι.

5-6 ἐν τῷ αἰῶνι τῷ μέλλοντι IK M : ἐν τῷ μέλλοντι αἰῶνι N.

19, 12 < βασιλέως ἀπειλὴ ὁμοία βρυγμῷ λέοντος ·
ὥσπερ δὲ δρόσος ἐπί χόρτῳ, οὕτως τὸ ἱλαρὸν
αὐτοῦ >

195. Ὁ κύριος ἡμῶν πῦρ μὲν καταναλίσκον [a] καὶ λέων
ὀργιζόμενος γίνεται πρὸς τοὺς ἁμαρτάνοντας, κατακαίων
ξύλα, χόρτον, καλάμην [b] καὶ τὴν σάρκα τὴν στρατευομένην
κατὰ τοῦ πνεύματος [c] ἀναλίσκων · φῶς δὲ καὶ δρόσος πρὸς
5 τοὺς κατορθοῦντας, δεικνὺς αὐτοῖς τῶν γεγονότων τοὺς
λόγους καὶ κατασβεννύων τὰ πεπυρωμένα βέλη τοῦ πονηροῦ [d]
καὶ περιψύχων τὸν ἐκ τῆς πρακτικῆς συμβαίνοντα καύσωνα.

a. Cf. Hébr. 12, 29   b. Cf. I Cor. 3, 12   c. Cf. Gal. 5, 17
d. Cf. Éphés. 6, 16

A. — 5 γεγονότων Z Tisch. : γεγονότω A ‖ 7 περιψύχων
Z Tisch. : περὶ ψύχων A.

Nouvelle mention des *épinoiai* du Christ. Le bois, le foin et la
paille, ce sont les vices détruits par le feu purificateur que le Christ
est venu jeter sur terre (cf. *Lc* 12, 49 cité dans la scholie 278). Cf.
Origène, *De princ.* II, 10, 4 : « La nourriture et l'aliment de ce feu
sont nos péchés, que l'apôtre Paul a appelés ' bois, foin et paille ' »
(trad. Harl-Dorival-Le Boulluec, *Études Aug.*) ; et Évagre, schol. 5
ad Ps. 17, 8-9 : « Et devant sa face brûle un feu qui consume entièrement le bois, le foin et la paille, c'est-à-dire qui dévore les états
mauvais (τὰς ἕξεις... μοχθηράς)... » (*Vaticanus 754*, f. 63ᵛ : collation
M.-J. Rondeau) ; schol. 6 *ad Ps.* 139, 11 : « Ce feu avec les charbons
consume entièrement le bois, le foin et la paille, en dévorant les
états mauvais » (*Vaticanus 754*, f. 338ᵛ : collation M.-J. Rondeau).

19, 12 *La menace du roi ressemble au rugissement du lion,
mais sa gaieté est comme la rosée sur l'herbe*

195. Notre Seigneur se fait feu dévorant [a] et « lion »
furieux pour les pécheurs, en consumant entièrement le
bois, le foin et la paille [b] et en faisant périr la chair qui
lutte contre l'Esprit [c]. Mais il se fait lumière et « rosée »
pour les vertueux, en leur montrant les raisons des êtres,
en éteignant les traits enflammés du malin [d] et en mettant
un terme à la forte chaleur qui résulte de la pratique.

Le Christ donne à ceux qui ont pratiqué les vertus la lumière de la
contemplation naturelle (cf. les *logoi* des êtres) ; il atténue les effets
des mauvaises pensées (les traits enflammés du malin : cf. schol. 78)
et allège les fatigues de la *praktikè* (cf. schol. 308 et schol. 3 ter
ad Ps. 126, 2 : « ... Car seule la science de Dieu dissipe la fatigue de
la pratique » [*Vaticanus 754*, f. 319ᵛ : collation M.-J. Rondeau]).
Le mot καύσων renvoie sans doute au passage de *Gen.* 31, 40, dans
lequel Jacob, qui garde les troupeaux de Laban, dit : « J'étais brûlé
par l'ardeur (καύσωνι dans le codex *Alexandrinus*) du jour. » Dans
le traité *Des diverses mauvaises pensées* où il commente ce texte
de la *Genèse*, Évagre voit en effet en Jacob le prototype du moine
pratique qui le jour garde ses pensées et la nuit veille, afin d'échapper
aux images pernicieuses des rêves (cf. *PG* 79, 1220 D - 1221 A).
Mettant un terme à la forte chaleur (περιψύχων τὸν... καύσωνα) :
littéralement refroidissant la forte chaleur ; expressions identiques
dans la scholie 308 et la *Lettre* 37 : « La lettre de ta Prudence a mis
un terme à la forte chaleur qui nous était arrivée à la suite des
labeurs » (p. 590, l. 14-15).

19, 13 ² < οὐχ ἁγναὶ εὐχαὶ ἀπὸ μισθώματος ἑταίρας >

196. Τὴν ἀκάθαρτον ψυχὴν ἑταίραν ὠνόμασεν καὶ ταύτης
τὸ μίσθωμα τὴν κατάστασιν εἴρηκεν, ἀφ' ἧς οὐ καθαραὶ
γίνονται προσευχαί.

Adest in A.

PROCOPE : Ἑταίρα ἡ ἀκάθαρτος ψυχὴ καὶ μίσθωμα ἡ ταύτης
κατάστασις.

IK MN. — Anon.

19, 14 < οἶκον καὶ ὕπαρξιν μεριοῦσι πατέρες παισίν ·
παρὰ δὲ κυρίου ἁρμόζεται γυνὴ ἀνδρί >

197. Τὸ μὲν διδάσκειν τοὺς υἱοὺς περὶ ἀρετῆς καὶ γνώσεως
θεοῦ τῶν πατέρων ἐστίν · τὸ δὲ σοφίαν δοῦναι τοῖς παισὶ
τοῦ κυρίου ἐστίν. Γυναῖκα γὰρ ἐνταῦθα τὴν σοφίαν λέγει ·
« ἐράσθητι γάρ, φησί, τῆς σοφίας καὶ τηρήσει σε · τίμησον
5 αὐτήν, ἵνα σε περιλάβῃ ᵃ. »

a. Prov. 4, 6.8

A. — 2 τῶν IKMN Z : om. A.

PROCOPE : Τὸ μὲν διδάσκειν τοὺς υἱοὺς περὶ ἀρετῆς καὶ γνώσεως
θεοῦ τῶν πατέρων ἐστί · τὸ δὲ σοφίαν αὐτοῖς δοῦναι τοῦ κυρίου ἐστίν.
Γυναῖκα γὰρ ἐνταῦθα τὴν σοφίαν λέγει · « ἐράσθητι γὰρ αὐτῆς », λέγει
δὲ σοφίας, « καὶ τηρήσει σε · τίμησον αὐτήν, ἵνα σε περιλάβῃ ᵃ. »

IK MN. — Anon. — 2 ἐστίν IK M : om. N ‖ 3 λέγει¹ IK :
νόει sic des. MN.

19, 16 < ὃς φυλάσσει ἐντολὴν τηρεῖ τὴν ἑαυτοῦ ψυχήν ·
ὁ δὲ καταφρονῶν τῶν ἑαυτοῦ ὁδῶν ἀπολεῖται >

19, 13 [2] *Et les prières faites avec le salaire de la courtisane
ne sont pas chastes*

196. Il a nommé « courtisane » l'âme impure; son
« salaire », c'est l'état qui est le sien, d'où proviennent des
prières qui ne sont pas pures.

19, 14 *Les pères partageront entre leurs enfants maisons
et biens,
mais c'est le Seigneur qui unit la femme à son mari*

197. Enseigner aux fils la vertu et la science de Dieu
revient aux « pères », mais donner aux « enfants » la sagesse
revient au « Seigneur ». Il appelle en effet ici « femme »
la sagesse, car il est dit : « Éprends-toi de la sagesse, et
elle te gardera; honore-la, afin qu'elle t'entoure de ses
bras[a]. »

Lignes 1-3. La sagesse est le terme générique qui recouvre la vertu
et la science précédemment nommées. Évagre prend soin de souligner
que le don de la sagesse est une prérogative du seul Seigneur ; les
maîtres spirituels servent seulement de médiateurs.

Lignes 3-5. Sur la sagesse-épouse, voir la scholie 64.

19, 16 *Celui qui observe le commandement garde sa propre
âme,
mais celui qui méprise ses propres voies périra*

198. Αἱ ἐντολαὶ ὡς πρὸς μὲν τὸν ἐντειλάμενον θεὸν καλοῦνται ἐντολαί · ὡς δὲ πρὸς τὸν ὁδεύοντα νοῦν ἐν αὐταῖς καλοῦνται ὁδοί. Καὶ πάλιν ἐπειδὴ ἐπὶ μαρτύρων οὐρανοῦ καὶ γῆς ἐδόθησαν [a], αἱ ἐντολαὶ λέγονται μαρτύρια · διὸ 5 καὶ ὁ δεξάμενος αὐτὰ νοῦς ὀνομάζεται μάρτυς, ὅστις ψευσάμενος αὐτὰ οὐκ ἀτιμώρητος ἔσται [b].

a. Cf. Deut. 4, 26   b. Cf. Prov. 19, 5.9

AB. — 1 μὲν ante πρὸς transp. B ‖ 4 αἱ A : om. B.

PROCOPE : Αἱ δὲ αὐταὶ λέγονται ἐντολαὶ μὲν ὡς πρὸς τὸν ἐντειλάμενον, ὁδοὶ δὲ ὡς πρὸς τὸν ὁδεύοντα νοῦν · ὡς δὲ ἐπ' οὐρανοῦ καὶ γῆς
δοθεῖσαι [a] μαρτυρίαι. Ὅθεν ὁ δεξάμενος αὐτὰς νοῦς ὀνομάζεται μάρτυς,
ὅστις ψευσάμενος οὐκ ἀτιμώρητος ἔσται [b].

IK MN. — Εὐαγρίου I M   Anon. K N. — 1 δὲ post αὐταὶ
transp. N.

19, 17 < δανίζει θεῷ ὁ ἐλεῶν πτωχόν ·
         κατὰ δὲ τὸ δόμα αὐτοῦ ἀνταποδώσει αὐτῷ >

199. Δόμα νῦν τὴν καθαρότητα τῆς καρδίας ὠνόμασεν ·
κατ' ἀναλογίαν γὰρ τῆς ἀπαθείας ἡμῶν καταξιούμεθα
γνώσεως.

Adest in A.

19, 19 < κακόφρων ἀνὴρ πολλὰ ζημιωθήσεται ·
         ἐὰν δὲ λοιμεύηται, καὶ τὴν ψυχὴν αὐτοῦ προσ-
         θήσει >

200. Ἐγὼ νομίζω τὴν μὲν πολλὴν ζημίαν στέρησιν
περιέχειν τῆς θεωρίας τῶν γεγονότων, τὴν δὲ προσθήκην
τῆς ψυχῆς ἀφανισμὸν τῶν φυσικῶν περὶ θεοῦ ἐννοιῶν,
παντάπασιν αὐτῆς εἰς ἀλογίαν περιπεσούσης. Καὶ ὁ σωτὴρ

Adest in A.

198. Les commandements sont appelés « commandements », puisque Dieu a donné des commandements, et
« voies », puisque l'intellect suit la voie qu'ils tracent. Et
ils sont encore appelés « témoignages », puisqu'ils ont été
donnés en prenant à témoin le ciel et la terre [a]. Voilà
pourquoi l'intellect qui les reçoit est nommé « témoin »;
s'il fait à leur propos un faux témoignage, il ne sera pas
impuni [b].

Dans les scholies 140 et 147, Évagre avait déjà noté que les commandements étaient appelés « réprimandes ». En disant ici qu'ils sont
appelés « commandements », « voies » ou « témoignages », il s'est
peut-être souvenu des diverses dénominations de la loi dans le
psaume 118 et des considérations qu'elles ont inspirées à Origène
(cf. Harl, Chaîne palestinienne, Introd., p. 125-127, et Texte, p. 192-
193).

19, 17 *Celui qui a pitié du pauvre prête à Dieu,*
et Dieu le rétribuera à la mesure de son don

199. Maintenant il a nommé « don » la pureté du cœur,
car c'est en proportion de notre impassibilité que nous
sommes jugés dignes de recevoir la science.

Cf. schol. 184 et 239.

19, 19 *L'homme à l'esprit méchant subira un grave pré-*
judice,
et s'il fait ce qui est funeste, il ajoutera aussi son
âme

200. Selon moi, ce « grave préjudice » comprend la privation de la contemplation des êtres, « l'ajout de l'âme »
l'anéantissement des notions naturelles qu'il a de Dieu,
car son âme est tombée dans la plus totale folie. Et le

5 δὲ ἐν τοῖς εὐαγγελίοις φησίν · « τί ὠφεληθήσεται ἄνθρωπος,
ἐὰν τὸν κόσμον ὅλον κερδήσῃ, τὴν δὲ ψυχὴν αὐτοῦ » ἀπολέσῃ
καὶ « ζημιωθῇ ᵃ ». 'Αλλ' ἐνταῦθα μὲν ἡ ἀπώλεια τὴν
ἄγνοιαν σωμάτων καὶ ἀσωμάτων ἐμφαίνει · ἡ δὲ ζημία
τὴν ἐσχάτην ἀλογίαν παρίστησιν.

a. Matth. 16, 26

PROCOPE : Μήποτε δὲ ἡ μὲν πολλὴ ζημία στέρησίς ἐστι τῆς θεωρίας
τῶν γεγονότων, προσθήκη δὲ ψυχῆς ὁ ἀφανισμὸς τῶν περὶ θεοῦ
φυσικῶν ἐννοιῶν, παντάπασιν αὐτῆς εἰς ἀλογίαν καταπεσούσης. Καὶ
ὁ σωτὴρ δὲ ἐν εὐαγγελίοις ἔφη · « τί ὠφεληθήσεται ἄνθρωπος, ἐὰν
5 τὸν κόσμον ὅλον κερδήσῃ, τὴν δὲ ψυχὴν αὐτοῦ ζημιωθῇ ᵃ » ἢ ἀπολέσῃ.
'Αλλ' ἐνταῦθα μὲν ἡ ἀπώλεια τὴν ἄγνοιαν τῶν σωμάτων καὶ ἀσωμάτων
ἐμφαίνει · ἡ δὲ ζημία τὴν ἐσχάτην ἀλογίαν παρίστησιν.

IK MN. — Εὐαγρίου I Διδύμου M Anon. K N. — 3
καταπεσούσης hic des. MN ‖ 5 ἀπολέσῃ K : -σει I ‖ 6 ante
ἀσωμάτων add. τῶν K.

19, 20 < ἄκουε, υἱέ, παιδείαν πατρός σου,
        ἵνα σοφὸς γένῃ ἐπ' ἐσχάτων σου >

201. Μετὰ τὴν ὀρθὴν πολιτείαν ἐστὶν ἡ γνῶσις. Τὸ γὰρ
ἐπ' ἐσχάτων ἐνταῦθα οὐ τὸν χρόνον σημαίνει, ἀλλὰ τὴν
μετὰ τὰς πρακτικὰς ἀρετὰς καθαρότητα.

Adest in A.

PROCOPE : Μετὰ γὰρ τὴν ὀρθὴν πολιτείαν ἡ γνῶσις · οὐ χρονικὸν
γὰρ νῦν τὸ ἐπ' ἐσχάτων, ἀλλὰ δηλοῖ τὴν μετὰ τὰς πρακτικὰς ἀρετὰς
καθαρότητα.

IK MN. — Εὐαγρίου I M Anon. K N. — 1 Μετὰ —
γνῶσις IK M : om. N ‖ 2 γὰρ IK M : δὲ N ‖ νῦν IK : om. MN.

19, 23 < φόβος κυρίου εἰς ζωὴν ἀνδρί ·
        ὁ δὲ ἄφοβος αὐλισθήσεται ἐν τόποις οὗ οὐκ
        ἐπισκοπεῖται γνῶσις >

Sauveur dit dans les Évangiles : « Que servira-t-il à l'homme de gagner le monde entier, s'il perd son âme et lui cause un préjudice [a] ? » Mais dans ce dernier texte la « perte » indique l'ignorance des corps et des incorporels, et le « préjudice » montre l'extrême folie.

Évagre distingue deux degrés dans l'ignorance : l'un est la priva-tion de la contemplation naturelle (cf. στέρησις τῆς θεωρίας τῶν γεγονότων, et plus loin ἄγνοια σωμάτων καὶ ἀσωμάτων), l'autre est la perte des notions naturelles que tout homme a de Dieu (ἀφανισμὸς τῶν φυσικῶν περὶ θεοῦ ἐννοιῶν). On trouve une exégèse analogue de *Matth.* 16, 26 et *Lc* 9, 25 dans la *Lettre* 45 (p. 596, l. 21-23).

19, 20 *Écoute, mon fils, l'instruction de ton père,*
afin de devenir sage à la fin

201. La science vient après un genre de vie droit. Car ici les mots « à la fin » ne désignent pas le temps, mais la pureté qui vient après les vertus pratiques.

L'interprétation d'ἐπ' ἐσχάτων n'est pas sans rappeler celle qu'Origène donne des mots εἰς τέλος dans son *Hom. sur la Genèse* XV, 6 : « ' Je t'en ferai revenir à la fin (*Gen.* 46, 4) '. La fin, en effet, s'entend de la perfection des choses et de la consommation des vertus » (trad. Doutreleau, *SC* 7 bis). Nous avons déjà vu dans la scholie 122 que la vieillesse d'Abraham était un symbole de perfection.

19, 23 *La crainte du Seigneur conduit l'homme à la vie,*
mais celui qui n'a pas cette crainte demeurera dans
des lieux où l'on ne remarque pas la science

202. Εἰ « φόβος κυρίου εἰς ζωὴν ἀνδρί », « φόβος δὲ κυρίου παιδεία καὶ σοφία [a] », ζωὴ τοῦ ἀνδρὸς παιδεία ἐστὶ καὶ σοφία. Ἀλλ' ὁ Χριστὸς λέγει · « ἐγώ εἰμι ἡ ζωή [b] » · ὁ Χριστὸς ἄρα ἐστὶν παιδεία καὶ σοφία. Τὸ οὖν « γνῶναι
5 παιδείαν καὶ σοφίαν [c] » γνῶναί ἐστιν τὸν Χριστόν. Ὁ οὖν ἄφοβος ἔσται ἐν κακίᾳ καὶ ἀγνωσίᾳ, ἐν αἷς οὐκ ἔστιν Χριστός.

a. Prov. 15, 33   b. Cf. Jn 11, 25 ; 14, 6   c. Prov. 1, 2

A. — 3 ὁ Α : om. Tisch. ‖ 4 ἄρα Ζ Tisch. : ἄρα Α.

PROCOPE : Εἰ « φόβος κυρίου εἰς ζωὴν ἀνδρί », « φόβος δὲ κυρίου παιδεία καὶ σοφία [a] », ἡ ζωὴ τοῦ ἀνδρὸς παιδεία ἐστὶ καὶ σοφία. Τὸ οὖν « γνῶναι παιδείαν καὶ σοφίαν [c] » γνῶναί ἐστι τὸν Χριστόν. Ὁ οὖν ἄφοβος ἔσται ἐν κακίᾳ καὶ ἀγνωσίᾳ, ἐν αἷς οὐκ ἔστι Χριστός.

ΙΚ ΜΝ. — Εὐαγρίου Ι Anon. Κ ΜΝ. — 2 ἐστὶ post σοφία[a] transp. Κ ‖ 4 ἔστι Ι ΜΝ : ἔσται Κ.

19, 24 < ὁ ἐγκρύπτων εἰς τὸν κόλπον αὐτοῦ χεῖρας ἀδίκως οὐδὲ τῷ στόματι οὐ μὴ προσαγάγῃ αὐτάς >

203. Ὁ μὴ ὀρθῶς βιοὺς κρύπτει ἐν τῇ ψυχῇ αὐτοῦ τὰς χεῖρας ἀδίκως, τὴν ἑαυτοῦ γῆν ἐργάσασθαι μὴ βουλόμενος μηδ' ἐμπλησθῆναι ἄρτων [a] · αἱ γὰρ πρακτικαὶ ἀρεταὶ χειρῶν ἐπέχουσι λόγον, τὸν ἄρτον τῷ στόματι ἡμῶν προσφέ-
5 ρουσαι τὸν ἀπὸ τῶν οὐρανῶν καταβάντα καὶ ζωὴν διδόντα τῷ κόσμῳ [b].

a. Cf. Prov. 12, 11 ; 28, 19   b. Cf. Jn 6, 33

A. — 5 διδόντα ΙΚΜ Ζ : διδοῦντα Α.

PROCOPE : Ὁ μὴ ὀρθῶς βιοὺς κρύπτει ἐν τῇ ψυχῇ αὐτοῦ τὰς χεῖρας ἀδίκως, τὴν ἑαυτοῦ γῆν ἐργάσασθαι μὴ βουλόμενος μηδὲ ἐμπλησθῆναι ἄρτων [a] · αἱ γὰρ πρακτικαὶ ἀρεταὶ χειρῶν ἐπέχουσιν λόγον, τὸν ἄρτον τῷ στόματι ἡμῶν προσφέρουσαι τὸν ἀπὸ τῶν οὐρανῶν καταβάντα
5 καὶ ζωὴν τῷ κόσμῳ διδόντα [b].

ΙΚ ΜΝ. — <Εὐαγρίου> Ι Anon. Κ ΜΝ. — 1 αὐτοῦ ΙΚ Ν : om. Μ ‖ 2 τὴν — βουλόμενος ΙΚ Μ : μὴ βουλόμενος ἐργάσασθαι τὴν ἑαυτοῦ γῆν Ν ‖ 4 τῷ ΙΚ Ν : τὸ Μ ‖ ἀπὸ τῶν οὐρανῶν ΙΚ : ἀπ' οὐρανῶν Ν ἀπ' οὐρανὸν Μ ‖ καταβάντα hic des. Ν.

202. Si « la crainte du Seigneur conduit l'homme à la vie »
et si « la crainte du Seigneur est l'instruction et la sagesse [a] »,
la « vie de l'homme », c'est l'instruction et la sagesse. Mais
puisque le Christ a dit : « Je suis la vie [b] », le Christ est donc
l'instruction et la sagesse. Par conséquent, « connaître
l'instruction et la sagesse [c] », c'est connaître le Christ;
« celui qui n'a pas la crainte du Seigneur » sera dans
la malice et l'ignorance, là où le Christ n'est pas.

19, 24 *Celui qui cache dans son sein ses mains injustement,*
ne les portera pas non plus à sa bouche

203. Celui qui ne vit pas avec droiture « cache injustement ses mains » dans son âme; il ne veut ni cultiver sa
propre terre ni se rassasier de pain [a]. Car les vertus
pratiques correspondent aux mains, ce sont elles qui
présentent à notre bouche le pain descendu des cieux
pour donner la vie au monde [b].

Celui qui ne met pas en pratique les vertus et les commandements
ne peut pas se nourrir du pain de la science. Sur le symbolisme des
mains, voir aussi schol. *ad Eccl.* 4, 5 : « Si les mains sont le symbole
de l'activité pratique, celui qui ne met pas en pratique la justice se
cache les mains... » (*Coislin 193*, f. 22ʳ).

19, 26 < ὁ ἀτιμάζων πατέρα καὶ ἀπωθούμενος μητέρα αὐτοῦ
καταισχυνθήσεται καὶ ἐπονείδιστος ἔσται >

204. Διὰ τῆς παραβάσεως τοῦ νόμου τὸν θεὸν ἀτιμάζει ᵃ
καὶ τὴν μητέρα δὲ ἀπωθεῖται, ἥτις ἐστὶν ἡ παιδεία, εἴπερ
« ἀνὴρ δίκαιος γεννᾶται εἰς ζωήν ᵇ ». Ἡ δὲ δικαιοσύνη
ἀπὸ πασῶν συνίσταται τῶν ἀρετῶν.

a. Cf. Rom. 2, 23   b. Prov. 11, 19
Adest in A.

PROCOPE : Διὰ γὰρ τῆς παραβάσεως τοῦ νόμου τὸν θεὸν ἀτιμάζει ᵃ
καὶ τὴν μητέρα δὲ ἀπωθεῖται παιδείαν, εἴπερ « ἀνὴρ δίκαιος γεννᾶται
εἰς ζωήν ᵇ ». Ἡ δὲ δικαιοσύνη ἀπὸ πασῶν συνίσταται τῶν ἀρετῶν.

IK MN. — Anon. — 1 γὰρ IK M : om. N ‖ 3 πασῶν
K MN : σῶν I.

19, 27 < υἱὸς ἀπολειπόμενος φυλάξαι παιδείαν πατρὸς
μελετήσει ῥήσεις κακάς >

205. Οἱ ἀκάθαρτοι λογισμοὶ ῥήσεις εἰσὶ κακαὶ ἐν τῇ
ψυχῇ γεννώμεναι τοῦ μὴ τετηρηκότος τὰς ἐντολὰς τοῦ
ἐπουρανίου πατρός.

Adest in A.

PROCOPE : Ἀκαθάρτους ἐν τῇ ψυχῇ γεννᾷ λογισμοὺς ὁ μὴ τὰς
ἐντολὰς τηρῶν τοῦ ἐπὶ πάντων πατρός.

IK MN. — Anon. — 2 τοῦ K MN : om. I.

20, 1 ¹ < ἀκόλαστον οἶνος καὶ ὑβριστικὸν μέθη >

206. Εἰ « θυμὸς δρακόντων ὁ οἶνος αὐτῶν ᵃ », ἀκόλαστον
δὲ ὁ οἶνος, ἀκόλαστον ἄρα ὁ θυμός, ἀκολάστους τοὺς

a. Deut. 32, 33
A. — 2 ἄρα IKMN Z Tisch. : ἄρα A.

I9, 26 *Celui qui déshonore son père et repousse sa mère*
sera couvert de honte et s'attirera le blâme

204. En transgressant la loi, il déshonore Dieu [a] et en
outre « repousse sa mère », c'est-à-dire l'instruction, puisque
c'est « l'homme juste qui est enfanté à la vie [b] ». Or, la
justice se compose de toutes les vertus.

Nous avons vu au début de ces scholies qu'Évagre établissait une
correspondance entre *paideia* et *praktikè*. Leur but est l'acquisition
de la justice, considérée comme la somme des vertus ; cf. aussi
schol. 1 *ad Ps.* 30, 2 : « Maintenant il a employé le mot ' justice ',
puisque la justice est compréhensive (περιεκτική) de toutes les
vertus » (*Vaticanus 754*, f. 90ʳ : collation M.-J. Rondeau). Sur les
différentes conceptions de la justice présentes chez Évagre, voir
A. et Cl. GUILLAUMONT, *Traité pratique*, p. 687-688, note au ch. 89.

I9, 27 *Le fils qui cesse de garder l'instruction de son père*
méditera de mauvais discours

205. Les pensées impures sont « les mauvais discours »
qui naissent dans l'âme de celui qui n'a pas « gardé » les
commandements de son « Père » céleste.

20, 1 [1] *Le vin est chose intempérante et l'ivresse chose*
insolente

206. Si « la colère des dragons est leur vin [a] » et si « le
vin est chose intempérante », la colère est donc « chose
intempérante », en rendant les hommes intempérants,

ἀνθρώπους ποιῶν, καὶ ὑβριστικὸν ἡ ὀργή · αὕτη γὰρ ἡ
μέθη ἀπὸ ζέοντος τοῦ θυμοῦ πέφυκε γίνεσθαι. Εἰ δὲ οἴνου
5 οἱ ναζιραῖοι κατὰ τὸν νόμον ἀπέχονται ᵇ, θυμοῦ ἄρα τοὺς
ναζιραίους ἐκτὸς εἶναι νενομοθέτηται.

b. Cf. Nombr. 6, 3

3 αὕτη Tisch. : αὐτὴ A ‖ 5 οἱ K Z : om. A IMN ‖ ἄρα
IKMN Z Tisch. : ἄρα A.

PROCOPE : Εἰ δὲ « θυμὸς δρακόντων ὁ οἶνος αὐτῶν ᵃ », ἀκόλαστον
δὲ ὁ οἶνος, ἀκόλαστος ἄρα ὁ θυμός, ἀκολάστους ποιῶν τοὺς ἀνθρώπους,
καὶ ὑβριστικὸν ἡ ὀργή · γίνεται γὰρ ἀπὸ ζέοντος τοῦ θυμοῦ. Οἴνου
δὲ ἀπεχόμενοι ναζιραῖοι ᵇ ἐκτὸς εἶναι θυμοῦ προσετάττοντο.

IK MN. — Εὐαγρίου supra I   Anon. K MN. — 1 δὲ IK M :
om. N ‖ 2 ὁ¹ K MN : om. I ‖ 3 τοῦ MN : om. IK ‖ 4 ante
ναζιραῖοι add. οἱ K ‖ ναζιραῖοι IK : ναζηραῖοι M ναζωραῖοι N.

Évagre reprend ici, en l'amplifiant, le syllogisme de *KG* V, 44 :

20, 2 < οὐ διαφέρει ἀπειλὴ βασιλέως θυμοῦ λέοντος ·
ὁ δὲ παροξύνων αὐτὸν* ἁμαρτάνει εἰς τὴν
ἑαυτοῦ ψυχήν >

207. Ἐνταῦθα τὸν Χριστὸν ἄντικρυς εἴρηκε βασιλέα ·
ὁ γὰρ τοῦτον διὰ τῶν ἁμαρτιῶν παροξύνων ἁμαρτάνει εἰς
τὴν ἑαυτοῦ ψυχήν.

Adest in A.

PROCOPE : Τουτέστιν ὁ διὰ τῶν ἁμαρτιῶν παροξύνων Χριστόν.

IK MN. — <Εὐαγρίου> I   Anon. K MN. — 1 Τουτέστιν —
Χριστόν IK M : ἁμαρτάνει τις εἰς τὴν ἑαυτοῦ ψυχὴν παροξύνων
διὰ τῶν ἁμαρτιῶν τὸν Χριστόν N.

et l'emportement « chose insolente »; car cette « ivresse » provient du bouillonnement de la partie irascible. Et si les naziréens, conformément à la loi, s'abstiennent de vin **b**, la loi a donc ordonné aux naziréens d'être sans colère.

« Si ' la colère des dragons est du vin ' (*Deut.* 32, 33) et que les naziréens s'abstiennent de vin (cf. *Nombr.* 6, 3), les naziréens ont donc reçu l'ordre d'être sans colère » (trad. A. Guillaumont). Pareil rapprochement entre *Deut.* 32, 33 et *Nombr.* 6, 3 se trouve également en *Pensées* 5 (*PG* 79, 1205 C), qui contient un dossier de textes scripturaires et profanes dirigés contre la colère. Le verbe ζεῖν rappelle la définition aristotélicienne de la colère comme bouillonnement (ζέσις) de la partie irascible; sur ce sujet, voir A. et Cl. GUILLAUMONT, *Traité pratique*, p. 517-520, note au ch. 11. Il est à peine besoin d'ajouter que, pour notre auteur, les naziréens préfigurent naturellement les moines.

20, 2 *La menace du roi ne diffère pas de la colère du lion, et celui qui l'irrite pèche contre sa propre âme*

207. Ici il a sans détour appelé « roi » le Christ, car « celui qui l'irrite » par ses péchés « pèche contre sa propre âme ».

Lemme biblique. Il ressort de la scholie qu'Évagre lisait vraisemblablement αὐτόν et non ἑαυτόν, qui est la leçon de l'*Alexandrinus*.

20, 4 < ὀνειδιζόμενος ὀκνηρὸς οὐκ αἰσχύνεται ·
                  ὡσαύτως καὶ ὁ δανιζόμενος σῖτον ἐν ἀμήτῳ >

208. Εἰ ἔστιν ἐν ἀμήτῳ σῖτον δανείσασθαι, ἔστιν καὶ
ἐν τῷ αἰῶνι τῷ μέλλοντι νοητὸν σῖτον δανείσασθαι παρὰ
τῶν ἐργασαμένων ἐν τοῖς ἓξ ἔτεσι τὴν ἑαυτῶν γῆν καὶ
τρεφόντων ἐν τῷ ἑβδόμῳ ἔτει [a] χήρας καὶ ὀρφανούς.

a. Cf. Ex. 23, 10-11

A. — 4 χήρας Α : χήραν Tisch.

PROCOPE : Εἰ δὲ ἔστι σῖτον ἐν ἀμήτῳ δανείσασθαι, ἔστι καὶ ἐν
τῷ αἰῶνι τῷ μέλλοντι νοητὸν δανείσασθαι σῖτον παρὰ τῶν ἐργασαμένων τοῖς ἓξ ἔτεσι τὴν ἑαυτῶν γῆν καὶ τρεφόντων ἐν τῷ ἑβδόμῳ
ἔτει [a] χήρας καὶ ὀρφανούς.

IK MN. — Εὐαγρίου I M   Anon. K N. — 1-2 ἔστι[2] —
δανείσασθαι IK N : om. M ‖ ἐν τῷ αἰῶνι τῷ μέλλοντι IK :
ἐν τῷ μέλλοντι αἰῶνι N ‖ 3 ἑβδόμῳ K MN : ζ I ‖ 4 ἔτει IK :
om. MN.

Cf. *KG* V, 8 : « Ceux qui ont cultivé leur terre pendant les six
années de la *praktikè*, ceux-là nourriront les orphelins et les veuves
non pas dans la huitième année, mais dans la septième ; dans la
huitième année, en effet, il n'y a pas d'orphelins et de veuves »
(trad. A. Guillaumont). La même doctrine est exposée dans la

20, 7 < ὃς ἀναστρέφεται ἄμωμος ἐν δικαιοσύνῃ,
                  μακαρίους τοὺς παῖδας αὐτοῦ καταλείψει >

209. Οὓς κατ᾽ ἀρετὴν δηλονότι γεγέννηκεν.

Adest in A.

PROCOPE : Κατ᾽ ἀρετὴν γὰρ γεννηθέντες ὅμοιοι γενήσονται τῷ
πατρί.

IK MN. — Anon. — 1 γενήσονται IK M : ἔσονται N.

20, 4 *Le paresseux qu'on blâme n'a pas de honte,*
tout comme celui qui emprunte du blé en pleine
moisson

208. S'il est possible d'« emprunter du blé en pleine
moisson », il sera aussi possible dans le siècle à venir
d'« emprunter du blé » spirituel à ceux qui auront pendant
six années cultivé leur propre terre et qui nourriront la
septième année ᵃ les veuves et les orphelins.

Lettre 41 (p. 594, l. 8-13), avec référence à *Prov.* 20, 4. A travers le
symbolisme de l'année sabbatique, Évagre évoque le premier temps
de l'eschatologie. Les justes qui seront devenus des anges (cf.
Introduction, p. 49) viendront alors en aide à ceux qui seront
restés dans l'ignorance et la malice (les veuves et les orphelins) ;
la malice et l'ignorance finiront par disparaître totalement, et le
règne du Christ s'étendra à tous les êtres raisonnables. Après quoi,
ce sera la huitième année mentionnée par *KG* V, 8 ; le Christ remettra
son royaume au Père (cf. schol. 118), et les êtres raisonnables rede-
venus ce qu'ils étaient à l'origine, des intellects nus, jouiront à
nouveau de la science essentielle de Dieu, à égalité avec le Christ.
A noter qu'Évagre substitue fréquemment à ce symbolisme des
années un symbolisme des jours : aujourd'hui, demain et le troisième
jour (distinction qui s'inspire de *Lc* 13, 32 ; cf. *KG* I, 90 ; IV, 26) ;
vendredi, samedi, dimanche ; le sixième, le septième et le huitième
jour (cf. *KG* V, 83 ; VI, 7). Sur ce sujet, voir A. GUILLAUMONT,
Képhalaia gnostica, p. 238-239.

20, 7 *Celui qui vit de façon irréprochable dans la justice*
laissera ses enfants dans le bonheur

209. Ceux évidemment qu'il a engendrés dans la vertu.

20, 9a < κακολογοῦντος πατέρα ἢ μητέρα σβεσθήσεται
         λαμπτήρ ·
         αἱ δὲ κόραι τῶν ὀφθαλμῶν αὐτοῦ ὄψονται
         σκότος >

210. Δύναται ὁ αὐτὸς Χριστὸς κατ' ἐπίνοιαν καὶ πατὴρ
εἶναι καὶ μήτηρ · πατὴρ μὲν τῶν πνεῦμα ἐχόντων υἱοθεσίας [a],
μήτηρ δὲ τῶν δεομένων γάλακτος καὶ οὐ στερεᾶς τροφῆς [b].
Καὶ γὰρ ὁ ἐν Παύλῳ λαλῶν [c] Χριστὸς πατὴρ μὲν τῶν
5 Ἐφεσίων ἐγίνετο, σοφίας αὐτοῖς ἀποκαλύπτων μυστήρια [d],
μήτηρ δὲ Κορινθίων, γάλα ποτίζων αὐτούς [e].

a. Cf. Rom. 8, 15   b. Cf. Hébr. 5, 12   c. Cf. II Cor. 13, 3
d. Cf. Éphés. 3, 1-19   e. Cf. I Cor. 3, 2

A. — 3 οὐ στερεᾶς ΙΚΜΝ Ζ Tisch. : ὁ ὑστερεᾶς Α.

PROCOPE : Ἀλλὰ καὶ ὁ Χριστὸς πατὴρ μὲν τῶν ἐχόντων πνεῦμα
υἱοθεσίας [a], μήτηρ δὲ τῶν δεομένων γάλακτος καὶ οὐ στερεᾶς τροφῆς [b],
ἐπεὶ καὶ Παῦλος πατὴρ μὲν Ἐφεσίων ἐγίνετο, σοφίας αὐτοῖς ἀποκαλύπτων μυστήρια [d], μήτηρ δὲ Κορινθίων, γάλα ποτίζων αὐτούς [e].

ΙΚ ΜΝ. — Εὐαγρίου Ι Μ Anon. Κ Ν. — 1 Ἀλλὰ καὶ
ὁ Χριστὸς ΙΚ : καὶ ὁ Χριστὸς δὲ Μ καὶ ὁ Χριστὸς Ν ‖ μὲν
ΙΚ Μ : om. Ν ‖ 3 ante Παῦλος add. ὁ Κ ‖ ἐγίνετο Ι Μ :
ἐγένετο Κ Ν ‖ 3-4 σοφίας — μυστήρια ΙΚ Μ : om. Ν.

20, 9b < μερὶς ἐπισπουδαζομένη ἐν πρώτοις,
         ἐν τοῖς τελευταίοις οὐκ εὐλογηθήσεται >

211. « Ἡ πρὸς καιρὸν λιπαίνει » μερὶς « σὸν φάρυγγα ·
ὕστερον μέντοι πικρότερον χολῆς εὑρήσεις [a] ».

a. Prov. 5, 3-4

Adest in A.

20, 9a *Le flambeau de celui qui décrie son père ou sa mère*
s'éteindra,
et les prunelles de ses yeux verront les ténèbres

210. Le même Christ peut selon le point de vue adopté
être « père » et « mère » : il est le « père » de ceux qui possèdent l'esprit de filiation adoptive [a], la « mère » de ceux
qui ont besoin de lait et non de nourriture solide [b]. En
effet le Christ qui parlait en Paul [c] devenait le « père » des
Éphésiens, en leur révélant les mystères de la sagesse [d],
et la « mère » des Corinthiens, en leur donnant à boire du
lait [e].

Nouvelle mention des *épinoiai* du Christ (voir l'Introduction,
p. 51-52). Le mot ἐπίνοια qui apparaît ici se retrouve dans plusieurs
autres textes : schol. 3 *ad Ps.* 105, 5 ; 9 *ad Ps.* 106, 20 ; 4 *ad Ps.* 135,
23 ; 13 *ad Ps.* 138, 23 ; *Lettre sur la sainte Trinité* (Ps.-Basile,
Lettre 8, 7, l. 6, 16, 30, 44 ; 8, l. 8). Sur l'esprit de filiation adoptive,
voir la scholie 78 (texte et note), et sur le symbolisme des nourritures,
les scholies 103, 107 et 153.

20, 9b *La portion d'abord avalée en hâte*
ne sera finalement pas bénie

211. Cette « portion » « te graisse un moment la gorge,
mais en définitive tu trouveras cela plus amer que le fiel [a] ».

Cf. schol. 55.

20, 9c < μὴ εἴπῃς · τίσομαι τὸν ἐχθρόν ·
       ἀλλὰ ὑπόμεινον τὸν κύριον, ἵνα σοι βοηθήσῃ >

212. Μὴ εἴπῃς καθ᾽ ὑπερηφανίαν κινούμενος · ἐγὼ μόνος
τοῖς ἐχθροῖς πολεμήσω · ἀλλ᾽ ὑπόμεινον τὸν κύριον, ἵνα
σοι βοηθήσῃ. Καὶ ὁ Δαυίδ φησιν · « οὐκ ἐπὶ τῷ τόξῳ μου
ἐλπιῶ καὶ ἡ ῥομφαία μου οὐ σώσει με ᵃ. » Καὶ πάλιν ·
5 « ψευδὴς ἵππος εἰς σωτηρίαν ᵇ » καὶ « ἐὰν μὴ κύριος
οἰκοδομήσῃ οἶκον καὶ φυλάξῃ πόλιν ᶜ ».

a. Ps. 43, 7   b. Ps. 32, 17   c. Ps. 126, 1

Adest in A.

PROCOPE : Λέγει καὶ ὁ Δαυίδ · « οὐ γὰρ ἐπὶ τῷ τόξῳ μου ἐλπιῶ
καὶ ἡ ῥομφαία μου οὐ σώσει με ᵃ. » Καὶ πάλιν · « ψευδὴς ἵππος εἰς
σωτηρίαν ᵇ » καὶ « ἐὰν μὴ κύριος οἰκοδομήσῃ οἶκον καὶ φυλάξῃ
πόλιν ᶜ. »

IK MN. — Anon. — 1 ὁ IK : om. MN ‖ τῷ τόξῳ IK N :
τὸν τόξον M ‖ 2 σώσει με hic des. MN.

20, 10 < στάθμιον μέγα καὶ μικρὸν καὶ μέτρα δισσά,
        ἀκάθαρτα ἐνώπιον κυρίου καὶ ἀμφότερα >

213. Τὸν παρά τισι θρασύδειλον λεγόμενον στάθμιον
μέγα καὶ μικρὸν εἶναι νομίζω καὶ καθόλου πᾶσαν ὑπερβολὴν
καὶ ἔλλειψιν στάθμιον μέγα καὶ μικρὸν εἶναι νομίζω ·
ἑκάτερα γὰρ κακίαι.

Adest in A.

PROCOPE : Καὶ ἄλλως. Πᾶσαν ὑπερβολὴν καὶ ἔλλειψιν στάθμιον
μέγα καὶ μικρὸν εἶναι νομίζω · ἑκάτερα γὰρ κακία.

IK MN. — Εὐαγρίου I Βασιλείου M Anon. K N. —
1 Καὶ ἄλλως. Πᾶσαν IK : καὶ πᾶσαν δὲ MN.

20, 9c *Ne dis pas : Je me vengerai de mon ennemi,*
            mais attends patiemment le Seigneur, qu'il vienne
            à ton secours

212. « Ne dis pas », poussé par l'orgueil : Je combattrai
seul « mes ennemis, mais attends patiemment le Seigneur,
qu'il vienne à ton secours. » Et David dit : « Je ne me fierai
pas à mon arc, et mon glaive ne me sauvera pas [a] »; et
encore : « Le cheval est trompeur pour se sauver [b] », et :
« Si le Seigneur ne bâtit la maison » et « ne garde la ville [c] ».

Cf. schol. 54 (texte et note). De nombreux textes de la huitième
partie de l'*Antirrhétique,* consacrée à l'orgueil, pourraient être cités.
Retenons seulement le chapitre 25, qui demande de réciter *Ps.* 43, 7
« au Seigneur, à cause de la pensée d'orgueil qui nous fait nier le
secours de Dieu et imputer la victoire à notre propre force » (p. 540).

20, 10 *Poids grand et petit et mesures doubles*
             sont tous deux impurs devant le Seigneur

213. Selon moi, le « poids grand et petit », c'est celui
que certains appellent poltron faisant le brave. Et d'une
manière générale, le « poids grand et petit », c'est tout
excès et tout défaut, car les deux sont des vices.

Θρασύδειλος : cf. ARISTOTE, *Éthique à Nicomaque* III, 10 (1115 b
32). La vertu est un juste milieu situé entre un excès et un défaut :
cf. schol. 53, 98 et 249.

214. Ὁ εὖ μὲν πάσχειν ὑφ' ἑτέρου βουλόμενος, αὐτὸς δὲ ὁμοίως ἄλλους ἀναπαύειν μὴ προαιρούμενος, μέτρα ἔχει δισσά, μὴ πειθόμενος τῇ ἐντολῇ τῇ λεγούσῃ · « πάντα ὅσα θέλετε ἵνα ποιῶσιν ὑμῖν οἱ ἄνθρωποι, ταῦτα καὶ ὑμεῖς
5 ὁμοίως ποιεῖτε αὐτοῖς [a]. »

a. Matth. 7, 12

A. — 2 προαιρούμενος A e corr. ‖ 3 τῇ ἐντολῇ τῇ λεγούσῃ Z : τὴν ἐντολὴν τὴν λέγουσαν A.

PROCOPE : Μέτρα δὲ δισσὰ τῷ εὖ μὲν πάσχειν ὑφ' ἑτέρου ἐθέλοντι, μὴ τοῖς ὁμοίοις δὲ τοὺς ἄλλους ἀμειβομένῳ · οὐ γὰρ πείθεται τῷ λέγοντι · « πάντα ὅσα θέλετε ἵνα ποιῶσιν ὑμῖν οἱ ἄνθρωποι, ταῦτα καὶ ὑμεῖς ὁμοίως ποιεῖτε αὐτοῖς [a]. »

IK MN. — Hoc scholion cum scholio 213 concatenaverunt codd. — 1 ἑτέρου MN : ἑτέρων IK ‖ ἐθέλοντι IK M : θέλοντι N ‖ 2 ἀμειβομένῳ hic des. N.

20, 12 < οὓς ἀκούει καὶ ὀφθαλμὸς ὁρᾷ ·
         κυρίου ἔργα καὶ ἀμφότερα >

215. Οὐχ ὁ κακῶς ὁρῶν ὀφθαλμὸς ἔργον ἐστὶ τοῦ κυρίου, ἀλλ' ὁ ὁρῶν · καὶ οὐ τὸ κακῶς ἀκοῦον οὓς ἔργον ἐστὶ τοῦ κυρίου, ἀλλὰ τὸ ἀκοῦον · καὶ ἐπὶ τῶν ἄλλων δὲ μελῶν τοῦ σώματος ὡσαύτως λεκτέον. Χρήσῃ δὲ τῷ ῥητῷ τούτῳ
5 πρὸς τοὺς κακηγοροῦντας ἡμῶν τοῦτο τὸ σῶμα καὶ τὸν δημιουργὸν ἐνυβρίζοντας.

A. — 5 κακηγοροῦντας A : κατηγοροῦντας Tisch. ‖ 6 ἐνυβρίζοντας Z Tisch. : ἐν ὑβρίζοντας A.

PROCOPE : Οὐ γὰρ ὁ κακῶς ὁρῶν ὀφθαλμὸς ἔργον ἐστὶ τοῦ κυρίου ἀλλ' ὁ ὀρθῶς ὁρῶν · ὁμοίως καὶ ἐπὶ τῶν ἄλλων μελῶν.

IK MN. — Εὐαγρίου I Anon. K MN. — 2 ὀρθῶς IK M : ὀρθὰ N ‖ ὁρῶν hic des. N.

214. Celui qui accepte de recevoir d'autrui un bienfait, mais refuse de soulager les autres de la même manière a des « mesures doubles ». Il n'obéit pas au commandement qui dit : « Tout ce que vous voulez que les hommes fassent pour vous, faites-le vous aussi pour eux de la même manière [a]. »

20, 12 *L'oreille entend, et l'œil voit ;*
l'un et l'autre sont l'œuvre du Seigneur

215. Ce n'est pas « l'œil » qui « voit » mal qui est « l'œuvre du Seigneur », mais celui qui « voit » ; ce n'est pas « l'oreille » qui « entend » mal qui est « l'œuvre du Seigneur », mais celle qui « entend » ; et on peut en dire autant des autres membres du corps. On utilisera ce verset contre ceux qui insultent le Créateur en décriant ce corps qui est le nôtre.

La création est bonne : schol. 190, 217, 223 ; schol. *ad Eccl.* 3, 13 (*Coislin 193*, f. 20ʳ) ; *KG* III, 59 ; *Lettre* 30. Sur ceux qui décrient le corps et insultent le Créateur, voir surtout *KG* IV, 60 (texte cité dans la note à la scholie 190).

20, 13 < μὴ ἀγάπα καταλαλεῖν, ἵνα μὴ ἐξαρθῇς ·
        διάνοιξον δὲ τοὺς ὀφθαλμούς σου καὶ ἐμπλήσθητι
        ἄρτων >

216. Διὰ μὲν τῶν ἀρετῶν ἀνοίγομεν τοὺς ὀφθαλμοὺς
τῆς ψυχῆς · διὰ δὲ τῆς σοφίας νοητῶν πληρούμεθα ἄρτων.

Adest in AB.

PROCOPE : Διὰ μὲν τῶν ἀρετῶν ἀνοίγομεν τοὺς ὀφθαλμοὺς τῆς
ψυχῆς · διὰ δὲ τῆς σοφίας νοητῶν πληρούμεθα ἄρτων.

IK MN. — <Εὐαγρίου> I Anon. K M Hoc scholion
cum scholio 215 concatenavit N. — 1 μὲν IK M : δὲ N ‖
ἀνοίγομεν IK : ἀνοίγωμεν M ἀνοίγει μὲν N ‖ 1-2 ὀφθαλμοὺς
post ψυχῆς transp. N ‖ 2 δὲ IK N : om. M.

───

20, 23 < βδέλυγμα κυρίῳ δισσὸν στάθμιον
        καὶ ζυγὸς δόλιος οὐ καλὸν ἐνώπιον αὐτοῦ >

217. Ζυγὸν δόλιον λέγει τὸν νοῦν πεφυκότα μὲν δικαίως
κρίνειν τὰ πράγματα, παρακλίνοντα δὲ τῇ τοῦ αὐτεξουσίου
ῥοπῇ.

Adest in AB.

PROCOPE : Δόλιον ζυγὸν λέγει τὸν νοῦν πεφυκότα μὲν δικαίως
κρίνειν τὰ πράγματα, παρακλίνοντα δὲ τῇ τοῦ αὐτεξουσίου ῥοπῇ.

IK MN. — <Εὐαγρίου> I Anon. K MN. — 2 παρακλίνοντα IK : παρεκκλίνοντα MN.

───

20, 24 < παρὰ κυρίου εὐθύνεται διαβήματα ἀνδρί ·
        θνητὸς δὲ πῶς ἂν νοῆσαι τὰς ὁδοὺς αὐτοῦ; >

218. Οὐ δύναται νοῆσαι τὰς ὁδοὺς κυρίου ὁ ἔτι θνητὸς
καὶ μὴ συναποθανὼν τῷ Χριστῷ [a].

a Cf. II Tim. 2, 11

Adest in A.

20, 13 *Ne te plais pas à médire, de peur d'être chassé,*
mais ouvre les yeux et rassasie-toi de pain

216. Par les vertus « nous ouvrons les yeux » de l'âme et
par la sagesse « nous nous rassasions de pain » spirituel.

20, 23 *Double poids est une abomination pour le Seigneur,*
et la balance fausse n'est pas bonne devant lui

217. Il appelle « balance fausse » l'intellect qui, bien que
fait pour apprécier correctement les réalités, penche sous
le poids de son libre arbitre.

Apparat critique du texte original. Dans A, cette scholie se trouve
entre les scholies 219 et 220 A.

20, 24 *Les pas de l'homme sont dirigés par le Seigneur ;*
mais mortel, comment comprendrait-il ses voies ?

218. Il ne peut « comprendre les voies du Seigneur »
celui qui est encore « mortel » et n'est pas mort avec
le Christ [a].

PROCOPE : Οὐ δύναται νοῆσαι τὰς ὁδοὺς κυρίου ὁ ἔτι θνητὸς ὢν καὶ μὴ συναποθανὼν τῷ Χριστῷ [a].

IK MN. — <Εὐαγρίου> I Anon. K MN. — 1-2 Οὐ — Χριστῷ IK M : ὁ μὴ συναποθανὼν τῷ Χριστῷ καὶ ἔτι θνητὸς ὢν οὐ δύναται νοῆσαι τὰς ὁδοὺς κυρίου N ‖ 2 συναποθανὼν scripsi : -νῶν IK MN.

Il s'agit ici de la « mort au péché » évidemment distincte de la « mort du péché » évoquée dans d'autres scholies (cf. note à la scholie 57). Un chapitre du traité *Des pensées* (*PG* 40, 1241 D - 1244 A)

20, 25 < παγὶς ἀνδρὶ ταχύ τι τῶν ἰδίων ἁγιάσαι ·
μετὰ γὰρ τὸ εὔξασθαι μετανοεῖν γίνεται >

219. Ἡ ἐπὶ τοῖς ἀγαθοῖς μετάνοια οὐ δικαίοις συμβαίνει, ἀλλὰ ἀδίκοις. Ἄδικοι δὲ μηδὲν ἀπερισκέπτως ὑπισχνείσθωσαν τῷ θεῷ · « μετὰ γὰρ τὸ εὔξασθαι μετανοεῖν γίνεται. »

Adest in A.

Ἀπερισκέπτως : schol. 4 *ad Ps.* 111, 5 ; schol. *ad Eccl.* 5, 1-2 (*Coislin 193*, f. 23ᵛ) ; *Gnostique* 27 (texte grec chez l'historien

---

20, 26 < λικμήτωρ ἀσεβῶν βασιλεὺς σοφὸς
καὶ ἐπιβαλεῖ αὐτοῖς τροχόν >

220 A. Χωρίζων τὰ ἄχυρα ἀπὸ τοῦ σίτου [a].

a. Cf. Matth. 3, 12

A v. notam. — Χωρίζων IKMN Z : χωρίζειν A ‖ ἀπὸ τοῦ σίτου in mg. in A.

PROCOPE : Χωρίζων τὰ ἄχυρα ἀπὸ τοῦ σίτου [a].

IK MN. — Anon. — ante Χωρίζων add. λικμήτωρ ὁ Χριστὸς M.

oppose nettement ces deux sortes de morts : « Le Christ ressuscite
par la contemplation de tous les siècles la nature raisonnable que
la malice a fait mourir. Son Père ressuscite par la science de lui-même
l'âme qui est morte de la mort du Christ. C'est ce qui est dit par
Paul : ' Si nous mourons avec le Christ, nous croyons que nous
vivrons aussi avec lui (*Rom.* 6, 8) '. » La distinction entre trois types
de morts : mort commune, mort du péché, mort au péché, apparaît
fréquemment dans l'œuvre d'ORIGÈNE (voir surtout *Entretien avec
Héraclide* 25-27). On la retrouve chez Évagre dans *KG* I, 58 : « L'une
des morts a pour cause première la naissance ; une autre vient des
saints contre ceux qui ne vivent pas selon la justice ; et la mère
de la troisième sera la rémission... » (trad. A. Guillaumont).

20, 25 *C'est un piège pour l'homme de consacrer en hâte
un de ses biens,
car après le vœu vient le regret*

219. Le « regret » du bien n'arrive pas aux justes, mais
à ceux qui sont injustes. Que ceux qui sont injustes ne
promettent rien inconsidérément à Dieu! « Car après
le vœu vient le regret. »

SOCRATE, *H.E.* III, 7 [*PG* 67, 396 B]; le mot y est associé à προπετῶς).

20, 26 *Le roi sage est le vanneur des impies,
il fera passer sur eux la roue*

220 A. Séparant la balle du grain [a].

Apparat critique du texte original. Dans A, les n°s 220 A et 220 B
sont reliés l'un à l'autre par le second stique du verset, soit : Χωρίζειν
τὰ ἄχυρα καὶ ἐπιβαλεῖν αὐτοῖς τροχόν· ποίησον αὐτοὺς ὡς τροχόν.

Cf. *KG* II, 26 : « Si ' les blés ' portent le signe de la vertu et ' la
paille ' le signe de la malice, le monde à venir est le succin qui
attirera la paille à lui » (trad. A. Guillaumont).

220 B. « Ποίησον αὐτοὺς ὡς τροχόν [a]. »

a. Ps. 82, 14

Adest in A.

20, 27 < φῶς κυρίου πνοὴ ἀνθρώπων,
        ἡ λύχνος ὃς ἐρευνᾷ ταμίεια κοιλίας >

221. Εἰ τὸ φῶς τοῦ κυρίου ἡ γνῶσις τοῦ κυρίου ἐστί,
τὸ δὲ φῶς τοῦ κυρίου ἡ πνοὴ τῶν ἀνθρώπων ἐστίν, ἡ ἄρα
γνῶσις τοῦ κυρίου ἡ πνοὴ τῶν ἀνθρώπων ἐστίν. Τὸν δὲ
ἐν ἀγνοίᾳ διάβολον φαίνειν δοκοῦντα λύχνον ὠνόμασεν
5 ἐκκενοῦντα τὸν νοῦν τῶν ἀγαθῶν καὶ μετασχηματιζόμενον
εἰς ἄγγελον φωτός [a].

a. Cf. II Cor. 11, 14

AB. — 1 Εἰ A : ἡ B ‖ ἐστί ante τοῦ κυρίου transp. B ‖ 2-3 ἡ
ἄρα — ἐστίν A : om. B ‖ 2 ἄρα IKMN Z Tisch. : ἄρα A ‖
5 ἐκκενοῦντα A : ἐκκαίοντα B.

PROCOPE : Καὶ ἄλλως. Εἰ τὸ φῶς τοῦ κυρίου ἡ γνῶσις τοῦ κυρίου
ἐστί, τὸ δὲ φῶς τοῦ κυρίου ἡ πνοὴ τῶν ἀνθρώπων ἐστίν, ἡ ἄρα γνῶσις
τοῦ κυρίου ἡ πνοὴ τῶν ἀνθρώπων. Τὸν δὲ ἐν ἀγνοίᾳ φαίνειν δοκοῦντα
5 διάβολον λύχνον ὠνόμασεν ἐκκενοῦντα τὸν νοῦν τῶν ἀγαθῶν καὶ
μετασχηματιζόμενον εἰς ἄγγελον φωτός [a].

IK MN. — Εὐαγρίου I Anon. K MN. — 1 Καὶ ἄλλως
IK M : om. N ‖ 2 ἡ πνοὴ post ἀνθρώπων transp. K ‖ ἐστίν
IK : om. MN ‖ 2-3 ἡ ἄρα — ἀνθρώπων MN : om. IK ‖ 3 δὲ K
MN : om. I.

21, 3 < ποιεῖν δίκαια καὶ ἀληθεύειν
         ἀρεστὰ παρὰ θεῷ μᾶλλον ἢ θυσιῶν αἷμα >

222. Ἐκβάλλει τὸ ῥητὸν τοῦτο τὴν διὰ τῶν ἀλόγων ζώων
θυσίαν · « θυσία γὰρ τῷ θεῷ πνεῦμα συντετριμμένον [a]. »

a. Ps. 50, 19

Adest in A.

220 B. « Rends-les comme une roue [a]. »

Le texte édité par Rahlfs a θοῦ et non ποίησον. Dans la scholie 14
ad Ps. 76, 19, Évagre propose plusieurs interprétations du mot
τροχός.

20, 27 *La lumière du Seigneur est le souffle des hommes ;*
la lampe, celui qui scrute les resserres du ventre

221. Si « la lumière du Seigneur » est la science du
Seigneur et si « la lumière du Seigneur est le souffle des
hommes », la science du Seigneur est donc « le souffle des
hommes ». Il a nommé « lampe » le diable qui dans son
ignorance croit briller : il vide l'intellect de ses biens et se
métamorphose en ange de lumière [a].

Une des ruses des démons consiste à se métamorphoser en anges
de lumière : *Prière* 95 ; *Antirrhétique* VIII, 25 et 56 (trad. Hausherr,
Leçons, p. 131). C'est grâce au discernement des esprits que le moine
sait reconnaître l'origine démoniaque ou angélique des visions et
des pensées : *Lettre* 11 (p. 574, l. 7-10) ; *Antirrhétique* VIII, 17
(trad. Hausherr, *Leçons*, p. 97 et 130-131) ; *Moines* 52.

21, 3 *Pratiquer la justice et dire la vérité*
est plus agréable à Dieu que le sang des sacrifices

222. Ce verset rejette les sacrifices d'animaux, car « le
sacrifice à Dieu, c'est un esprit brisé [a] ».

Cf. schol. 6 *ad Ps.* 49, 14 : « Il abroge les sacrifices sensibles, car
' le sacrifice à Dieu, c'est un esprit brisé ' » *(Vaticanus 754,* f. 134ʳ :
collation M.-J. Rondeau). Sur le sacrifice spirituel, voir *KG* IV, 22 ;
V, 53.

21, 8   < πρὸς τοὺς σκολιοὺς σκολιὰς ὁδοὺς ἀποστελεῖ
ὁ θεός ·
ἁγνὰ γὰρ καὶ ὀρθὰ τὰ ἔργα αὐτοῦ >

223. Εἰ ἁγνὰ καὶ ὀρθὰ τὰ ἔργα τοῦ θεοῦ, ἐν δὲ τῶν ἔργων
αὐτοῦ ἐστιν καὶ ὁ νοῦς, ὀρθὸς ἄρα καὶ ἁγνὸς ἐκτίσθη παρὰ
τοῦ κυρίου ὁ νοῦς.

AB. — 1 τοῦ θεοῦ A p. corr. : αὐτοῦ A a. corr. ‖ 2 ἄρα B IKN
Z Tisch. : ἄρα A ‖ ἐκτίσθη hic des. B.

PROCOPE : Εἰ δὲ καὶ ἁγνὰ καὶ ὀρθὰ τὰ ἔργα κυρίου, ἐν δὲ τῶν
ἔργων αὐτοῦ καὶ ὁ νοῦς, ὀρθὸς ἄρα καὶ ἁγνὸς ἐκτίσθη παρὰ τοῦ κυρίου
ὁ νοῦς.

IK MN. — Εὐαγρίου I Anon. K MN. — 1 δὲ¹ IK M :
om. N ‖ καὶ¹ IK : om. MN ‖ ἐν IK M : ἐνὸς N ‖ 2 ἔργων
K MN : ὀργάνων I ‖ ὀρθὸς IK M : ὀρθῶς N ‖ ἄρα IK N :
ἄρα M.

21, 9   < κρεῖσσον* οἰκεῖν ἐπὶ γωνίας ὑπαίθρου
ἢ ἐν κεκονιαμένοις μετὰ ἀδικίας καὶ ἐν οἴκῳ
κοινῷ >

224. Τῷ οἴκῳ τῷ κεκονιαμένῳ καὶ κοινῷ τὴν ὕπαιθρον
γωνίαν ἀντέθηκεν. Εἰ δὲ ὁ οἶκος ὁ κεκονιαμένος καὶ κοινὸς
ἡ κακία ἐστίν, ἡ ὕπαιθρος γωνία ἡ ἀρετή ἐστιν. Γωνία
τοίνυν ὕπαιθρός ἐστιν πρᾶξις θεωρίας ἐφαπτομένη καὶ
5 φωτιζομένη ὑπὸ τῆς δικαιοσύνης ἡλίου ᵃ. Καλῶς δὲ καὶ
ὁ Παῦλος τὸν ἀρχιερέα τῶν Ἰουδαίων τοῖχον εἶπεν κεκονιαμένον τυπτηθησόμενον ὑπὸ τοῦ θεοῦ ᵇ. Καὶ ὁ σωτὴρ
δὲ ἐν τοῖς εὐαγγελίοις τοὺς φαρισαίους τάφους εἶπεν κεκο-
νιαμένους ᶜ. Εὖ δὲ καὶ τὸ ἐπὶ γωνίας εἰπεῖν ἔνθα ὁ λίθος
10 κεῖται ὁ ἀποδοκιμασθεὶς ὑπὸ τῶν οἰκοδόμων καὶ γενόμενος

a. Cf. Mal. 3, 20   b. Cf. Act. 23, 3   c. Cf. Matth. 23, 27

AB'. — 3 ἢ² A : καὶ B' ‖ 8 δὲ A : om. B' ‖ 9 εἰπεῖν AB' :
εἶπεν Tisch.

21, 8   *Aux pervers Dieu enverra des voies tortueuses,*
        car ses œuvres sont saintes et droites

223. Si « les œuvres » de Dieu « sont saintes et droites »
et si l'intellect aussi est une de ses œuvres, l'intellect a
donc été créé « droit et saint » par le Seigneur.

Cf. schol. 215 et 217.

21, 9   *Mieux vaut habiter dans un angle en plein air*
        que dans des pièces blanchies à la chaux de
        l'injustice et dans une maison commune

224. A la maison « blanchie à la chaux » et « commune »
il a opposé « l'angle en plein air ». Si « la maison blanchie
à la chaux » et « commune » est la malice, « l'angle en plein
air » est la vertu. Par conséquent « l'angle en plein air »
est la pratique qui rejoint la contemplation et est éclairée
par le soleil de justice [a]. Paul a eu raison de dire du grand
prêtre des Juifs qu'il était un mur « blanchi à la chaux »
que Dieu frapperait [b]. Et le Sauveur, dans les Évangiles,
a appelé les pharisiens sépulcres « blanchis à la chaux [c] ».
(Salomon) a bien fait de dire « dans un angle », car c'est là
que se trouve la pierre rejetée par les bâtisseurs qui est

κεφαλὴ γωνίας [d]. Κοινὸν δὲ εἶπεν ὁ μὴ τοῦ ἑνός ἐστιν
θεοῦ.

d. Cf. Matth. 21, 42

11 κεφαλή Α Ζ : εἰς κεφαλὴν Β′ ΜΝ ἐπὶ κεφαλὴν ΙΚ ‖
γωνίας hic des. Β′.

PROCOPE : Τῷ οἴκῳ τῷ κεκονιαμένῳ τε καὶ κοινῷ δηλοῦντι τὴν
κακίαν τὴν ὕπαιθρον γωνίαν ἀντέθηκεν, ἥτις ἐστὶ πρᾶξις θεωρίας
ἐφαπτομένη καὶ φωτιζομένη ὑπὸ τοῦ τῆς δικαιοσύνης ἡλίου [a]. Καλῶς
δὲ καὶ ὁ Παῦλος τὸν ἀρχιερέα τῶν Ἰουδαίων τάφον εἶπε κεκονιαμένον
5 τυφθησόμενον ὑπὸ τοῦ θεοῦ [b], ὡς καὶ τοὺς φαρισαίους ὁ σωτήρ [c].
Ἐπὶ γωνίας δέ, φησίν, ἔνθα ὁ λίθος κεῖται ὁ ἀποδοκιμασθεὶς ὑπὸ τῶν
οἰκοδόμων καὶ γενόμενος εἰς κεφαλὴν γωνίας [d]. Κοινὸν δὲ ὁποῖον
ἔφη τὸ κεκονιαμένον.

ΙΚ ΜΝ. — <Εὐαγρίου> Ι Anon. Κ ΜΝ. — 1 post Τῷ
add. δὲ Ν ‖ τε Ι ΜΝ : om. Κ ‖ 2 ἀντέθηκεν Κ ΜΝ : τέθεικεν Ι ‖
πρᾶξις ΙΚ Ν : πραξ Μ ‖ 2-3 πρᾶξις post ἐφαπτομένη transp.
ΙΚ ‖ 3-4 Καλῶς — Παῦλος ΙΚ : καὶ Παῦλος δὲ ΜΝ ‖ 4 τὸν
ἀρχιερέα post Ἰουδαίων transp. ΜΝ ‖ 5 ὡς — σωτήρ ΙΚ :
om. ΜΝ ‖ 6 post ἔνθα add. καὶ Κ ‖ 7 εἰς ΜΝ : ἐπὶ ΙΚ ‖
γωνίας hic des. ΜΝ ‖ 8 τὸ Ι : τὸν Κ.

21, 14 < δόσις λάθριος ἀνατρέπει ὀργάς ·
　　　　δώρων δὲ ὁ φειδόμενος θυμὸν ἐγείρει ἰσχυρόν >

225. Δόσις λάθριός ἐστιν, ἵν' ὃ ποιεῖ ἡ δεξιὰ μὴ γινώσκῃ
ἡ ἀριστερά [a].

a. Cf. Matth. 6, 3

Α. — 1 ποιεῖ Ζ : ποιῇ Α.

21, 16 < ἀνὴρ πλανώμενος ἐξ ὁδοῦ δικαιοσύνης
　　　　ἐν συναγωγῇ γιγάντων ἀναπαύσεται >

226. Ἡ συναγωγὴ τῶν γιγάντων ἡ κακία καὶ ἡ ἀγνωσία
ἐστίν.

Adest in A.

devenue pierre d'angle [d]. Il a qualifié de « commun » ce qui
ne vient pas du Dieu unique.

Lemme biblique. L'*Alexandrinus* a κρίσσων.

Cf. schol. 6 *ad Ps.* 117, 22 : « L'angle est l'enseignement de notre
Sauveur Jésus-Christ qui réconcilie ce qui est aux cieux et sur terre
(cf. *Col.* 1, 20) » (*Vaticanus 754*, f. 292ʳ : collation M.-J. Rondeau).
Les deux dernières lignes reprennent une remarque qui avait déjà
été faite à la fin de la scholie 10.

21, 14 *Un don fait en secret détourne les colères,*
  mais celui qui est avare de cadeaux provoque
  une violente colère

225. Le « don » est « fait en secret », « afin que la main
gauche ignore ce que fait la droite [a] ».

21, 16 *L'homme qui s'égare hors de la voie de la justice*
  reposera dans l'assemblée des géants

226. « L'assemblée des géants » est la malice et l'ignorance.

21, 19 < κρεῖσσον οἰκεῖν ἐν γῇ* ἐρήμῳ
ἢ μετὰ γυναικὸς μαχίμου καὶ γλωσσώδους καὶ
ὀργίλου >

227. Καὶ ὁ Δαυίδ φησιν · « ἐν γῇ ἐρήμῳ καὶ ἀβάτῳ καὶ
ἀνύδρῳ, οὕτως ἐν τῷ ἁγίῳ ὤφθην σοι ᵃ.» Ἔρημος τοίνυν
γῆ ἐστιν ἡ ἀρετὴ ἡ μὴ ἔχουσα τοὺς παλαιοὺς ἀνθρώπους
οἰκοῦντας τοὺς φθειρομένους κατὰ τὰς ἐπιθυμίας τῆς
5 ἀπάτης ᵇ. Διὸ οὐδὲ εὑρίσκει ἐν αὐτῇ ἀνάπαυσιν ὁ διάβολος,
εἴγε « διέρχεται δι' ἀνύδρων τόπων ζητῶν ἀνάπαυσιν
καὶ οὐχ εὑρίσκει ᶜ » · « αὐτὸς γὰρ βασιλεύς ἐστι πάντων
τῶν ἐν τοῖς ὕδασι ᵈ » · καὶ πάλιν τῆς σοφίας · « στεγναί,
φησίν, αἱ διατριβαὶ οἴκων αὐτῆς ᵉ.» Εἰ δὲ τοῦτο, οὐκοῦν
10 καὶ ἡ γυνὴ ἡ μάχιμος καὶ γλωσσώδης καὶ ὀργίλος ἡ κακία
ἐστίν, ἥτις τὸν συζῶντα αὐτῇ ποιεῖ μάχιμον καὶ γλωσσώδη
καὶ ὀργίλον.

a. Ps. 62, 2-3   b. Cf. Éphés. 4, 22   c. Matth. 12, 43
d. Job 41, 26   e. Prov. 31, 27

AB. — 2 Ἔρημος hic inc. B ‖ 6 διέρχεται A : om. B ‖ 7 καὶ
A : om. B ‖ ἐστι A : om. B ‖ 9 αὐτῆς hic des. B.

PROCOPE : Ἢ καὶ οὕτως. Ὁ Δαυίδ φησιν · « ἐν γῇ ἐρήμῳ καὶ
ἀβάτῳ καὶ ἀνύδρῳ, οὕτως ἐν τῷ ἁγίῳ ὤφθην σοι ᵃ.» Ἔρημος τοίνυν
γῆ ἐστιν ἡ ἀρετὴ ἡ μὴ ἔχουσα τοὺς παλαιοὺς ἀνθρώπους οἰκοῦντας
τοὺς φθειρομένους κατὰ τὰς ἐπιθυμίας τῆς ἀπάτης ᵇ. Διὸ οὐδὲ εὑρίσκει
5 ἐν αὐτῇ ἀνάπαυσιν ὁ διάβολος, εἴγε « διέρχεται δι' ἀνύδρων τόπων
ζητῶν ἀνάπαυσιν καὶ οὐχ εὑρίσκει ᶜ » · « οὗτος γὰρ βασιλεύς ἐστι
πάντων τῶν ἐν τοῖς ὕδασι ᵈ » · καὶ περὶ τῆς σοφίας · « στεγναί, φησίν,
αἱ διατριβαὶ οἴκων αὐτῆς ᵉ.» Εἰ δὲ τοῦτο, ἡ γυνὴ ἡ μάχιμος ἡ κακία
ἐστίν, τὸν συνόντα ποιοῦσα μάχιμον καὶ γλωσσώδη καὶ ὀργίλον.

IK MN. — Εὐαγρίου M   Anon. IK N. — 1-2 Ἢ — σοι :
om. N ‖ 2 οὕτως — σοι IK : om. M ‖ 2-3 Ἔρημος τοίνυν γῆ
IK : γῆ τοίνυν M sic inc. N ‖ 3 οἰκοῦντας IK M : om. N ‖
7 στεγναί I : στυγναί K MN ‖ φησίν IK M : εἰσιν N ‖ 9 τὸν
IK N : τὸ M.

21, 19 *Mieux vaut habiter en une terre déserte*
qu'avec une femme querelleuse, bavarde et coléreuse

227. Et David dit : « Comme en une terre déserte,
inaccessible et sans eau, ainsi te suis-je apparu dans le
sanctuaire [a]. » « La terre déserte » est donc la vertu qui n'a
plus pour habitants les anciens hommes qui se corrompaient dans les convoitises trompeuses [b]. Voilà pourquoi
le diable n'y trouve pas non plus de repos, puisqu'il « erre
par les lieux sans eau, à la recherche du repos » et qu'il
« ne le trouve pas [c] », « car il est le roi de tous les êtres qui
vivent dans les eaux [d] » ; il est encore dit que « les séjours »
de la sagesse « sont couverts [e] ». S'il en est ainsi, « la femme
querelleuse, bavarde et coléreuse » est donc la malice, qui
rend son compagnon querelleur, bavard et coléreux.

Lemme biblique. Évagre a lu ἐν γῇ ἐρήμῳ au lieu de ἐν τῇ ἐρήμῳ
(Vaticanus, Sinaiticus et *Alexandrinus).* Confusion courante entre
le *tau* et le *gamma* onciaux.

Ici, le mot désert est pris en bonne part ; dans la scholie 6 *ad Ps.* 28,
8, Évagre lui donne un sens péjoratif, et il désigne l'âme privée de
Dieu. La citation de Job est extraite du passage qui parle du
Léviathan ; les commentateurs ont généralement considéré ce dernier
comme une des figures du diable : voir notamment ORIGÈNE, *De
princ.* II, 8, 3. Les trois textes de *Job* 41, 26, *Matth.* 12, 43 et *Prov.* 31,
27 sont de nouveau associés dans la scholie 380. Il n'y a pas seulement
interprétation symbolique de l'eau et de la pluie ; Évagre partage
avec les moines d'Égypte la croyance selon laquelle les démons
aiment à fréquenter les endroits où il y a de l'eau, et en particulier
les marécages. Voir sur ce sujet, A. et Cl. GUILLAUMONT, *Traité
pratique*, p. 543-544, note au ch. 17.

21, 20 < θησαυρὸς ἐπιθυμητὸς ἀναπαύσεται ἐπὶ στόματος
σοφοῦ ·
ἄφρονες δὲ ἄνδρες καταπίονται αὐτόν >

228. Σοφία κυρίου ἀναπαύσεται ἐν καρδίᾳ σοφοῦ ·
ἄφρονες δὲ ἄνδρες διαφθεροῦσιν αὐτήν.

AB. — 2 διαφθεροῦσιν A : διαφθείρουσιν B.

21, 22 < πόλεις ὀχυρὰς ἐπέβη σοφὸς
καὶ καθεῖλεν τὸ ὀχύρωμα, ἐφ᾽ ᾧ ἐπεποίθεισαν οἱ
ἀσεβεῖς >

229. Ἡ σοφία ἐστὶν πόλις ὀχυρά, ἐν ᾗ οἱ σοφοὶ κατοικοῦσι
« λογισμοὺς καθαιροῦντες καὶ πᾶν ὕψωμα ἐπαιρόμενον κατὰ
τῆς γνώσεως τοῦ θεοῦ [a] ».

a. II Cor. 10, 5

ABB'. — 1 Ἡ BB' Z IKN : om. A ǁ 2 καθαιροῦντες AB' :
καθαίροντες B ǁ 3 θεοῦ BB' Z IKN : Χριστοῦ A.

PROCOPE : Καὶ ἄλλως. Ἡ σοφία ἐστὶ πόλις ὀχυρά, ἐν ᾗ οἱ σοφοὶ
κατοικοῦσι « λογισμοὺς καθαιροῦντες καὶ πᾶν ὕψωμα ἐπαιρόμενον
κατὰ τῆς γνώσεως τοῦ θεοῦ [a] ».

IK N. — Anon. — 1 Καὶ ἄλλως IK : om. N.

C'est le mot ὀχύρωμα contenu dans *II Cor.* 10, 4 qui a amené

21, 23 < ὃς φυλάσσει τὸ στόμα αὐτοῦ καὶ τὴν γλῶσσαν
διατηρεῖ ἐκ θλίψεως τὴν ψυχὴν αὐτοῦ >

230. Στόμα καὶ γλῶσσαν ψυχὴν καὶ νοῦν · ψυχὴν δέ
φασιν θυμὸν καὶ ἐπιθυμίαν, ὅπερ τινὲς παθητικὸν μέρος
ὀνομάζουσι τῆς ψυχῆς.

ABB'. — 1 post Στόμα add. δὲ B' ǁ γλῶσσαν AB : -σσα
B' ǁ 2 παθητικὸν A p. corr. : παθηματικὸν A a. corr.

21, 20 *Un trésor enviable reposera sur la bouche du sage,*
mais les hommes insensés l'avaleront

228. La sagesse du Seigneur « reposera » dans le cœur
« du sage », « mais les hommes insensés » la détruiront.

21, 22 *Le sage a pris d'assaut les forteresses*
et démoli la citadelle en laquelle les impies avaient
mis leur confiance

229. La sagesse est « la forteresse » où habitent « les
sages » qui « détruisent les mauvaises pensées et toute
puissance hautaine qui se dresse contre la science de
Dieu [a] ».

ce rapprochement entre le verset des Proverbes et le texte paulinien ;
pareil rapprochement se trouve déjà chez ORIGÈNE, *Hom. sur Josué*
XVIII, 3. Le texte de Paul a en outre le mérite de s'accorder admira-
blement bien avec les conceptions d'Évagre. N'évoque-t-il pas cette
double lutte qu'il faut mener contre les mauvaises pensées et contre
la fausse science ? Il est souvent cité ou utilisé : *Lettres* 4 et 25
(p. 568, l. 11-12, et p. 580, l. 26-27) ; schol. 2 *ad Ps.* 26, 3 ; 26 *ad*
Ps. 36, 35-36 ; 2 *ad Ps.* 45, 3 ; *Lettre sur la sainte Trinité* (Ps.-BASILE,
Lettre 8, 10, l. 4-5) ; *Antirrhétique*, prologue (p. 474, l. 7-8).

21, 23 *Celui qui garde sa bouche et sa langue*
préserve son âme de l'affliction

230. « La bouche » et « la langue » sont l'âme et l'intellect.
On appelle âme la partie irascible et concupiscible, celle
que certains nomment partie passionnée de l'âme.

PROCOPE : Στόμα καὶ γλῶσσαν ψυχὴν καὶ νοῦν · ψυχὴν δέ φασι θυμὸν καὶ ἐπιθυμίαν, τὸ παθητικὸν μέρος τῆς ψυχῆς.

IK N. — Anon. — 2 μέρος post ψυχῆς transp. IK.

21, 26 < ἀσεβὴς ἐπιθυμεῖ ὅλην τὴν ἡμέραν ἐπιθυμίας κακάς ·
ὁ δὲ δίκαιος ἐλεᾷ καὶ οἰκτείρει ἀφειδῶς >

231. Ἀγγέλων μὲν τὸ μὴ ἐπιθυμεῖν ποτε ἐπιθυμίας κακάς · ἀνθρώπων δὲ τό ποτε μὲν ἐπιθυμεῖν, ποτὲ δὲ μὴ ἐπιθυμεῖν ἐπιθυμίας κακάς · δαιμόνων δὲ τὸ ἀεὶ ἐπιθυμεῖν ἐπιθυμίας κακάς. Τὸ γὰρ ὅλην τὴν ἡμέραν τὸ διὰ βίου δηλοῖ.
5 Τοιοῦτόν ἐστιν καὶ τὸ « ἐν φόβῳ κυρίου ἴσθι ὅλην τὴν ἡμέραν [a] », ἀντὶ τοῦ διὰ βίου.

a. Prov. 23, 17

ΑΒ'. — 2 τό Α : om. Β' ‖ 2-3 ποτὲ[a] — ἐπιθυμεῖν[a] Α : om. Β' ‖ 4 Τὸ γὰρ ὅλην Α : τοιγαροῦν Β' ‖ 5 τὸ Α : τῷ Β'.

PROCOPE : Καὶ ἄλλως. Ἀγγέλων μὲν τὸ μὴ ἐπιθυμεῖν ποτε ἐπιθυμίας κακάς, δαιμόνων δὲ τὸ ἀεί. Τὸ δὲ ὅλην τὴν ἡμέραν τὸ διὰ βίου δηλοῖ. Ἀνθρώπων δὲ τό ποτε μὲν ἐπιθυμεῖν, ποτὲ δὲ μή.

IK MN. — Anon. — 1-2 Καὶ — κακάς IK M : om. N ‖ 1 μὲν IK : om. M ‖ μὴ sup. l. I ‖ 2 δαιμόνων hic inc. N ‖ Τὸ δὲ — δηλοῖ K MN : om. I ‖ τὸ[3] K M : om. N.

21, 31 < ἵππος ἑτοιμάζεται εἰς ἡμέραν πολέμου ·
παρὰ δὲ κυρίου ἡ βοήθεια >

232. Ἵππον λέγει τὸν νοῦν · « ἐπιβήσῃ γάρ, φησίν, ἐπὶ τοὺς ἵππους σου καὶ ἡ ἱππασία σου σωτηρία [a] » · καὶ ἐπὶ τοῦ Παύλου ὁ κύριος « τοῦ βαστάσαι τὸ ὄνομά μού [b] » φησιν.

a. Hab. 3, 8   b. Act. 9, 15

ΑΒΒ'. — 2 τοὺς ἵππους Α : τοῦ ἵππου ΒΒ' ‖ ante καί[2] add. ὡς Β.

Interprétation habituelle des mots στόμα et γλῶσσα (cf. l'inventaire des dénominations de l'âme de la scholie 317). Sur cette façon de désigner le *thumos* et l'*épithumia*, voir la scholie 3 (texte et note).

21, 26 *L'impie a tout le jour de mauvais désirs,*
        mais le juste ne ménage ni sa miséricorde ni sa
        compassion

231. Les anges n'ont jamais « de mauvais désirs », les hommes parfois en ont, parfois n'en ont pas, les démons en ont toujours. L'expression « tout le jour » signifie en effet toute la vie. Tel est aussi son sens dans ce passage : « Sois dans la crainte du Seigneur tout le jour [a] », au lieu de toute la vie.

Cf. schol. 22 (texte et note). Même interprétation de l'expression biblique ὅλην τὴν ἡμέραν dans la scholie 255 et la scholie 3 *ad Ps.* 85, 3.

21, 31 *Le cheval est préparé pour le jour du combat,*
        mais le secours vient du Seigneur

232. Il appelle « cheval » l'intellect. Il est dit en effet : « Tu monteras sur tes chevaux, et ta cavalerie sera ton salut [a]. » Et s'agissant de Paul, le Seigneur dit : « Pour porter mon nom [b]. »

Ailleurs le cheval figure le mouvement irrationnel de l'âme : schol. 4 *ad Ps.* 31, 9 ; 2 *ad Ps.* 57, 5 ; 7 *ad Ps.* 75, 7.

PROCOPE : Ἡ καὶ ἄλλως. Ἵππον λέγει τὸν νοῦν · «ἐπιβήσῃ γάρ, φησίν, ἐπὶ τοὺς ἵππους σου καὶ ἡ ἱππασία σου σωτηρία ᵃ» · καὶ ἐπὶ τοῦ Παύλου ὁ κύριος «τοῦ βαστάσαι τὸ ὄνομά μού ᵇ» φησιν.

IK MN. — Εὐαγρίου M Anon. IK N. — 1 ἄλλως IK M : om. N ‖ 1-2 ἐπιβήσῃ γάρ φησίν IK M : ὡς τὸ ἐπιβήσῃ N.

22, 1   < αἱρετώτερον ὄνομα καλὸν ἢ πλοῦτος πολύς ·
ὑπὲρ δὲ ἀργύριον καὶ χρυσίον χάρις ἀγαθή >

233. Τὴν σημαινομένην ἀρετὴν ὑπὸ τοῦ οἰκείου ὀνόματος ὄνομα εἶπεν καλόν · τοῦτο γὰρ τὸ ὄνομα καλόν ἐστιν ὅπερ ἔχει τὸ σημαινόμενον ἀγαθόν. Οὕτως οὐδὲ τὴν ἄδικον γυναῖκα δικαιοσύνην καλουμένην ἐπαινέσομεν, ἀλλὰ τὴν
5 ἔχουσαν τὴν δικαιοσύνην, κἂν ἀδικία ὀνομάζηται.

Adest in A.

PROCOPE : Τὴν σημαινομένην ἀρετὴν ὑπὸ τοῦ οἰκείου ὀνόματος ὄνομα εἶπε καλόν. Τὴν γοῦν κακίαν, εἰ καλέσομεν ἀρετήν, οὐ καλὸν τοὔνομα.

IK MN. — <Εὐαγρίου> M Anon. IK N. — 1 οἰκείου I MN : om. K ‖ 2 ὄνομα¹ post εἶπε transp. N ‖ post καλόν interpol. ὁ δὲ πλοῦτος διαβέβληται · χάρις δὲ ἀγαθὴ ἡ παρὰ θεοῦ MN.

22, 2   < πλούσιος καὶ πτωχὸς συνήντησαν ἀλλήλοις ·
ἀμφοτέρους δὲ ὁ κύριος ἐποίησεν >

234. Ὁ μὲν πλούσιος διὰ τῶν ἐλεημοσυνῶν καθαίρει θυμόν, κτώμενος τὴν ἀγάπην · ὁ δὲ πένης διὰ τῆς πενίας ταπεινοφρονεῖν ἐκδιδάσκεται.

Adest in A.

PROCOPE : Ὁ μὲν πλούσιος διὰ τῶν ἐλεημοσυνῶν καθαίρει θυμόν, κτώμενος τὴν ἀγάπην · ὁ δὲ πένης διὰ τῆς πενίας ταπεινοφρονεῖν ἐκδιδάσκεται.

IK MN. — <Εὐαγρίου> M Anon. IK N. — 1 καθαίρει K N : καθαιρεῖ I M.

22, 1   *Un beau nom est préférable à une grande richesse,*
        et une bonne grâce préférable à l'argent et à l'or

233. Il a appelé « beau nom » la vertu qui est désignée
par le nom qui lui est approprié, car est « beau » le nom qui
possède le bien qu'il désigne. Ainsi nous ne louerons pas
non plus la femme injuste appelée justice, mais celle qui
possède la justice, même si elle est nommée injustice.

Réflexions analogues dans schol. *ad Eccl.* 7, 1 (« un beau nom est
préférable à une bonne huile »). Ce ne sont pas les mots qui sont bons
ou mauvais, puisqu'ils sont un simple assemblage de lettres, mais
les réalités qu'ils désignent : « Ici le beau nom désigne donc une
réalité bonne » (*Coislin 193*, f. 28v).

22, 2   *Le riche et le pauvre se sont rencontrés,*
        le Seigneur les a faits tous les deux

234. « Le riche » purifie par les aumônes qu'il fait sa
partie irascible et ainsi acquiert la charité; « le pauvre »
apprend par sa pauvreté à être humble.

La charité et l'humilité sont considérées comme les vertus du
thumos. Par deux voies différentes, le pauvre et le riche sont parvenus
au même résultat : la guérison de la partie irascible de leur âme.

22, 4 < γενεὰ σοφίας φόβος κυρίου
καὶ πλοῦτος καὶ δόξα καὶ ζωή >

235. « Αὗται αἱ γενέσεις Νῶε ᵃ », αὗται αἱ γενέσεις
Ἀβραάμ.

a. Gen. 6, 9

Adest in A.

Sur l'interprétation du mot γενεά, voir la scholie 340, et la
schol. 3 *ad Ps.* 144, 4 : « Cette génération se compose de ceux qui

---

22, 5 < τρίβολοι καὶ παγίδες ἐν ὁδοῖς σκολιαῖς ·
ὁ δὲ φυλάσσων τὴν ἑαυτοῦ ψυχὴν ἀφέξεται
αὐτῶν >

236. Καὶ ὁ κύριος τῷ Ἀδάμ φησιν · «ἀκάνθας καὶ
τριβόλους ἀνατελεῖ σοι ᵃ » ἡ γῆ, τουτέστιν ἡ ψυχή. Ἀκάνθας
δὲ καὶ τριβόλους λέγει τὰς ἁμαρτίας, ἀφ' ὧν καὶ ὁ στέφανος
ἐπλάκη τοῦ Χριστοῦ ᵇ · αὐτὸς γὰρ ἦρε τὴν ἁμαρτίαν τοῦ
5 κόσμου ᶜ.

a. Gen. 3, 18   b. Cf. Matth. 27, 29   c. Cf. Jn 1, 29

Adest in A.

Procope : Ἔφη δὲ καὶ τῷ Ἀδάμ ὁ κύριος · «ἀκάνθας καὶ τριβόλους
ἀνατελεῖ σοι ᵃ » ἡ γῆ, τουτέστιν ἡ ψυχή, λέγων τὰς ἁμαρτίας, ἀφ' ὧν
καὶ ὁ στέφανος ἐπλάκη τοῦ Χριστοῦ ᵇ · οὗτος γὰρ ἦρε τὴν ἁμαρτίαν
τοῦ κόσμου ᶜ.

IK. — Εὐαγρίου supra I   Anon. K. — 2 τουτέστιν I : του
τουτέστιν K.

22, 4   *La génération de la sagesse, c'est la crainte du Seigneur,*
la richesse, la gloire et la vie

235. « Voici les générations de Noé [a] », voici les générations d'Abraham.

sont engendrés dans la vertu et la science » (*Vaticanus 754*, f. 346ʳ : collation M.-J. Rondeau). Dans la scholie 17 *ad Ps.* 21, 31, ce verset des Proverbes est associé à *Eccl.* 1, 4 : Γενεὰ πορεύεται καὶ γενεὰ ἔρχεται (« Une génération va, une génération vient »).

22, 5   *Chardons et pièges sont sur les voies tortueuses,*
celui qui garde sa propre âme les évitera

236. Et le Seigneur dit à Adam : « La terre », c'est-à-dire ton âme, « produira pour toi épines et chardons [a]. » Il appelle « épines et chardons » les péchés avec lesquels a été tressée la couronne du Christ [b], car (le Christ) a enlevé le péché du monde [c].

Les épines et les chardons symbolisent les péchés ou les mauvaises pensées : voir notamment la *Lettre* 41 (p. 595, l. 16-17).

22, 7 < πλούσιοι πτωχῶν ἄρξουσιν
καὶ οἰκέται ἰδίοις δεσπόταις δανιοῦσιν >

237. Ἐν τῷ αἰῶνι τῷ μέλλοντι οἱ ἐν παντὶ πλουτισθέντες
ἐν πάσῃ γνώσει καὶ πάσῃ σοφίᾳ [a] ἄρξουσιν τῶν ἀκαθάρτων
καὶ ἐστερημένων τούτου τοῦ πλούτου. Τίνες δὲ οἱ οἰκέται
καὶ τίνες οἱ δεσπόται, νῦν οὐκ ἀναγκαῖον δημοσιεύειν διὰ
5 τὸ εἶναι τὸν περὶ αὐτῶν λόγον μυστικὸν καὶ βαθύτερον.

a. Cf. I Cor. 1, 5

A. — 3 ἐστερημένων IKMN Z Tisch. : -ρήμενον A ‖ οἱ Z
Tisch. : ὁ A.

PROCOPE : Ἐν αἰῶνι τῷ μέλλοντι οἱ ἐν παντὶ πλουτισθέντες ἐν
πάσῃ γνώσει καὶ σοφίᾳ [a] ἄρξουσιν τῶν ἐστερημένων τούτου τοῦ
πλούτου. Παρείσθω δὲ νῦν ὁ περὶ οἰκετῶν καὶ δεσποτῶν λόγος ὡς
μυστικώτερος.

IK MN. — Εὐαγρίου infra I M   Anon. K N. — 1-2 ἐν αἰῶνι
τῷ μέλλοντι IK M : ἐν τῷ αἰῶνι τῷ μέλλοντι post σοφίᾳ
transp. N ‖ 1 ante οἱ add. καὶ N ‖ οἱ IK N : om. M ‖ 2 τούτου
IK N : τούτων M ‖ 3 πλούτου hic des. N ‖ δὲ K M : om. I ‖
ὁ ante λόγος transp. IK.

22, 8a < ἄνδρα ἱλαρὸν καὶ δότην εὐλογεῖ ὁ θεός ·
ματαιότητα δὲ ἔργων αὐτοῦ συντελέσει >

238. Τὴν ματαιότητα τῶν ἔργων διὰ τῆς ἀρετῆς ὁ
κύριος καὶ τῆς γνώσεως συντελεῖ.

Adest in A.

22, 9a < νίκην καὶ τιμὴν περιποιεῖται ὁ δῶρα διδούς,
τὴν μέντοι ψυχὴν ἀφαιρεῖται τῶν κεκτημένων >

22, 7   *Les riches commanderont aux pauvres,*
  et les domestiques prêteront à leurs propres maîtres

237. Dans le siècle à venir, ceux qui se seront enrichis
en tout, en science et en sagesse [a], « commanderont » à
ceux qui seront restés impurs et privés de cette richesse.
Qui seront les « domestiques » et qui seront les « maîtres »,
il n'est pas nécessaire de le divulguer maintenant, car la
doctrine qui les concerne est mystique et profonde.

Dans le siècle à venir, les justes deviendront des anges : voir
l'Introduction, p. 49. Ici, Évagre ne veut pas divulguer cette
doctrine eschatologique qu'il a pourtant clairement exposée ailleurs ;
on rencontre dans son œuvre de nombreuses réticences de ce type,
cf. *Pensées* 16 : ... ἅπερ οὐκ ἀναγκαῖον δημοσιεῦσαι καὶ γραφῇ
παραδοῦναι (*PG* 79, 1217 D), ou encore *Pensées* 27 : ἐπέσχε δέ με
ὁ ἅγιος ἱερεύς, ἀνάξιον φήσας τὰ τοιαῦτα δημοσιεύεσθαι (*PG* 79,
1232 B-C), et *Pratique* 46 : ... ἃς ἔγωγε οὐδὲ γραφῇ παραδοῦναι
τετόλμηκα. Sur la citation de *I Cor.* 1, 5, voir la note à la scholie 155.

22, 8a   *Dieu bénit l'homme enjoué et généreux*
  et mettra fin à la vanité de ses œuvres

238. Par la vertu et la science le Seigneur « met fin à la
vanité des œuvres ».

22, 9a   *Celui qui fait des cadeaux s'assure victoire et*
  honneur
  et il soustrait alors son âme à ceux qui la possé-
  daient

239. Δῶρα τοῦ ἀνθρώπου τὰς ἀρετὰς ὀνομάζει, δι' ὧν νικῶν τὸν διάβολον τίμιον ἑαυτὸν παρέχει θεῷ καὶ ἀφαιρεῖται τὴν ἑαυτοῦ ψυχὴν ἀπὸ τῶν κτησαμένων αὐτὴν δαιμόνων.

A. — 2 θεῷ A : τῷ θεῷ Tisch.

PROCOPE : Ἄλλως δὲ δῶρα τοῦ ἀνθρώπου τὰς τῆς ψυχῆς ἀρετὰς ὀνομάζει, δι' ὧν νικῶν τὸν διάβολον τίμιον ἑαυτὸν παρέχει τῷ θεῷ καὶ ἀφαιρεῖται τὴν ἑαυτοῦ ψυχὴν ἀπὸ τῶν κτησαμένων αὐτὴν δαιμόνων.

IK M. — Εὐαγρίου I M   Anon. K. — 1 δὲ K : om. I M.

22, 10 < ἔκβαλε ἐκ συνεδρίου λοιμὸν καὶ συνεξελεύσεται
αὐτῷ νεῖκος ·
ὅταν γὰρ καθίσῃ ἐν συνεδρίῳ, πάντας ἀτιμάζει >

240. Τὴν χειρίστην κατάστασιν συνέδριον εἶπεν, ἀφ' ἧς ὁ σοφὸς Σολομὼν ἐκβάλλεσθαι τὸν ἄνθρωπον βούλεται διὰ πνευματικῆς διδασκαλίας · τὸ δὲ νεῖκος τὴν φιλονεικίαν σημαίνει. Δύναται δὲ λοιμὸν καὶ τὸν διάβολον λέγειν, ὃν
5 δεῖ ἀποδιώκειν τῆς ψυχῆς. Ἐὰν γὰρ καθίσῃ ἐν αὐτῇ, διὰ τῆς ἀκαθαρσίας πάντας τοὺς ὀρθοὺς λογισμοὺς ἀτιμάζει. Συνέδριον δὲ καὶ ὁ ἀπόστολος τὴν ψυχὴν ἀποδείκνυσι, δι' ὧν κατηγοροῦντας λογισμοὺς εἰσάγει καὶ ἀπολογουμένους · « μεταξὺ γάρ, φησίν, ἀλλήλων τῶν λογισμῶν κατηγο-
10 ρούντων ἢ καὶ ἀπολογουμένων a » · ὅπου δὲ κατηγορία καὶ ἀπολογία, ἐκεῖ καὶ συνέδριον.

a. Rom. 2, 15
Adest in A.

PROCOPE : Ἀπὸ τῆς χειρίστης ἕξεως τὸν ἄνθρωπον ἐκβάλλεσθαι βούλεται διὰ πνευματικῆς διδασκαλίας, μεθ' ἧς εἶχε φιλονεικίας, καὶ λοιμὸν δὲ τὸν διάβολον ὄντα τῆς ψυχῆς ἐκδιώκεσθαι. Ἐὰν γὰρ ἐν αὐτῇ καθίσῃ, διὰ τῆς ἀκαθαρσίας πάντας τοὺς ὀρθοὺς λογισμοὺς
5 ἀτιμάζει. Συνέδριον γὰρ τὴν ψυχὴν καὶ ὁ ἀπόστολος ἀποδείκνυσι, δι' ὧν λογισμοὺς κατηγοροῦντας ἢ καὶ ἀπολογουμένους εἰσάγει.

IK M. — <Εὐαγρίου> I M   Anon. K. — 3 δὲ K M : om. I ‖ 6 δι' ὧν IK : διὸ M ‖ ἢ M : om. IK.

239. Il nomme « cadeaux de l'homme » les vertus ; en remportant par elles « la victoire » sur le diable, il se rend digne de l'« honneur » de Dieu et « soustrait son âme » aux démons « qui la possédaient ».

Cf. l'interprétation du mot δόμα dans les scholies 184 et 199.

22, 10 *Chasse du conseil le pestiféré, et la discorde s'en ira avec lui,*
car, s'il siège au conseil, il les déshonore tous

240. Il a appelé « conseil » l'état mauvais d'où le sage Salomon veut que cet homme soit « chassé » par l'enseignement spirituel. La « discorde » désigne le goût de la discorde. Il se peut aussi qu'il appelle « pestiféré » le diable qu'il faut expulser de l'âme, car, « s'il siège » en elle, « il déshonore » par son impureté « toutes » les pensées droites. L'Apôtre aussi montre que l'âme est un conseil », lorsqu'il évoque ces pensées qui accusent et qui défendent ; il dit en effet : « ... les pensées qui accusent et qui défendent portées les uns sur les autres [a] » ; là où il y a accusation et défense, il y a aussi « conseil ».

Lignes 7-11. La comparaison de l'âme à un conseil ou à un tribunal (συνέδριον, βουλευτήριον, δικαστήριον) est habituelle chez PHILON : cf. par ex. *De confusione linguarum* 86, *De vita contemplativa* 27 et *Legatio ad Caium* 213.

22, 11 [3]   < χείλεσι ποιμαίνει βασιλεύς ·
12   οἱ δὲ ὀφθαλμοὶ κυρίου διατηρήσουσιν αἴσθησιν ·
φαυλίζει δὲ λόγους παράνομος >

241. Ὁ διατηρῶν τὰς ψυχὰς ἡμῶν κύριος αὐτὸς καὶ διὰ
τῆς πνευματικῆς γνώσεως ποιμαίνει ἡμᾶς, ἥντινα γνῶσιν
φαυλίζει ὁ παραβαίνων τὸν νόμον αὐτοῦ. Σημειωτέον δὲ
ὅτι βασιλεὺς ὢν ὁ Χριστὸς λέγεται διὰ τῆς συγκαταβάσεως
5 ποιμαίνειν ἡμᾶς · « ἐγὼ γάρ, φησίν, εἰμὶ ὁ ποιμὴν ὁ καλός [a]. »
Εἰ δὲ βασιλεὺς μέν ἐστι βασιλευόντων [b], ποιμὴν δὲ προβάτων [c], ἔσται ποτὲ μόνον βασιλεύς, τῶν προβάτων εἰς τὸ
βασιλικὸν μεταβάντων ἀξίωμα.

a. Jn 10, 11   b. Cf. I Tim. 6, 15   c. Cf. Jn 10, 2

A. — 4 ὢν Tisch. : ὧν A.

PROCOPE : Καὶ ἄλλως. Ὁ διατηρῶν τὰς ψυχὰς ἡμῶν κύριος, οὗτος
καὶ διὰ τῆς πνευματικῆς ἡμᾶς γνώσεως ποιμαίνει συγκαταβαίνων καὶ
λέγων · « ἐγώ εἰμι ὁ ποιμὴν ὁ καλός [a] », ἣν ἀτιμάζει παράνομος. Εἰ
δὲ βασιλεὺς μέν ἐστι βασιλευόντων [b], ποιμὴν δὲ προβάτων [c], ἔσται
5 καὶ μόνον βασιλεύς, τῶν προβάτων εἰς τὸ βασιλικὸν μεταβαλόντων
ἀξίωμα.

IK. — Εὐαγρίου I Anon. K. — 1 Καὶ ἄλλως K : ἄλλως
in mg. I ‖ 2 συγκαταβαίνων I : συκατα- K ‖ 5 μόνον I :
μόνων K ‖ μεταβαλόντων K : -βαλλόντων I.

───────────────

22, 13 < προφασίζεται καὶ λέγει ὀκνηρός ·
λέων ἐν ταῖς ὁδοῖς, ἐν δὲ ταῖς πλατείαις φονευ-
ταί >

242. Ὁ ἐχθρὸς ἡμῶν διάβολος ὡς λέων περιέρχεται
ζητῶν τίνα καταπίῃ [a], ὅντινα φοβούμενος ὁ ὀκνηρὸς πρὸς
τὴν ἐργασίαν τῶν ἀρετῶν ἀναδύεται.

a. Cf. I Pierre 5, 8

Adest in A.

22, 11 ³   *Le roi fait paître avec ses lèvres ;*
12   *les yeux du Seigneur veillent sur les sens,*
              mais l'inique méprise ses paroles

241. Le Seigneur qui « veille sur » nos âmes nous « paît »
aussi par la science spirituelle, science que « méprise »
celui qui transgresse sa loi. Il faut noter que le Christ
condescend à nous « faire paître » alors qu'il est « roi »,
car il a dit : « Je suis le bon pasteur ᵃ. » Mais s'il est le roi
des rois ᵇ et le pasteur des brebis ᶜ, le jour viendra où il ne
sera plus que roi, quand les brebis seront parvenues à la
dignité royale.

On retrouve ici le thème des ἐπίνοιαι du Christ : voir l'Introduction,
p. 51-52. Le Christ n'aura plus que le titre de roi, quand il aura étendu
son règne à tous les êtres raisonnables, ce qui constituera le premier
moment de l'eschatologie. Il ne lui restera plus alors qu'à remettre son
royaume au Père (cf. schol. 118). La scholie 4 *ad Ps.* 22, 5 établit
une hiérarchie similaire entre les titres de pasteur et d'ami.

22, 13 *Le paresseux fournit des prétextes et dit :*
           Il y a un lion sur la route, des assassins sur les
           places

242. Notre ennemi le diable rôde comme un lion,
cherchant qui dévorer ᵃ, et le paresseux qui est terrorisé
par lui se dérobe à la pratique des vertus.

Cf. *Antirrhétique* IV, 50 : « Contre la pensée qui me dit que la voie
qui conduit à la science de Jésus-Christ est pleine d'un grand danger
et d'une violente affliction », il faut réciter *Prov.* 22, 13.

22, 14 < βόθρος βαθὺς στόμα παρανόμου ·
       ὁ δὲ μισηθεὶς ὑπὸ κυρίου ἐμπεσεῖται εἰς αὐτόν >

243. Ὁ Ἰὼβ οὐ μισηθεὶς ὑπὸ κυρίου, ἀλλὰ δοκιμῆς
ἕνεκεν ἐμπέπτωκεν εἰς αὐτόν.

Adest in A.

PROCOPE : Ὁ δὲ Ἰὼβ οὐ μισηθεὶς ὑπὸ κυρίου, δοκιμῆς δὲ χάριν
εἰς τὸ τοῦ παρανόμου πέπτωκε στόμα.

IK M. — Εὐαγρίου supra I   Anon. K M. — 1 ὑπὸ IK :
παρὰ M ‖ δὲ² K M : om. I.

22, 15 < ἄνοια ἐξῆπται καρδίας* νέου ·
       ῥάβδος δὲ καὶ παιδεία μακρὰν ἀπ' αὐτοῦ >

244. Μακρὰν ἀπὸ τῆς καρδίας τοῦ ἄφρονός ἐστιν ἡ
ῥάβδος ἡ ἐκ τῆς ῥίζης Ἰεσσαί [a].

a. Cf. Is. 11, 1
Adest in A.

PROCOPE : Καὶ ἄλλως. Μακρὰν ἀπὸ τῆς καρδίας τοῦ ἄφρονός ἐστι
ῥάβδος ἡ ἐκ τῆς ῥίζης Ἰεσσαί [a].

IK M. — Anon. — 1 τοῦ [om. I] ἄφρονος ante καρδίας
transp. IK.

22, 16 < ὁ συκοφαντῶν πένητα πολλὰ ποιεῖ τὰ ἑαυτοῦ
       κακά ·
       δίδωσιν δὲ πλουσίῳ ἐπ' ἐλάσσονι >

245. Ὥσπερ ὁ διάβολος συκοφαντεῖ ἡμᾶς, λαμβάνων
παρ' ἡμῶν τὰς ἀρετὰς ἃς μὴ δέδωκεν ἡμῖν, οὕτω καὶ ἡμεῖς
συκοφαντοῦμεν αὐτόν, λαμβάνοντες παρ' αὐτοῦ τὰς κακίας

AB. — 2 παρ' ἡμῶν A : om. B.

22, 14 *La bouche de l'inique est un gouffre profond,*
et celui qui a été haï par le Seigneur y tombera

243. Job « y est tombé » non pas parce qu'il « avait été
haï par le Seigneur », mais afin d'être éprouvé.

Cette gueule est celle du Léviathan (cf. *Job* 40-41).

22, 15 *La déraison est attachée au cœur du jeune homme,*
la verge et l'instruction sont loin de lui

244. Elle est loin du « cœur » de l'insensé la verge issue
de la souche de Jessé [a].

Lemme biblique. L'*Alexandrinus* a par erreur καρδία.

Ce titre de David a tout naturellement été appliqué au Christ
qui était de la descendance de David (cf. *Rom.* 15, 12). Il figure
parmi les dénominations du Christ rassemblées par Origène, *Comm.*
sur S. Jean I, 261-264.

22, 16 *Celui qui dupe le pauvre augmente ses propres*
maux,
et il donne au riche pour son propre appauvrisse-
ment

245. De même que le diable nous « dupe » en nous
prenant les vertus qu'il ne nous a pas données, de même
nous le « dupons » en lui prenant les vices que nous ne lui

ἃς μὴ δεδώκαμεν αὐτῷ. Καὶ καθὸ μὲν λαμβάνομεν παρ'
5 αὐτοῦ τὰς κακίας, ὡς παρὰ πένητος ἐν ἀρεταῖς λαμβάνομεν ·
καθὸ δὲ τὰς ἀρετὰς ἡμῶν διδόαμεν αὐτῷ ἐπ' ἐλαττώσει
ἡμῶν, ὡς πλουσίῳ ἐν κακίᾳ διδόαμεν. Ἔλεγεν δέ τις τῶν
γερόντων ὅτι ἡμεῖς ἐσμὲν οἱ συκοφάνται οἱ Χριστὸν συκο-
φαντοῦντες πτωχεύσαντα δι' ἡμᾶς ᵃ καὶ μηδὲν ὀφείλοντα
10 ἡμῖν καὶ λαμβάνοντες παρ' αὐτοῦ πολλὰ καὶ διδόντες τῷ
σατανᾷ ἐπὶ ταπεινώσει τῶν ἡμετέρων ψυχῶν.

a. Cf. II Cor. 8, 9

4-5 ἃς μὴ — κακίας A : om. B ‖ 7 post διδόαμεν add. αὐτῷ
B ‖ 8 γερόντων A : πατέρων B.

PROCOPE : Ὥσπερ ὁ διάβολος συκοφαντεῖ ἡμᾶς, λαμβάνων παρ'
ἡμῶν τὰς ἀρετὰς ἃς μὴ δέδωκεν ἡμῖν, οὕτω καὶ ἡμεῖς συκοφαντοῦμεν
αὐτόν, λαμβάνοντες παρ' αὐτοῦ τὰς κακίας ἃς μὴ δεδώκαμεν αὐτῷ.
Καὶ καθὸ μὲν λαμβάνομεν παρ' αὐτοῦ τὰς κακίας, ὡς παρὰ πένητος
5 ἐν ἀρεταῖς λαμβάνομεν · καθὸ δὲ τὰς ἀρετὰς ἡμῶν διδόαμεν αὐτῷ
ἐπ' ἐλαττώσει ἡμῶν, ὡς πλουσίῳ ἐν κακίᾳ διδόαμεν. Ἔλεγε δέ τις
τῶν γερόντων ὅτι ἡμεῖς ἐσμὲν οἱ συκοφάνται οἱ Χριστὸν συκο-
φαντοῦντες πτωχεύσαντα δι' ἡμᾶς ᵃ καὶ οὐδὲν ἡμῖν ὀφείλοντα καὶ
λαμβάνοντες παρ' αὐτοῦ πολλὰ καὶ διδόντες τῷ σατανᾷ ἐπὶ ταπεινώσει
10 τῶν ἡμετέρων ψυχῶν.

IK M — Anon. — 3 παρ' αὐτοῦ I M : ἀπ' αὐτοῦ K ‖ αὐτῷ
K M : ἑαυτῷ I ‖ 6 ἐπ' K M : om. I ‖ διδόαμεν hic des. M.

22, 17 < λόγοις σοφῶν παράβαλε σὸν οὖς καὶ ἄκουε ἐμὸν
λόγον ·
τὴν δὲ σὴν καρδίαν ἐπίστησον, ἵνα γνῷς ὅτι καλοί
εἰσιν >

246. Οὗτος ἀκούει τῶν τοῦ θεοῦ λόγων ὁ ποιῶν τὰ
προστασσόμενα ὑπ' αὐτῶν · « οὐ γὰρ οἱ ἀκροαταὶ νόμου
δίκαιοι παρὰ θεῷ, ἀλλὰ οἱ ποιηταὶ τοῦ νόμου δικαιωθήσονται ᵃ. »

a. Rom. 2, 13
Adest in A.

avons pas donnés. Et lorsque nous lui prenons ses vices, nous les lui prenons comme à un « pauvre » en vertus; lorsque nous lui donnons nos vertus « pour notre propre appauvrissement », nous les lui donnons comme à un riche en vices. Un ancien disait que nous sommes des escrocs qui dupons le Christ qui s'est fait pauvre pour nous [a], alors qu'il ne nous devait rien; que nous lui prenons beaucoup et le donnons à Satan pour l'humiliation de nos âmes.

Le verbe συκοφαντεῖν apparaît trois fois dans les Proverbes (14, 31 ; 22, 16 ; 28, 3) et le substantif συκοφάντης une fois (28, 16). Le contexte montre à chaque fois qu'il ne s'agit pas de dénonciation ou de calomnie, mais plutôt de duperie et d'escroquerie, et c'est bien ainsi qu'Évagre a compris le verbe συκοφαντεῖν dans la présente scholie. Quelle que soit la nuance exprimée, le nom συκοφάντης et ses dérivés συκοφαντεῖν et συκοφαντία appellent toujours la mention des démons : schol. *ad Eccl.* 4, 1 (*Coislin 193*, f. 21ᵛ) ; *Pensées* 27 (*PG* 79, 1233 A) ; *Prière* 139 ; *KG* III, 90 ; *Lettres* 4 (p. 568, l. 22) et 52 (p. 600, l. 16). La scholie se termine par un apophtegme que nous n'avons pas retrouvé dans les diverses collections constituées.

22, 17 *Prête l'oreille aux paroles des sages et écoute ma parole,*
applique ton cœur afin de savoir comme elles sont belles

246. Celui-là « écoute les paroles » de Dieu qui met en pratique ce qu'elles prescrivent; « car ce ne sont pas les auditeurs de la loi qui sont justes devant Dieu, mais les observateurs de la loi qui seront justifiés [a]. »

Cf. schol. 27.

PROCOPE : 'Ακούει δὲ ὁ ποιῶν· « οὐ γὰρ οἱ ἀκροαταὶ τοῦ νόμου δίκαιοι παρὰ τῷ θεῷ, ἀλλ' οἱ ποιηταί [a]. »

IK MN. — Εὐαγρίου M Anon. IK N. — 1 'Ακούει M : ἄκουε IK || ὁ] ποιῶν hic inc. N || 2 παρὰ τῷ θεῷ I : παρ' αὐτῷ K MN.

22, 20 < καὶ σὺ δὲ ἀπόγραψαι αὐτὰ σεαυτῷ τρισσῶς
εἰς βουλὴν καὶ γνῶσιν ἐπὶ τὸ πλάτος τῆς καρδίας
σου >

247. Ὁ πλατύνας διὰ τῆς καθαρότητος τὴν καρδίαν αὐτοῦ νοήσει τοὺς τοῦ θεοῦ λόγους τούς τε πρακτικοὺς καὶ τοὺς φυσικοὺς καὶ τοὺς θεολογικούς. Πᾶσα γὰρ ἡ κατὰ τὴν γραφὴν πραγματεία τέμνεται τριχῶς εἰς ἠθικὴν καὶ φυσικὴν 5 καὶ θεολογικήν. Καὶ ἀκολουθεῖ τῇ μὲν πρώτῃ αἱ Παροιμίαι, τῇ δὲ δευτέρᾳ ὁ Ἐκκλησιαστής, τῇ δὲ τρίτῃ τὰ Ἄσματα τῶν ᾀσμάτων.

AB. — 1 post καθαρότητος add. αὐτοῦ B || τὴν A : om. B || 4 πραγματεία A : -τείαν B || 6 δὲ[1] A : om. B.

PROCOPE : Ἦ καὶ ὅτι πᾶσα ἡ γραφικὴ πραγματεία τέμνεται εἰς ἠθικὴν καὶ φυσικὴν καὶ θεολογικήν. Καὶ ἀκολουθεῖ τῇ μὲν πρώτῃ αἱ Παροιμίαι, τῇ δὲ δευτέρᾳ ὁ Ἐκκλησιαστής, τῇ δὲ τρίτῃ Ἄσμα τῶν ᾀσμάτων, ἅπερ νοηθέντα διὰ καθαρότητος ἐναπογράφεται τῇ 5 καρδίᾳ.

IK MN. — Anon. — 2 μὲν ante τῇ transp. N || 3 δευτέρᾳ IK N : βὴν M || τρίτῃ IK : γὴν M Γ N || 3-4 Ἄσμα τῶν ᾀσμάτων IK : τὸ Ἄσμα τῶν ᾀσμάτων N Ἄσματα ᾀσμάτων M.

22, 26 < μὴ διδοὺ σεαυτὸν εἰς ἐγγύην αἰσχυνόμενος πρό-
σωπον·
27 ἐὰν γὰρ μὴ ἔχῃς πόθεν ἀποτείσῃς,
λήμψονται τὸ στρῶμα τὸ ὑπὸ τὰς πλευράς σου >

22, 20 *Et toi, inscris-les trois fois en toi,*
en vue du conseil et de la science, sur la largeur de
ton cœur

247. Celui qui aura élargi son cœur par la pureté comprendra les paroles de Dieu qui sont pratiques, physiques
et théologiques, car toute la doctrine de l'Écriture se divise
en trois parties : éthique, physique et théologie; et les
Proverbes se rapportent à la première, l'Ecclésiaste à la
seconde, le Cantique des cantiques à la troisième.

Pour le commentaire de cette scholie, voir l'Introduction, p. 28-30,
et pour le thème de l'élargissement du cœur, la note à la scholie 12.
Le parallélisme établi entre les trois livres de Salomon et les trois
étapes du progrès spirituel remonte à ORIGÈNE, Prologue au *Commen-*
taire du Cantique des cantiques (*GCS* 33, p. 76 s.). Il aura un tel
succès qu'on le retrouvera chez tous les grands commentateurs du
IVᵉ siècle : BASILE DE CÉSARÉE, *Hom.* XII, 1 *(In principium*
Proverbiorum) ; DIDYME L'AVEUGLE, *Comm. sur Eccl. 1, 1 a-b* (Tura-
Papyrus 5, 31 - 6, 14) ; GRÉGOIRE DE NYSSE, *Homélie* I *sur le Cantique*
des cantiques (Langerbeck, *Gregorii Nysseni opera...*, vol. VI, p. 17-22).
CASSIEN le reprend également (*Conf.* III, 7), mais le combine à la
théorie des trois sens de l'Écriture et à une doctrine des trois renonce-
ments inspirée d'Évagre.

22, 26 *Ne te porte pas toi-même garant par égard pour*
la personne.
27 *Car, si tu n'as pas de quoi acquitter ta dette,*
ils prendront la natte placée sous tes flancs

248. Οἱ τοὺς φαύλους ἀναδεχόμενοι λογισμοὺς καὶ τούτῳ
τιμῶντες τὸν πονηρὸν σπουδαζέτωσαν ὅση δύναμις διὰ
τῶν ἀγαθῶν λογισμῶν ἀποδιδόναι τοὺς χείρονας. Ἐὰν
γὰρ μὴ ἰσχύσωσι τοῦτο ποιῆσαι, λήψονται τὸ στρῶμα τὸ
5 ὑπὸ τὰς πλευρὰς τῆς ψυχῆς, τουτέστιν τὴν ἀρετήν. Αὕτη
γὰρ τοῦ μὲν ἑστῶτος ἐν τῇ δικαιοσύνῃ νοῦ ἱμάτιον [a] λέγεται ·
τοῦ δὲ λοιπὸν πεσόντος διὰ τῶν φαύλων λογισμῶν ὑπόστρωμα
καλεῖται.

a. Cf. Ex. 22, 25-26

AB. — 2 τὸν πονηρὸν A : τῷ πονηρῷ B ‖ 2 ὅση A : ὡς ἡ B ‖
6 ἑστῶτος A : ἐνεστῶτος B ‖ 7 ὑπόστρωμα AB p. corr. :
ἀπόστρωμα B a. corr. ‖ 8 καλεῖται A : om. B.

PROCOPE : Ἦ καὶ ἄλλως. Οἱ τοὺς φαύλους ἀναδεχόμενοι λογισμοὺς
καὶ τούτῳ τιμῶντες τὸν πονηρὸν διὰ λογισμῶν ἀγαθῶν σπουδαζέτωσαν
ἀποδιδόναι τοὺς χείρονας, ἐπεὶ λήψονται τὴν ὑπεστρωμένην ἀρετήν.
Αὕτη γὰρ τοῦ μὲν ἑστῶτος ἐν τῇ δικαιοσύνῃ νοῦ ἱμάτιον [a] λέγεται ·
5 τοῦ δὲ λοιπὸν διὰ τῶν φαύλων λογισμῶν πεπτωκότος στρῶμα καλεῖται.

IK M. — Εὐαγρίου I M Anon. K. — 1 Ἦ καὶ ἄλλως
IK : om. M ‖ Οἱ τοὺς φαύλους [φαύλους correxi : φίλους
K M] ἀναδεχόμενοι K M : ἀνεχόμενοι I ‖ 2 τούτῳ I M :
τοῦτο K ‖ τὸν I M : τὸ K ‖ 3 ὑπεστρωμένην I M : -ωμμένην
K ‖ 5 στρῶμα I : στρώμα M στρῶμμα K.

22, 28 < μὴ μέταιρε ὅρια αἰώνια ἃ ἔθεντο οἱ πατέρες σου >

249. Ὁ μετατιθεὶς τὰ ὅρια τῆς θεοσεβείας δεισιδαιμονίαν
ἢ ἀσέβειαν αὐτὴν ἀποδείκνυσι καὶ ὁ μετατιθεὶς τὰ ὅρια
τῆς ἀνδρείας θρασύτητα ἢ δειλίαν αὐτὴν ἀπεργάζεται.
Ὡσαύτως δὲ καὶ ἐπὶ τῶν ἄλλων ἀρετῶν καὶ ἐπὶ τῶν δογμά-
5 των καὶ ἐπ' αὐτῆς τῆς πίστεως νοητέον. Μάλιστα δὲ τοῦτο
τηρητέον ἐπὶ τῆς ἁγίας τριάδος · ὁ γὰρ μὴ θεολογῶν τὸ
πνεῦμα τὸ ἅγιον διαλύει τὸ βάπτισμα · ὁ δὲ καὶ ἄλλους
τινὰς ὀνομάζων θεοὺς δῆμον εἰσάγει θεῶν.

AB. — 6 ὁ γὰρ hic inc. B ‖ 7 βάπτισμα hic des. B.

248. Ceux qui honorent le malin en accueillant ses mauvaises pensées, qu'ils se dépêchent, autant qu'ils peuvent, d'échanger les mauvaises pensées contre des bonnes ; car s'ils viennent à ne plus pouvoir le faire, (les démons) « prendront la natte placée sous les flancs » de leur âme, c'est-à-dire la vertu. Celle-ci est en effet considérée comme le « manteau ª » de l'intellect qui se tient debout dans la justice, et comme la « natte » de celui que les mauvaises pensées ont fini par faire tomber.

Car les mauvaises pensées, si on les laisse s'attarder, conduisent au péché en acte : schol. 68, 82 et 115.

22, 28 *Ne déplace pas les bornes séculaires qu'ont placées*
tes pères

249. Celui qui « déplace les bornes » de la piété la change en superstition ou en impiété, et celui qui « déplace les bornes » du courage le transforme en témérité ou en lâcheté. Il faut penser qu'il en est de même des autres vertus, des doctrines et de la foi elle-même. Mais il faut surtout observer ce précepte en ce qui concerne la sainte Trinité, car celui qui ne reconnaît pas la divinité du Saint Esprit ôte toute valeur au baptême, et celui qui donne à d'autres aussi le nom de dieu introduit le polythéisme.

PROCOPE : Ὁ μετατιθεὶς ὅρια τῆς θεοσεβείας δεισιδαιμονίαν
ἢ ἀσέβειαν αὐτὴν ἀποδείκνυσι · καὶ ὁ τῆς ἀνδρείας θρασύτητα ἢ δειλίαν
αὐτὴν ἀπεργάζεται · καὶ ἐπὶ τῶν ἄλλων ἀρετῶν ὁμοίως ἐστίν. Καὶ ὁ
μὴ θεολογῶν δὲ τὸ πνεῦμα τὸ ἅγιον διαλύει τὸ βάπτισμα · ὁ δὲ καὶ
5 ἄλλους ὀνομάζων θεοὺς δῆμον εἰσάγει θεῶν.

IK MN. — Εὐαγρίου I M Anon. K N. — 1 τῆς IK :
om. MN ‖ 3 καὶ ἐπὶ MN : κἀπὶ IK ‖ ἀρετῶν post ὁμοίως
transp. K post ἐστίν transp. I ‖ ὁμοίως hic des. MN.

La foi orthodoxe est comme la vertu un juste milieu entre deux
extrêmes (sur la vertu juste milieu, voir la scholie 53 et les références
données en note). L'idée que la piété se situe entre l'impiété et la
superstition ne se trouve pas exprimée par Aristote, mais apparaît
chez PHILON D'ALEXANDRIE (Quod Deus sit immutabilis 163-164 ;
De specialibus legibus IV, 147) et se retrouve chez GRÉGOIRE DE
NYSSE, Traité de la virginité VII, 2. Si le début de la scholie offre

---

23, 1 < ἐὰν καθίσῃς δειπνεῖν ἐπὶ τραπέζης δυναστοῦ,
νοητῶς νόει τὰ παρατιθέμενά σοι...

3   εἰ δὲ ἀπληστότερος εἶ, μὴ ἐπιθύμει τῶν ἐδεσμάτων
αὐτοῦ ·
ταῦτα γὰρ ἔχεται ζωῆς ψευδοῦς >

250. Οὐ γὰρ πάντες χωροῦσι [a] τὴν μυστικωτέραν διάνοιαν τῆς γραφῆς.

a. Cf. Matth. 19, 11

Adest in A.

---

251. Δεῖ τὴν θείαν γραφὴν νοητῶς νοεῖσθαι καὶ πνευματικῶς · ἡ γὰρ κατὰ τὴν ἱστορίαν αἰσθητὴ γνῶσις οὐκ ἔστιν
ἀληθής.

Adest in A.

un développement d'allure tout à fait scolaire, ce qui suit et concerne la Trinité se réfère aux controverses qui opposaient alors les orthodoxes aux pneumatomaques, négateurs de la divinité du Saint Esprit. C'est contre ces derniers que Basile avait écrit son *Traité sur le Saint Esprit*, et Grégoire de Nazianze, son cinquième *Discours théologique*. Évagre lui-même a consacré à la défense de cette divinité de l'Esprit une partie de sa *Lettre sur la sainte Trinité* (Ps.-BASILE, *Lettre* 8, 10-11). Ne pas reconnaître la divinité de l'Esprit, c'est ôter toute valeur et toute efficacité au baptême qui est administré, selon les termes de *Matth.* 28, 19, « au nom du Père et du Fils et du Saint Esprit ». En appliquant le concept de juste milieu à la doctrine trinitaire, Évagre s'est sans doute souvenu de l'enseignement de son maître, Grégoire de Nazianze, qui n'a cessé de répéter que l'orthodoxie nicéenne était « un juste milieu entre le sabellianisme et l'arianisme, entre le judaïsme et le polythéisme » (C. MORESCHINI, Introd. à *Grég. de Naz. Discours 32-37*, *SC* 318, Paris 1985, p. 12).

23, 1   *Si tu es assis pour manger à la table d'un prince,*
             comprends de façon intelligible ce qui t'est servi...
       3   *Si tu as trop d'appétit, ne convoite pas ses mets,*
             car ils proviennent d'une vie de mensonge

250. Car tous ne sont pas capables de comprendre [a] le sens mystique de l'Écriture.

Évagre reprend le début d'une phrase prononcée par Jésus : οὐ πάντες χωροῦσιν τὸν λόγον τοῦτον (*Matth.* 19, 11). La table mentionnée dans ces versets des Proverbes figurait déjà la divine Écriture chez ORIGÈNE, *Commentaire sur l'Épître aux Romains* VIII, 8.

---

251. Il faut « comprendre » la divine Écriture « de façon intelligible » et spirituelle, car la connaissance sensible selon le sens littéral n'est pas vraie.

23, 6 < μὴ συνδείπνει ἀνδρὶ βασκάνῳ ·
μηδὲ ἐπιθύμει τῶν βρωμάτων αὐτοῦ ·
7 ὃν τρόπον γὰρ εἴ τις καταπίοι τρίχα,
οὕτως ἐσθίει καὶ πίνει ·
8 μηδὲ πρὸς σὲ εἰσαγάγῃς αὐτὸν καὶ φάγῃς τὸν
ψωμόν σου μετ' αὐτοῦ ·
ἐξεμέσει γὰρ αὐτὸν καὶ λυμανεῖται τοὺς λόγους
σου τοὺς καλούς >

252. Εἰ ὁ βάσκανος σῖτα ἀσεβείας ἐσθίει καὶ οἴνῳ
παρανόμῳ μεθύσκεται [a], οὐ δεῖ δὲ συνδειπνεῖν τούτῳ, οὐ
χρὴ ἄρα εἶναι ἀσεβῆ καὶ παράνομον · αὗται γὰρ αἱ κακίαι
λυμαίνονται γνῶσιν πνευματικήν.

a. Cf. Prov. 4, 17

A. — 3 ἄρα IK Z Tisch. : ἄρα A.

PROCOPE : Εἰ γὰρ ὁ βάσκανος σῖτα ἀσεβείας ἐσθίει καὶ οἴνῳ
παρανόμῳ μεθύσκεται [a], οὐ δεῖ δὲ συνδειπνεῖν τούτῳ, οὐ χρὴ ἄρα
εἶναι ἀσεβῆ καὶ παράνομον.

IK. — Εὐαγρίου I Anon. K. — 2 δὲ I : om. K.

23, 9 < εἰς ὦτα ἄφρονος μηδὲν λέγε,
μήποτε μυκτηρίσῃ τοὺς συνετοὺς λόγους σου >

253. Μηδὲν λέγε συνετόν, τουτέστιν βαθὺ καὶ μυστικόν ·
οὐ δεῖ γὰρ βάλλειν τοὺς μαργαρίτας ἔμπροσθεν τῶν χοίρων [a].

a. Cf. Matth. 7, 6

A. — 1 μηδὲν Z : μηθὲν A ‖ 2 τοὺς A : τὰς Tisch.

PROCOPE, ad Prov. 23, 9[1] (?) : Δηλαδὴ τῶν μυστικῶν καὶ σοφῶν.

IK MN. — Anon.

PROCOPE, ad Prov. 23, 9[2] (?) : Ταὐτὸν τῷ καταπατεῖσθαι τοὺς
μαργαρίτας ὑπὸ τῶν χοίρων [a].

IK. — Anon. — 2 ὑπὸ I : ἔμπροσθεν [ὑπὸ sup. l.] K.

23, 6   *Ne mange pas avec l'homme envieux*
       et ne convoite pas ses aliments ;

     7   *car comme quelqu'un qui avalerait un cheveu,*
       ainsi il mange et boit.

     8   *Ne l'introduis pas chez toi et ne mange pas un mor-*
         ceau avec lui,
       car il le vomira et gâtera les belles paroles

252. Si l'« envieux » mange le pain de l'impiété et s'enivre d'un vin inique [a] et qu'il ne faille « pas manger avec lui », il ne faut donc pas être impie et inique, car ces vices « gâtent » la science spirituelle.

     Cf. schol. 48. L'impiété est pour Évagre la fausse science ou l'ignorance, et l'iniquité, la malice : cf. schol. 3 *ad Ps.* 72, 6 (où παρανομία est remplacé par ἀδικία).

23, 9   *Ne dis rien à l'oreille de l'insensé,*
       de peur qu'il ne tourne en dérision tes paroles pleines
       d'intelligence

253. « Ne dis rien » d'intelligent, c'est-à-dire rien de profond et de mystique, car il ne faut pas jeter les perles devant les pourceaux [a].

     Ceux qui ont une fonction d'enseignement doivent faire preuve de prudence, afin de ne pas livrer au premier venu les secrets de la « gnose ». C'est pour cela qu'Évagre adopte un style volontiers allusif et énigmatique ; cf. fin du Prologue [9] du *Traité pratique* : « Nous avons voilé certaines choses, nous en avons obscurci d'autres, pour ne pas donner aux chiens ce qui est saint, et ne pas jeter les perles devant les pourceaux » (trad. A. et Cl. Guillaumont). En *Conf.* XIV, 17, Cassien, qui traite du même sujet, associe également *Prov.* 23, 9 à *Matth.* 7, 6.

23, 10 < μὴ μεταθῇς ὅρια αἰώνια ἃ ἔθεντο οἱ πατέρες σου ·
        εἰς δὲ κτῆμα ὀρφανῶν μὴ εἰσέλθῃς >

254. Κτῆμα ὀρφανῶν ἡ κακία ἐστίν, δι' ἣν ἐστερήθησαν
τοῦ ἐν οὐρανοῖς πατρός.

A. — 2 πατρός A : σωτῆρος Tisch.

PROCOPE : Ἢ καὶ ἄλλως. Κτῆμα ὀρφανῶν ἐστιν ἡ κακία, δι' ἣν
ἐστερήθησαν τοῦ ἐπουρανίου πατρός.

IK MN. — Εὐαγρίου I Anon. K MN. — 1 ἄλλως IK :
om. MN ‖ ἡ κακία IK N : om. M ‖ 2 ἐπουρανίου IK M :
οὐρανίου N.

23, 17 < μὴ ζηλούτω ἡ καρδία σου ἁμαρτωλούς,
        ἀλλὰ ἐν φόβῳ κυρίου ἴσθι ὅλην τὴν ἡμέραν >

255. Εἰ « τῷ φόβῳ κυρίου ἐκκλίνει πᾶς ἀπὸ κακοῦ [a] »,
καλῶς παραινεῖ διὰ παντὸς τοῦ βίου ἐκκλίνειν ἡμᾶς ἀπὸ
παντὸς κακοῦ.

a. Prov. 15, 27
Adest in A.

PROCOPE : Ἐπεὶ « φόβῳ κυρίου ἐκκλίνει πᾶς ἀπὸ κακοῦ [a] », παραινεῖ
δι' ὅλου τοῦ βίου τοῦτο ποιεῖν.

IK MN. — Διδύμου I Anon. K MN. — 1 ante φόβῳ
add. τῷ N ‖ post πᾶς add. τις N ‖ 2 δι' ὅλου — ποιεῖν IK M :
δι' ὅλης τῆς ζωῆς τῷ φόβῳ στοιχεῖν τοῦ κυρίου N.

23, 18 < ἐὰν γὰρ τηρήσῃς αὐτά, ἔσται σοι ἔγγονα ·
        ἡ δὲ ἐλπίς σου οὐκ ἀποστήσεται >

256. Τοὺς ὀρθοὺς λογισμοὺς καὶ τὰ πνευματικὰ θεωρήματα

AB.

23, 10 *Ne déplace pas les bornes séculaires qu'ont placées*
tes pères,
et ne pénètre pas dans la propriété des orphelins

254. « La propriété des orphelins », c'est la malice à
cause de laquelle ils ont été privés de leur Père qui est dans
les cieux.

Cf. schol. 4 *ad Ps.* 67, 6 : « L'orphelin est celui qui a été privé,
à cause de sa malice, de son Père céleste... » (*Vaticanus 754*, f. 166ʳ :
collation M.-J. Rondeau).

23, 17 *Que ton cœur n'envie pas les pécheurs,*
mais sois tout le jour dans la crainte du Seigneur

255. Si « c'est par la crainte du Seigneur qu'on se
détourne du mal [a] », il fait bien de nous exhorter à nous
détourner toute notre vie de tout mal.

Sur la citation de *Prov.* 15, 27, voir la note à la scholie 113, et sur
l'interprétation de l'expression ὅλην τὴν ἡμέραν, la note à la
scholie 231.

23, 18 *Si tu observes cela, tu auras une postérité,*
et ton espoir ne s'évanouira pas

256. Il a considéré les pensées droites et les contempla-

ἔγγονα εἶπεν τοῦ νοῦ. Διὸ καὶ ἄτεκνός [a] ἐστιν ἡ ψυχὴ ἡ μὴ
ἔχουσα ταῦτα τὰ ἔγγονα, ἅπερ πέφυκε τίκτεσθαι ἀπὸ τοῦ
πνευματικοῦ νυμφίου.

a. Cf. Ps. 34, 12

2 ἔγγονα A : ἔκγονα B ‖ ἔστιν A : om. B ‖ ἡ[1] B : om. A ‖
ἡ[2] A : εἰ B ‖ 3 ἔγγονα A : ἔκγονα B.

PROCOPE : Τοὺς ἀγαθοὺς γὰρ λογισμοὺς καὶ τὰ πνευματικὰ
θεωρήματα ἔκγονα εἶπε τοῦ νοῦ. Διόπερ ἄτεκνος [a] ἡ μὴ ἔχουσα ταῦτα
ψυχή, ἅπερ ἀπὸ τοῦ πνευματικοῦ νυμφίου πέφυκε τίκτεσθαι.

IK MN. — Εὐαγρίου I   Anon. K MN. — 1-2 Τοὺς — νοῦ
IK : ἀγαθοὶ λογισμοὶ καὶ καλοὶ καὶ πνευματικὰ θεωρήματα ·
ταῦτα γὰρ ἔκγονα εἶπε τοῦ νοῦ MN.

23, 21 < πᾶς γὰρ μέθυσος καὶ πορνοκόπος πτωχεύσει
καὶ ἐνδύσεται διερρηγμένα καὶ ῥακώδη πᾶς
ὑπνώδης >

257. Οὐκ ἔστιν ἔνδυμα γάμου [a] διερρηγμένον ἱμάτιον
καὶ ῥακῶδες.

a. Cf. Matth. 22, 11

Adest in A.

PROCOPE : Οὐδὲ γάρ ἐστιν ἔνδυμα γάμου [a] διερρηγμένον ἱμάτιον
καὶ ῥακῶδες.

IK. — Εὐαγρίου I   Anon. K.

23, 22 < ἄκουε, υἱέ, πατρὸς τοῦ γεννήσαντός σε
καὶ μὴ καταφρόνει ὅτι γεγήρακέν σου ἡ μήτηρ >

258. Ἤκουσά τινος τῶν γερόντων τὴν ψυχὴν εἰπόντος
μητέρα τοῦ νοῦ · αὕτη γάρ, φησίν, διὰ τῶν πρακτικῶν

AB.

tions spirituelles comme la « postérité » de l'intellect.
Aussi est-elle stérile [a] l'âme qui n'a pas cette « postérité »
qui est engendrée par l'époux spirituel.

Cf. schol. 9 *ad Ps.* 34, 12 : « Est stérile l'âme qui n'a rien produit
de bon ou n'a fait de bien à personne » (*Vaticanus 754*, f. 101[v] :
collation M.-J. Rondeau). Voir aussi la scholie 112 (texte et note).

23, 21 *Car l'ivrogne et le débauché mendieront,*
et le dormeur portera des vêtements déchirés et en
guenille

257. Le manteau « déchiré et en guenille » n'est pas un
vêtement de noces [a].

Les vertus et l'impassibilité sont ce « vêtement » qui permet de
prendre part aux noces de la science. Cf. schol. 335 ; schol. 7 *ad*
Ps. 131, 9 et surtout *Pensées* 23 : « Le vêtement de noces est l'impassibilité de l'âme raisonnable qui a renié les désirs mondains » (*PG* 79,
1228 A).

23, 22 *Écoute, mon fils, le père qui t'a engendré*
et ne méprise pas ta mère, parce qu'elle est vieille

258. J'ai entendu un ancien dire : L'âme est la mère de
l'intellect, car elle donne par les vertus pratiques le jour

ἀρετῶν εἰς φῶς προάγει τὸν νοῦν. Ψυχὴν δὲ ἔλεγεν τὸ παθητικὸν μέρος τῆς ψυχῆς, ὅπερ διαιρεῖται εἰς θυμὸν καὶ 5 ἐπιθυμίαν. Διὰ γὰρ ἀνδρείας, φησί, καὶ σωφροσύνης κτώμεθα σοφίαν καὶ γνῶσιν θεοῦ. Ἀνδρεία δὲ καὶ σωφροσύνη θυμοῦ καὶ ἐπιθυμίας ἐστὶν ἀρεταί.

3 Ψυχὴν A : ψυχῆς B ‖ 7 ἐστὶν A : εἰσὶν B.

Procope : Ἔφη τις τῶν γερόντων τὴν ψυχὴν εἶναι μητέρα τοῦ νοῦ, ψυχὴν λέγων τὸ παθητικὸν τῆς ψυχῆς, θυμόν τε καὶ ἐπιθυμίαν. Διὰ γὰρ τῶν πρακτικῶν ἀρετῶν εἰς φῶς προάγει τὸν νοῦν. Διὰ γὰρ ἀνδρείας καὶ σωφροσύνης κτώμεθα σοφίαν καὶ γνῶσιν θεοῦ, αἵπερ εἰσὶν ἀρεταὶ 5 θυμοῦ καὶ ἐπιθυμίας.

IK MN. — Εὐαγρίου I   Anon. K MN. — 3 προάγει τὸν νοῦν N : προάγεται νοῦς IK M ‖ 4 αἵπερ K MN : αἵ I.

23, 30 < οὐ τῶν ἐγχρονιζόντων ἐν οἴνοις;
          οὐ τῶν ἰχνευόντων ποῦ πότοι γίνονται; >

259. Οἱ οἶνοι οὗτοι ἐκ τῆς σοδομιτικῆς εἰσιν ἀμπέλου [a].

a. Cf. Deut. 32, 32
Adest in A.

Procope (?) : Καὶ τῷ ἀπὸ τῆς σοδομίτιδος ἀμπέλου [a].

IK N. — Anon.

23, 31 [1-2] < μὴ μεθύσκεσθε οἴνῳ, ἀλλὰ ὁμιλεῖτε ἀνθρώποις
                 δικαίοις
          καὶ ὁμιλεῖτε ἐν περιπάτοις >

260. Νοῦς ὁμιλῶν ἐν περιπάτοις ἀξίως περιπατεῖ τῆς κλήσεως ἧς ἐκλήθη [a].

a. Cf. Éphés. 4, 1
Adest in A.

à l'intellect. Il appelait « âme » la partie passionnée de l'âme, laquelle se divise en partie irascible et en partie concupiscible. C'est en effet par le courage et la tempérance, disait-il, que nous acquérons la sagesse et la science de Dieu. Or le courage et la tempérance sont les vertus des parties irascible et concupiscible.

Nouvel apophtegme dont nous n'avons pas trouvé de trace dans les collections connues. Les phrases Ψυχὴν — ἐπιθυμίαν et Ἀνδρεία — ἀρεταί sont des gloses d'Évagre. Sur le courage et la tempérance, qui font partie des quatre vertus cardinales stoïciennes, voir *Pratique* 89 (avec note d'A. et Cl. GUILLAUMONT au chapitre, p. 681-689).

23, 30 *(Ces cris) ne viennent-ils pas de ceux qui s'attardent au vin ?*
Ne viennent-ils pas de ceux qui cherchent où l'on boit ?

259. Ce « vin » provient de la vigne de Sodome [a].

Cf. schol. 17 *ad Ps.* 104, 33, qui cite littéralement ce verset du Deutéronome.

23, 31 [1-2] *Ne vous enivrez pas de vin, mais fréquentez les hommes justes*
et trouvez-vous dans les lieux de promenade

260. L'intellect qui se « trouve dans les lieux de promenade » se promène d'une façon digne de l'appel qu'il a reçu [a].

Procope : Νοῦς γὰρ ὁμιλῶν ἐν περιπάτοις ἀξίως περιπατεῖ τῆς κλήσεως ἧς ἐκλήθη [a].

IK MN. — Εὐαγρίου I M Anon. K N.

23, 31 [3] < ἐὰν γὰρ εἰς τὰς φιάλας καὶ τὰ ποτήρια δῷς τοὺς ὀφθαλμούς σου >

261. Ἡ μὲν κατὰ διάνοιαν ἁμαρτία ἔοικε φιάλῃ, ἡ δὲ κατ' ἐνέργειαν ποτηρίῳ.

Adest in A.

Procope : Ἤγουν ἡ μὲν κατὰ διάνοιαν ἁμαρτία φιάλῃ παρέοικεν, ἡ δὲ κατ' ἐνέργειαν ποτηρίῳ.

IK MN. — Anon. — 1 Ἤγουν — παρέοικεν IK : φιάλῃ δὲ ἡ κατὰ διάνοιαν ἁμαρτία παρέοικεν MN.

23, 31 [4] < ὕστερον περιπατήσεις γυμνότερος ὑπέρου >

262. Πολλὰ κρούει τὸ ὕπερον καὶ οὐκ ἀνοίγει τὸν τόπον ὃν κρούει. Τοῖς δὲ μαθηταῖς ὁ κύριός φησι · « κρούετε καὶ ἀνοιγήσεται ὑμῖν [a]. »

a. Matth. 7, 7

Adest in A.

Procope : Τὸ δὲ ὕπερον, κἂν πολλὰ κρούῃ θύραν, ἀλλ' οὐ ταύτην ἀνοίξει. Τοῖς δὲ μαθηταῖς ὁ κύριός φησι · « κρούετε καὶ ἀνοιγήσεται ὑμῖν [a]. »

IK MN. — Hoc scholion cum scholio 261 concatenaverunt codd. — 2 ὁ κύριός φησι K : ὁ κύριος ἔφη I εἴρηται MN ‖ 3 ὑμῖν IK M : om. N.

23, 31 [3] *Car, si tu portes les yeux sur les phiales et les coupes*

261. Le péché en pensée ressemble à la « phiale », et le péché en acte à la « coupe ».

Sur la distinction entre péché en acte et péché en pensée : scholie 70 (texte et note).

23, 31 [4] *Tu finiras par te promener plus nu qu'un pilon*

262. Le « pilon » frappe fort et n'ouvre pas l'endroit qu'il frappe, mais le Seigneur a dit à ses disciples : « Frappez, et on vous ouvrira [a]. »

Autre interprétation de ce verset dans la scholie 4 *ad Ps.* 136, 7 : « L'intellect déchu de la vertu se promènera, comme dit le proverbe, plus nu qu'un pilon, parce qu'il n'a pas revêtu le Christ et ne possède pas le vêtement de noces » (*Vaticanus 754*, f. 332r : collation M.-J. Rondeau).

23, 33 < οἱ ὀφθαλμοί σου, ὅταν ἴδωσιν ἀλλοτρίαν,
      τὸ στόμα σου τότε λαλήσει σκολιά >

263. Νοῦς δεξάμενος ἀλλότριον νόημα μελετήσει λογισμοὺς
κακούς · ὁ δὲ τηρήσας ἑαυτὸν κληρονομήσει ζωήν.

Adest in AB.

PROCOPE : Καὶ ἄλλως. Νοῦς δεξάμενος ἀλλότριον νόημα λογισμοὺς
μελετήσει κακούς.

IK MN. — Anon. — 1 Καὶ ἄλλως IK M : ἢ N.

23, 34 < καὶ κατακείσῃ ὥσπερ ἐν καρδίᾳ θαλάσσης
      καὶ ὥσπερ κυβερνήτης ἐν πολλῷ κλύδωνι >

264. Παντὶ ἀνέμῳ τῆς διδασκαλίας περιφερόμενος [a].

a. Cf. Éphés. 4, 14
Adest in A.

PROCOPE : Παντὶ ἀνέμῳ διδασκαλίας περιφερόμενος [a].

IK MN. — Anon.

23, 35 [3] < πότε ὄρθρος ἔσται, ἵνα ἐλθὼν ζητήσω μεθ' ὧν
      συνελεύσομαι; >

265. Ὄρθρος ψυχῆς ἐστιν ἐπίγνωσις ἁμαρτίας.

AB. — ἐστιν A : om. B.

PROCOPE : Καὶ ἄλλως. Ὄρθρος ψυχῆς γνῶσις ἁμαρτίας.

IK MN. — Εὐαγρίου M Anon. IK N. — Καὶ ἄλλως I :
καὶ ἀλλαχοῦ K ἢ καὶ MN.

23, 33 *Quand tes yeux verront une étrangère,*
ta bouche tiendra alors des propos tortueux

263. L'intellect qui a reçu une représentation « étrangère » méditera de mauvaises pensées, mais celui qui s'est
surveillé aura la vie en héritage.

23, 34 *Tu seras comme couché au cœur de la mer*
et comme un pilote dans une forte tempête

264. « Ballotté à tout vent d'enseignement [a]. »

Cf. schol. 110, 125 et 266.

23, 35 [3] *Quand l'aube viendra-t-elle, afin que j'aille à la*
recherche de ceux que je dois rejoindre?

265. « L'aube » de l'âme est la reconnaissance du péché.

Cf. schol. 1 *ad Ps.* 62, 2 (πρὸς σὲ ὀρθρίζω).

24, 6 < μετὰ κυβερνήσεως γίνεται πόλεμος,
      βοήθεια δὲ μετὰ καρδίας βουλευτικῆς >

266. Οἱ περὶ τὴν πίστιν ναυαγοῦντες [a] οὐ μετὰ κυβερνήσεως πολεμοῦσιν τοῖς πνεύμασι τοῖς ἀντικειμένοις τῇ
θεολογίᾳ. Δυνατὸν δὲ καὶ ἐπὶ πάσης ἀρετῆς τὸ αὐτὸ τοῦτο
εἰπεῖν · ἔστι γὰρ καὶ περὶ σωφροσύνην ναυάγιον καὶ περὶ
5 ἀγάπην καὶ περὶ ἀφιλαργυρίαν · καὶ περὶ ἕκαστον δὲ δόγμα
ὁμοίως τῆς καθολικῆς καὶ ἀποστολικῆς ἐκκλησίας συμβαίνει
ναυάγιον. Εἰ δὲ μετὰ κυβερνήσεως πολεμεῖν δεῖ τοῖς ἀντικειμένοις, ναυμαχίᾳ παραπλήσιος ἡμῶν ἐστιν ὁ βίος ἐπὶ
τῆς γῆς.

a. Cf. I Tim. 1, 19
Adest in A.

PROCOPE : Οἱ περὶ τὴν πίστιν ἢ τινα τῶν ἀρετῶν ναυαγοῦντες [a]
ἀκυβέρνητοι πρὸς πόλεμον τῶν ἀντικειμένων δυνάμεων τῇ τε θεολογίᾳ
καὶ ταῖς ἀρεταῖς. Ὁ δὲ μετὰ κυβερνήσεως πολεμῶν ἔοικεν ἐπὶ γῆς
νοῦν ἔχειν.

IK MN. — Εὐαγρίου infra I   Anon. K MN. — 1-2 Οἱ …
ναυαγοῦντες ἀκυβέρνητοι IK : ὁ [καὶ ὁ N] … ναυαγῶν ἀκυβέρνη-
τος MN ‖ 1 ἢ τινα I N : ἥτινα M ἤντινα K ‖ ἀρετῶν I MN :
ὀρθῶν K ‖ 4 νοῦν ἔχειν IK M : νουνεχεῖ N.

Toute cette scholie est à rapprocher de la scholie 249.

Lignes 1-3. Cf. fin de la schol. 1 *ad Ps.* 106, 3 : « Celui qui se trouve
dans les doctrines véritables n'est plus ballotté à tout vent d'enseignement et ne fait plus naufrage dans la foi : il possède au contraire
une direction divine, par la grâce du Christ » (*Vaticanus 754*, f. 268ʳ :
collation M.-J. Rondeau). Le naufrage évoqué par *I Tim.* 1, 19 est
pour Évagre la conception de fausses doctrines (cf. schol. 344 :

──────────────────────────────

24, 7 [1] < σοφία καὶ ἔννοια ἀγαθὴ ἐν πύλαις σοφῶν >

267. Αἱ πύλαι τῶν σοφῶν αἱ πρακτικαί εἰσιν ἀρεταὶ
δι' ὧν εἰσέρχεται σοφία θεοῦ.

Adest in A.

24, 6   *Il faut savoir piloter pour faire la guerre,*
et le secours accompagne un cœur résolu

266. Ceux qui font naufrage dans la foi ᵃ « font la guerre »
aux esprits opposés à la théologie, sans « savoir piloter ».
On peut en dire autant de chaque vertu, car il y a des
naufrages dans la tempérance, la charité et la générosité ;
et il s'en produit pareillement dans chaque doctrine de
l'Église catholique et apostolique. S'il « faut savoir piloter
pour faire la guerre » aux adversaires, notre vie sur terre
ressemble à un combat naval.

ψευδῶν δογμάτων καὶ θεωρημάτων ὑπόληψις) ou l'hérésie (cf.
ἀσεβοῦντες de la scholie 310). Les démons sont en quelque sorte
spécialisés : ceux qui sont le plus souvent évoqués s'opposent à la
praktikè, mais il en est d'autres qui s'opposent à la *physikè*, ou encore,
comme ici, à la théologie ; cf. *KG* I, 10 : « Parmi les démons, les uns
sont opposés à la pratique des commandements, d'autres sont
opposés aux intellections de la nature, et d'autres sont opposés aux
logoi qui concernent la divinité, parce qu'aussi bien la science de
notre salut est constituée de ces trois choses » (trad. A. Guillaumont) ;
dans d'autres textes, ils sont seulement répartis en deux catégories :
ceux qui s'opposent à la *praktikè* et ceux qui s'opposent à la contemplation (*Pratique* 84 ; schol. 1 *ad Ps.* 78, 2-3 ; 2 *ad Ps.* 117, 10).

Lignes 3-9. La métaphore du naufrage est fréquemment utilisée
pour exprimer l'échec de la vie pratique ou gnostique : ce dernier
est d'autant plus grave que le spirituel a atteint un degré élevé ;
cf. *Pensées* 3 (*PG* 79, 1204 A) ; *Pensées*, recension longue (éd.
Muyldermans, p. 47 et 52) ; *Antirrhétique* VII, 27. A noter que
l'œuvre d'Évagre fournit bien d'autres métaphores empruntées au
vocabulaire de la mer ; elles sont souvent liées à une interprétation
symbolique de l'épisode évangélique de la tempête apaisée (*Matth.*
8, 23-27).

24, 7 ¹   *Sagesse et bonne pensée se tiennent aux portes*
des sages

267. « Les portes des sages », ce sont les vertus pratiques
par lesquelles entre la « sagesse » de Dieu.

Procope : Πύλαι δὲ τῶν σοφῶν αἱ πρακτικαὶ ἀρεταὶ δι' ὧν εἰσέρχεται σοφία θεοῦ.

IK MN. — Εὐαγρίου I   Anon. K MN. — 1 τῶν IK M : om. N.

24, 9² < ἀκαθαρσία ἀνδρὶ λοιμῷ ἐμμολυνθήσεται
10   ἐν ἡμέρᾳ κακῇ καὶ ἐν ἡμέρᾳ θλίψεως, ἕως ἂν
ἐκλίπῃ >

268. Εἰ ἀρετὴν ἡ κακία μειοῖ, καὶ τὴν κακίαν δηλονότι ἡ ἀρετὴ διαφθείρει · τοῦτο δὲ γενήσεται ἐν τῷ αἰῶνι τῷ μέλλοντι, ἕως ἂν ἐκλίπῃ ἡ κακία. Τὸ γὰρ ἐμμολυνθήσεται ἀντὶ τοῦ διαφθαρήσεται τέθεικεν · διαφθείρεται δὲ ἀκαθαρσία
5 ἤτοι ὑπὸ πρακτικῆς ἢ ὑπὸ δριμείας κολάσεως.

A. — 3 ἐκλίπῃ IK Z : ἐκλείπῃ A.

Procope : Καὶ ἄλλως. Εἰ ἀρετὴν ἡ κακία μειοῖ, διαφθείρει καὶ τὴν κακίαν ἡ ἀρετή · τοῦτο δὲ ἐν αἰῶνι ἔσται τῷ μέλλοντι, ἕως ἂν ἐκλίπῃ ἡ κακία. Τὸ γὰρ ἐμμολυνθήσεται ἀντὶ τοῦ διαφθαρήσεται τέθεικεν · διαφθείρεται δὲ ἀκαθαρσία ἤτοι ὑπὸ πρακτικῆς ἢ ὑπὸ
5 δριμείας κολάσεως.

IK MN. — Εὐαγρίου I   Anon. K MN. — 1 Καὶ ἄλλως IK : om. MN ‖ 2 ἂν I MN : οὖν K ‖ 3 ἐκλίπῃ I M : ἐκλείπῃ N ἐκλείπει K ‖ 4 τέθεικεν IK : om. MN.

24, 11 < ῥῦσαι ἀγομένους εἰς θάνατον
καὶ ἐκπρίω κτεινομένους, μὴ φείσῃ >

269. Χρηστέον τούτῳ τῷ ῥητῷ πρὸς τοὺς καταξιωθέντας γνώσεως καὶ ἀμελοῦντας τῆς διδασκαλίας, πολλῶν ἀπαγομένων ὑπὸ τῆς κακίας εἰς θάνατον.

Adest in A.

Cf. schol. 12 (texte et note).

24, 9 ² *L'impureté sera souillée dans l'homme pestiféré*
     10 *au jour de malheur et au jour de l'affliction, jusqu'à*
                    disparaître

268. Si la malice diminue la vertu, il est évident qu'en
retour la vertu détruit aussi la malice; ceci se produira
dans le siècle à venir, « jusqu'à ce que disparaisse » la
malice. Il a mis en effet « sera souillée » pour « sera détruite ».
Or, « l'impureté » est détruite soit par la pratique, soit
par un châtiment violent.

Le verbe composé ἐμμολύνεσθαι est attesté pour la première fois
dans ce verset des Proverbes, et Évagre le glose par διαφθείρεσθαι.
La destruction du mal se fait maintenant par la *praktikè*, et elle se
fera dans le siècle à venir par le châtiment : schol. 194, 294 et surtout
KG V, 5 : « Deux parmi les mondes purifient la partie passible de
l'âme, l'un par la *praktikè*, et l'autre par le tourment cruel » (trad.
A. Guillaumont).

24, 11 *Délivre ceux qui sont conduits à la mort*
        et rachète les condamnés à mort ; n'y manque pas

269. Il faut utiliser ce verset contre ceux qui ont été
jugés dignes de recevoir la science, mais négligent l'enseignement, alors qu'un grand nombre « est conduit à la mort »
par la malice.

Sur le devoir d'enseignement qui incombe aux gnostiques, voir
la scholie 130.

PROCOPE : Πολλοὶ γὰρ μετὰ γνῶσιν ὑπὸ τῆς κακίας εἰς θάνατον ἄγονται, τῆς διδασκαλίας ἠμεληκότες.

IK MN. — Εὐαγρίου I Anon. K MN. — 1 ὑπὸ τῆς κακίας IK M : om. N.

24, 13 < φάγε μέλι, υἱέ, ἀγαθὸν γὰρ κηρίον, ἵνα γλυκανθῇ σου ὁ φάρυγξ >

270. Ἐσθίει μέλι ὁ ἀπὸ τῶν θείων γραφῶν ὠφελούμενος · ὁ δ' ἀπ' αὐτῶν τῶν πραγμάτων ἐκβάλλων τοὺς λόγους, ἀφ' ὧν εἰλήφασι καὶ οἱ ἅγιοι προφῆται καὶ ἀπόστολοι, τρώγει κηρίον. Καὶ τὸ μὲν φαγεῖν μέλι παντὸς τοῦ βουλομέ-
5 νου ἐστίν, τὸ δὲ κηρίον μόνου τοῦ καθαροῦ.

A. — 5 μόνου A : μόνον Tisch.

PROCOPE : Ἐσθίει μέλι ὁ ἀπὸ τῶν θείων γραφῶν ὠφελούμενος · ὁ δὲ ἀπ' αὐτῶν ἐκβάλλων τῶν πραγμάτων τοὺς λόγους, ἀφ' ὧν εἰλήφα- σιν οἱ ἅγιοί τε προφῆται καὶ οἱ ἀπόστολοι, τρώγει κηρίον. Καὶ τὸ μὲν μέλι φαγεῖν τοῦ βουλομένου παντός, τὸ δὲ κηρίον μόνου τοῦ
5 καθαροῦ.

IK MN. — Anon. — 3 οἱ¹ IK M : om. N ‖ τε I M : om. K N ‖ οἱ² IK M : om. N ‖ τρώγει post κηρίον transp. N ‖ 4-5 μόνου post καθαροῦ transp. N.

Symbolisme du miel et du rayon très différent de celui de la

24, 15 < μὴ προσαγάγῃς ἀσεβῆ νομῇ δικαίων μηδὲ ἀπατηθῇς χορτασίᾳ κοιλίας >

271. Μὴ ἕνεκεν ἡδονῆς προδῷς τὸν θεόν · οὗτος γὰρ νομὴ δικαίου καὶ οὐ μὴ ἐγκαταλίπῃ σε [a].

a. Cf. Ps. 36, 33

A. — 2 ἐγκαταλίπῃ scripsi : ἐγκαταλείπῃ A -λείψῃ IKMN Z.

24, 13 *Mange du miel, mon fils, car son rayon est bon,*
afin que ta gorge soit adoucie

270. Celui qui tire profit des divines Écritures « mange
le miel »; celui qui fait sortir ses doctrines des réalités
elles-mêmes — c'est là que les ont prises aussi les saints
prophètes et apôtres — mange le « rayon ». « Manger le
miel » est à la portée du premier venu, mais manger le
« rayon » est seulement à la portée de celui qui est pur.

scholie 72. Évagre oppose ici les simples fidèles aux gnostiques,
parmi lesquels il range les prophètes et les apôtres. Il n'est pas
nécessaire d'être très avancé spirituellement pour tirer profit d'une
simple lecture de l'Écriture, comme le souligne déjà ORIGÈNE, en
De princ. IV, 2, 6 : « Le grand nombre de ceux qui croient authentiquement et de la manière la plus simple témoigne qu'il est possible
de tirer profit de cette première signification, qui pour cela est utile »
(trad. Crouzel et Simonetti, *SC* 268) ; sur ce thème de l'ὠφέλεια de
la lettre biblique chez Origène, voir H. DE LUBAC, *Histoire et Esprit*,
Paris 1950, p. 97-98.

24, 15 *N'introduis pas l'impie dans le pâturage des justes*
et ne te laisse pas abuser par l'alimentation de ton
ventre

271. Ne livre pas Dieu pour (rechercher) le plaisir, car
Dieu est le « pâturage du juste », et il ne t'abandonnera
pas [a].

Procope : Καὶ ἄλλως. Μὴ ἕνεκεν ἡδονῆς προδῷς τὸν θεόν · οὗτος γὰρ νομὴ δικαίου καὶ οὐ μὴ ἐγκαταλείψῃ σε [a].

IK MN. — Εὐαγρίου I Anon. K MN. — 1 Καὶ ἄλλως IK M : ἢ N ‖ 2 δικαίου IK M : δικαίων N.

24, 17 < ἐὰν πέσῃ ὁ ἐχθρός σου, μὴ ἐπιχαρῇς αὐτῷ ·
        ἐν δὲ τῷ ὑποσκελίσματι αὐτοῦ μὴ ἐπαίρου,
18   ὅτι ὄψεται κύριος καὶ οὐκ ἀρέσει αὐτῷ
        καὶ ἀποστρέψει τὸν θυμὸν αὐτοῦ ἀπ' αὐτοῦ >

272. Ἀποστρέφει μὲν ὁ θεὸς τὸν θυμὸν αὐτοῦ ἀπὸ τοῦ πεσόντος, ἐλεήσας αὐτόν · ὀργίζεται δὲ τῷ ἐπαρθέντι ἐπὶ τῷ πτώματι τοῦ ἐχθροῦ αὐτοῦ. Πᾶς γὰρ ὁ ἐπιχαίρων ἀπολλυμένῃ ψυχῇ [a] ὅμοιός ἐστι τῷ διαβόλῳ τῷ μὴ θέλοντι
5 πάντας ἀνθρώπους σωθῆναι καὶ εἰς ἐπίγνωσιν ἀληθείας ἐλθεῖν [b]. Σημειωτέον δὲ ὅτι ἄνθρωπον ἐνταῦθα εἴρηκε τὸν ἐχθρόν, ὑπὲρ οὗ καὶ προσεύχεσθαι ἡμᾶς νενομοθέτηκεν ἐν τοῖς εὐαγγελίοις ὁ κύριος [c].

a. Cf. Prov. 17, 5   b. Cf. I Tim. 2, 4   c. Cf. Matth. 5, 44
Adest in A.

Procope : Καὶ ἄλλως. Ἐλεεῖ μὲν τὸν πεσόντα · ὀργίζεται δὲ τῷ ἐπαρθέντι. Πᾶς γὰρ ὁ ἐπιχαίρων ἀπολλυμένῃ ψυχῇ [a] ὅμοιος τῷ διαβόλῳ τῷ μὴ θέλοντι πάντας ἀνθρώπους σωθῆναι καὶ εἰς ἐπίγνωσιν ἀληθείας ἐλθεῖν [b]. Σημειωτέον δὲ ὅτι ἄνθρωπον ἐνταῦθα εἴρηκε τὸν
5 ἐχθρόν, ὑπὲρ οὗ καὶ προσεύχεσθαι ἡμᾶς ἐν εὐαγγελίοις ἐνομοθέτησεν [c].

IK MN. — Εὐαγρίου I Εὐαγρίου infra M Anon. K N. — 1 Καὶ ἄλλως IK : ἢ καὶ MN ‖ 2 ψυχῇ K MN : ψυχὴ I ‖ 3-4 τῷ μὴ θέλοντι — ἐλθεῖν IK : om. MN ‖ 5 καὶ IK N : om. M.

Lemme biblique. Le texte biblique d'Évagre avait vraisemblablement δικαίου et non δικαίων.

24, 17 *Si ton ennemi tombe, ne te réjouis pas,*
　　　et n'exulte pas quand il trébuche.
　　18 *Car le Seigneur le verra, cela ne lui plaira pas,*
　　　et il détournera sa colère de lui

272. Dieu « détourne sa colère de celui qui est tombé »
et le prend en pitié, mais il s'emporte contre celui qui
« exulte » de voir son « ennemi tomber ». Car quiconque se
réjouit de la perte d'une âme [a] ressemble au diable qui
ne veut pas que tous les hommes soient sauvés et parviennent à la connaissance de la vérité [b]. Il faut noter
qu'il a ici appelé « homme » l'ennemi pour lequel le Seigneur
nous a, dans les Évangiles, ordonné de prier [c].

Évagre apprécie beaucoup le texte paulinien de *I Tim.* 2, 4 dans
lequel il reconnaît deux idées qui lui sont chères : le salut sera général
(cf. πάντας), et il s'effectuera par la gnose (cf. εἰς ἐπίγνωσιν); aussi
le cite-t-il à plusieurs reprises : *Gnostique* 22 (p. 548, ch. 125) ;
Lettre 42 (p. 594, l. 22-23) ; schol. 7 *ad Ps.* 16, 13 ; 9 *ad Ps.* 32, 10.
Le mot ἄνθρωπος (1. 6) ne figure pas dans le lemme biblique tel que
nous le connaissons, et nous ne savons pas d'où Évagre le tire.

24, 20 < οὐ γὰρ μὴ γένηται ἔκγονα πονηρῶν ·
λαμπτὴρ δὲ ἀσεβῶν σβεσθήσεται >

273. Οὐ γεννήσουσι πονηροὶ ἀρετὰς καὶ δόγματα ὀρθά
— ταῦτα γάρ ἐστι γεννήματα τῆς ψυχῆς — διὰ τὸ μὴ φοβεῖσθαι αὐτοὺς τὸν κύριον · οἱ δὲ ὄντες ἐν φόβῳ κυρίου ὅλην
τὴν ἡμέραν ἕξουσιν ἔγγονα καὶ ἡ ἐλπὶς αὐτῶν οὐκ ἀπο-
5 στήσεται [a].

a. Cf. Prov. 23, 17-18
Adest in A.

PROCOPE : Οὐ γεννήσουσι πονηροὶ ἀρετὰς καὶ δόγματα ὀρθά ·
ταῦτα γάρ ἐστι τὰ γεννήματα τῆς ψυχῆς διὰ τὸ φοβεῖσθαι τὸν
κύριον · οἱ γὰρ τοιοῦτοι ὅλην τὴν ἡμέραν ἕξουσιν ἔκγονα καὶ ἐλπὶς
αὐτῶν οὐκ ἀποστήσεται [a].

IK MN. — <Εὐαγρίου> I Anon. K MN. — 1 ὀρθά
IK M : ἀγαθὰ ἤτοι ὀρθά N ‖ 2 τὰ IK : om. MN ‖ ψυχῆς hic
des. MN.

_____

24, 21 < φοβοῦ τὸν θεόν, υἱέ, καὶ βασιλέα
καὶ μηδετέρῳ αὐτῶν ἀπειθήσῃς >

274. « Ἵνα γινώσκωσί σε τὸν μόνον ἀληθινὸν θεὸν καὶ
ὃν ἀπέστειλας Ἰησοῦν Χριστόν [a]. »

a. Jn 17, 3
Adest in A.

PROCOPE : « Ἵνα γινώσκωσί σε, φησὶν ὁ Χριστός, τὸν μόνον ἀληθινὸν
θεὸν καὶ ὃν ἀπέστειλας Ἰησοῦν Χριστόν [a]. »

IK MN. — Anon. — 1-2 Ἵνα — Χριστόν IK : τὸν ἀληθῶς
βασιλέα Χριστὸν τὸν θεόν MN.

24, 20 *Car les méchants n'auront pas de postérité,*
et le flambeau des impies s'éteindra

273. « Les méchants » n'engendreront ni vertus ni
doctrines droites — ce sont là les rejetons de l'âme —
parce qu'ils ne craignent pas le Seigneur, mais ceux qui sont
tout le jour dans la crainte du Seigneur auront une postérité, et leur espoir ne s'évanouira pas [a].

Thème de la génération et de la maternité spirituelles : cf.
schol. 64, 235 et 256.

24, 21 *Mon fils, crains Dieu et le roi*
et ne désobéis à aucun des deux

274. « Afin qu'ils te connaissent, toi le seul vrai Dieu
et celui que tu as envoyé, Jésus-Christ [a]. »

Cf. commentaire de *Jn* 17, 3 associé à *Matth.* 19, 29 dans *K G* IV, 42 :
« La promesse du ' centuple ' est la contemplation des êtres, et ' la
vie éternelle ' est la science de la Trinité sainte : ' C'est là la vie
éternelle, qu'ils te connaissent, toi, le seul vrai Dieu ' » (trad.
A. Guillaumont).

24, 22 < ἐξαίφνης γὰρ τείσονται τοὺς ἀσεβεῖς ·
τὰς δὲ τιμωρίας ἀμφοτέρων τίς γνώσεται; >

275. Πῶς οὖν ὁ σωτὴρ ἐν τοῖς εὐαγγελίοις φησίν · « ὁ
πατὴρ κρίνει οὐδένα, ἀλλὰ πᾶσαν τὴν κρίσιν δέδωκεν τῷ
υἱῷ [a] » ; "Η ἄλλο μέν ἐστι τιμωρία, ἄλλο δὲ κρίσις. Καὶ
τιμωρία μέν ἐστιν στέρησις ἀπαθείας καὶ γνώσεως θεοῦ
5 μετ᾽ ὀδύνης σωματικῆς · κρίσις δέ ἐστιν γένεσις αἰῶνος
κατ᾽ ἀναλογίαν ἑκάστῳ τῶν λογικῶν σώματα διανέμοντος.

a. Jn 5, 22

AB. — 4 τιμωρία hic inc. B ‖ θεοῦ A : om. B ‖ 6 σώματα
B IK : σωμάτων A Z ‖ διανέμοντος B IK Z Tisch. :
-οντες A.

PROCOPE : Πῶς δέ φησιν ὁ σωτήρ · « ὁ πατὴρ κρίνει οὐδένα ·
πᾶσαν δὲ τὴν κρίσιν δέδωκε τῷ υἱῷ [a] » ; Μήποτε τοίνυν τιμωρία
μέν ἐστι στέρησις ἀπαθείας καὶ γνώσεως θεοῦ μετ᾽ ὀδύνης σωματικῆς ·
κρίσις δὲ γένεσις αἰῶνος κατὰ ἀναλογίαν ἑκάστῳ τῶν λογικῶν σώματα
5 διανέμοντος.

IK. — Εὐαγρίου I   Anon. K.

_____

24, 22c < μάχαιρα γλῶσσα βασιλέως καὶ οὐ σαρκίνη ·
ὃς δ᾽ ἂν παραδοθῇ συντριβήσεται >

276. « Καὶ τὴν μάχαιραν τοῦ πνεύματος, ὅ ἐστιν ῥῆμα
θεοῦ [a]. » Τὸ δὲ οὐ σαρκίνη ἀντὶ τοῦ οὐκ αἰσθητή.

a. Éphés. 6, 17

Adest in A.

PROCOPE : « Καὶ τὴν μάχαιραν τοῦ πνεύματος, ὅ ἐστι ῥῆμα θεοῦ [a]. »
Τὸ δὲ οὐ σαρκίνη τουτέστιν οὐκ αἰσθητή.

IK MN. — Anon. — 1-2 Καὶ — αἰσθητή IK : μάχαιρα δὲ
[ἡ μάχαιρα N] ἥ ἐστι ῥῆμα θεοῦ καὶ οὐ σαρκίνη οὐκ αἰσθητή
MN.

24, 22 *Car ils puniront soudain les impies.*
Qui connaîtra les châtiments des deux?

275. Comment le Sauveur peut-il dire dans les Évangiles : « Le Père ne juge personne, mais il a remis tout le jugement au Fils [a] » ? A moins que « châtiment » et « jugement » ne soient deux choses différentes. Le « châtiment », c'est la privation de l'impassibilité et de la science de Dieu, laquelle s'accompagne de douleurs physiques; le « jugement », c'est la création d'un monde qui assigne à chacun des êtres raisonnables un corps correspondant à son état.

Lemme biblique. Ἀμφότεροι, c'est-à-dire Dieu et le roi du v. 21.

Sur la perte de la vertu et de la science, voir la scholie 200, et, sur le jugement qui a été confié au Christ, voir l'Introduction, p. 52. Le texte de *Jn* 5, 22 est cité à plusieurs reprises : schol. 370 ; schol. 1 *ad Ps.* 16, 2 ; 3 *ad Ps.* 49, 4 ; 4 et 4 bis *ad Ps.* 49, 6 ; 8 *ad Ps.* 93, 15 ; *K G* I, 65. La définition qui est donnée ici du mot κρίσις est très proche de celle de *K G* III, 38 : « Le jugement de Dieu est la genèse du monde, auquel il donne un corps selon le degré de chacun des êtres raisonnables » (trad. A. Guillaumont).

24, 22c *La langue du roi est un glaive et non un membre charnel,*
et celui qui lui sera livré sera brisé

276. « Et le glaive de l'Esprit, qui est la parole de Dieu [a]. » « Non charnel » au lieu de non matériel.

Sur le symbolisme du glaive (μάχαιρα ou ῥομφαία), cf. *K G* V, 28 : « Le glaive intelligible est la parole spirituelle qui sépare le corps d'avec l'âme, ou la malice et l'ignorance » (trad. A. Guillaumont) ; schol. 6 *ad Ps.* 7, 13 ; 7 *ad Ps.* 16, 13 ; 3 *ad Ps.* 44, 4 (texte cité dans la note suivante) ; 2 *ad Ps.* 149, 6.

24, 22d < ἐὰν γὰρ ὀξυνθῇ ὁ θυμὸς αὐτοῦ,
σὺν νεύροις ἀνθρώπους ἀναλίσκει >

277. Τοὺς παλαιοὺς ἀνθρώπους τοὺς φθειρομένους κατὰ
τὰς ἐπιθυμίας τῆς ἀπάτης ἀναλίσκει ἡ μάχαιρα τοῦ θεοῦ,
ἵν' ἀποθέμενοι τὸν παλαιὸν ἄνθρωπον ἐνδύσωνται τὸν νέον
τὸν κατὰ θεὸν κτισθέντα [a].

a. Cf. Éphés. 4, 22.24

A. — 3 ἐνδύσωνται IKN Z : -ονται A M.

PROCOPE : Τοὺς παλαιοὺς ἀνθρώπους τοὺς φθειρομένους κατὰ τὰς
ἐπιθυμίας τῆς ἀπάτης ἀναλίσκει ἡ μάχαιρα τοῦ θεοῦ, ἵνα ἀποθέμενοι
τὸν παλαιὸν ἄνθρωπον ἐνδύσωνται τὸν νέον τὸν κατὰ θεὸν κτισθέντα [a].

IK MN. — Anon. — 1 Τοὺς παλαιοὺς IK M : om. N ‖ 3
ἐνδύσωνται IK N : -σονται M.

24, 22e [1-2] < καὶ ὀστᾶ ἀνθρώπων κατατρώγει
καὶ συγκαίει ὥσπερ φλόξ >

278. « Πῦρ γὰρ ἦλθον βαλεῖν ἐπὶ τὴν γῆν [a]. »

a. Lc 12, 49
Adest in A.

24, 22e [3] < ὥστε ἄβρωτα εἶναι νεοσσοῖς ἀετῶν >

279. Οὗτος ἄβρωτός ἐστι τοῖς δαίμοσιν ὁ ὑπὸ τοῦ κυρίου
καθαρθεὶς καὶ ἀπεχόμενος ἀπὸ πάσης κακίας.

Adest in A.

PROCOPE : ... ὃς καὶ ἄβρωτός ἐστι δαίμοσι ὑπὸ τοῦ κυρίου καθαρθεὶς
καὶ ἀπεχόμενος πάσης κακίας · [ἐπάγει γάρ · « ὥστε ἄβρωτα εἶναι
νεοσσοῖς ἀετῶν. »]

IK MN. — Hoc scholion cum scholio 277 concatenaverunt
codd. — 1 ἐστι IK : ἔσται MN ‖ 2 ἄβρωτα I M : -τον N -τος
K ‖ 3 ἀετῶν IK M : ἀρετῶν N.

24, 22d *Car, si sa colère est excitée,*
il fait périr les hommes avec des nerfs

277. Le glaive de Dieu « fait périr » les anciens hommes
qui se corrompaient dans les convoitises trompeuses, afin
qu'ils rejettent l'homme ancien et revêtent l'homme
nouveau qui a été créé selon Dieu [a].

Cf. schol. 3 *ad Ps.* 44, 4 : « Ce glaive sépare l'âme de la malice et
l'intellect de l'ignorance : il fait périr ' le vieil homme ' et le renouvelle
dans le Christ, à l'image de son créateur » (*Vaticanus 754*, f. 123[r] :
collation M.-J. Rondeau).

24, 22e [1-2] *Il dévore les os des hommes*
et les brûle comme une flamme

278. Car « je suis venu jeter le feu sur la terre [a] ».

Ce verset est cité dix fois dans les *Scholies aux Psaumes*. Sur ce
feu purificateur, voir la scholie 195.

24, 22e [3] *Au point qu'ils ne sont plus comestibles pour les*
petits des aigles

279. Celui-là « n'est plus comestible » pour les démons
qui a été purifié par le Seigneur et se tient éloigné de tout
mal.

30, 2 < ἀφρονέστατος γάρ εἰμι πάντων ἀνθρώπων,
καὶ φρόνησις ἀνθρώπων* οὐκ ἔστιν ἐν ἐμοί >

280. Ἀφρονέστατον ἑαυτὸν εἶπεν κατὰ στέρησιν τῆς
ἀνθρωπίνης φρονήσεως.

Adest in A.

30, 4 ¹ < τίς ἀνέβη εἰς τὸν οὐρανὸν καὶ κατέβη; >

281. « Οὐδεὶς ἀναβέβηκεν εἰς τὸν οὐρανὸν ἄνω, εἰ μὴ ὁ
υἱὸς τοῦ ἀνθρώπου ὁ ἀπὸ τοῦ οὐρανοῦ κατελθών ᵃ. »

a. Jn 3, 13
Adest in A.

Procope : Ἀναγωγὴν ἔχει τὸ ῥηθὲν εἰς τὸν σωτῆρα.] « Οὐδεὶς
γάρ, φησίν, ἀναβέβηκεν εἰς τὸν οὐρανόν, εἰ μὴ ὁ ἐκ τοῦ οὐρανοῦ καταβὰς
ὁ υἱὸς τοῦ ἀνθρώπου ᵃ. »

IK MN. — Anon. — 1 Ἀναγωγὴν — σωτῆρα IK M : εἰς
τὸν σωτῆρα ἀνάγεται N ‖ 3 ὁ υἱὸς τοῦ ἀνθρώπου IK : om. MN.

30, 4 ²⁻⁴ < τίς συνήγαγεν ἀνέμους ἐν κόλπῳ;
τίς συνέστρεψεν ὕδωρ ἐν ἱματίῳ;
τίς ἐκράτησεν πάντων τῶν ἄκρων τῆς γῆς; >

282 A. Τίς πίστει ἢ πάντως συνήγαγε τοὺς « ἀπ᾽ ἀνατολῶν καὶ δυσμῶν καὶ βορρᾶ καὶ θαλάσσης ᵃ » ἐν τῇ γνώσει
τῇ τοῦ θεοῦ καὶ δέδωκεν αὐτοῖς θεωρίαν πνευματικὴν
ἐναποθεῖναι ταῖς ἀρεταῖς ;

a. Ps. 106, 3

A. — 4 ἐναποθεῖναι Z Tisch. : ἔναγε εἶναι A.

Sur le symbolisme des points cardinaux, voir scholie 1 ad Ps. 106, 3 :

30, 2   *Car je suis le plus insensé des hommes,*
        et le bon sens des hommes n'est pas en moi

280. Il s'est dit « le plus insensé » parce qu'il est privé
du « bon sens humain ».

Lemme biblique. L'*Alexandrinus* a ἀνθρώπου.

30, 4 [1]   *Qui est monté au ciel et en est descendu ?*

281. « Personne n'est monté au ciel sinon le Fils de
l'homme qui est descendu du ciel [a]. »

30, 4 [2-4]   *Qui a rassemblé les vents en son sein ?*
        Qui a serré l'eau dans son vêtement ?
        Qui a établi sa domination sur toutes les extrémités
            de la terre ?

282 A. « Qui a rassemblé » par la foi ou de toute autre
manière ceux qui viennent « de l'Orient et de l'Occident,
du Nord et du Sud [a] » dans la science de Dieu et leur a
permis de placer la contemplation spirituelle dans les
vertus ?

« Celui qui est venu de l'Orient cesse d'avoir des désirs et de se mettre
en colère, puisqu'il est devenu impassible, et celui qui a été rassemblé

de l'Occident s'éloigne de l'adultère, du meurtre et des péchés en acte
qu'il commettait encore. Si on s'éloigne du Nord et du Sud, on se
trouve dans les doctrines véritables, on n'est plus ballotté à tout
vent d'enseignement et on ne fait plus naufrage dans la foi : on
possède au contraire une direction divine, par la grâce du Christ »
(*Vaticanus 754*, f. 268ʳ : collation M.-J. Rondeau) ; schol. 1 *ad*

---

282 B. Καὶ ἄλλως. Τίς διὰ τῆς ἀληθοῦς γνώσεως ἔκρυψε
γνῶσιν ψευδῆ ;

Adest in A.

PROCOPE : Ἕτερός φησι· Τίς διὰ τῆς ἀληθοῦς γνώσεως ἔκρυψε
γνῶσιν ψευδῆ ;

IK MN. — Εὐαγρίου I M   Anon. K N.

---

283. Τίς ἀληθῆ γνῶσιν ἐναπέθετο ταῖς ἀρεταῖς ;

Adest in A.

PROCOPE : Τὴν ἀληθῆ γνῶσιν ἐναπέθετο ταῖς ἀρεταῖς.

IK MN. — <Εὐαγρίου> I M   Anon. K N.

---

284. Τίς « ἀπ' ἀνατολῶν καὶ δυσμῶν καὶ βορρᾶ καὶ
θαλάσσης ᵃ » συνήγαγε πάντα τὰ ἔθνη πυκνώσας αὐτὰ
ταῖς ἀρεταῖς καὶ τὸ ἐπουράνιον ὕδωρ ἐναποθέμενος τὸ ῥέον
ἐκ τῆς πηγῆς τῆς ζωῆς ;

a. Ps. 106, 3

Adest in A.

PROCOPE : Τίς « ἀπὸ ἀνατολῶν καὶ δυσμῶν καὶ βορρᾶ καὶ θαλάσσης ᵃ » συνήγαγε πάντα τὰ ἔθνη πυκνώσας αὐτὰ ταῖς ἀρεταῖς καὶ τὸ
ἐπουράνιον ὕδωρ ἐναποθέμενος τὸ ῥέον ἐκ τῆς πηγῆς τῆς ζωῆς ;

IK MN. — Anon.

Ps. 112, 3 : « L'Orient, ce sont les natures intelligibles sur lesquelles se lève le soleil de justice, et l'Occident les âmes des hommes sur lesquelles s'est autrefois couché le soleil spirituel et céleste » (*Vaticanus 754*, f. 284ʳ : collation M.-J. Rondeau) ; *KG* III, 60 : « Le signe de l'Orient est le symbole des saints, et le signe de l'Occident les âmes qui sont dans le Schéol... » (trad. A. Guillaumont).

---

282 B. Ou autrement : Qui par la vraie science a caché la fausse science ?

Sur le verbe κρύπτειν, voir la scholie 157.

---

283. Qui a placé dans les vertus la vraie science ?

---

284. Qui « de l'Orient et de l'Occident, du Nord et du Sud ᵃ » « a rassemblé » toutes les nations, les affermissant par les vertus et plaçant en (elles) l'eau céleste qui coule de la source de vie ?

Cf. schol. 282 A.

30, 6 < μὴ προσθῇς τοῖς λόγοις αὐτοῦ,
ἵνα μὴ ἐλέγξῃ σε καὶ ψευδὴς γένῃ >

285. Τῷ γὰρ νόμῳ κυρίου « οὐκ ἔστιν προσθεῖναι καὶ
ἀπ᾽ αὐτοῦ οὐκ ἔστιν ἀφελεῖν [a] ».

a. Eccl. 3, 14
Adest in A.

Dans la scholie *ad Eccl.* 3, 14, la loi est remplacée par la sagesse

---

30, 8 [1] < μάταιον λόγον καὶ ψευδῆ μακράν μου ποίησον >

286. Ψευδώνυμον γνῶσιν [a] μακράν μου ποίησον.

a. Cf. I Tim. 6, 21
Adest in A.

PROCOPE : Λέγει τὴν ψευδώνυμον γνῶσιν [a].

IK MN. — Anon. — Λέγει IK M : om. N.

30, 9 < ἵνα μὴ πλησθεὶς ψευδὴς γένωμαι καὶ εἴπω · τίς
με ὁρᾷ;
ἢ πενηθεὶς κλέψω καὶ ὀμόσω τὸ ὄνομα τοῦ θεοῦ >

287 A. Ἵνα μή, φησί, πλησθεὶς γνώσεως ἀκροτάτης
ὑπερήφανος γένωμαι καὶ εἴπω · οὐδεὶς τὴν ἐμὴν ἐπιγνώσε-
ται σοφίαν.

A. — 1 ἀκροτάτης Z : ἀκροατὴς A.

---

287 B. Ἵνα μὴ πλησθεὶς ἀπροσίτου γνώσεως ψεύστης
τοῖς ἀνθρώποις φανῶ, τοιαῦτα λέγων ὁποῖα μὴ δύνανται

A. — 1 πλησθεὶς Z Tisch. : -θῆς A.

30, 6   *N'ajoute pas à ses paroles,*
     de peur qu'il ne te réprimande et que tu ne deviennes
     menteur

285. Car à la loi du Seigneur « il ne faut rien ajouter
ni rien retrancher [a] ».

pleine de variété d'*Éphés.* 3, 10 : Ἀπὸ τῆς πολυποικίλου σοφίας οὐκ
ἔστιν ἀφελεῖν καὶ ταύτῃ οὐκ ἔστι προσθεῖναι... (*Coislin 193,*
f. 20ᵛ).

30, 8 [1]   *Éloigne de moi la parole vaine et mensongère*

286. « Éloigne de moi » la pseudo-science [a].

30, 9   *De peur que, comblé, je ne devienne menteur et ne*
     dise : Qui me voit ?
     ou qu'affamé, je ne vole et ne jure par le nom de Dieu

287 A. Il veut dire : « De peur que comblé » d'une
science très haute « je ne devienne » orgueilleux « et ne
dise » : Personne ne reconnaîtra ma sagesse.

Cf. schol. 28.

287 B. « De peur que comblé » d'une science inaccessible,
je ne passe pour un « menteur » aux yeux des hommes,
parce que je parle de choses que ne peuvent connaître ceux

γινώσκειν οἱ ἐνδεδεμένοι αἵματι καὶ σαρκί. Καλῶς δὲ καὶ
τὸ ἑξῆς προστέθειται τὸ « ἵνα μὴ πενηθεὶς κλέψω καὶ ὀμόσω
5 τὸ ὄνομα τοῦ θεοῦ » · κλέπτει γάρ τις ἀλλότρια θεωρήματα,
ἵνα νοῦν ἐμπλήσῃ πεινῶντα ᵃ. Ἀλλὰ τοῦτο μὲν πρὸ τῆς
ἐπιδημίας τοῦ σωτῆρος ἐγίνετο · νυνὶ δὲ ὁ Παῦλός φησιν ·
« ὁ κλέπτων μηκέτι κλεπτέτω ᵇ », μᾶλλον δὲ ἐργαζέσθω
δικαιοσύνην, ἵνα γνῶσιν κτησάμενος μεταδῷ καὶ τῷ χρείαν
10 ἔχοντι ᵇ. Τί γὰρ καὶ ἔστιν ὃ μὴ ἔστιν ἡμέτερον, ἵνα καὶ
κλέψωμεν οἱ πεπιστευκότες Χριστῷ ; Πάντα γὰρ ἡμῶν
ἐστιν, ἡμεῖς δὲ Χριστοῦ, δι' οὗ τὰ πάντα ἐγένετο, Χριστὸς
δὲ θεοῦ ᶜ.

a. Cf. Prov. 6, 30   b. Cf. Éphés. 4, 28   c. Cf. I Cor. 3, 22-
23 + Jn 1, 3

4 πενηθεὶς Tisch. : -θῆς A ‖ 7 ἐγίνετο A : ἐγένετο Z ‖ 8
ἐργαζέσθω IKMN Z : ἐργαζέτω A.

Procope : Ἤγουν ἵνα μὴ πλησθεὶς σοφίας, ἀκατάληπτος εἶναι
δόξω τοῖς ἄλλοις ἢ καὶ ψεύστης δόξω, τὰ ὑπὲρ τούτους λαλῶν. Ἀλλὰ
καὶ κλέπτει τις ἀλλότρια θεωρήματα, ἵνα νοῦν ἐμπλήσῃ πεινῶντα ᵃ,
ἀλλὰ τοῦτο πρὸ τῆς τοῦ σωτῆρος ἐπιδημίας. Νυνὶ δὲ Παῦλός φησιν ·
5 « ὁ κλέπτων μηκέτι κλεπτέτω ᵇ », μᾶλλον δὲ ἐργαζέσθω δικαιοσύνην,
ἵνα γνῶσιν κτησάμενος μεταδῷ καὶ τῷ χρείαν ἔχοντι ᵇ. Τί γὰρ οὐχ
ἡμέτερον, ἵνα κλέψωμεν ; Πάντα γὰρ ἡμῶν ἐστιν, ἡμεῖς δὲ Χριστοῦ,
δι' οὗ τὰ πάντα ἐγένετο, Χριστὸς δὲ θεοῦ ᶜ.

IK MN. — Anon. — 1 Ἤγουν IK : ἢ MN ‖ πλησθεὶς K N :
-θῆς I M ‖ 2 τούτους K MN : τοὺς ἄλλους I ‖ 5 μηκέτι IK M :
μὴ N ‖ 7 κλέψωμεν K MN : -ψομεν I ‖ ἡμῶν K N : ὑμῶν
I M ‖ ἔστιν IK M : εἰσιν N ‖ ἡμεῖς K N : ὑμεῖς I M ‖ 8
δι' οὗ — ἐγένετο IK : om. MN.

---

288. Οὗτος κλέπτει γνῶσιν οὐχ ὁ τὴν τοῦ προλαβόντος
λαμβάνων, ἀλλ' ὁ ἐκ τῆς ψευδωνύμου ὑφαιρούμενος γνώσεως ᵃ. Καὶ γὰρ πάντες οἱ πεπιστευκότες Χριστῷ ἀπὸ τῶν
ἁγίων προφητῶν καὶ ἀποστόλων λαμβάνοντες θεωρήματα

a. Cf. I Tim. 6, 20
Adest in A.

qui sont liés au sang et à la chair. Il a eu raison d'ajouter
la suite : « De peur qu'affamé, je ne vole et ne jure par le
nom de Dieu. » Car on vole des contemplations étrangères
pour remplir un intellect affamé [a]. Mais cela se passait
avant la venue du Sauveur, maintenant Paul dit : « Que
le voleur ne vole plus [b] », qu'il fasse plutôt la justice pour
posséder la science et la communiquer aussi au nécessi-
teux [b]. Car qu'est-ce qui ne nous appartient pas à nous
qui croyons au Christ pour que nous volions encore ?
Tout nous appartient, nous appartenons au Christ par qui
tout a été fait, et le Christ appartient à Dieu [c].

La chaîne vaticane relie cette scholie à la précédente par la
conjonction ἤ.

Lignes 1-3. La périphrase « ceux qui sont liés à la chair et au sang »
désigne les hommes : cf. « ceux qui ont participé à la chair et au sang »
(*KG* IV, 13), ψυχῇ συνδεδεμένη αἵματι καὶ σαρκί (schol. *ad
Eccl.* 2, 10 [*Coislin 193*, f. 18ᵛ]), τῶν συνδεδεμένων σαρκὶ καὶ αἵματι
(*Lettre sur la sainte Trinité* [Ps.-Basile, *Lettre* 8, 7, l. 55]).

Lignes 3-13. Sur ce thème du vol de la sagesse païenne, voir la
scholie 84 (texte et note) et la scholie 288, qui suit celle-ci.

---

288. Celui qui « vole » la science, ce n'est pas celui qui
reçoit la science de celui qui l'a reçue avant lui, mais celui
qui la dérobe à la pseudo-science [a]. Et en effet tous ceux
qui croient au Christ tirent leurs contemplations des
saints prophètes et apôtres ; ils ne sont plus appelés

5 οὐ λέγονται κλέπται ἀλλοτρίων θεωρημάτων, ἀλλὰ μᾶλλον
κληρονόμοι πατρῴων χρημάτων.

PROCOPE : Κλέπτει δὲ γνῶσιν οὐχ ὁ τὴν τοῦ προλαβόντος λαμβάνων,
ἀλλ' ὁ ἐκ τῆς ψευδωνύμου γνώσεως [a]. Οἱ πιστοὶ γοῦν ἐξ ἀποστόλων
καὶ προφητῶν λαμβάνοντες θεωρήματα κλέπτειν οὐ λέγονται, κληρονόμοι δὲ μᾶλλον πατρῴων κτημάτων.

IK MN. — Hoc scholion cum scholio 287 concatenaverunt
codd.

———

30, 10 < μὴ παραδῷς οἰκέτην εἰς χεῖρας δεσπότου,
μήποτε καταράσηταί σε καὶ ἀφανισθῇς >

289. Φυγόντα νοῦν τὴν κακίαν μὴ πάλιν παραδῷς τῇ
κακίᾳ, εἴπερ « πᾶς ὁ ποιῶν τὴν ἁμαρτίαν δοῦλός ἐστι τῆς
ἁμαρτίας [a] ». Ἁμαρτία δὲ νῦν ὀνομάζεται ὁ ἐνεργῶν τὴν
ἁμαρτίαν διάβολος.

a. Jn 8, 34

Adest in A.

———

24, 25 < οἱ δὲ ἐλέγχοντες βελτίους φανοῦνται ·
ἐπ' αὐτοὺς δὲ ἥξει εὐλογία ἀγαθή >

290. Ἡ εὐλογία ἡ ἀγαθὴ ἡ νοητή ἐστιν εὐλογία, ἥτις
ἀντιδιαιρεῖται πρὸς τὴν αἰσθητὴν εὐλογίαν.

Adest in A.

———

24, 27 [1-2] < ἑτοίμαζε εἰς τὴν ἔξοδον τὰ ἔργα σου
καὶ παρασκευάζου εἰς τὸν ἀγρόν >

291. Ὁ μὲν κύριος ἡμῶν ἐν τοῖς εὐαγγελίοις ἀγρὸν [a] τὸν

a. Cf. Matth. 13, 38

Adest in A.

« voleurs » de contemplations étrangères, mais plutôt héritiers des biens ancestraux.

30, 10 *Ne livre pas le domestique aux mains de son maître,*
de peur qu'il ne te maudisse et que tu ne périsses

289. « Ne livre pas » une seconde fois à la malice l'intellect qui a fui la malice, puisque « quiconque commet le péché est esclave du péché [a] ». Maintenant, c'est le diable qui est l'auteur du péché qui est nommé « péché ».

Sur les rechutes, voir la scholie 324 et *Antirrhétique* II, 39.

24, 25 *Ceux qui réprimandent paraîtront meilleurs,*
et sur eux viendra une bonne bénédiction

290. La « bonne bénédiction », c'est la bénédiction spirituelle qui est distincte de la bénédiction matérielle.

24, 27 [1-2] *Prépare tes œuvres pour sortir*
et dispose-toi (à aller) dans ton champ

291. Notre Seigneur a dans les Évangiles nommé

κόσμον ὠνόμασεν· ὁ δὲ Σολομὼν ἀγρὸν νῦν εἴρηκεν τὴν
θεωρίαν τοῦ κόσμου. 'Αλλ' ὁ μὲν ἐν τοῖς εὐαγγελίοις ἀγρὸς
τοῦ συνεστῶτος ἐκ ψυχῆς καὶ σώματος ἀνθρώπου ἐστίν·
5 αἰσθητὸς γάρ ἐστιν· ὁ δὲ ἐνταῦθα δηλούμενος ἀγρὸς τοῦ
νοῦ μόνου ἐστίν, νοητὸς ὢν καὶ συνεστὼς ἐκ τῶν λόγων
τούτου τοῦ κόσμου, εἰς ὃν καρδίαι εἰσβαίνουσι καθαραί.

PROCOPE : 'Αγρὸν ᵃ δὲ ὁ μὲν κύριος ἐν τοῖς εὐαγγελίοις τὸν κόσμον
ἐκάλεσεν· νῦν δὲ ἀγρὸν λέγει τὴν θεωρίαν τοῦ κόσμου. Κἀκεῖνος μὲν
αἰσθητὸς ὢν τοῦ συνθέτου ἐστὶν ἀνθρώπου· ὁ δὲ παρὼν νοητὸς ὢν
μόνου τοῦ νοῦ, συνεστὼς ἐκ τῶν λόγων τούτου τοῦ κόσμου, εἰς ὃν
5 καρδίαι εἰσβαίνουσι καθαραί.

IK MN. — Anon. — 1 μὲν sup. l. in K ‖ τοῖς IK M : om. N ‖
2-4 Κἀκεῖνος — κόσμου IK N : om. M ‖ 3 ἐστὶν post ἀνθρώπου
transp. N ‖ 4 τούτου K N : τούτων I ‖ 5 ante καρδίαι add. αἱ K.

24, 27 ³⁻⁴ < καὶ πορεύου κατόπισθέν μου
καὶ ἀνοικοδομήσεις τὸν οἶκόν σου >

292. « Μετὰ γὰρ σοφίας οἰκοδομεῖται οἶκος ᵃ »· « εἰς
δὲ κακότεχνον ψυχὴν οὐκ εἰσελεύσεται σοφία ᵇ. »

a. Prov. 24, 3   b. Sag. 1, 4

Adest in A.

PROCOPE : « Μετὰ γὰρ σοφίας οἰκοδομεῖται οἶκος ᵃ »· « εἰς δὲ
κακότεχνον ψυχὴν οὐκ εἰσελεύσεται σοφία ᵇ. »

IK M. — Εὐαγρίου M Anon. IK.

24, 31 < ἐὰν ἀφῇς αὐτόν, χερσωθήσεται
καὶ χορτομανήσει ὅλος καὶ γίνεται ἐκλελειμένος·
οἱ δὲ φραγμοὶ τῶν λίθων αὐτοῦ κατασκάπτονται >

293. Φραγμός ἐστιν ἀπάθεια ψυχῆς λογικῆς ἐκ τῶν
πρακτικῶν ἀρετῶν συνεστῶσα.

A. — 2 ἀρετῶν A : om. Tisch.

» champ » le monde [a], et Salomon a maintenant appelé
« champ » la contemplation du monde. Mais le « champ »
des Évangiles est celui de l'homme composé d'un corps et
d'une âme — car il est sensible —, tandis que le « champ »
dont il est question ici est celui du seul intellect — car
il est intelligible et se compose des raisons de ce monde :
c'est le champ dans lequel entrent les cœurs purs.

Le champ de la parabole évangélique figure le monde d'ici-bas
(cf. aussi schol. ad Eccl. 5, 7-8 [Coislin 193, f. 26ᵛ]), tandis que le
champ évoqué par ce verset des Proverbes correspond au monde
intelligible (cf. ὁ νοητὸς κόσμος de KG V, 41) qui contient les
logoi ou les « Idées » du monde sensible. Sur ce monde intelligible et
les diverses façons dont il est désigné, voir Réflexions 14, 38 et 39 ;
KG V, 12, 39, 41 et 42 ; Lettre 39 (p. 592, l. 23).

24, 27 [3-4] *Marche à ma suite*
et tu reconstruiras la maison

292. Car « la maison est construite avec la sagesse [a] »,
et « la sagesse n'entrera pas dans l'âme malfaisante [b] ».

Ce verset de la Sagesse est souvent cité : schol. 32 ; schol. 16 ad
Ps. 88, 32 ; 69 ad Ps. 118, 155 ; schol. ad Eccl. 1, 15 (Coislin 193,
f. 18ʳ) ; Lettre 29 ; Lettre sur la sainte Trinité (Ps.-Basile, Lettre 8, 12,
l. 21-23).

24, 31 *Si tu laisses (ton champ), il sera en friche,*
il sera entièrement couvert d'herbe et abandonné,
et ses clôtures de pierres s'écroulent

293. La « clôture » est l'impassibilité de l'âme raisonnable
qui est constituée des vertus pratiques.

PROCOPE : Φραγμὸς δέ ἐστιν ἀπάθεια ψυχῆς λογικῆς ἐκ τῶν ἀρετῶν συνεστῶσα.

IK MN. — Εὐαγρίου I M   Anon. K N. — 1 ψυχῆς IK N :
ψυχικῆς M ‖ 2 συνεστῶσα IK N : -τῶτα M.

30, 17 < ὀφθαλμὸν καταγελῶντα πατρὸς καὶ ἀτιμάζοντα
γῆρας μητρὸς
ἐκκόψαισαν αὐτὸν* κόρακες ἐκ τῶν φαράγγων
καὶ καταφάγοισαν αὐτὸν* νεοσσοὶ ἀετῶν >

294. Οὗτοι οἱ κόρακες τοὺς μὲν δικαίους τρέφουσι
μυστικῶς, τοὺς δὲ ἀδίκους κολάζουσι τοὺς τῆς ἀδικίας
ὀφθαλμοὺς ἐξορύττοντες, διότι τοῦ πάντων πατρὸς καὶ
θεοῦ ᵃ κατεγέλασαν καὶ τὴν γεννῶσαν αὐτοὺς ἀρχαίαν
5 γνῶσιν ἠτίμασαν. Καὶ τοὺς μὲν ἐξορύσσοντας τοὺς ὀφθαλμοὺς
τοῦ ἀσεβοῦς κόρακας εἶπεν · τοὺς δὲ ὅλον αὐτὸν κατεσθίοντας
ὠνόμασεν ἀετούς, διὰ τὸ τοὺς μὲν τὴν μερικήν, τοὺς δὲ τὴν
καθόλου κάθαρσιν πεπιστεῦσθαι.

a. Cf. Éphés. 4, 6

ABᴴ. — 2 δὲ B IKMN Z Tisch. : καὶ A ‖ 6 τοῦ ἀσεβοῦς
A : om. B ‖ 8 πεπιστεῦσθαι B MN Tisch. : πεπιστεῦθαι
A Z πιστεύεσθαι IK.

PROCOPE : Οὗτοι δὲ οἱ κόρακες τοὺς μὲν δικαίους τρέφουσι μυστικῶς,
τοὺς δὲ τῆς ἀδικίας ἐξορύσσουσιν ὀφθαλμούς, διότι θεοῦ τοῦ πάντων
πατρὸς ᵃ κατεγέλασαν καὶ τὴν γεννῶσαν αὐτοὺς ἀρχαίαν γνῶσιν
ἠτίμασαν. Καὶ τοὺς μὲν ἐξορύσσοντας τοὺς ὀφθαλμοὺς τοῦ ἀσεβοῦς
5 κόρακας εἶπεν · τοὺς δὲ ὅλον αὐτὸν κατεσθίοντας ὠνόμασεν ἀετούς,
διὰ τὸ τοὺς μὲν τὴν μερικήν, τοὺς δὲ τὴν καθόλου κάθαρσιν πεπιστεῦσθαι.

IK MN. — Εὐαγρίου IK Διδύμου M Anon. N. — 2
ἀδικίας K MN : κακίας I ‖ 4 ἠτίμασαν I MN : ἠτοίμασαν K ‖
5 εἶπεν IK M : ὠνόμασεν N ‖ ὠνόμασεν IK M : ἐκάλεσεν N ‖
6 διὰ τὸ τοὺς K MN : διὰ τοῦτο τοὺς I a. corr. διὰ τοῦ τοὺς
I p. corr. ‖ 6-7 πεπιστεῦσθαι MN : πιστεύεσθαι IK.

Cf. schol. 12 et 343.

30, 17 *L'œil qui se moque de son père et méprise la vieillesse
de sa mère,
que les corbeaux qui sortent des ravins l'arrachent
et que les petits des aigles le dévorent*

294. Ces « corbeaux » nourrissent mystiquement les
justes, mais châtient ceux qui sont injustes, en leur
arrachant « les yeux » de l'injustice, car ils « se sont moqués »
de Dieu qui est le Père de tous [a] et ont « méprisé » la science
originelle qui les a enfantés. Et il a appelé « corbeaux »
ceux qui arrachent les yeux de l'impie et nommé « aigles »
ceux qui le mangent complètement, car les premiers ont
été chargés d'une purification partielle, les seconds d'une
purification totale.

Lemme biblique. L'*Alexandrinus* ἐκκολάψαισαν αὐτήν et καταφάγοισαν αὐτήν.

Interprétation semblable dans les définitions 15, 16 et 18 du
Commentaire des Proverbes numériques (voir l'Appendice II, p. 488-
489). A ces parallèles il faut ajouter la scholie 3 *ad Ps.* 146, 9 qui contient une allusion aux corbeaux venant nourrir le prophète Élie (*III
Rois* 17, 4-6) : « Ou bien il appelle maintenant corbeaux les natures
raisonnables qui ont la charge de nourrir spirituellement les justes
et reçoivent l'ordre de châtier les injustes, puisque ce sont des
corbeaux venant des ravins qui arrachent les yeux de celui qui se
moque de son père et méprise la vieillesse de sa mère et que ce sont
des corbeaux qui apportent à Élie du pain le matin et de la viande le
soir » (*Vaticanus* 754, f. 351ʳ : collation M.-J. Rondeau).

30, 31 [2] < καὶ τράγος ἡγούμενος αἰπολίου >

295. Εἰ ἔριφοί εἰσιν οἱ ἀκάθαρτοι ἐξ ἀριστερῶν ὑπὸ τοῦ σωτῆρος ἱστάμενοι [a], ὁ δὲ τράγος ἡγεῖται τούτων, μήποτε ὁ τράγος νῦν τὸν διάβολον σημαίνει.

a. Cf. Matth. 25, 32-33
Adest in A.

31, 5 < ἵνα μὴ πιόντες ἐπιλάθωνται τῆς σοφίας
καὶ ὀρθὰ κρίνειν οὐ μὴ δύνωνται τοὺς ἀσθενεῖς >

296. Οὐ μὴ δύνωνται ὀρθῶς διδάσκειν.

Adest in A.

Le verbe κρίνειν est glosé par διδάσκειν comme dans la scholie 354. Car ce jugement n'est pas le jugement du Christ, mais la « didascalie » qu'exercent les anges et les saints à l'égard des pécheurs. Cf.

31, 6 < δίδοτε μέθην τοῖς ἐν λύπαις
καὶ οἶνον πίνειν τοῖς ἐν ὀδύναις,
7 ἵνα ἐπιλάθωνται τῆς πενίας
καὶ τῶν πόνων μὴ μνησθῶσιν ἔτι >

297. Ὁ μεθυσθεὶς ἀπὸ τῆς πιότητος τοῦ οἴκου κυρίου [a] ἐπιλανθάνεται τῶν ὀδυνῶν.

a. Cf. Ps. 35, 9
Adest in A.

Procope : Ὁ γὰρ μεθυσθεὶς ἀπὸ τῆς πιότητος τοῦ οἴκου κυρίου [a] ἐπιλανθάνεται τῶν ὀδυνῶν.

IK MN. — Εὐαγρίου I M Anon. K N. — 1 γὰρ IK :
δὲ MN ‖ κυρίου K M : τοῦ κυρίου N τοῦ θεοῦ I.

30, 31 [2] *Et le bouc qui conduit le troupeau*

295. Si les chevreaux sont les hommes impurs que le Seigneur place à sa gauche [a] et si « le bouc conduit » ceux-ci, peut-être que maintenant « le bouc » désigne le diable.

Interprétation différente dans la définition 7 du *Commentaire des Proverbes numériques* (voir l'Appendice II, p. 488).

31, 5 *De peur qu'après avoir bu ils n'oublient la sagesse et ne puissent juger correctement les faibles*

296. « Qu'ils ne puissent correctement » enseigner.

KG III, 46 : « Le jugement des anges est la science concernant les maladies de l'âme, qui fait monter à la santé ceux qui sont blessés » (trad. A. Guillaumont). Ce verset des Proverbes est cité dans la scholie 12.

31, 6 *Donnez l'ivresse à ceux qui sont dans le chagrin et donnez du vin à boire à ceux qui souffrent,*
7   *afin qu'ils oublient leur pauvreté et ne se souviennent plus de leurs fatigues*

297. « Celui qui s'est enivré de la graisse de la maison du Seigneur [a] » « oublie » ses « souffrances ».

Ces deux versets des Proverbes sont également commentés dans la scholie 5 *ad Ps.* 142, 8, où ils sont aussi associés à *Ps.* 35, 9 : l'ivresse provoquée par la science fait oublier l'ignorance antérieure.

31, 9 < ἄνοιγε σὸν στόμα καὶ κρῖνε δικαίως ·
  διάκρινε δὲ πένητα καὶ ἀσθενῆ

298. Πένητα λέγει τὸν ἐστερημένον τῆς γνώσεως, ἀσθενῆ
δὲ τὸν ἀκάθαρτον.

Adest in A.

PROCOPE : Τόν τε τῆς γνώσεως ἐστερημένον καὶ τὸν ἀκάθαρτον.

IK MN. — Εὐαγρίου I M   Anon. K N. — Ante Τὸν add.
πένητα λέγει M πένητα δὲ N.

25, 2 < δόξα θεοῦ κρύπτει λόγον ·
  δόξα δὲ βασιλέως τιμᾷ προστάγματα >

299. Τὸν ἔχοντα τὴν δόξαν τοῦ θεοῦ δόξαν εἶπεν θεοῦ
καὶ τὸν ἔχοντα τὴν δόξαν τοῦ ἐπουρανίου βασιλέως δόξαν
βασιλέως ὠνόμασεν. Οὗτοι γὰρ κρύπτουσι τὸν τοῦ θεοῦ
λόγον ἐν ἑαυτοῖς, ὅπως ἂν μὴ ἁμάρτωσι καὶ τιμῶσι τὰ
5 προστάγματα, δι᾽ ὧν ποιοῦσιν αὐτά. Πολλάκις δὲ τοῦτο
παρεσημειωσάμεθα ὅτι ἀπὸ τῶν ἀρετῶν ὀνομάζονται καὶ
τῶν κακιῶν οἱ ἔχοντες τὰς ἀρετὰς καὶ τὰς κακίας. Οὕτω
« δίκαιος κύριος καὶ δικαιοσύνας ἠγάπησεν ᵃ », ἀντὶ τοῦ
δικαίους · καὶ « φόβος κυρίου μισεῖ ἀδικίαν, ὕβριν τε καὶ
10 ὑπερηφανίαν ᵇ », τουτέστιν ἄδικον καὶ ὑβριστὴν καὶ ὑπερήφανον. Καὶ ἐνταῦθα δὲ τὸν ἔχοντα τὴν τοῦ θεοῦ δόξαν καὶ
τὸν ἔχοντα τὴν δόξαν τοῦ βασιλέως δόξαν θεοῦ καὶ δόξαν
βασιλέως ὠνόμασεν. Ἢ τάχα δόξαν θεοῦ λέγει τὸν δοξάζοντα τὸν θεὸν καὶ δόξαν βασιλέως τὸν δοξάζοντα τὸν
15 βασιλέα, ἵν᾽ ᾖ τοιοῦτον τὸ λεγόμενον · ὁ δοξάζων τὸν θεὸν
κρύπτει τὸν λόγον αὐτοῦ καὶ ὁ δοξάζων τὸν βασιλέα τιμᾷ
τὰ προστάγματα αὐτοῦ · ὁ γὰρ ἀτιμάζων αὐτὸν διὰ τῆς
παραβάσεως τοῦ νόμου ἀτιμάζει αὐτόν ᶜ.

a. Ps. 10, 17   b. Prov. 8, 13   c. Cf. Rom. 2, 23

A. — 16 κρύπτει Tisch. : κηρύττει A.

31, 9   *Ouvre la bouche et juge avec équité,*
       distingue le pauvre du faible

298. Il appelle « pauvre » celui qui est privé de la science,
« faible » celui qui est impur.

Cf. schol. 75.

25, 2   *La gloire de Dieu cache la parole*
       et la gloire du roi honore les ordres

299. Il a appelé « gloire de Dieu » celui qui possède
« la gloire de Dieu » et nommé « gloire du roi » celui qui
possède « la gloire du roi » céleste. Ils « cachent » en effet
en eux « la parole » de Dieu, afin de ne pas commettre
de faute, et « honorent ses ordres » en les mettant en
pratique. Nous avons souvent noté que ceux qui possèdent
les vertus et les vices sont désignés par leurs vertus et leurs
vices. Ainsi « le juste Seigneur a aussi aimé les justices [a] »,
au lieu de : les justes; et « la crainte du Seigneur hait
l'injustice, l'insolence et l'orgueil [b] », c'est-à-dire : l'injuste,
l'insolent et l'orgueilleux. Ici aussi, il a nommé « gloire de
Dieu » celui qui possède « la gloire de Dieu » et « gloire du
roi » celui qui possède « la gloire du roi ». Ou peut-être
qu'il appelle « gloire de Dieu » celui qui glorifie Dieu et
« gloire du roi » celui qui glorifie le roi, si bien que le verset
signifie ceci : Celui qui glorifie Dieu « cache sa parole » et
celui qui glorifie le roi « honore ses ordres »; en effet celui
qui le déshonore le déshonore par la transgression de la
loi [c].

PROCOPE : Καὶ ὁ δοξάζων τὸν βασιλέα τιμᾷ τὰ προστάγματα
αὐτοῦ. Εἰρήκαμεν ὡς ἀπὸ τῶν ἀρετῶν καὶ τῶν κακιῶν οἱ ταύτας
ἔχοντες ὀνομάζονται ὡς ἐν τῷ «δίκαιος κύριος καὶ δικαιοσύνας
ἠγάπησεν ᵃ », ἀντὶ τοῦ δικαίους, καὶ «φόβος κυρίου μισεῖ ἀδικίαν,
5 ὕβριν τε καὶ ὑπερηφανίαν ᵇ », τουτέστιν ἄδικον καὶ ὑβριστὴν καὶ
ὑπερήφανον. Καὶ νῦν τὸν ἔχοντα τὴν τοῦ θεοῦ δόξαν ἢ τοῦ βασιλέως
δόξαν ἑκάτερον καλεῖ. Οὗτοι γὰρ κρύπτουσι τὸν τοῦ θεοῦ λόγον
ἐν ἑαυτοῖς, ὅπως ἂν μὴ ἁμάρτωσι καὶ τιμῶσι τὰ προστάγματα, δι'
ὧν ποιοῦσιν αὐτά. Εἰ μὴ ἄρα τὸν δοξάζοντα θεὸν ἢ τὸν βασιλέα φησὶ
10 κρύπτειν τε λόγον καὶ τιμᾶν προστάγματα · ὁ γὰρ ἀτιμάζων αὐτὸν
διὰ τῆς παραβάσεως τοῦ νόμου ἀτιμάζει αὐτόν ᶜ.

IK MN. — Εὐαγρίου IK M   Anon. N. — 1-2 Καὶ — αὐτοῦ
pro lemmate biblico habent IK M ǁ τιμᾷ — αὐτοῦ IK M :
om. N ǁ 5 καὶ² IK M : om. N ǁ 8 ἁμάρτωσι I MN : ἀμαρ-
τάτωσι K ǁ post προστάγματα add. αὐτοῦ MN ǁ 9 δοξάζοντα K
MN : -σαντα I.

25, 5 < κτεῖνε ἀσεβεῖς ἐκ προσώπου βασιλέως,
καὶ κατορθώσει ἐν δικαιοσύνῃ ὁ θρόνος αὐτοῦ >

300. Ὁ λόγῳ πνευματικῷ τὸν παλαιὸν ἄνθρωπον ἀποκτέννων τὸν φθειρόμενον κατὰ τὰς ἐπιθυμίας τῆς ἀπάτης ᵃ
κατορθοῖ ἐν δικαιοσύνῃ τὸν ἑαυτοῦ νοῦν, ὅστις λέγεται
εἶναι θρόνος θεοῦ. Οὐδαμοῦ γὰρ πέφυκεν ἀλλαχοῦ καθέζε-
5 σθαι σοφία καὶ γνῶσις καὶ δικαιοσύνη εἰ μὴ ἐν φύσει λογικῇ ·
ταῦτα δὲ πάντα ἐστὶν ὁ Χριστός.

a. Cf. Éphés. 4, 22

ABᴴ. — 1-2 ἀποκτέννων IM : ἀποκτένων ABᴴ Z K.

PROCOPE : Ὁ λόγῳ πνευματικῷ τὸν παλαιὸν ἄνθρωπον ἀποκτέννων
τὸν φθειρόμενον κατὰ τὰς ἐπιθυμίας τῆς ἀπάτης ᵃ κατορθοῖ ἐν δικαιοσύνῃ τὸν ἑαυτοῦ νοῦν, ὅστις λέγεται θρόνος εἶναι θεοῦ. Οὐδαμοῦ γὰρ
πέφυκεν ἀλλαχοῦ καθέζεσθαι σοφία καὶ γνῶσις καὶ δικαιοσύνη εἰ
5 μὴ ἐν φύσει λογικῇ · ταῦτα δέ ἐστιν ὁ Χριστός.

IK MN. — Anon. — 1 post λογῷ add. δὲ N ǁ ἀποκτέννων
I M : -κτένων K -κτείνων (?) N ǁ 2 τὸν — ἀπάτης IK : om.
MN ǁ 3 τὸν ἑαυτοῦ νοῦν IK M : τὸν νοῦν αὐτοῦ N ǁ 4 ἀλλαχοῦ
καθέζεσθαι I : om. K MN.

Lignes 1-5. Cacher les ordres, c'est les mettre en pratique.

Lignes 5-11. Sur ce type de remarque, voir la scholie 99 (texte et note), et en particulier les scholies 7 *ad Ps.* 10, 7 et 102 *ad Prov.* 8, 13.

Lignes 16-18. Sur le couple τιμᾶν-ἀτιμάζειν : schol. 87.

25, 5   *Tue les impies devant le roi,*
        et son trône tiendra droit dans la justice

300. Celui qui par une parole spirituelle « tue » l'homme ancien qui se corrompait dans les convoitises trompeuses [a] « maintiendra droit dans la justice » son propre intellect qui est dit être le « trône » de Dieu. En effet la sagesse, la science et « la justice » — et le Christ est tout cela — ne siègent nulle part ailleurs que sur la nature raisonnable.

Le vocabulaire biblique rejoint avec ce verbe κατορθοῦν une terminologie d'origine stoïcienne qui est tout à fait familière à Évagre : cf. πρὸς τοὺς κατορθοῦντας (schol. 195), ἐν τῷ κατορθοῦν (schol. 370) ; voir A. et Cl. GUILLAUMONT, *Traité pratique*, p. 532, note au ch. 14. Le trône symbolise habituellement l'intellect sur lequel siège le Christ : schol. 2 *ad Ps.* 9, 5 ; 4 *ad Ps.* 17, 7 ; 5 *ad Ps.* 46, 9 ; etc.

25, 6   < μὴ ἀλαζονεύου ἐνώπιον βασιλέως
          μηδὲ ἐν τόποις δυναστῶν ὑφίστασο ·
7 ¹⁻²   κρεῖσσον γὰρ τὸ ῥηθῆναί σοι · ἀνάβαινε πρός
          με,
          ἢ ταπεινῶσαί σε ἐν προσώπῳ δυνάστου >

301. Μὴ εἴπῃς · « ἐπάνω τῶν ἄστρων θήσομαι τὸν
θρόνον μου · ἔσομαι ὅμοιος τῷ ὑψίστῳ ᵃ. » Κρεῖσσον γὰρ
τὸ ῥηθῆναι περὶ σοῦ τὸ « διὸ καὶ ὁ θεὸς αὐτὸν ὑπερύψωσεν
καὶ ἐχαρίσατο αὐτῷ ὄνομα τὸ ὑπὲρ πᾶν ὄνομα ᵇ ».

a. Is. 14, 13-14   b. Phil. 2, 9
Adest in A.

25, 8 ¹⁻²   < μὴ πρόσπιπτε εἰς μάχην ταχέως,
            ἵνα μὴ μεταμεληθῇς ἐπ᾽ ἐσχάτων >

302. Διὰ τῆς μάχης τὴν κακίαν ᾐνίξατο.

Adest in A.

25, 8 ³   < ἡνίκα δ᾽ ἄν σε ὀνειδίσῃ ὁ φίλος,
9   ἀναχώρει εἰς τὰ ὀπίσω, μὴ καταφρόνει >

303. Καὶ ὁ σωτὴρ ἐν τοῖς εὐαγγελίοις ὀνειδίζει ταῖς
πόλεσιν, « ἐν αἷς αἱ πλεῖσται αὐτοῦ δυνάμεις γεγόνασιν
ὅτι οὐ μετενόησαν, οὐαί σοι Χοραζίν, οὐαί σοι λέγων
Βηθσαϊδά ᵃ ».

a. Matth. 11, 20-21

A. — 2 αὐτοῦ iteravit A ‖ 3 Χοραζίν Nestle : Χωραζίμ A ‖
4 Βηθσαϊδά Nestle : Βεθτσαϊδά A.

Procope : Ἀλλὰ καὶ ὁ σωτὴρ ὠνείδιζε ταῖς πόλεσιν, « ἐν αἷς αἱ
πλεῖσται αὐτοῦ δυνάμεις ἐγένοντο, διότι μὴ μετενόησαν ᵃ ».

ΙΚ Μ. — Εὐαγρίου Μ   Anon. ΙΚ.

25, 6   *Ne fais pas le fanfaron devant le roi*
           et ne te mets pas à la place des princes,
7 [1-2]   *car il vaut mieux qu'on te dise : Monte vers moi,*
           plutôt qu'on ne t'humilie en présence du prince

301. Ne dis pas : « Je placerai mon trône au-dessus des
étoiles, je serai semblable au Très-Haut [a]. » « Car il vaut
mieux qu'on dise » de toi : « C'est pourquoi Dieu l'a exalté
et lui a donné un nom au-dessus de tout nom [b]. »

Mise en garde contre l'orgueil qui a causé la chute de Lucifer ;
cf. schol. 23.

25, 8 [1-2] *Ne te jette pas précipitamment dans une querelle,*
           de peur de t'en repentir à la fin

302. Par la « querelle » il a désigné indirectement la
malice.

25, 8 [3]   *Quand ton ami t'invective,*
9   *retire-toi en arrière, ne le méprise pas*

303. Le Sauveur aussi, dans les Évangiles, « invective »
les villes « où se sont produits la plupart de ses miracles,
parce qu'elles ne se sont pas converties [a] » en disant :
« Malheur à toi, Chorazîn ! Malheur à toi, Bethsaïde ! [a] ».

25, 10a [1-2] < χάρις καὶ φιλία ἐλευθεροῖ,
ἃς τήρησον σεαυτῷ, ἵνα μὴ ἐπονείδιστος
γένῃ >

304. Πυκνότερον ὁ Σολομὼν φίλου τε μέμνηται καὶ
φιλίας. Διὸ καλῶς ἔχει νῦν προσέχειν τῷ ὀνόματι, τί βούλεται
αὐτῷ σημαίνειν ἡ φιλία · «χάρις γάρ, φησίν, καὶ φιλία
ἐλευθεροῖ.» Καίτοι ὁ σωτὴρ ἐν τοῖς εὐαγγελίοις πρὸς
5 τοὺς πεπιστευκότας αὐτῷ Ἰουδαίους φησίν · «ἐὰν ὑμεῖς
μείνητε ἐν τῷ λόγῳ τῷ ἐμῷ, ἀληθῶς μαθηταί μού ἐστε
καὶ ἡ ἀλήθεια ἐλευθερώσει ὑμᾶς [a].» Παῦλος δὲ πάλιν
γράφει · «Χριστὸς ἡμᾶς ἠλευθέρωσεν ἐκ τῆς κατάρας τοῦ
νόμου [b].» Εἰ οὖν ἡ φιλία ἐλευθεροῖ καὶ ἡ ἀλήθεια ἐλευθεροῖ
10 καὶ ὁ σωτὴρ ἐλευθεροῖ, Χριστός ἐστιν ἡ ἀλήθεια καὶ ἡ
φιλία. Ὅθεν καὶ πάντες οἱ ἔχοντες τὴν γνῶσιν τοῦ Χριστοῦ
φίλοι ἀλλήλων εἰσίν. Οὕτω καὶ τοὺς μαθητὰς φίλους [c]
εἴρηκεν ὁ σωτὴρ καὶ Ἰωάννης φίλος ἦν τοῦ νυμφίου [d],
Μωσῆς [e] καὶ πάντες οἱ ἅγιοι. Καὶ ἐπὶ ταύτης μόνον τῆς
15 φιλίας οἱ τοῦ αὐτοῦ φίλοι καὶ ἀλλήλων εἰσὶ φίλοι.

a. Jn 8, 31-32   b. Gal. 3, 13   c. Cf. Jn 15, 15   d.
Cf. Jn 3, 29   e. Cf. Ex 33, 11

A. — 14 Μωσῆς Tisch. : Μωσῆς A.

PROCOPE : Καίτοι ὁ σωτὴρ πρὸς τοὺς πεπιστευκότας αὐτῷ φησιν
Ἰουδαίους · «ἐὰν ὑμεῖς μείνητε ἐν τῷ λόγῳ τῷ ἐμῷ, ἀληθῶς μαθηταί
μού ἐστε καὶ ἡ ἀλήθεια ἐλευθερώσει ὑμᾶς [a].» Ἀλλὰ καὶ Παῦλος
ἔφη · «Χριστὸς ἡμᾶς ἐξηγόρασεν ἐκ τῆς κατάρας τοῦ νόμου [b].» Εἰ
5 οὖν ἡ φιλία καὶ ἡ ἀλήθεια καὶ ὁ Χριστὸς ἐλευθεροῖ, Χριστός ἐστιν ἡ
ἀλήθεια καὶ ἡ φιλία. Ὅθεν καὶ πάντες οἱ ἔχοντες τὴν γνῶσιν τοῦ
Χριστοῦ φίλοι ἀλλήλων εἰσίν. Οὕτω καὶ τοὺς μαθητὰς φίλους [c] εἴρηκεν
ὁ σωτὴρ καὶ Ἰωάννης ἦν φίλος τοῦ νυμφίου [d] καὶ Μωϋσῆς [e] καὶ
πάντες οἱ ἅγιοι. Καὶ ἐπὶ ταύτης μόνον τῆς φιλίας οἱ τοῦ αὐτοῦ φίλοι
10 καὶ ἀλλήλων εἰσὶ φίλοι.

IK MN. — <Εὐαγρίου> M Anon. IK N. — 1-3 Καίτοι
— ὑμᾶς IK : καὶ ὁ σωτὴρ ἡ ἀλήθεια ἐλευθερώσει ὑμᾶς MN ‖
3-4 Ἀλλά — τοῦ νόμου IK : καὶ Παῦλος · Χριστὸς ἡμᾶς
ἐξηγόρασεν MN ‖ 6 ἡ IK : om. MN ‖ πάντες IK : om.
MN ‖ τὴν sup. l. K ‖ 7 Χριστοῦ K MN : θεοῦ I ‖ εἰσίν hic
des. MN.

25, 10a [1-2] *La grâce et l'amitié libèrent,*
           garde-les pour toi afin de ne pas être blâmé

304. Salomon fait fréquemment mention de l'« ami » et de l'« amitié ». Aussi convient-il maintenant de faire attention à ce que le mot d'« amitié » veut dire pour lui. Il dit en effet que « la grâce et l'amitié libèrent »; or dans les Évangiles le Sauveur dit aux Juifs qui ont cru en lui : « Si vous demeurez dans ma parole, vous êtes vraiment mes disciples, et la vérité vous libérera [a] », et Paul écrit à son tour : « Le Christ nous a libérés de la malédiction de la loi [b]. » Par conséquent, si « l'amitié libère », si « la vérité libère », si le Sauveur libère, la vérité et l'« amitié » sont le Christ. Voilà pourquoi tous ceux qui possèdent la science du Christ sont amis les uns des autres. C'est ainsi que le Sauveur a appelé ses disciples amis [c], que Jean était l'ami de l'Époux [d], Moïse aussi [e] et tous les saints. Et c'est seulement dans cette sorte d'amitié que les amis de la même personne sont aussi amis les uns des autres.

Sur l'amitié spirituelle, voir l'Introduction, p. 53-54.

25, 10a [3] < ἀλλὰ φύλαξον τὰς ὁδούς σου εὐσυναλλάκτως >

305. Ὁ διδαχθεὶς περὶ τῶν ἀρετῶν καὶ κατ᾽ αὐτὰς ἐνεργῶν τὰς ὁδοὺς αὐτοῦ φυλάσσει εὐσυναλλάκτως.

Adest in A.

L'adverbe εὐσυναλλάκτως est attesté pour la première fois dans ce verset des Proverbes. Il contient une idée de pacte ou de contrat

---

25, 11 < μῆλον χρύσεον ἐν ὁρμίσκῳ σαρδίου,
        οὕτως εἰπεῖν λόγον ἐπὶ ἁρμόζουσιν αὐτῷ* >

306. Ὥσπερ μῆλον χρύσεον ἁρμόζει σαρδίῳ, οὕτω γνῶσις θεοῦ ψυχῇ καθαρᾷ.

Adest in A.

Procope : Ὥσπερ μῆλον χρυσοῦν ἁρμόζει σαρδίῳ, οὕτω γνῶσις θεοῦ ψυχῇ καθαρᾷ.

IK MN. — Εὐαγρίου infra I M   Anon. K N.

25, 12 < εἰς ἐνώτιον χρυσοῦν σάρδιον πολυτελὲς δέδεται ·
        λόγος σοφὸς εἰς εὐήκοον οὖς >

307. Ἔμβαλε σάρδιον πολυτελὲς εἰς ἐνώτιον χρυσοῦν καὶ σοφίαν κυρίου εἰς νοῦν ἀπαθῆ.

A. — 2 σοφίαν IKMN Z Tisch. : σοφία A.

Procope : Ἔμβαλε σάρδιον πολυτελὲς εἰς ἐνώτιον χρυσοῦν καὶ σοφίαν κυρίου εἰς νοῦν ἀπαθῆ.

IK MN. — Hoc scholion cum scholio 306 concatenaverunt codd. — 1 ἐνώτιον IK N : ἐνώπιον M ‖ 2 κυρίου K MN : θεοῦ I.

25, 10a ³ *Mais garde tes voies loyalement*

305. Celui qui a été instruit des vertus et agit comme elles le demandent « garde ses voies loyalement ».

(συνάλλαγμα). En pratiquant les vertus, le disciple honore scrupuleusement le contrat qu'il a passé avec son maître. Voir les définitions du mot εὐσυναλλαξία dans *SVF* III, n° 264, p. 64, l. 42-43 ; n° 273, p. 67, l. 16.

25, 11 *Une pomme d'or dans un collier de sardoine,*
ainsi dire une parole à ceux à qui elle sied

306. De même que « la pomme d'or sied à la sardoine », de même la science de Dieu sied à l'âme pure.

Lemme biblique. Le texte biblique d'Évagre comportait vraisemblablement l'addition de ἐπὶ ἁρμόζουσιν αὐτῷ, qui est absente de l'*Alexandrinus*.

25, 12 *On fixe la précieuse sardoine à la boucle d'oreille*
en or ;
on livre la parole sage à l'oreille attentive

307. Insère « la précieuse sardoine dans la boucle d'oreille en or » et la sagesse du Seigneur dans l'intellect impassible.

25, 13 ¹⁻² < ὥσπερ ἔξοδος χιόνος ἐν ἀμήτῳ κατὰ καῦμα
            ὠφελεῖ,
        οὕτως ἄγγελος πιστὸς τοὺς ἀποστείλαντας
        αὐτόν >

308. Ὥσπερ χιὼν ψύχει καύσωνα, οὕτως γνῶσις ἁγίων
διαλύει κόπον ψυχῆς.

Adest in A.

PROCOPE : Καὶ ἄλλως. Ὡς χιὼν ψύχει καῦμα, οὕτως γνῶσις ἁγίων
διαλύει κόπον ψυχῆς.

IK. — Anon.

25, 15 < ἐν μακροθυμίᾳ εὐοδία βασιλεῦσιν ·
        γλῶσσα δὲ μαλακὴ συντρίβει ὀστᾶ >

309. Νῦν τὴν θυμώδη ψυχὴν ὠνόμασεν μαλακήν, ἥτις
συντρίβει τὰ ὀστᾶ τὰ πεφυκότα λέγειν · « κύριε, τίς ὅμοιός
σοι ᵃ ; »

a. Ps. 34, 10

Adest in A.

PROCOPE : Ἡ τὴν θυμώδη ψυχὴν ὠνόμασε μαλακήν, ἥτις συντρίβει
τὰ πεφυκότα λέγειν ὀστᾶ · « κύριε, κύριε, τίς ὅμοιός σοι ᵃ ; »

IK MN. — Εὐαγρίου I   Anon. K MN.

25, 17 < σπάνιον εἴσαγε σὸν πόδα πρὸς τὸν σεαυτοῦ φίλον,
        μήποτε πλησθείς σου μισήσῃ σε >

310. Σπανίως δεῖ ἅπτεσθαι θεολογικῶν προβλημάτων
καὶ μὴ πυκνῶς τοῦτο ποιεῖν, μήποτε εἴπωμέν τι τῶν οὐ
λεγομένων ἐπὶ θεοῦ καὶ ὡς ἀσεβοῦντες τῆς πνευματικῆς

Adest in A.

25, 13 [1-2] *De même que la chute de la neige pendant la*
moisson est utile dans la chaleur,
de même un messager fidèle pour ceux qui l'ont
envoyé

308. De même que « la neige » met un terme à la forte
chaleur, de même la science des saints fait disparaître la
fatigue de l'âme.

Cf. schol. 195 : ... περιψύχων τὸν ἐκ τῆς πρακτικῆς συμβαίνοντα
καύσωνα. Le mot κόπος désigne d'une façon générale les travaux
de l'ascèse et la fatigue qui en résulte : cf. *Pratique* 15 (avec note
d'A. et Cl. GUILLAUMONT, p. 537) ; 73 ; schol. 9 *ad Ps.* 24, 17-18.

25, 15 *Par la longanimité les rois connaissent le succès,*
mais la langue tendre brise les os

309. Maintenant il a qualifié de « tendre » l'âme irascible
qui « brise les os » qui disent : « Seigneur, qui t'est
semblable [a] ? »

La langue est pour Évagre une des dénominations bibliques de
l'âme ou de l'intellect (cf. schol. 317) ; les os sont les différentes
facultés de l'âme (cf. schol. 29 *ad Prov.* 3, 8).

25, 17 *Mets rarement le pied chez ton propre ami,*
de peur qu'il n'ait assez de toi et qu'il ne te haïsse

310. C'est « rarement » et non fréquemment que nous
devons nous appliquer aux problèmes théologiques, afin
de ne rien dire d'inédit sur Dieu et de ne pas déchoir de
la science spirituelle en commettant quelque impiété;

ἐκπέσωμεν γνώσεως, τοῦ νοῦ δι' οἰκείαν ἀσθένειαν συνεχῶς
5 ἐνατενίζειν τῇ τοιαύτῃ θεωρίᾳ μὴ δυναμένου.

Procope : Καὶ ἄλλως. Σπανίως δεῖ ἅπτεσθαι θεολογικῶν προβλημάτων, μήποτε εἴπωμέν τι τῶν οὐ λεγομένων ἐπὶ θεοῦ καὶ ὡς ἀσεβοῦντες
τῆς πνευματικῆς ἐκπέσωμεν γνώσεως, τοῦ νοῦ δι' οἰκείαν ἀσθένειαν
συνεχῶς ἐνατενίζειν τῇ τοιαύτῃ θεωρίᾳ μὴ δυναμένου.

IK MN. — Εὐαγρίου I M Anon. K N. — 1 Καὶ ἄλλως
IK : ἢ καὶ MN ‖ ἅπτεσθαι ante δεῖ transp. K post θεολογικῶν
transp. MN ‖ 2 ἐπὶ I MN : περὶ K ‖ 3 γνώσεως hic des. MN.

Tant qu'il demeure dans la condition humaine, le gnostique ne
peut se maintenir de façon continue dans la contemplation de Dieu.

25, 19 < ὁδοὺς κακοῦ καὶ ποὺς παρανόμου ὀλεῖται ἐν ἡμέρᾳ
κακῇ >

311. Τουτέστιν ἡ κακία καὶ ἡ παρανομία ἀπολεῖται
ἐν ἡμέρᾳ τῆς κρίσεως.

Adest in A.

Procope : Ἡ κακία καὶ ἡ παρανομία ἀπολεῖται ἐν ἡμέρᾳ κρίσεως.

IK MN. — <Εὐαγρίου> I Anon. K MN.

25, 20 < ὥσπερ ὄξος ἕλκει ἀσύμφορον,
οὕτω προσπεσὸν πάθος σώματι καρδίαν λυπεῖ >

312. Τὰ προσπίπτοντα τῇ καρδίᾳ πάθη αἱ κακίαι εἰσίν,
ὧν κατὰ στέρησιν ὁ ἀπαθὴς ὀνομάζεται.

Adest in A.

Procope : Τὰ προσπίπτοντα τῇ καρδίᾳ πάθη αἱ κακίαι εἰσίν,
ὧν κατὰ στέρησιν ὁ ἀπαθὴς ὀνομάζεται.

IK MN. — <Εὐαγρίου> I Anon. K MN.

car notre intellect ne peut pas, étant donné la faiblesse qui est la sienne, fixer son regard de façon continue sur une si haute contemplation.

Il risque même de tomber dans l'hérésie (l'impiété : cf. ἀσεβοῦντες). L'emploi du verbe ἐνατενίζειν pour désigner le regard du contemplatif fixé sur Dieu est bien attesté depuis Origène (cf. M. Aubineau, *Grégoire de Nysse. Traité de la virginité, SC* 119, Paris 1966, p. 415, n. 5). Le mot avait déjà été utilisé par Évagre à propos de saint Paul, dans la scholie 95 ; il se retrouve aussi dans la *Lettre sur la sainte Trinité* (Ps.-Basile, *Lettre* 8, 7, l. 39) : ... καὶ ψιλῇ τῇ θεωρίᾳ ἐνατενίζειν ἀδυνατεῖ, et dans *KG* II, 83 : ... ὁ νοῦς ἀλλοιοῦται ποικίλαις θεωρίαις ἐνατενίζων ἀεί (texte grec dans Hausherr, « Nouveaux fragments », p. 230).

25, 19 *La dent du méchant et le pied de l'inique disparaîtront au jour du malheur*

311. C'est-à-dire que la malice et l'iniquité « disparaîtront au jour » du jugement.

Sur la destruction de la malice, voir l'Introduction, p. 49-50.

25, 20 *Comme le vinaigre nocif à la plaie,*
        ainsi la passion qui se jette sur le corps attriste le cœur

312. Les « passions qui se jettent sur » le cœur sont les vices ; une fois qu'ils sont supprimés, on est appelé impassible.

25, 20a < ὥσπερ σὴς ἱματίῳ καὶ σκώληξ ξύλῳ,
οὕτως λύπη ἀνδρὸς βλάπτει καρδίαν >

313. Λύπη ἐστὶ ψεκτὴ στέρησις φθαρτῆς ἡδονῆς · λύπη
δέ ἐστιν ἐπαινετὴ στέρησις ἀρετῶν καὶ γνώσεως θεοῦ.

Adest in A.

PROCOPE : Λύπη ψεκτὴ στέρησις ἡδονῆς · λύπη δὲ ἐπαινετὴ στέρησις
ἀρετῶν καὶ γνώσεως θεοῦ.

IK MN. — <Εὐαγρίου> I Διδύμου M Anon. K N. —
1 post Λύπη add. δὲ N ǁ στέρησις¹ IK M : -σης M.

Distinction entre une mauvaise et une bonne tristesse. La première
provient de la frustration d'un plaisir ; cf. *Pratique* 19 : ... λύπη
γάρ ἐστι στέρησις ἡδονῆς ἢ παρούσης ἢ προσδοκωμένης («la
tristesse, en effet, est la frustration d'un plaisir présent ou attendu »
[trad. A. et Cl. GUILLAUMONT]) ; *Des huit esprits de malice* 11-12
(*PG* 79, 1156 D), et en particulier : λύπη γὰρ συνίσταται ἐπὶ
ἀποτυχίᾳ ὀρέξεως σαρκικῆς («la tristesse vient à la suite de la
non-satisfaction d'un désir charnel ») ; *Euloge* 7 (*PG* 79, 1104 A) :

25, 21 < ἐὰν πεινᾷ ὁ ἐχθρός σου, τρέφε αὐτόν,
ἐὰν διψᾷ, πότιζε αὐτόν ·
22 ¹ τοῦτο γὰρ ποιῶν ἄνθρακας σωρεύσεις ἐπὶ τὴν
κεφαλὴν αὐτοῦ >

314. Διὰ τῆς χρηστότητος καὶ εὐποιΐας καθαρίζων
αὐτοῦ τὸ ἡγεμονικόν.

Adest in A.

PROCOPE : Διὰ τῆς χρηστότητος καὶ εὐποιΐας καθαρίζων αὐτοῦ
τὸ ἡγεμονικόν.

IK MN. — Anon.

25, 20a *Comme la mite dans un vêtement et le ver dans le bois,*
  ainsi la tristesse de l'homme cause du dommage à son cœur

313. La « tristesse » est blâmable quand elle vient de la frustration d'un plaisir corruptible, mais elle est louable quand elle vient de la frustration des vertus et de la science de Dieu.

ἐπιθυμίαι ἀποτυχοῦσαι φυτεύουσι λύπας (« les désirs non satisfaits engendrent le chagrin ») ; *Lettre* 8 : « Celui qui est frustré de ses désirs est affligé » (p. 572, l. 4). La seconde conduit aux larmes du repentir ; elle est liée à ce deuil (πένθος) et cette componction (κατάνυξις) si souvent évoqués par Évagre et toute la littérature ascétique ; voir I. Hausherr, *Penthos. La doctrine de la componction dans l'Orient chrétien* (*Orientalia Christiana Analecta* 132), Rome 1944. Cette distinction recoupe celle de *II Cor.* 7, 10, où Paul distingue une tristesse selon Dieu qui produit le repentir d'une tristesse selon le monde qui conduit à la mort.

25, 21 *Si ton ennemi a faim, nourris-le ;*
  s'il a soif, donne-lui à boire.
  22 [1] *Ce faisant, tu amasseras en effet des charbons sur sa tête*

314. En purifiant la partie maîtresse de son âme par ta bonté et ta bienfaisance.

Évagre considère l'ἡγεμονικόν stoïcien comme un équivalent du νοῦς. Les mots χρηστότης et εὐποιΐα semblent aussi appartenir au vocabulaire stoïcien : cf. *SVF* III, n° 264, p. 64, l. 41 ; n° 273, p. 67, l. 8 ; n° 291, p. 71, l. 32.

25, 23 < ἄνεμος βορέας ἐξεγείρει νέφη ·
    πρόσωπον δὲ ἀναιδὲς γλῶσσαν ἐρεθίζει >

315. Τὸν διάβολον εἶπεν πρόσωπον ἀναιδὲς ἐρεθίζοντα
τὴν ψυχήν. Πανταχοῦ δὲ ὁ Σολομὼν γλῶσσαν τὸν νοῦν
λέγει. Τοῦτο οὖν τὸ πρόσωπον αἰδεῖσθαι ἐν κρίσει οὐ καλόν [a].

a. Cf. Prov. 24, 23

A. — 1 διάβολον [λο sup. l.] A ‖ 2 γλῶσσαν IK Z Tisch. :
om. A.

PROCOPE : Τὸν διάβολον δὲ λέγει πρόσωπον ἀναιδὲς ἐρεθίζοντα
τὴν ψυχήν · τὸν νοῦν γὰρ ὁ Σολομὼν γλῶσσαν λέγει, ὅπερ ἐν κρίσει
πρόσωπον αἰδεῖσθαι οὐ καλόν [a].

IK MN. — Εὐαγρίου I M Anon. K N. — 1 διάβολον
IK N : διάβουλον M ‖ δὲ IK N : om. M ‖ 2 ψυχήν hic des. MN.

Chaîne vaticane. L'interpolateur byzantin des scholies a développé

25, 25 < ὥσπερ ὕδωρ ψυχρὸν ψυχῇ διψώσῃ προσηνές,
    οὕτως ἀγγελία ἀγαθὴ ἐκ γῆς μακρόθεν >

316. Οὕτως γνῶσις θεοῦ ἐκ γῆς πραέων.

Adest in A.

PROCOPE : Οὕτω γνῶσις θεοῦ ἐκ γῆς πραέων.

IK MN. — <Εὐαγρίου> I Anon. K MN.

25, 26 < ὥσπερ εἴ τις πηγὴν φράσσοι καὶ ὕδατος ἔξοδον
    λυμαίνοιτο,
    οὕτως ἄκοσμον δίκαιον πεπτωκέναι ἐνώπιον
    ἀσεβοῦς >

25, 23 *Le vent du Nord fait surgir les nuages,*
et la personne sans égards provoque la langue

315. Il a appelé « personne sans égards » le diable qui
« provoque » l'âme. Partout Salomon appelle « langue »
l'intellect. Il n'est donc pas bien d'avoir des égards pour
cette personne dans un jugement[a].

la première phrase en des termes tout à fait évagriens ; il s'est à
l'évidence souvenu de la scholie 192. Voici le texte qu'il donne
(éd. Mai, *NPB*, VII.2, p. 47 [= *PG* 17, 237 A]) : Τὸν διάβολον
εἶπε πρόσωπον ἀναιδές, ἐρεθίζοντα τὴν ψυχὴν πρὸς κακίαν καὶ
ἐγείροντα, ὡς βορρᾶς (βορᾶς cod.) νέφη, λογισμοὺς τῇ ψυχῇ πονηρούς...
(« Il a appelé personne sans égards le diable qui provoque l'âme au
mal et fait surgir, comme le vent du Nord les nuages, les pensées
contraires à l'âme »).

La langue est toujours considérée comme une des dénominations
de l'âme ou de l'intellect : cf. *infra*, schol. 317.

25, 25 *Comme l'eau fraîche réconforte l'âme assoiffée,*
ainsi une bonne nouvelle venant d'une terre
lointaine

316. « Ainsi » la science de Dieu « venant de la terre »
des doux.

Allusion à la troisième béatitude : « Bienheureux les doux, car
ils auront la terre en héritage » (*Matth.* 5, 5).

25, 26 *Comme lorsqu'on bouche une source et qu'on souille*
une arrivée d'eau,
ainsi il est inconvenant que le juste se prosterne
devant l'impie

317. Τῶν νοημάτων τοῦ νοῦ, τὰ μὲν πτώματα αὐτοῦ
λέγεται, τὰ δὲ ἐγέρσεις, τὰ δὲ καθέδρα, τὰ δὲ στάσις · καὶ
ἄλλα περίπατος καί τινα αὐτοῦ προσκόμματα ὀνομάζεται ·
καὶ ἄλλα σκληρὰ καὶ μαλακὰ καὶ εὐώδη καὶ γλυκέα καὶ
5 πικρὰ καὶ λεῖα καὶ ὀρθὰ καὶ σκολιά · καὶ πάλιν τὰ μὲν
αὐτοῦ καλεῖται ἄκανθαι καὶ τρίβολοι, τὰ δὲ φῶς καὶ σκότος
καὶ ζωὴ καὶ θάνατος, τὰ δὲ νόσοι καὶ ὑγεῖαι · καὶ ἄλλα
πάλιν ὀνομάζεται ψεῦδος καὶ ἀλήθεια · καὶ πολλὰ ἕτερα
ὀνόματα τίθησιν ἡ γραφὴ κατά τε τῆς ψυχῆς καὶ τῶν
10 νοημάτων αὐτῆς. Ἃ δὲ τίθησι κατ' αὐτῆς, ὡς ἔστιν ὀλίγα
ἐκ πολλῶν εἰπεῖν, ἔστι ταῦτα · νοῦν, ψυχήν, καρδίαν,
ἄνθρωπον, ἄνδρα, γυναῖκα, δοῦλον, οἰκέτην, πατέρα, υἱόν,
πνεῦμα, ὀφθαλμόν, στόμα, χείλη, γλῶσσαν, λάρυγγα,
κοιλίαν, κόλπον, βραχίονα, δάκτυλον, ξύλον, μυκτῆρα,
15 πρόβατον, ἔριφον, ποιμένα · καὶ ἄλλα πλείονά ἐστιν ὀνόματα
τῆς ψυχῆς, ἃ οὐ δυνατὸν νῦν παραθέσθαι διὰ τὸ εἶδος τῶν
σχολίων πολυλογίαν μὴ ἐπιδεχόμενον. Ἐνταῦθα οὖν πίπτει
δίκαιος νοῦς ἐνώπιον τοῦ σατανᾶ, λογισμὸν ἀκάθαρτον ἢ
ψευδὲς δόγμα ὑποδεξάμενος. Καὶ ὁ Δαυὶδ δέ φησιν ·
20 « ἐνώπιον αὐτοῦ προπεσοῦνται πάντες οἱ καταβαίνοντες
εἰς γῆν [a] » · ἀλλὰ τοῦτο τὸ πτῶμα περιέχει γνῶσιν ἀληθῆ
καὶ λογισμοὺς καθαρούς.

a. Ps. 21, 30

AB. — 1-11 Τῶν — ταῦτα A : om. B ‖ 4 post εὐώδη add.
καὶ δυσώδη Z Tisch. ‖ 11 νοῦν hic inc. B ‖ 13 γλῶσσαν A :
-σσα B ‖ λάρυγγα A : φάρυγγα B ‖ 14 κοιλίαν A : κοιλία B ‖
15 ὀνόματα A : om. B ‖ 17 ἐπιδεχόμενον B : -μένων A ‖
19 ὑποδεξάμενος B IKMN Z : δεξάμενος A ‖ ὁ A : om.
B ‖ δέ A : om. B.

PROCOPE : Τῶν δὲ νοημάτων τοῦ νοῦ, τὰ μὲν πτώματα λέγεται
αὐτοῦ, τὰ δὲ ἐγέρσις, τὰ δὲ καθέδρα, τὰ δὲ στάσις · καὶ ἄλλα περίπατος
καί τινα αὐτοῦ προσκόμματα ὀνομάζεται · καὶ ἄλλα σκληρὰ καὶ μαλακὰ
καὶ εὐώδη καὶ γλυκέα καὶ πικρὰ καὶ λεῖα καὶ ὀρθὰ καὶ σκολιά · καὶ

IK MN. — Εὐαγρίου I M Anon. K N. — 1-10 Τῶν —
πλείονα IK : om. MN ‖ 4 γλυκέα I : γλυκεῖα K ‖ καὶ πικρὰ
καὶ λεῖα in mg. K.

317. Certaines représentations de l'intellect sont appelées
« prosternations », d'autres réveils, siège et stabilité,
d'autres encore sont nommées promenade et achoppements.
D'autres sont qualifiées de dures et de tendres, d'odorantes,
de douces et d'amères, de lisses, de droites et de tordues.
Il en est encore qui sont appelées ronces et chardons,
lumière et ténèbres, vie et mort, maladies et santé. D'autres
encore sont nommées mensonge et vérité. L'Écriture
applique encore bien d'autres noms à l'âme et à ses représentations. Puisqu'on ne peut en citer que quelques-uns,
voici ceux qu'elle applique à l'âme : intellect, âme, cœur,
homme, mari, femme, esclave, domestique, père, fils, esprit,
œil, bouche, lèvres, langue, gorge, ventre, sein, bras, doigt,
arbre, nez, brebis, chevreau, berger. Il y a encore bien
d'autres façons de nommer l'âme, mais je ne puis les citer
maintenant, parce que le genre des scholies n'admet pas
la prolixité. Ici donc l'intellect « juste se prosterne devant »
Satan, en accueillant une pensée impure ou une fausse
doctrine. Et David dit aussi : « Devant lui se prosterneront
tous ceux qui descendent sur terre [a] »; mais cette prosterna-
tion-là renferme la science véritable et les pensées pures.

Lignes 1-15. Dans la scholie *ad Eccl.* 5, 17, Évagre dresse de la
même façon une liste de termes bibliques qui doivent être glosés
par le mot γνῶσις.

Lignes 15-17. Le genre exégétique des scholies ne permet pas de
trop longs développements : cf. schol. 5 *ad Ps.* 88, 9 et schol. *ad
Eccl.* 5, 17 (textes cités au ch. 1 de l'Introduction).

Lignes 17-22. Selon le contexte, une même notion pourra avoir
un sens laudatif ou péjoratif et désigner des réalités opposées.

5 τὰ μὲν ἄκανθαι καὶ τρίβολοι, τὰ δὲ φῶς καὶ σκότος καὶ ζωὴ καὶ θάνατος,
νόσος τε καὶ ὑγίεια · ἄλλα δὲ ψεῦδος καὶ ἀλήθεια καὶ πλεῖστα ἕτερα.
Αὐτὴν δὲ καλεῖ τὴν ψυχὴν ἡ γραφὴ νοῦν, ψυχήν, καρδίαν, ἄνθρωπον,
ἄνδρα, γυναῖκα, δοῦλον, οἰκέτην, πατέρα, υἱόν, πνεῦμα, ὀφθαλμόν,
στόμα, χείλη, γλῶσσαν, λάρυγγα, κοιλίαν, κόλπον, βραχίονα, δάκτυλον,
10 ξύλον, μυκτῆρα, πρόβατον, ποιμένα, ἔριφον, ἄλλα τε πλείονα. Ἐνταῦθα
οὖν πίπτει δίκαιος νοῦς ἐναντίον τοῦ σατανᾶ, λογισμὸν ἀκάθαρτον ἢ
ψευδὲς ὑποδεξάμενος δόγμα. Λέγει δὲ καὶ ὁ Δαυίδ · « ἐνώπιον αὐτοῦ
προπεσοῦνται πάντες οἱ καταβαίνοντες εἰς γῆν ᵃ » · ἀλλὰ τοῦτο τὸ
πτῶμα περιέχει γνῶσιν ἀληθῆ καὶ λογισμοὺς καθαρούς.

10-11 Ἐνταῦθα — νοῦς ΙΚ : ἢ καὶ νοῦς δίκαιος πίπτει sic
inc. ΜΝ ‖ 12 δόγμα hic des. ΜΝ ‖ δὲ Κ : om. Ι ‖ 14 ἀληθῆ Ι :
-θεῖ Κ.

25, 28 < ὥσπερ πόλις τὰ τείχη καταβεβλημένη καὶ ἀτείχισ-
τος,
οὕτως ἀνὴρ ὃς οὐ μετὰ βουλῆς τι πράσσει >

318. Βουλὴν εἶπεν ἐνταῦθα τὴν ἐπὶ τὸ κρεῖττον ῥοπὴν
τῆς καρδίας.

Adest in A.

PROCOPE : Βουλὴν ἐνταῦθα τὴν ἐπὶ τὸ κρεῖττον λέγει ῥοπὴν τῆς
καρδίας.

ΙΚ ΜΝ. — Anon. — 1 ῥοπὴν ΜΝ : προτροπὴν ΙΚ.

26, 3 < ὥσπερ μάστιξ ἵππῳ καὶ κέντρον ὄνῳ,
οὕτως ῥάβδος ἔθνει παρανόμῳ >

319. Ἡ ῥάβδος νῦν σύμβολόν ἐστι κολάσεως.

Α. — Ἡ Ζ Tisch. : ἢ Α.

La verge est le symbole du châtiment (cf. schol. 364) et de
l'instruction (cf. schol. 3 ad Ps. 22, 4). Voir ce que dit ORIGÈNE
à propos d'Is. 11, 1, dans Comm. sur S. Jean I, 263 : « On peut aussi
comprendre qu'il (le Christ) ne se fait pas rameau (ῥάβδον) et fleur

25, 28 *Comme une ville aux murs démolis et sans protection,*
ainsi l'homme qui agit sans détermination

318. Ici il a appelé « détermination » l'inclination du
cœur vers le mieux.

La volonté, pareille au fléau d'une balance, penche soit vers le
mieux (ἐπὶ τὸ κρεῖττον), soit vers le pire (ἐπὶ τὸ χεῖρον). Sur ces
inclinations contraires, cf. *Pensées* 65 (*PG* 40, 1240 A) ; *Lettre* 18
(p. 578, l. 6-12) ; et surtout schol. <1> *ad Ps.* 59, 1 : « Le changement,
c'est l'inclination (ῥοπή) allant du mieux vers le pire, le passage
(μεταβολή) du pire au mieux, l'inclination allant de ce qui est
indifférent (ἀπὸ τοῦ μέσου) vers le mieux ou vers le pire » (*Vaticanus 754*, f. 154ʳ : collation M.-J. Rondeau).

26, 3   *Comme le fouet pour le cheval et l'aiguillon pour*
l'âne,
     ainsi la verge pour la nation inique

319. « La verge » est maintenant le symbole du châtiment.

(ἄνθος) pour les mêmes hommes, mais rameau pour ceux qui ont
besoin de châtiment (τοῖς δεομένοις κολάσεως) et fleur pour les
sauvés » (trad. C. Blanc, *SC* 120).

26, 6 < ἐκ τῶν ἑαυτοῦ ὁδῶν ὄνειδος ποιεῖται
ὁ ἀποστείλας δι᾽ἀγγέλου ἄφρονος λόγον >

320. Οὐ δεῖ τοῖς κυσὶ διδόναι τὰ ἅγια οὐδὲ βάλλειν τοὺς μαργαρίτας ἔμπροσθεν τῶν χοίρων [a].

a. Cf. Matth, 7, 6
Adest in A.

PROCOPE : Οὐ δεῖ τοῖς κυσὶ διδόναι τὰ ἅγια οὐδὲ βάλλειν τοὺς μαργαρίτας ἔμπροσθεν τῶν χοίρων [a].

IK M. — Anon.

26, 7 < ἄφελοῦ πορείαν σκελῶν
καὶ παρανομίαν ἐκ στόματος ἀφρόνων >

321. Περίελε ἄφρονος ὁδὸν κακὴν καὶ γνῶσιν ψευδῆ μακρὰν ποίησον ἀπ᾽ αὐτοῦ [a].

a. Cf. Prov. 5, 8
Adest in A.

PROCOPE : Ὁδὸν κακὴν καὶ γνῶσιν ψευδῆ.

IK MN. — Anon.

26, 8 < ὃς ἀποδεσμεύει λίθον ἐν σφενδόνῃ,
ὅμοιός ἐστι τῷ διδόντι ἄφρονι δόξαν >

322. Οὐχ ἁρμόσει ἄφρονι γνῶσις καὶ λίθος ἄτιμος ἐν σφενδόνῃ χρυσῇ.

A. — 2 σφενδόνῃ IK Tisch. : -δόνι A.

PROCOPE : Οὐχ ἁρμόσει ἄφρονι γνῶσις καὶ λίθος ἄτιμος ἐν σφενδόνῃ χρυσῇ.

IK. — Anon.

26, 6   *Il se reproche ses propres voies*
        celui qui a envoyé un message par l'entremise d'un
        messager insensé

320. Il ne faut pas donner les choses saintes aux chiens
ni jeter les perles devant les pourceaux [a].

Cf. schol. 253 (texte et note).

26, 7   *Retire-leur l'usage des jambes*
        et retire l'iniquité de la bouche des insensés

321. Écarte « l'insensé » de la voie mauvaise et éloigne-le [a]
de la fausse science.

26, 8   *Celui qui enchâsse une pierre dans une bague*
        ressemble à celui qui rend gloire à un insensé

322. La science ne siéra pas à l'« insensé » ni la « pierre »
sans valeur « dans une bague » en or.

Le mot δόξα est glosé par γνῶσις, comme dans la scholie 40. Le
texte de cette scholie est identique à celui de la sentence 5 des
Instructions (n° 50 de l'éd. Muyldermans, p. 20).

26, 10 < πολλὰ χειμάζεται πᾶσα σάρξ ἀφρόνων ·
συντρίβεται γὰρ ἡ ἔκστασις αὐτῶν >

323. Ἐὰν συντριβῇ ἡ ἔκστασις τῶν ἀφρόνων, καθ' ἣν
ἐξέστησαν θεοῦ, πάλιν καθαροὶ γενόμενοι προσέρχονται
θεῷ · « πᾶσα γὰρ σὰρξ ὄψεται τὸ σωτήριον τοῦ θεοῦ [a]. »
Προσεκτέον δὲ ἐνταῦθα ὅτι τὰς παχυνθείσας ψυχὰς ἀπὸ
5 τῆς κακίας σάρκας ἀφρόνων ὠνόμασεν. Οὕτω δὲ καὶ ὁ
κύριός φησιν · « οὐ μὴ καταμείνῃ τὸ πνεῦμά μου ἐν τοῖς
ἀνθρώποις τούτοις διὰ τὸ εἶναι αὐτοὺς σάρκας [b]. »

a. Is. 40,5   b. Gen. 6, 3

Adest in A.

PROCOPE : Εἰ — ἐξεστηκὼς τῶν φρενῶν] ἤδη δὲ καὶ θεοῦ. Καθαρθέν-
των δὲ « πᾶσα σὰρξ ὄψεται τὸ σωτήριον τοῦ θεοῦ [a] ». Τὰς παχυνθείσας
δὲ ἀπὸ κακίας ψυχὰς νῦν ἐκάλεσε σάρκας. Οὕτω καὶ ὁ κύριός φησιν ·
« οὐ μὴ καταμείνῃ τὸ πνεῦμά μου ἐν τοῖς ἀνθρώποις τούτοις διὰ τὸ
5 εἶναι αὐτοὺς σάρκας [b]. »

ΙΚ ΜΝ. — Εὐαγρίου Ι Anon. Κ ΜΝ. — 1-2 ἤδη — τὸ
σωτήριον τοῦ θεοῦ ΙΚ : om. ΜΝ ‖ 3 δὲ Ι Ν : γὰρ Κ om. Μ ‖
νῦν ΙΚ : om. ΜΝ ‖ σάρκας hic des. Ν.

26, 11 < ὥσπερ κύων ὅταν ἐπέλθῃ ἐπὶ τὸν ἑαυτοῦ* ἔμετον
καὶ μισητὸς γένηται,
οὕτως ἄφρων τῇ ἑαυτοῦ κακίᾳ ἀναστρέψας
ἐπὶ τὴν ἑαυτοῦ ἁμαρτίαν >

324. Ὁ ἀποβαλὼν κακίαν αὐτοῦ καὶ ἐπιστρέψας πάλιν
πρὸς αὐτήν, ὅμοιός ἐστι κυνὶ ἐσθίοντι τὸν ἑαυτοῦ ἔμετον.

Adest in A.

Lemme biblique. Il ressort de la scholie qu'Évagre lisait τὸν ἑαυτοῦ

26, 10 *Toute chair des insensés est fortement agitée,*
car leur folie est brisée

323. Si « la folie » qui les a éloignés de Dieu est brisée,
les « insensés » redeviennent purs et s'approchent de
Dieu, car « toute chair verra le salut de Dieu [a] ». Il faut
bien voir ici que ce sont les âmes épaissies par la malice
qu'il a nommées « chairs des insensés ». C'est ainsi que le
Seigneur dit : « Mon esprit ne demeurera pas dans ces
hommes parce qu'ils sont des chairs [b]. »

Lignes 1-3. Nouvelle allusion à la doctrine de l'apocatastase, selon
laquelle tous les êtres raisonnables seront sauvés. Chez Évagre,
le mot ἔκστασις est toujours péjoratif ; il désigne le dérangement
d'esprit et la folie : *Pratique* 14 ; *Pensées* (recension longue, éd.
Muyldermans, p. 47) ; *Définitions des passions de l'âme* (n° 9 : *P G* 40,
1265 B). Le lien étymologique existant entre le substantif ἔκστασις
et le verbe ἐξιστάναι n'apparaît plus dans notre traduction.

Lignes 4-7. Remarque sur l'interprétation particulière de σάρξ.
Le mot, lorsqu'il a un sens péjoratif, désigne l'âme mauvaise ou la
malice : cf. schol. 8 *ad Ps.* 144, 21, qui cite également *Gen.* 6, 3.
Sur cette idée que la malice épaissit (παχύνειν) l'âme ou l'intellect,
voir *Lettre sur la sainte Trinité* (Ps.-BASILE, *Lettre* 8, 7, l. 38),
Pratique 41, *Prière* 50 (références données par HAUSHERR, *Leçons*,
p. 73-74 ; A. et Cl. GUILLAUMONT, *Traité pratique*, p. 595-596).

26, 11 *Comme un chien qui revient à sa vomissure et*
devient odieux,
ainsi l'insensé qui par sa malice retourne à
son péché

324. Celui qui a rejeté sa malice, puis y est revenu à
nouveau, ressemble à ce « chien » qui mange « sa propre
vomissure ».

ἔμετον (*Vaticanus* et *Sinaiticus*) et non τὸν ἔμετον αὐτοῦ (*Alexandrinus*).

Cf. schol. 289.

26, 15 < κρύψας ὀκνηρὸς τὴν χεῖρα ἐν τῷ κόλπῳ αὐτοῦ
οὐ δυνήσεται* ἐπενεγκεῖν εἰς τὸ στόμα >

325. Εἰ «ἀπὸ καρπῶν δικαιοσύνης φύεται δένδρον
ζωῆς[a]», πᾶς ὁ κρύπτων τὴν δικαιοσύνην τῇ ἀδικίᾳ οὐ
βρώσεται ἐκ τούτου τοῦ δένδρου.

a. Prov. 11, 30
Adest in A.

PROCOPE : Εἰ δὲ «ἀπὸ καρπῶν δικαιοσύνης φύεται δένδρον ζωῆς[a]»,
πᾶς ὁ κρύπτων τὴν δικαιοσύνην τῇ ἀδικίᾳ οὐ βρώσεται ἐκ τούτου
τοῦ δένδρου.

IK. — Anon. — 2 βρώσεται K : φάγεται I.

26, 17 < ὥσπερ ὁ κρατῶν κέρκου κυνός,
οὕτως ὁ προεστὼς ἀλλοτρίας κρίσεως >

326. Χρηστέον τούτῳ τῷ ῥητῷ πρὸς τοὺς ψηφιζομένους
τινὰς τῶν ἀναξίων ἐν ἱερωσύνῃ ἢ ἐν κλήρῳ.

Adest in A.

PROCOPE : Χρηστέον πρὸς τοὺς ψηφιζομένους τινὰς τῶν ἀναξίων
ἱερωσύνης.

IK MN. — Anon. — 1 τινὰς τῶν ἀναξίων IK M : τινὰς
ἀναξίους N.

26, 20 < ἐν πολλοῖς ξύλοις θάλλει πῦρ ·
ὅπου δὲ οὐκ ἔστι δίθυμος*, ἡσυχάζει μάχη >

327. Τὸν θυμώδη δίθυμον εἶπεν.

A. — δίθυμον Tisch. : διὰ θυμὸν A.

PROCOPE : Ἀντὶ τοῦ θυμώδης.

IK MN. — Anon. — Post θυμώδης add. τὸ δίθυμος N.

26, 15 *Le paresseux qui a caché sa main dans son sein*
ne pourra la porter à sa bouche

325. Si « l'arbre de vie naît des fruits de la justice[a] »,
quiconque cache la justice sous l'injustice ne mangera pas
des produits de cet arbre.

Lemme biblique. Le texte biblique d'Évagre avait vraisemblablement le futur δυνήσεται (*Vaticanus* ; cf. βρώσεται de la scholie)
et non le présent δύναται (*Alexandrinus* et *Sinaiticus*).

Cf. schol. 32 et 132.

26, 17 *Comme celui qui saisit un chien par la queue,*
ainsi celui qui se fait le champion d'un jugement
étranger

326. Il faut utiliser ce verset contre ceux qui choisissent
pour le sacerdoce ou pour une fonction cléricale des personnes qui en sont indignes.

26, 20 *Le feu est vigoureux s'il y a beaucoup de bois,*
et là où il n'y a pas de contradicteur, la querelle
cesse

327. Il a appelé « contradicteur » l'irascible.

Lemme biblique. Le texte biblique d'Évagre avait δίθυμος
(*Vaticanus*) et non ὀξύθυμος (*Alexandrinus* et *Sinaiticus*).

26, 23 [2] < χείλη λεῖα καρδίαν καλύπτει λυπηράν >

328. Καρδίαν καθαρὰν οὐ καταλήψεται λύπη · ἐπιθυμίας γὰρ φθαρτὰς ἀπώσατο ἀπ᾽ αὐτῆς.

Adest in A.

PROCOPE : Καρδίαν καθαρὰν οὐ καταλήψεται λύπη · ἐπιθυμίας γὰρ φθαρτὰς ἀπώσατο ἀπ᾽ αὐτῆς.

IK MN. — Εὐαγρίου M Anon. IK N. — 2 ἀπ᾽ αὐτῆς IK M : ἀφ᾽ ἑαυτῆς N.

26, 25 [1] < ἐάν σου δέηται ὁ ἐχθρὸς μεγάλη τῇ φωνῇ, μὴ πεισθῇς αὐτῷ >

329. Δέεται ἡμῶν ὁ σατανᾶς ποτε μὲν διὰ τῶν ἀκαθάρτων λογισμῶν γαργαλίζων ἡμᾶς καὶ τῷ λείῳ τῆς ἡδονῆς ἐπισπώμενος, ποτὲ δὲ καὶ φωνὴν ὄντως ἔναρθρον ὡς ἡττηθεὶς προβαλλόμενος, ᾧ οὐ δεῖ πείθεσθαι ἄσπονδον ἔχοντι τὸν
5 πόλεμον τὸν πρὸς ἡμᾶς.

A. — 4 ᾧ A : ὡς Tisch.

PROCOPE : Δέεται δὲ ἡμῶν ὁ σατανᾶς ποτε μὲν διὰ τῶν ἀκαθάρτων λογισμῶν τῷ λείῳ τῆς ἡδονῆς ἐπισπώμενος, ποτὲ δὲ καὶ φωνὴν ἔναρθρον ὡς ἡττηθεὶς προβαλλόμενος, ᾧ ἀντιστατέον ἄσπονδον τὸν πρὸς ἡμᾶς ἔχοντι πόλεμον.

IK MN. — Εὐαγρίου I M Anon. K N. — 1 Δέεται δὲ ἡμῶν IK MN : γράφεται δέδεται γὰρ ἡμῖν in mg. I ‖ 3 ἡττηθεὶς IK N : -θῆς M ‖ προβαλλόμενος hic des. N ‖ ἄσπονδον IK : om. M.

Évagre se souvient ici de la description des ruses démoniaques faite par ATHANASE, dans les ch. 5-7 de la *Vie d'Antoine*. Quelques

26, 23 [2] *Les lèvres lisses cachent un cœur triste*

328. La tristesse n'atteindra pas le « cœur » pur, car il a repoussé loin de lui les désirs corruptibles.

Voir la scholie 313 où il est dit que la tristesse naît de la frustration d'un plaisir. Sur l'adjectif λεῖος présent dans le verset et son lien avec le plaisir, voir la note à la scholie suivante.

26, 25 [1] *Si ton ennemi te supplie à grands cris, ne te fie pas à lui*

329. Satan nous « supplie » tantôt en nous chatouillant par les pensées impures et en nous attirant par l'aspect lisse du plaisir, tantôt en émettant un « cri » réellement articulé, comme s'il était vaincu. Mais il ne faut pas « se fier à lui », car il mène contre nous une guerre sans trêve.

termes sont en effet communs aux deux textes : γαργαλίζειν, τὸ λεῖον τῆς ἡδονῆς, ὡς ἡττηθείς. La mention de paroles articulées rappelle plus particulièrement le ch. 6 de la *Vie* : Οὐκέτι μὲν λογισμοῖς ἐπέβαινεν ... λοιπὸν δὲ ἀνθρωπίνη χρώμενος φωνῇ. L'association du verbe γαργαλίζειν (ou de son dérivé γαργαλισμός) à l'adjectif λεῖος, pour évoquer le plaisir, semble avoir été traditionnelle, puisqu'elle se retrouve aussi chez ORIGÈNE, *De princ.* III, 1, 4 (εὐδοκήσας τῷ γαργαλισμῷ καὶ τῷ λείῳ τῆς ἡδονῆς). Sur le plaisir conçu comme mouvement lisse (λεῖος), par opposition au désir qui est rugueux (τραχύς), voir M. DARAKI, « Les fonctions psychologiques du logos dans le stoïcisme ancien », in *Les stoïciens et leur logique (Actes du Colloque de Chantilly 18-22 septembre 1976)*, Paris 1978, p. 98.

26, 25 [2] < ἑπτὰ γάρ εἰσι πονηρίαι ἐν τῇ καρδίᾳ αὐτοῦ >

330. Τοῖς ἑπτὰ πνεύμασιν [a] ἀντίκεινται αὗται αἱ πονηρίαι.

a. Cf. Is. 11, 2

Adest in A.

Évagre a dù être gêné par ce verset, car sa propre liste de vices comprend huit et non sept termes. La tradition manuscrite syriaque a cependant conservé sous son nom un texte qui pourrait servir de parallèle à celui-ci. Voici la traduction donnée par Muyldermans, dans *Evagriana syriaca*, p. 161 : « L'argent éprouvé, purgé de terre

---

27, 7   < ψυχὴ ἐν πλησμονῇ οὖσα κηρίοις ἐμπαίζει ·
         ψυχῇ δὲ ἐνδεεῖ καὶ τὰ πικρὰ γλυκεῖα φαίνεται >

331. Ψυχὴ καθαρὰ κατατρυφᾷ γνώσεως · ψυχὴ δὲ
ἀκάθαρτος καὶ τὴν ψευδώνυμον γνῶσιν [a] ἀληθῆ γνῶσιν
νομίζει.

a. Cf. I Tim. 6, 20

Adest in A.

PROCOPE : Ἤγουν ψυχὴ καθαρὰ κατατρυφᾷ γνώσεως · ψυχὴ δὲ
ἀκάθαρτος καὶ τὴν ψευδώνυμον γνῶσιν [a] ἀληθῆ γνῶσιν νομίζει.

IK. — Εὐαγρίου I Anon. K. — 1 ψυχὴ post καθαρὰ
transp. I.

27, 8   < ὥσπερ ὄρνεον ὅταν καταπετασθῇ ἐκ τῆς ἰδίας
          νοσσιᾶς,
          οὕτως ἄνθρωπος δουλοῦται, ὅταν ἀποξενωθῇ ἐκ
          τῶν ἰδίων τόπων >

332. Τόπος τῆς καρδίας ἐστὶν ἀρετὴ καὶ γνῶσις, ἀφ' ὧν
ἀποξενωθεὶς ἄνθρωπος ἐμπίπτει εἰς κακίαν καὶ ἀγνωσίαν

Adest in A.

26, 25 ² *Car il y a sept malices en son cœur*

330. Ces « malices » s'opposent aux sept esprits ª.

et sept fois affiné (cf. *Ps.* 11, 7), c'est le corps de notre Seigneur
Jésus-Christ, foulant aux pieds les sept puissances du dragon rebelle,
par la vertu des sept puissances (qui est) la plénitude du Saint Esprit,
comme (il est dit) dans Isaïe... ». Ce texte, s'il est authentique
— ce qui reste à démontrer —, serait le seul, avec notre scholie,
à faire mention de sept esprits mauvais opposés aux sept dons de
l'Esprit d'*Is.* 11, 2.

27, 7 *L'âme rassasiée se divertit avec les rayons (de miel),*
mais à l'âme affamée, même les choses amères
paraissent douces

331. L'âme pure trouve ses délices dans la science, mais
l'âme impure considère même la pseudo-science ª comme
la vraie science.

Chaîne vaticane. L'interpolateur byzantin a placé en tête de la
scholie d'Évagre cette courte glose : Ἐμπαίζει ἀντὶ τοῦ χαίρει ἔλα-
(βε) (éd. Mai, *NPB*, VII.2, p. 49 [= *PG* 17, 240 D]).

Évagre donne au verbe ἐμπαίζειν, qui signifie habituellement
« se moquer de », un sens laudatif et le glose par le verbe biblique
κατατρυφᾶν (cf. *Ps.* 36, 4 : κατατρύφησον τοῦ κυρίου).

27, 8 *Comme l'oiseau, quand il s'envole loin de son propre*
nid,
ainsi l'homme est réduit en esclavage, quand il vit
loin de son propre pays

332. Le « pays » du cœur est la vertu et la science ; s'il
« vit loin d'elles », l'« homme » tombe dans la malice et

καὶ γίνεται δοῦλος, ἐπειδὴ « πᾶς ὁ ποιῶν τὴν ἁμαρτίαν δοῦλός ἐστι τῆς ἁμαρτίας [a] ».

a. Jn 8, 34

PROCOPE : Τόπος τῆς καρδίας ἐστὶν ἀρετὴ καὶ γνῶσις, ἀφ' ὧν ἀποξενωθεὶς ἄνθρωπος ἐκπίπτει εἰς κακίαν καὶ ἀγνωσίαν καὶ γίνεται δοῦλος, ἐπειδὴ « πᾶς ὁ ποιῶν τὴν ἁμαρτίαν δοῦλός ἐστι τῆς ἁμαρτίας [a] ».

ΙΚ ΜΝ. — <Εὐαγρίου> Ι Anon. Κ ΜΝ. — 1 τῆς ΙΚ : om. ΜΝ ‖ ἐστὶν ΙΚ : om. ΜΝ ‖ 2 ἀποξενωθεὶς ΙΚ Ν : -θῆς Μ ‖ 2-3 καὶ γίνεται δοῦλος τῆς ἁμαρτίας sic des. ΜΝ.

27, 9 < μύροις καὶ οἴνοις καὶ θυμιάμασι τέρπεται καρδία ·
                    καταρρήγνυται δὲ ὑπὸ συμπτωμάτων ψυχή >

333. Νοῦς ἀπαθὴς πολυποικίλῳ τέρπεται σοφίᾳ [a] · νοῦς δὲ ἐμπαθὴς ἐν ἀγνωσίᾳ πεσεῖται.

a. Cf. Éphés. 3, 10

A. — 2 ἀγνωσίᾳ ΙΚ Ζ : -σίαις Α.

PROCOPE : Καὶ ἄλλως. Νοῦς ἀπαθὴς πολυποικίλῳ τέρπεται σοφίᾳ [a] · νοῦς δὲ ἐμπαθὴς ἐν ἀγνωσίᾳ πεσεῖται.

ΙΚ. — Εὐαγρίου Ι Anon. Κ.

Dans les *Képhalaia gnostica*, Évagre distingue « la sagesse multi-

---

27, 10 [1] < φίλον σὸν καὶ φίλον πατρῷον μὴ ἐγκαταλίπῃς >

334. « Ἐμὲ ἐγκατέλιπον πηγὴν ὕδατος ζῶντος καὶ ὤρυξαν ἑαυτοῖς λάκκους [a]. »

a. Jér. 2, 13

A. — 2 post λάκκους add. συντετριμμένους Ζ.

l'ignorance et il est réduit en esclavage, puisque « tout homme qui commet le péché est esclave du péché [a] ».

Cf. *KG* V, 70 : « De même que notre corps est dit être dans un lieu, de même aussi le *nous* (est dit être) dans une science quelconque : à cause de cela la science est dite convenablement son lieu » (trad. A. Guillaumont). Voir aussi la scholie 46 où la malice et la pseudo-science sont considérées comme le lieu des démons.

27, 9   *Le cœur se délecte de parfums, de vin et d'encens,*
         mais l'âme est abattue par les malheurs

333. L'intellect impassible « se délecte » de la sagesse multiforme [a], mais l'intellect passionné tombera dans l'ignorance.

forme » de Dieu de « la sagesse multiforme » du Christ. La première se manifeste dans les êtres incorporels et elle est l'objet de la contemplation naturelle première (cf. *KG* II, 21) ; la seconde se manifeste dans les êtres corporels (anges, hommes et démons), elle est l'objet de la contemplation naturelle seconde (cf. *KG* II, 2). Sur ce sujet, voir A. Guillaumont, « Un philosophe au désert », p. 49-50.

27, 10 [1] *N'abandonne pas ton ami ni l'ami de ton père*

334. « Ils m'ont abandonné, moi la source d'eau vive, et se sont creusé des citernes [a]. »

27, 10 ² < εἰς δὲ τὸν οἶκον τοῦ ἀδελφοῦ σου μὴ εἰσέλθῃς
ἀτυχῶν >

335. Τοιοῦτος ἦν ὁ εἰσελθὼν εἰς τοὺς γάμους καὶ μὴ
ἔχων ἔνδυμα γάμου ᵃ.

a. Cf. Matth. 22, 12
Adest in A.

27, 10 ³ < κρεῖσσον φίλος ἐγγὺς ἢ ἀδελφὸς μακρὰν οἴκων >

336. Κρεῖσσον ὁ συναπτόμενός μοι διὰ τῆς ἀληθοῦς
γνώσεως ὑπὲρ τὸν συναπτόμενόν μοι μόνον διὰ τῆς φύσεως.

A. — 1 Κρεῖσσον A : κρείσσων IKMN Z ‖ 2 μόνον διὰ τῆς
φύσεως Z : μόνῃ τῇ φύσει IKMN διὰ τῆς [μὴ sup. 1.]
ἀληθοῦς γνώσεως A.

PROCOPE : 'Αλλὰ καὶ κρεῖσσον ὁ συναπτόμενός μοι διὰ τῆς ἀληθοῦς
γνώσεως ὑπὲρ τὸν συναπτόμενον μόνῃ τῇ φύσει.

IK MN. — Anon. — 1 'Αλλὰ — συναπτόμενός μοι IK :
κρείσσων ὁ συναπτόμενός μοι M καὶ συναπτόμενος N.

27, 13 < ἀφελοῦ τὸ ἱμάτιον αὐτοῦ, παρῆλθεν γὰρ
ὑβριστὴς ὅστις τὰ ἀλλότρια λυμαίνεται >

337. Τοῦτό ἐστιν τὸ ἐν τῷ εὐαγγελίῳ λεγόμενον τὸ
« καὶ ἀπὸ τοῦ μὴ ἔχοντος καὶ ὃ δοκεῖ ἔχειν ἀρθήσεται ἀπ'
αὐτοῦ ᵃ ». Δηλοῖ δὲ τοῦτο, ὡς οἶμαι, τὰ κατὰ διάνοιαν
λείψανα τῶν ἀρετῶν καὶ τῆς γνώσεως τοῦ θεοῦ λαμβα-
5 νόμενα ἀπὸ τῶν κακῶς αὐτοῖς χρησαμένων ἀνθρώπων.

a. Matth. 25, 29

A. — 1 Τοῦτό ἐστιν IK Z : τουτέστιν A.

27, 10 [2] *N'entre pas dans la maison de ton frère quand tu es dans le malheur*

335. Tel était celui qui est entré aux noces sans avoir la tenue de noces [a].

Sur le vêtement nuptial, voir la scholie 257 (texte et note).

27, 10 [3] *Mieux vaut un ami proche qu'un frère éloigné de la maison*

336. Mieux vaut une personne liée à moi par la vraie science qu'une personne seulement liée à moi par la parenté.

Sur l'amitié spirituelle qui lie entre eux les gnostiques, voir l'Introduction, p. 53-54.

27, 13 *Retire-lui son vêtement ; car est passé un insolent qui souille ce qui est à autrui*

337. C'est ce qui est dit dans l'Évangile : « Et à celui qui ne possède rien, on enlèvera même ce qu'il croit posséder [a]. » Ceci montre, à mon avis, que ce qui subsiste en eux de vertus et de science de Dieu est enlevé aux hommes qui en ont fait un mauvais usage.

PROCOPE : "Αλλος έφη. Τοῦτό ἐστι τὸ ἐν εὐαγγελίοις « καὶ ἀπὸ τοῦ μὴ ἔχοντος καὶ ὃ δοκεῖ ἔχειν ἀρθήσεται ἀπ' αὐτοῦ [a] », ὅπερ, οἶμαι, δηλοῖ τὰ κατὰ διάνοιαν λείψανα τῶν ἀρετῶν καὶ τῆς γνώσεως τοῦ θεοῦ λαμβανόμενα ἀπὸ τῶν κακῶς αὐτοῖς χρησαμένων ἀνθρώπων.

IK. — Εὐαγρίου. — 1 "Αλλος K : -λως I ‖ 4 αὐτοῖς K p. corr.

27, 18 < ὃς φυτεύει συκῆν φάγεται τοὺς καρποὺς αὐτῆς ·
ὃς δὲ φυλάσσει τὸν ἑαυτοῦ κύριον τιμηθήσεται >

338. Ὁ κύριος ἡμῶν ἐστιν ἡ συκῆ · ὁ γὰρ καρπὸς αὐτῆς λέπραν θεραπεύει.

Adest in A.

PROCOPE : Ὁ κύριος ἡμῶν ἐστιν ἡ συκῆ · ὁ γὰρ καρπὸς αὐτῆς λέπραν θεραπεύει.

IK MN. — Εὐαγρίου I M Anon. K N. — 1 ante Ὁ add.
ἢ MN ‖ ἐστιν ἡ συκῆ IK : ἐστι συκῆ MN.

27, 22 < ἐὰν μαστιγοῖς τὸν ἄφρονα ἐν μέσῳ συνεδρίῳ
ἀτιμάζων,
οὐ μὴ περιέλῃς τὴν ἀφροσύνην αὐτοῦ >

339. Οὐκ ἀτιμάζων τὸν ἄφρονα ἀποστήσεις αὐτὸν τῆς ἀφροσύνης, ἀλλὰ διδάσκων αὐτὸν ὁποίας ἀτιμίας ἡ ἀφροσύνη γίνεται πρόξενος.

A. — 1 ἀποστήσεις IK Z Tisch. : -σης A M.

PROCOPE : "Ηγουν οὐκ ἀτιμάζων τὸν ἄφρονα ἀποστήσεις αὐτὸν τῆς ἀφροσύνης, ἀλλὰ διδάσκων αὐτὸν ὁποίας ἀτιμίας ἡ ἀφροσύνη γίνεται πρόξενος.

IK MN. — Εὐαγρίου M Εὐαγρίου supra I Anon. K N.
— 1 ἀποστήσεις IK : -τήσης M -τή (?) N ‖ 3 γίνεται post πρόξενος transp. N.

27, 18 *Celui qui plante un figuier en mangera les fruits,
et celui qui garde son Seigneur sera honoré*

338. Notre Seigneur est le « figuier », car le « fruit » de
cet arbre guérit la lèpre.

Il y a peut-être ici une allusion à une thérapeutique particulière
de la lèpre par les figues. Quoi qu'il en soit, les termes doivent être
compris de façon symbolique : le Christ, médecin des âmes, guérit
par sa douceur la lèpre du péché. Cf. l'expression « figue de la douceur »
dans la *Lettre* 10 (p. 572, l. 32).

27, 22 *Si tu fustiges le sot en pleine assemblée, tu le
déshonoreras,
et tu ne feras pas disparaître sa sottise*

339. Ce n'est pas en le « déshonorant » que tu écarteras
« le sot » de sa « sottise », mais en lui enseignant à quel
déshonneur le conduit la « sottise ».

Cf. schol. 108.

27, 23 < γνωστῶς ἐπιγνώσῃ ψυχὰς ποιμνίου σου
καὶ ἐπιστήσεις καρδίαν σου σαῖς ἀγέλαις ·
24 ὅτι οὐ τὸν αἰῶνα ἀνδρὶ κράτος καὶ ἰσχὺς
οὐδὲ παραδίδωσιν ἐκ γενεᾶς εἰς γενεάν* >

340. Πρόσεχε σεαυτῷ ᵃ καὶ τὰς ἀρετάς σου κατεύθυνε ᵇ,
ὅτι οὐκ ἀεὶ ἐν αὐταῖς ἰσχύουσιν ἐπίσης οἱ ἄνθρωποι οὐδὲ
ἀπὸ ἀρετῆς ἐπ' ἀρετὴν ἢ ἀπὸ γνώσεως ἐπὶ γνῶσιν ὑγιῶς
μεταβαίνουσιν, τῆς ἀνθρωπίνης καταστάσεως τοῦτο ῥᾳδίως
5 μὴ δεχομένης. Ὅτι δὲ γενεὰς λέγει τὰς ἀρετὰς καὶ τὰς
γνώσεις, καθ' ἃς γεννῶνται οἱ ἅγιοι, δείκνυσι δι' ὧν γράφει ·
« γενεὰ σοφίας φόβος κυρίου καὶ πλοῦτος καὶ δόξα καὶ
ζωή ᶜ.» Χρηστέον δὲ ταύτῃ τῇ παροιμίᾳ καὶ πρὸς τοὺς
ποιμένας τῶν ἐκκλησιῶν, οὓς δεῖ μὴ προσώποις, ἀλλὰ
10 καρδίαις προσέχειν καὶ νοητῶς ποιμαίνειν τὰ πρόβατα.

a. Cf. Deut. 15, 9 ; Lc 17, 3   b. Cf. Prov. 4, 26   c.
Prov. 22, 4

A. — 4-5 τοῦτο ῥᾳδίως μὴ δεχομένης Z : τοὺς οὐ ῥᾳδίως μὴ
δεχομένους A.

PROCOPE : Πρόσεχε σεαυτῷ ᵃ καὶ τὰς ἀρετάς σου κατεύθυνε ᵇ,
ὅτι οὐκ ἀεὶ ἐν αὐταῖς ἰσχύουσιν ἐπὶ γῆς οἱ ἄνθρωποι οὐδὲ ἀπ' ἀρετῆς
ἐπ' ἀρετὴν οὐδὲ ἀπὸ γνώσεως ἐπὶ γνῶσιν ὑγιῶς μεταβαίνουσιν · οὐ
ῥᾴδιον γὰρ ἀνθρωπίνη τοῦτο καταστάσει. Ὅτι δὲ γενεὰς λέγει τὰς
5 ἀρετὰς καὶ τὰς γνώσεις, καθ' ἃς οἱ ἅγιοι γεννῶνται, ἔδειξε διὰ τοῦ
« γενεὰ σοφίας φόβος κυρίου ᶜ ». Τούτων ἀκουέτωσαν καὶ τῶν ἐκκλησιῶν
οἱ ποιμένες, οὓς νοητῶς δεῖ ποιμαίνειν καρδίᾳ οὐ προσώποις προσέχοντας.

IK MN. — <Εὐαγρίου> I   Anon. K MN. — 1 κατεύθυνε
IK M : -νον N ‖ 2 αὐταῖς I M : αὐτοῖς K N ‖ ἐπὶ γῆς IK :
om. MN ‖ 3 οὐδὲ ἀπὸ I N : οὐδ' ἀπὸ K M ‖ 5 γνώσεις I MN :
ἐπιγνώσεις K ‖ 7 οὓς IK M : οἷς N ‖ νοητῶς post δεῖ transp.
K ‖ post καρδίᾳ add. καὶ MN ‖ προσώποις K MN : -πῳ I ‖ 7-8
προσέχοντας K M : προσέχοντες I χαίροντας ἢ προσέχοντας N.

27, 23 *Tu apprendras à bien reconnaître les âmes de ton troupeau*
et tu appliqueras ton cœur sur ton bétail,
24 *car la force et la puissance n'existent pas toujours pour l'homme,*
et elles ne passent pas de génération en génération

340. Veille sur toi-même [a] et conduis correctement tes vertus [b], car les hommes ne possèdent pas toujours une force égale dans les vertus ni ne peuvent passer sans dommage d'une vertu à une autre ou bien d'une connaissance à une autre, parce que leur condition humaine ne le leur permet pas facilement. Qu'il appelle « générations » les vertus et les connaissances dans lesquelles les saints sont engendrés, il le montre en écrivant ceci : « La génération de la sagesse, c'est la crainte de Dieu, la richesse, la gloire et la vie [c]. » Il faut utiliser ce proverbe également à l'adresse des pasteurs des églises qui doivent prêter attention non aux apparences, mais aux cœurs, et paître spirituellement leurs brebis.

Lemme biblique. Nous avons adopté le texte du *Vaticanus* et du *Sinaiticus* : ἐκ γενεᾶς εἰς γενεάν. L'*Alexandrinus* a εἰς γενεὰς καὶ γενεάς.

Lignes 1-5. Sur la formule scripturaire πρόσεχε σεαυτῷ, voir A. et Cl. GUILLAUMONT, *Traité pratique*, p. 558, note au ch. 25, et A.-J. FESTUGIÈRE, *Les moines d'Orient*, III/1, Paris 1962, p. 86, n. 63. La faiblesse de la condition humaine (cf. schol. 310) rend dangereuse une telle mobilité dans la pratique des vertus et l'exercice de la contemplation. Le ch. 22 des *Réflexions* évoque également cette mobilité dans la vie contemplative.

Lignes 5-8. Cf. schol. 235 (texte et note).

27, 25 < ἐπιμελοῦ τῶν ἐν τῷ πεδίῳ χλωρῶν καὶ κερεῖς πόαν*
καὶ συνάγαγε χόρτον ὀρεινόν >

341. Πεδίον λέγει τὸν νοῦν, χλωρὰ δὲ τὰς ἐν αὐτῷ κατὰ
δύναμιν ἐνυπαρχούσας ἀρετάς, ὧν ὁ ἐπιμελούμενος κερεῖ
πόαν, σύμβολον οὖσαν τῆς γνώσεως τοῦ θεοῦ, ἣν καὶ χόρτον
πάλιν ὀρεινὸν ὀνομάζει· χόρτος γάρ ἐστιν ὀρεινὸς γνῶσις
5 ἁγίων δυνάμεων ἁρμόζουσα τῇ ἀλογωτέρᾳ τῶν ψυχῶν
καταστάσει. Ἔθος δὲ τῇ γραφῇ τοὺς ἁγίους ὄρη καλεῖν.
Οὕτω καὶ ὁ Δαυὶδ αἴρει τὴν ψυχὴν αὐτοῦ « εἰς τὰ ὄρη πόθεν
ἥξει ἡ βοήθεια ᵃ » αὐτοῦ· καὶ πάλιν· « ὄρη σκιρτῶσιν
ὡς κριοὶ καὶ βουνοὶ ὡς ἀρνία προβάτων ᵇ » ἐπὶ τῇ σωτηρίᾳ
10 τοῦ Ἰσραήλ. Εἰ γὰρ ἐπὶ ἑνὶ μετανοοῦντι χαίρουσιν ἄγγελοι ᶜ,
πόσῳ μᾶλλον ἐπὶ πλήθει τοσούτῳ ὁδεύοντι ἀπὸ κακίας
εἰς ἀρετήν. Διὸ καὶ μόνη ἡ γνῶσις τῶν ἁγίων ἀγγέλων
τρέφει τὰς ἐν ἡμῖν ἀρετάς, ἀφ' ὧν ἐνδύεται ψυχὴ σπλάγχνα
οἰκτιρμοῦ, χρηστότητα, μακροθυμίαν, ταπεινοφροσύνην ᵈ,
15 πίστιν, ἐγκράτειαν, ἀγάπην ᵉ καὶ τὰ ἐκ ταύτης γεννώμενα
ἀγαθά. Ὅτι δὲ πεδία καὶ ὁ Δαυὶδ λέγει τὰς λογικὰς ψυχάς,
ἐντεῦθεν ἔστι μαθεῖν· « καὶ τὰ πεδία σου γάρ, φησίν,
πλησθήσονται πιότητος ᶠ »· καὶ πάλιν μετ' ὀλίγα· « καὶ
αἱ κοιλάδες πληθυνοῦσι σῖτον· κεκράξονται καὶ γὰρ ὑμνήσου-
20 σιν ᵍ »· ὕμνος δὲ καὶ κραυγὴ μόνη πέφυκεν ἐπισυμβαίνειν
τῇ φύσει τῇ λογικῇ.

a. Ps. 120, 1   b. Ps. 113, 4.6   c. Cf. Lc 15, 7   d. Cf.
Col. 3, 12   e. Cf. Col. 3, 14   f. Ps. 64, 12   g. Ps. 64, 14

AB. — 2-6 ὧν — καταστάσει A : om. B ‖ 7 ante τὴν add.
τε B ‖ 9 ὡς¹ A : ὡσεὶ B ‖ ante βουνοὶ add. οἱ B ‖ 11 τοσούτῳ A :
τοιούτῳ B ‖ 12 εἰς A K Z : ἐπ' B MN πρὸς I ‖ 13 τρέφει A :
-φῃ B ‖ 13-14 ψυχὴ σπλάγχνα οἰκτιρμοῦ [-ῶν B] B IKMN :
σπλάγχνα οἰκτιρμοῦ ψυχή A ‖ 15 ἐγκράτειαν post ἀγάπην
transp B ‖ γεννώμενα A : γενόμενα B ‖ 19 πληθυνοῦσι B K Z
Tisch. : πληθύνουσι A I ‖ 21 τῇ φύσει τῇ λογικῇ A : τῇ φύσει
λογικῇ ψυχῇ B.

27, 25 *Prends soin des herbages de la plaine, et tu couperas*
le foin,
    ramasse le fourrage des montagnes

341. Il appelle « plaine » l'intellect, « herbages » les vertus
potentielles qui sont en lui; celui qui « prend soin » d'elles
« coupera le foin » qui est le symbole de la science de Dieu,
et qu'il a aussi nommé « fourrage des montagnes ». « Le
fourrage des montagnes » est en effet la science des saintes
puissances qui sied à l'état irrationnel des âmes, car
l'Écriture a l'habitude d'appeler « montagnes » les saints;
c'est ainsi que David élève son âme « vers les montagnes
d'où viendra pour lui le secours [a] », et qu'il dit encore :
« Les montagnes bondissent comme les béliers et les
collines comme les agneaux des brebis [b] », à cause du salut
d'Israël. Si les anges se réjouissent pour une seule personne
qui se convertit [c], combien plus se réjouissent-ils pour une
si grande multitude qui passe de la malice à la vertu! Voilà
pourquoi seule la science des saints anges nourrit les vertus
qui sont en nous; c'est à partir de là que notre âme revêt
la tendresse, la bonté, la longanimité, l'humilité [d], la foi,
la continence, la charité [e] avec les biens qu'elle produit.
Que David aussi appelle « plaines » les âmes raisonnables,
on peut l'apprendre des textes suivants : « Et tes plaines
seront remplies d'opulence [f] », et encore un peu plus loin :
« Et les vallons regorgeront de blé, ils crieront et chante-
ront même des hymnes [g]. » « Hymne » et « cri » ne
peuvent se produire que dans la nature raisonnable.

Lemme biblique. L'*Alexandrinus* a ποίαν.

Lignes 1-6. Noter la correspondance exacte entre la réalité et ce
qu'elle symbolise : le foin est donné aux animaux qui sont des êtres
sans raison (ἄλογα); la science des anges est donnée aux âmes dont
l'état est le plus irrationnel (ἀλογωτέρα).

Lignes 6-16. Sur cette habitude de l'Écriture, voir la note à la
scholie 7. Même interprétation du mot « montagne », avec allusion à

PROCOPE : Πεδίον γὰρ λέγει τὸν νοῦν, χλωρὰ δὲ τὰς ἐν αὐτῷ κατὰ
δύναμιν ἐνυπαρχούσας ἀρετάς, ὧν ὁ ἐπιμελούμενος κερεῖ πόαν, τὴν
τοῦ θεοῦ γνῶσιν. Ὁ δὲ χόρτος ὁ ὀρεινὸς γνῶσίς τις ἁγίων δυνάμεων
ἁρμόζουσα τῇ ἀλογωτέρᾳ τῶν ψυχῶν καταστάσει. Ἔθος δὲ τῇ γραφῇ
5 ὄρη τοὺς ἁγίους καλεῖν. Ὁ γοῦν Δαυὶδ αἴρει τὴν ψυχὴν « εἰς τὰ ὄρη
ὅθεν ἥξει ἡ βοήθεια » ᵃ αὐτοῦ · καὶ πάλιν · « ὄρη σκιρτῶσιν ὡς κριοὶ
καὶ βουνοὶ ὡς ἀρνία προβάτων ᵇ » ἐπὶ τῇ σωτηρίᾳ τοῦ Ἰσραήλ. Εἰ
γὰρ ἐπὶ ἑνὶ μετανοοῦντι χαίρουσιν ἄγγελοι ᶜ, πόσῳ μᾶλλον ἐπὶ τοσού-
τοις ὁδεύσασιν ἀπὸ κακίας εἰς ἀρετήν. Διὸ καὶ μόνη τῶν ἁγίων ἀγγέλων
10 ἡ γνῶσις τρέφει τὰς ἐν ἡμῖν ἀρετάς, ἀφ' ὧν ἐνδύεται ψυχὴ σπλάγχνα
οἰκτιρμοῦ, χρηστότητα, μακροθυμίαν, ταπεινοφροσύνην ᵈ, πίστιν,
ἐγκράτειαν, ἀγάπην ᵉ καὶ τὰ ἐξ ἀγάπης ἀγαθά. Καὶ Δαυὶδ δὲ τὰς
λογικὰς ψυχὰς πεδία καλεῖ, « τὰ πεδία σου, λέγων, πλησθήσονται
πιότητος ᶠ », καὶ μετ' ὀλίγα « καὶ αἱ κοιλάδες πληθυνοῦσι σῖτον ·
15 κεκράξονται καὶ γὰρ ὑμνήσουσι ᵍ » · λογικῆς δὲ φύσεως ὕμνος τε καὶ
κραυγή.

IK MN. — Εὐαγρίου IK M Anon. N. — 1 γὰρ I : δὲ M
om. K N ‖ 2 ἐνυπαρχούσας post ἀρετάς transp. MN ‖ κερεῖ
IK : κείρει MN ‖ 4 post δὲ add. καὶ N ‖ 5 Ὁ γοῦν — εἰς τὰ
ὄρη IK : φησὶ γοῦν Δαυὶδ · ἦρα τοὺς ὀφθαλμούς μου [κράτους
ὀφθαλμοῦ M] εἰς τὰ ὄρη MN ‖ 6 ὅθεν — αὐτοῦ IK : om.
MN ‖ 7 καὶ βουνοὶ — προβάτων IK : om. MN ‖ 8 ante
ἄγγελοι add. οἱ K ‖ 9 εἰς K : ἐπ' MN πρὸς I ‖ 11 οἰκτιρμοῦ
I MN : -μῶν [οὗ supra ὧν] K ‖ 11-12 ταπεινοφροσύνην —
ἀγαθά IK : καὶ τὰς λοιπὰς ἀρετὰς M sic des. N ‖ 14 πιότητος
IK : om. M ‖ 14-15 καὶ μετ' ὀλίγα — ὑμνήσουσι IK : καὶ τὰ
ἑξῆς sic des. M ‖ 14 πληθυνοῦσι K : -ύνουσι I.

28, 3   < ἀνδρεῖος ἐν ἀσεβείαις συκοφαντεῖ πτωχούς,
        ὥσπερ ὑετὸς λάβρος καὶ ἀνωφελής >

342. Εἰ ἔστιν ἀνδρεῖος ἐν ἀσεβείαις, ἔστιν ἀνδρεῖος καὶ
ἐν ἀρεταῖς · καὶ εἰ ὁ ἀνδρεῖος ἐν ἀσεβείαις συκοφαντεῖ
πτωχούς, ὁ ἀνδρεῖος ἐν ἀρεταῖς παρακαλεῖ πτωχούς ·
οὐκοῦν πᾶς ὁ παρακαλῶν πτωχοὺς ἀνδρεῖός ἐστιν ἐν εὐσε-
5 βείαις.

AB. — 1 καὶ A : om. B ‖ 4-5 ante ἐν εὐσεβείαις add. καὶ B.

Lc 15, 7, dans la scholie 2 *ad Ps.* 113, 4 : « Les montagnes et les collines sont les natures intelligibles qui se réjouissent du salut d'Israël. Si ceux qui sont dans les cieux se réjouissent pour une seule personne qui se convertit, combien plus se réjouissent-ils pour de telles multitudes qui passent de la malice à la vertu et de l'ignorance à la science de Dieu ! » (*Vaticanus 754*, f. 285ʳ : collation M.-J. Rondeau).

Lignes 16-21. Dans les scholies 5 *ad Ps.* 64, 10 et 6 *ad Ps.* 64, 13, Évagre donne une interprétation identique des éléments naturels : les eaux du v. 10 et les collines du v. 13 sont les natures raisonnables.

28, 3   *L'homme hardi dans les impiétés dupe les pauvres,*
il est comme une pluie violente et destructrice

342. S'il existe un « homme hardi dans les impiétés » il en existe aussi un qui est « hardi » dans les vertus. Et si celui qui est « hardi dans les impiétés » dupe les pauvres, celui qui est « hardi » dans les vertus les console. En conséquence, quiconque console les pauvres est « hardi » dans ses actes de piété.

Procope : Οὐκοῦν ὁ καρακαλῶν πτωχοὺς ἀνδρεῖός ἐστιν ἐν εὐσεβείαις.

IK MN. — Εὐαγρίου M Anon. IK N. — 1-2 Οὐκοῦν — εὐσεβείαις IK M : εἰ ἀνδρεῖος ἐν ἀσεβείαις ὁ συκοφαντῶν πτωχούς, ὁ παρακαλῶν τούτους ἐν εὐσεβείᾳ ἀνδρεῖος N.

28, 4   < οὕτως οἱ ἐγκαταλείποντες τὸν νόμον ἐγκωμιάζουσιν ἀσέβειαν ·
οἱ δὲ ἀγαπῶντες τὸν νόμον περιβάλλουσιν ἑαυτοῖς τεῖχος >

343. Πᾶς ὁ ἀγαπῶν τὸν νόμον ποιεῖ τὸν νόμον · πᾶς δὲ ὁ ποιῶν τὸν νόμον ἀπάθειαν κτᾶται καὶ γνῶσιν θεοῦ. Εἰ δὲ « οἱ ἀγαπῶντες τὸν νόμον περιβάλλουσιν ἑαυτοῖς τεῖχος », νῦν τὸ τεῖχος τὴν ἀπάθειαν σημαίνει καὶ τὴν γνῶσιν τὴν
5 τοῦ θεοῦ, ἅπερ μόνα πέφυκε φυλάσσειν τὴν φύσιν τὴν λογικήν.

AB. — 2 post νόμον add. ποιεῖ τὸν νόμον B ‖ 3 περιβάλλουσι A : παραβάλλουσι B Z ‖ 4 τὴν ³ B : om. A.

Procope : Πᾶς ὁ ἀγαπῶν τὸν νόμον ποιεῖ τὸν νόμον · πᾶς δὲ ὁ ποιῶν τὸν νόμον ἀπάθειαν κτᾶται καὶ γνῶσιν θεοῦ, ἅπερ μόνα πέφυκε φυλάσσειν τὴν φύσιν τὴν λογικήν.

IK MN. — Εὐαγρίου M Anon. IK N. — 2 τὸν νόμον IK M : αὐτὸν N ‖ 3 τὴν ² K MN : om. I.

28, 7   < φυλάσσει νόμον υἱὸς συνετός ·
ὃς δὲ ποιμαίνει ἀσωτίαν ἀτιμάζει πατέρα αὐτοῦ >

344. Ποιμένα λέγει τὸν νοῦν, πρόβατα δὲ τὰ ἐν αὐτῷ ἐμπαθῆ νοήματα, ἅπερ ἐκτρέφων ἐν ἑαυτῷ « διὰ τῆς παραβάσεως τοῦ νόμου τὸν θεὸν ἀτιμάζει [a] ». Ἀσωτία γὰρ

a. Rom. 2, 23

AB. — 1 αὐτῷ A : ἑαυτῷ B.

Cf. le commentaire parallèle de δυνατὸς ἐν ἀνομίᾳ de la scholie 2 *ad Ps.* 51, 3. Sur le verbe συκοφαντεῖν, voir la scholie 245 (texte et note).

28, 4   *Ainsi ceux qui abandonnent la loi font l'éloge de l'impiété,*
mais ceux qui aiment la loi s'entourent d'un rempart

343. Quiconque « aime la loi » la met en pratique et quiconque la met en pratique acquiert l'impassibilité et la science de Dieu. Si « ceux qui aiment la loi s'entourent d'un rempart », maintenant le « rempart » désigne l'impassibilité et la science de Dieu, seules capables de protéger la nature raisonnable.

Sur la pratique de la loi, voir la note à la scholie 27, et sur le symbolisme du mur, la note à la scholie 12.

28, 7   *Le fils intelligent garde la loi,*
mais celui qui paît la débauche déshonore son père

344. Il appelle « berger » l'intellect et brebis les représentations passionnées qui sont en lui : s'il les nourrit en lui, « il déshonore Dieu en transgressant sa loi [a] ». Car « la

ψυχῆς ἐστι λογισμοὶ ἐμπαθεῖς διὰ τοῦ σώματος ἐκτελού-
5 μενοι · ἀσωτία δὲ νοῦ ἐστι ψευδῶν δογμάτων καὶ θεωρημάτων
ὑπόληψις.

4-5 ἐκτελούμενοι A : ἐντελούμενοι B.

PROCOPE : Ἔστι δὲ ποιμὴν ὁ νοῦς, πρόβατα δὲ τὰ ἐν αὐτῷ ἐμπαθῆ
νοήματα, ἅπερ ἐκτρέφων ἑαυτῷ « διὰ τῆς παραβάσεως τοῦ νόμου τὸν
θεὸν ἀτιμάζει ᵃ ». Ἀσωτία γάρ ἐστι ψυχῆς λογισμοὶ ἐμπαθεῖς διὰ τοῦ
σώματος ἐκτελούμενοι · ἀσωτία δὲ νοῦ ψευδῶν δογμάτων καὶ θεωρημά-
5 των ὑπόληψις.

IK MN. — Εὐαγρίου I Anon. K MN. — 1 Ἔστι δὲ IK :
om. MN ‖ ἐν αὐτῷ M : om. IK N ‖ 2 ἐκτρέφων N p. corr.
‖ 2-3 τὸν θεὸν K MN : τοῦ θεοῦ I ‖ 3 ἐστι K MN : om. I ‖ ἐμπαθεῖς IK N : -θῆς M.

28, 8 < ὁ πληθύνων τὸν πλοῦτον αὐτοῦ μετὰ τόκων καὶ
πλεονασμῶν
τῷ ἐλεῶντι πτωχοὺς συνάγει αὐτόν >

345. Εἰ πλοῦτος ἀσεβῶν κακία, ἄνδρες δὲ σοφοὶ ἀπολέσουσιν αὐτόν, δηλονότι κακίαν ἀπολλύουσιν οἱ δίκαιοι
καὶ σοφοί, διὰ τῆς πνευματικῆς διδασκαλίας τοὺς ἀκαθάρτους
πρὸς τὴν ἀρετὴν ἐπανάγοντες.

AB. — 1 Εἰ IKN Z Tisch. : om. AB M ‖ 1-2 ἀπολέσουσιν
A : ἀπολέσωσιν B ‖ 3 ante σοφοί add. οἱ B.

PROCOPE : Εἰ πλοῦτος ἀσεβῶν κακία, ἄνδρες δὲ σοφοὶ ἀπολέσουσιν
αὐτόν, δῆλον ὡς κακίαν ἀπολλύουσι διὰ τῆς πνευματικῆς διδασκαλίας
τοὺς ἀκαθάρτους πρὸς τὴν ἀρετὴν ἐπανάγοντες.

IK MN. — <Εὐαγρίου> I Anon. K MN. — 1 Initio
add. ἢ καὶ MN ‖ Εἰ IK N : om. M ‖ 3 τὴν IK : om. MN.

débauche » de l'âme, ce sont les pensées passionnées consommées par l'intermédiaire du corps, « la débauche » de l'intellect, la conception de doctrines et de considérations fausses.

Sur le thème de l'intellect berger des pensées, voir la scholie 358 B et surtout *Pensées* 17-18 (*PG* 79, 1220 B - 1221 A). La métaphore vient, semble-t-il, de Philon, *De sacrifiis* 45, et se retrouve chez Origène, *Homélies sur Jérémie* V, 6, et Grégoire de Nysse, *Vie de Moïse* II, 18. La « débauche » de l'âme correspond à la tentation et au péché du moine évoqués dans *Pratique* 74-75, et la « débauche » de l'intellect à la tentation et au péché du gnostique mentionnés dans *Gnostique* 42-43 ; cf. notamment *Gnostique* 42, où apparaît le mot ὑπόληψις : Πειρασμὸς γνωστικοῦ ἐστιν ὑπόληψις ψευδής... (texte grec dans le *Vatopedi 57*, f. 149r).

28, 8   *Celui qui multiplie sa richesse par les intérêts et*
l'usure
l'amasse pour celui qui a pitié des pauvres

345. Si la « richesse » des impies est la malice et s'il est vrai que les hommes sages la feront disparaître, les justes et les sages font évidemment disparaître la malice en ramenant par leur enseignement spirituel les êtres impurs à la vertu.

Sur la destruction de la malice, voir l'Introduction, p. 49-50.

28, 9 < ὁ ἐκκλίνων τὸ οὖς αὐτοῦ τοῦ μὴ εἰσακοῦσαι νόμου
καὶ αὐτὸς τὴν προσευχὴν αὐτοῦ ἐβδέλυκται >

346. Οὐχ ὁ νόμος βδελύσσεταί τινος τὴν προσευχήν,
ἀλλ᾽ ὁ δεδωκὼς τὸν νόμον θεός. Καὶ ὁ Παῦλός φησιν·
« προϊδοῦσα δὲ ἡ γραφὴ ᵃ » τὸ μέλλον, ἀντὶ τοῦ ὁ τὴν
γραφὴν δεδωκώς.

    a. Gal. 3, 8

    Adest in AB.

Procope : Τὸν δὲ νόμον εἶπεν ἀντὶ τοῦ δεδωκότος αὐτὸν ὡς ἐν
τῷ « προϊδοῦσα γὰρ ἡ γραφὴ ᵃ » τὸ μέλλον.

MN. — Anon. — 1 αὐτὸν hic des. M ‖ 2 προϊδοῦσα restitui
e codd. AB : προειδυῖα N.

28, 13 < ὁ ἐπικαλύπτων ἀσέβειαν ἑαυτοῦ οὐκ εὐοδωθήσεται·
ὁ δὲ ἐξηγούμενος ἐλέγχους ἀγαπηθήσεται >

347. « Εἶπα· ἐξαγορεύσω κατ᾽ ἐμοῦ τὴν ἀνομίαν μου
τῷ κυρίῳ καὶ σὺ ἀφῆκας τὴν ἀσέβειαν τῆς καρδίας μου ᵃ. »

    a. Ps. 31, 5

    Adest in A.

Procope : Ὁ μὴ τὰς ἁμαρτίας ὁμολογῶν — καὶ μὴ λέγων μετὰ
Δαυίδ·] « εἶπα· ἐξαγορεύσω κατ᾽ ἐμοῦ τὴν ἀνομίαν μου τῷ κυρίῳ
καὶ σὺ ἀφῆκας τὴν ἀσέβειαν τῆς καρδίας μου ᵃ. »

IK. — Anon.

28, 15 < λέων πεινῶν καὶ λύκος διψῶν
ὃς τυραννεῖ πτωχὸς ὢν ἔθνους πενιχροῦ >

348. Εἰ « μακάριοί » εἰσιν « οἱ πεινῶντες καὶ διψῶντες
τὴν δικαιοσύνην ᵃ », λέοντες καὶ λύκοι εἰσὶν οἱ διψῶντες καὶ
πεινῶντες τὴν ἀδικίαν.

    a. Matth. 5, 6

    Adest in A.

28, 9   *De celui qui détourne son oreille pour ne pas entendre*
      la loi,
      (la loi) a en abomination la prière

346. Ce n'est pas « la loi » qui « a en abomination la
prière » de quelqu'un, mais Dieu qui a donné la loi. Et
Paul dit : « L'Écriture ayant prévu [a] » l'avenir, au lieu de :
celui qui a donné l'Écriture.

Évagre a compris que le pronom αὐτός renvoyait à νόμος. Sur
cette façon d'interpréter le verset des Proverbes et *Gal.* 3, 8, voir
la scholie 99 (texte et note).

28, 13 *Celui qui couvre son impiété ne prospérera pas,*
      mais celui qui expose ses reproches sera aimé

347. « J'ai dit : Je confesserai contre moi mon iniquité
au Seigneur, et toi, tu as pardonné l'impiété de mon
cœur [a]. »

Lemme biblique. Évagre cite ce verset dans la scholie 369 sous la
forme suivante : ὁ δὲ ἐξηγούμενος καὶ ἐλέγχων ἀγαπηθήσεται.

Prov. 28, 13 est également associé à *Ps.* 31, 5 dans la scholie 369
qui traite de la confession des péchés.

28, 15 *Un lion affamé et un loup assoiffé,*
      le tyran pauvre qui gouverne une nation indigente

348. S'ils sont « bienheureux les affamés et les assoiffés
de justice [a] », les « lions » et les « loups » sont ceux qui sont
« affamés » et « assoiffés » d'injustice.

28, 16 < βασιλεὺς ἐνδεὴς προσόδων μέγας συκοφάντης ·
  ὁ δὲ μισῶν ἀδικίαν μακρὸν χρόνον ζήσεται >

349. Αἱ πρόσοδοι τοῦ πονηροῦ βασιλέως εἰσὶν αἱ κακίαι
καὶ τὰ ψευδῆ δόγματα · ταῦτα γὰρ αὐτῷ προσοδεύουσιν οἱ
βασιλευόμενοι ὑπ' αὐτοῦ.

AB. — 1 βασιλέως post εἰσὶν transp. B ‖ 2 προσοδεύουσιν A :
om. B ‖ 3 ὑπ' αὐτοῦ A : παρ' αὐτοῦ B.

28, 17 < ἄνδρα τὸν ἐν αἰτίᾳ φόνου ὁ ἐγγυώμενος
  φυγὰς ἔσται καὶ οὐκ ἐν ἀσφαλείᾳ >

350. Ὁ ἐγγυώμενος τὸν σατανᾶν ἐγγυᾶται τὴν ἀδικίαν,
ὑπισχνούμενος αὐτῷ τοὺς τῆς ἀδικίας ἀποδώσειν καρπούς.
Περὶ τούτου δὲ καὶ τὸ εὐαγγέλιον λέγει ὡς διὰ φόνον καὶ
στάσιν βεβλημένου εἰς φυλακήν [a].

a. Cf. Lc 23, 25

AB. — 4 βεβλημένου A : -μένους B ‖ ante φυλακήν add.
τὴν B.

28, 17a < παίδευε υἱὸν καὶ ἀγαπήσει σε
  καὶ δώσει κόσμον τῇ σῇ ψυχῇ ·
  οὐ μὴ ὑπακούσῃ ἔθνει παρανόμῳ >

351. Ἔθνος παράνομον τὸ τάγμα τῶν δαιμόνων ἐστίν,
ᾧ οὐχ ὑπακούει ὁ παιδευθεὶς υἱός.

Adest in AB.

PROCOPE : Ἀλλὰ καὶ παράνομον ἔθνος οἱ δαίμονες, ᾧ οὐχ ὑπακούει
παιδευθεὶς υἱός.

IK MN. — Εὐαγρίου I   Anon. K MN.

28, 16 *Un roi qui manque de revenus est un grand escroc,*
mais celui qui hait l'injustice vivra longtemps

349. Les « revenus » du mauvais « roi » sont les vices et
les fausses doctrines, car c'est cela que lui rapportent ses
sujets.

28, 17 *Celui qui se porte garant d'un homme accusé de*
meurtre
sera banni et ne sera pas en sécurité

350. « Celui qui se porte garant » de Satan « se porte
garant » de son injustice et promet de lui rendre les fruits
de cette injustice. C'est de cet homme que parle l'Évangile
lorsqu'il dit qu'il avait été jeté en prison pour meurtre et
sédition [a].

La scholie 69 évoquait au contraire ceux qui se portent garants
du Christ. Le texte de Luc concerne Barabbas.

28, 17a *Éduque ton fils, il t'aimera*
et il procurera une parure à ton âme ;
il n'obéira pas à la nation inique

351. « La nation inique », c'est l'ordre des démons,
auquel n'obéit plus le fils bien éduqué.

Cf. schol. 8 *ad Ps.* 85, 14 : « Il a nommé assemblée des forts
l'ordre (τάγμα) des démons » (*Vaticanus 754*, f. 216ʳ : collation
M.-J. Rondeau).

28, 19 < ὁ ἐργαζόμενος τὴν ἑαυτοῦ γῆν πλησθήσεται ἄρτων ·
     ὁ δὲ διώκων σχολὴν πλησθήσεται πενίας >

352. Ὁ καθαίρων ἑαυτὸν πλησθήσεται γνώσεως · ὁ δὲ
ἀκάθαρτος πλησθήσεται ἀγνωσίας.

AB. — 1 δὲ A : δ' B ǁ 2 ἀγνωσίας A : ἀγνοίας B.

PROCOPE : Ὁ καθαίρων ἑαυτὸν πλησθήσεται γνώσεως · ὁ δὲ
ἀκάθαρτος ἀγνωσίας.

IK M. — <Εὐαγρίου> I   Anon. K M.

28, 21 < ὃς οὐκ αἰσχύνεται πρόσωπα δικαίων οὐκ ἀγαθός ·
     ὁ τοιοῦτος ψωμοῦ ἄρτου ἀποδώσεται ἄνδρα >

353. Εἰ πρόσωπα τῶν δικαίων εἰσὶν αἱ ἀρεταί, οὐκ
ἀγαθὸς ὁ μὴ τὰς ἀρετὰς αἰσχυνόμενος. Καὶ εἰ πρόσωπα
τῶν ἁμαρτωλῶν εἰσιν αἱ κακίαι, ἀγαθὸς ὁ τὰς κακίας μὴ
αἰσχυνόμενος.

AB. — 1 αἱ A : om. B ǁ 2 μὴ A : om. B ǁ εἰ A : om. B ǁ 3 μὴ A :
om. B.

PROCOPE : Πρόσωπα δικαίων αἱ ἀρεταί, ἀδίκων δὲ αἱ κακίαι.

N. — Anon.

28, 22 < σπεύδει πλουτεῖν ἀνὴρ βάσκανος
     καὶ οὐκ οἶδεν ὅτι ἐλεήμων κρατήσει αὐτοῦ >

354. Οἱ νῦν ἐλεήμονες ἐν τῷ αἰῶνι τῷ μέλλοντι ἐλεηθέντες
ὑπὸ θεοῦ [a] καὶ γενόμενοι ἄγγελοι ἄρξουσι τῶν ἀσεβῶν.
Τοιοῦτον δὲ ἀξίωμα καὶ τοῖς μαθηταῖς αὐτοῦ ὑπέσχετο

a. Cf. Matth. 5, 7

AB. — 1 νῦν B IK Z : οὖν A.

28, 19 *Celui qui cultive sa terre se rassasiera de pain,*
mais celui qui recherche le repos se rassasiera de
pauvreté

352. Celui qui se purifie « se rassasiera » de science,
mais l'impur « se rassasiera » d'ignorance.

28, 21 *Celui qui ne respecte pas les visages des justes n'est*
pas bon ;
un tel individu vendra un homme pour une bouchée
de pain

353. Si « les visages des justes » sont les vertus, il « n'est
pas bon » « celui qui ne respecte pas » les vertus. Et si les
visages des pécheurs sont les vices, il « est bon » « celui qui
ne respecte pas » les vices.

Cf. schol. 175.

28, 22 *L'homme envieux recherche ardemment la richesse*
et ignore que celui qui est miséricordieux sera son
maître

354. Ceux qui sont maintenant « miséricordieux » seront
dans le siècle à venir pris en miséricorde par Dieu [a], ils
deviendront des anges et alors commanderont aux impies.
C'est une telle dignité que le Seigneur a promis de donner

δώσειν ὁ κύριος τοῦ καθίσαι αὐτοὺς ἐπὶ δώδεκα θρόνων
5 κρίνοντας τὰς δώδεκα φυλὰς τοῦ 'Ισραήλ b · θρόνος δέ
ἔστιν, ἐν ᾧ νοῦς καθέζεται, γνῶσις πνευματικὴ τοὺς
πλανηθέντας ἀπὸ τῆς θεοσεβείας ἐπισυνάγουσα. Τὸ δὲ
κρίνειν ἐνταῦθα τὸ διδάσκειν σημαίνει ὡς καὶ τὸ « ἄνοιγε
σὸν στόμα λόγῳ θεοῦ καὶ κρῖνε πάντας ὑγιῶς c », ἀντὶ
10 τοῦ δίδασκε. "Αμα δὲ καὶ τοῦτο ἰστέον ὅτι ὁ ἐλεήμων
κρατήσας τοῦ βασκάνου, αὐτὸς μὲν οὐ γενήσεται βάσκανος,
ἐλεήμονα δὲ ποιήσει μᾶλλον τὸν βάσκανον.

b. Cf. Matth. 19, 28   c. Prov. 31, 8

5 κρίνοντας A p. corr. : -ντες A a. corr. B ‖ 8 καὶ B Z :
om. A ‖ 9 κρῖνε A : κρίναι B ‖ πάντας B : πάντα A Z ‖ 12
μᾶλλον A : om. B.

PROCOPE : Οἱ γὰρ νῦν ἐλεήμονες ἐλεηθέντες ἐν αἰῶνι τῷ μέλλοντι a
ἄρξουσι τῶν ἀσεβῶν, ὡς καὶ τοῖς μαθηταῖς ὑπέσχετο δώσειν τὸ ἐπὶ
δώδεκα θρόνων κρῖναι b, τουτέστι διδάξαι. Ὁ δὲ θρόνος ἐν ᾧ νοῦς
καθέζεται γνῶσίς ἐστι πνευματικὴ τοὺς πλανηθέντας ἀπὸ τῆς θεοσε-
5 βείας ἐπισυνάγουσα. Ὁ δὲ ἐλεήμων οὐκ ἔσται βάσκανος τοῦ βασκάνου
κρατῶν · ἐλεήμονα δὲ μᾶλλον ποιήσειεν.

IK. — Anon. — 2 τὸ Ι : τῷ Κ ‖ 3 δώδεκα Κ : ĪB Ι ‖ θρόνων
Κ : θρόνους Ι.

Lignes 1-2. Les justes deviendront des anges dans le monde à
venir, voir l'Introduction, p. 49. Comparer avec la *Lettre 57* : « Dieu

28, 28 < ἐν τόποις ἀσεβῶν στένουσι δίκαιοι ·
    ἐν δὲ τῇ ἐκείνων ἀπωλείᾳ πληθυνθήσονται
    δίκαιοι >

355. Ἐὰν ἀποθῶνται οἱ ἀσεβεῖς τὸ εἶναι ἀσεβεῖς,
γενήσονται δίκαιοι · ἡ γὰρ ἀπώλεια νῦν τὴν ἀναίρεσιν τῆς
ἀσεβείας σημαίνει. Οὕτω καὶ Ματθαῖον τὸν τελώνην a
ἀπολέσας ὁ κύριος δικαιοσύνην αὐτῷ ἐχαρίσατο.

a. Cf. Matth. 10, 3

Adest in A.

aussi à ses disciples, lorsqu'il leur a dit qu'il les placerait
sur douze trônes afin qu'ils jugent les douze tribus
d'Israël [b]. Le « trône » sur lequel siège l'intellect, c'est
la science spirituelle qui rassemble ceux qui se sont égarés
loin de la piété. Le verbe « juger » signifie ici enseigner,
comme dans ce verset : « Ouvre ta bouche à la parole de
Dieu et juge-les tous sainement [c] »; « juge-les » est mis
pour : enseigne-les. Il faut également savoir que le « miséricordieux » qui « sera devenu le maître » de « l'envieux » ne
deviendra pas lui-même envieux, mais bien au contraire
rendra l'« envieux » « miséricordieux ».

nous a placés en ce monde et soumis à des corps pratiques..., afin qu'en
étant miséricordieux nous soyons pris en miséricorde et devenions
cohéritiers des anges » (p. 606, l. 16-18).

    Lignes 3-10. La dignité promise par le Christ à ses apôtres est la
dignité angélique. Le verbe κρίνειν est glosé par διδάσκειν, comme
dans la scholie 296 : le jugement des anges est essentiellement une
« didascalie » qui ramène les êtres à la vertu et à la science ; il n'est pas
accompagné, comme le jugement du Christ, d'une nouvelle création.
Ici, le trône ne symbolise plus l'intellect, comme dans la scholie 300,
mais la science sublime dont jouissent les anges. La scholie 5 *ad
Ps.* 140, 10 évoque aussi à travers le symbolisme du filet cette
« didascalie » qui ramène à la vertu ceux qui se sont égarés loin de
la piété (τοὺς ἀποπλανηθέντας ἀπὸ τῆς θεοσεβείας).

    Lignes 10-12. Évocation de la destruction de la malice.

28, 28 *Dans la région des impies les justes gémissent,
      mais quand viendra leur perte, les justes se
      multiplieront*

    355. Si les « impies » cessent d'être impies, ils deviendront
« justes ». Maintenant en effet la « perte » désigne la disparition de l'impiété. C'est ainsi que le Seigneur a causé la
perte de Matthieu le publicain [a], en lui faisant don de
la justice.

Procope : Ἐὰν δὲ ἀποθῶνται οἱ ἀσεβεῖς τὸ εἶναι ἀσεβεῖς, γενήσονται δίκαιοι, εἴπερ ἀπώλεια νῦν τὴν ἀναίρεσιν τῆς ἀσεβείας σημαίνει. Οὕτω καὶ Ματθαίου τὸν τελώνην [a] ἀπολέσας ὁ κύριος δικαιοσύνην αὐτῷ ἐχαρίσατο.

IK MN. — Εὐαγρίου IK M Anon. N. — 1-2 Ἐὰν — δίκαιοι pro lemmate biblico habet K ‖ 1 γενήσονται IK N : -σωνται M ‖ 2 εἴπερ IK N : ἤπερ M ‖ ἀπώλεια MN : -λειαν IK ‖ σημαίνει IK M : δηλοῖ sic des. N.

29, 1 < κρείσσων ἀνὴρ ἐλέγχων ἀνδρὸς σκληροτραχήλου · ἐξαπίνης γὰρ φλεγομένου αὐτοῦ οὐκ ἔσται ἴασις >

356. Οὐκ εἶπεν ὅτι παυσαμένης τῆς φλογὸς οὐκ ἔστιν ἴασις, ἀλλὰ φλεγομένου αὐτοῦ οὐκ ἔσται ἴασις, ὡς ἔχοντος ἔτι δηλονότι ξύλα, χόρτον, καλάμην [a], εἴπερ καὶ τοῖς καιομένοις μετὰ τὸν καυτῆρα πέφυκεν ἡ ὑγεία προσγίνεσθαι.

a. Cf. I Cor. 3, 12

A. — 2 ἀλλὰ — ἔσται [ἔστιν Tisch.] ἴασις Z Tisch. : om. A.

Procope : Οὐκ εἶπεν ὅτι παυσαμένης τῆς φλογὸς οὐκ ἔστιν ἴασις, ἀλλὰ φλεγομένου ὡς ἔχοντος δηλονότι ξύλα, χόρτον, καλάμην [a], ἐπεὶ καὶ μετὰ τὸν καυτῆρα ἡ ἴασις.

IK MN. — <Εὐαγρίου> IK M Anon. N. — 1 ὅτι IK M : om. N ‖ 2 ἔχοντος K MN : om. I ‖ 3 καυτῆρα I M : κρατῆρα [καυ supra κρα in K] K N.

29, 2 < ἐγκωμιαζομένου δὲ δικαίου εὐφρανθήσονται λαοί · ἀρχόντων δὲ ἀσεβῶν στένουσιν ἄνδρες >

357. Ὅσοι εἰσὶν ὑπὸ τὰς ἀρχὰς καὶ τὰς ἐξουσίας καὶ τοὺς κοσμοκράτορας τοῦ σκότους τούτου [a], οὗτοι πάντως καὶ στένουσιν.

a. Cf. Éphés. 6, 12

A. — 2 πάντως A : πάντες Tisch.

Sur la destruction de la malice, voir l'Introduction, p. 49-50. Dans la scholie 6 *ad Ps.* 82, 18, le mot ἀπώλεια est défini comme φθορά κακίας καὶ ἀγνωσίας. Sur Matthieu, se reporter à la scholie 13.

29, 1 *Mieux vaut un homme qui réprimande qu'un homme*
à la nuque raide,
car lorsque soudain il s'enflammera, il n'y aura
pas de guérison

356. Il n'a pas dit : lorsque la flamme a cessé, il n'y a pas de guérison, mais : « lorsqu'il s'enflammera, il n'y aura pas de guérison », car il dispose évidemment encore de bois, de foin et de paille [a]. Pour les brûlés aussi la guérison vient après la brûlure.

Ici, c'est une remarque sur le temps d'un verbe qui sert de point de départ à l'interprétation. La formule οὐκ εἶπεν..., ἀλλά... est assez caractéristique : on la retrouve dans la scholie 3 *ad Ps.* 5, 7 (remarque sur le temps du verbe λαλεῖν) et dans la scholie *ad Eccl.* 1, 15, *Coislin 193*, f. 18ʳ (remarque sur le préfixe ἐπι du verbe ἐπικοσμηθῆναι). Elle est fréquemment utilisée par Origène. Sur le bois, le foin et la paille, voir la scholie 195 (texte et note).

29, 2 *Quand on fera l'éloge du juste, les peuples se réjoui-*
ront,
mais quand les impies commandent, les hommes
gémissent

357. Ceux qui sont soumis aux Principautés, Puissances et Dominateurs de ces ténèbres [a] « gémissent » aussi fatalement.

Citations d'*Éphés.* 6, 12 : *Bases* 3 ; *Pensées* 6 (*PG* 79, 1208 B) ; schol. 74 *ad Ps.* 118, 161 ; 2 *ad Ps.* 141, 5 ; schol. *ad Eccl.* 6, 10 (*Coislin 193*, f. 28ᵛ).

29, 3 < ἀνδρὸς φιλοῦντος σοφίαν εὐφραίνεται ὁ πατὴρ
αὐτοῦ ·
ὃς δὲ ποιμαίνει πόρνας ἀπολεῖ πλοῦτον >

358 A. Ὁ δὲ ἐκτρέφων κακίας ἀπολεῖ γνῶσιν.

AB. — γνῶσιν B : πλοῦτον A.

---

358 B. Ἄλλως. Ποιμήν ἐστιν ἀγαθὸς νοῦς ἀπαθεῖς
λογισμοὺς κεκτημένος καὶ ποιμήν ἐστι πονηρὸς νοῦς ἐμπαθεῖς
λογισμοὺς κεκτημένος. Εἰ δὲ τοῦτο, οὐκοῦν ἔριφός ἐστιν
λογισμὸς ἐμπαθὴς καὶ πρόβατόν ἐστιν λογισμὸς ἀπαθής.
5 Διὸ καὶ τοὺς ἐρίφους ὁ κύριος ἵστησιν ἐξ ἀριστερῶν, τὰ
δὲ πρόβατα ἐκ δεξιῶν [a] · ἐρίφους δὲ καὶ πρόβατα λέγει τοὺς
κεκτημένους ἐρίφους καὶ πρόβατα, τουτέστιν τοὺς ἔχοντας
λογισμοὺς ἐμπαθεῖς καὶ ἀπαθεῖς. Οὕτω καὶ τοὺς ἔχοντας
τὰ ζιζάνια, ζιζάνια προσηγόρευσε καὶ τοὺς τὸν σῖτον ἔχοντας
10 σῖτον [b], ἀπὸ τῆς χειρίστης καὶ ἀρίστης ἕξεως ὀνομάσας
αὐτούς. Τοιοῦτόν ἐστι καὶ τὸ παρὰ τῷ Παύλῳ λεγόμενον τὸ
« ἡ ἀγάπη οὐ περπερεύεται [c] », ἀντὶ τοῦ ὁ ἔχων τὴν ἀγάπην.

a. Cf. Matth. 25, 32   b. Cf. Matth. 13, 24-31   c. I Cor.
13, 4

AB. — 1 Ἄλλως A : om. B ǁ 2-3 καὶ — κεκτημένος A : om. B ǁ
4 καὶ — ἀπαθής A : om. B ǁ 8 ἐμπαθεῖς καὶ ἀπαθεῖς B :
ἀπαθεῖς καὶ ἐμπαθεῖς A ǁ οὕτω — ἔχοντας iteravit A ǁ 9
ζιζάνια[a] post προσηγόρευσε transp. B ǁ 11 τὸ[1] A : τῷ B.

PROCOPE : Ποιμήν ἐστιν ἀγαθὸς νοῦς ἀπαθεῖς λογισμοὺς κεκτημένος, ὁ δὲ πονηρὸς ἐμπαθεῖς. Οὐκοῦν ἔριφος μὲν λογισμὸς ἐμπαθής,
τὸ δὲ πρόβατον ἀπαθής. Καὶ οἱ μὲν ἐξ ἀριστερῶν τοῦ σωτῆρος, τὰ
δὲ πρόβατα ἐκ δεξιῶν [a]. Ἔριφοι δὲ καὶ πρόβατα οἱ κεκτημένοι ἐμπαθεῖς

IK MN. — Εὐαγρίου I Anon. K MN. — 1 post νοῦς
add. ὁ N ǁ 1-2 κεκτημένος IK N : -μένους M ǁ 2 ὁ δὲ πονηρὸς
ἐμπαθεῖς IK M : om. N ǁ 2-7 Οὐκοῦν — περπερεύεται IK :
ὁ γοῦν ἐμπαθεῖς λογισμοὺς [ὁ — λογισμοὺς om. N] ἑαυτῷ
ἐπισυνάγων ἀπολεῖ πλοῦτον τὸν [τῶν M] ἐξ ἀρετῶν MN ǁ
4 δὲ[1] post πρόβατα transp. K.

29, 3 *L'homme qui aime la sagesse fait la joie de son père,*
mais celui qui paît des prostituées perdra son bien

358 A. Celui qui nourrit des vices « perdra » sa science.

---

358 B. Autrement : Le bon pasteur, c'est l'intellect qui
possède des pensées impassibles, et le mauvais pasteur,
l'intellect qui possède des pensées passionnées. S'il en est
ainsi, le « bouc » est donc la pensée passionnée et la « brebis »
la pensée impassible. Voilà pourquoi le Seigneur place les
boucs à sa gauche et les brebis à sa droite [a]. Il appelle
« boucs » et « brebis » ceux qui possèdent des boucs et des
brebis, c'est-à-dire ceux qui ont des pensées passionnées
et impassibles. C'est ainsi qu'il a appelé, les désignant
par leur état mauvais et bon, « ivraie » ceux qui ont l'ivraie
et « blé » ceux qui ont le blé [b]. C'est aussi ce qui est dit
chez Paul : « La charité ne se vante pas [c] », la « charité »
au lieu de celui qui possède la charité.

Lignes 1-6. Sur l'intellect pasteur des pensées, voir la note à
la scholie 344.

Lignes 6-12. Sur ce type d'interprétation et sur la remarque qui
suit, voir la scholie 99 (texte et note). Même exégèse de *I Cor.* 13, 4
dans les scholies 7 *ad Ps.* 10, 7 ; 3 *ad Ps.* 62, 9 ; 7 *ad Ps.* 83, 12 ;
64 *ad Ps.* 118, 143 ; 1 *ad Ps.* 145, 7.

5 ἢ ἀπαθεῖς λογισμούς. Καὶ ζιζάνια δὲ τοὺς ἔχοντας αὐτὰ προσηγόρευσε καὶ τοὺς τὸν σῖτον ἔχοντας σῖτον [b], ἀπὸ τῶν ἕξεων ὀνομάζων τοὺς ἔχοντας, ὁποῖον καὶ παρὰ Παύλῳ τὸ « ἡ ἀγάπη οὐ περπερεύεται [c] ».

5 ἢ ἀπαθεῖς I : om. K ‖ 7 τὸ K : om. I.

29, 4 < βασιλεὺς δίκαιος ἀνίστησιν χώραν·
ἀνὴρ δὲ παράνομος κατασκάπτει >

359. Ὁ μὲν Χριστὸς ἀνίστησι τὴν φύσιν τὴν λογικήν·
ὁ δὲ ἀντίχριστος κατασκάπτει.

Adest in AB.

Procope, ad Prov. 29, 4[1] : Ὁ Χριστὸς τὴν φυσὶν τὴν λογικήν.

ΙΚ Μ. — <Εὐαγρίου> Ι Anon. Κ Μ. — λογικήν ΙΚ : ἀνθρωπείαν Μ.

Procope, ad Prov. 29, 4[2] : Ὁ ἀντίχριστος.

ΙΚ Μ. — Post ἀντίχριστος add. δηλονότι Μ.

Procope (rédaction N) : Βασιλεὺς δίκαιος ὁ Χριστὸς ἀνίστησι τὴν φύσιν τὴν ἀνθρωπείαν· παράνομος δὲ ὁ ἀντίχριστος.

N. — Anon.

29, 7 < ἐπίσταται δίκαιος κρίνειν πενιχροῖς·
ὁ δὲ ἀσεβὴς οὐ συνήσει γνῶσιν
καὶ πτωχῷ οὐχ ὑπάρχει νοῦς ἐπιγνώμων >

360. Οὐκοῦν πτωχός ἐστιν ὁ μὴ ἔχων νοῦν ἐπιγνώμονα.

Adest in A.

Procope : Οὐκοῦν πτωχὸς ὅτῳ νοῦς οὐκ ἔστιν ἐπιστημονικός.

ΙΚ ΜΝ. — Anon. — οὐκ ΙΚ Μ : om. N.

29, 4   *Le roi juste ressuscite son pays,*
           mais l'homme inique le dévaste

359. Le Christ « ressuscite » la nature raisonnable, mais
l'Antéchrist la « dévaste ».

29, 7   *Le juste sait juger les indigents,*
           mais l'impie ne comprendra pas la science,
           et le pauvre n'a pas un intellect clairvoyant

360. Est donc « pauvre » celui qui « n'a pas un intellect
clairvoyant ».

29, 9 < ἀνὴρ σοφὸς κρίνει ἔθνη ·
ἀνὴρ δὲ φαῦλος ὀργιζόμενος καταγελᾶται καὶ
οὐ καταπτήσσει >

361. « Καὶ ἐπ᾽ αὐτόν, φησὶν ὁ Δαυίδ, γελάσονται καὶ
ἐροῦσιν · ἰδοὺ ἄνθρωπος ὃς οὐκ ἔθετο τὸν θεὸν βοηθὸν
αὐτοῦ [a]. »

a. Ps. 51, 8-9

Adest in A.

Procope : « Καὶ ἐπ᾽ αὐτόν, φησὶν ὁ Δαυίδ, γελάσονται καὶ ἐροῦσιν ·
ἰδοὺ ἄνθρωπος ὃς οὐκ ἔθετο τὸν θεὸν βοηθὸν αὐτοῦ [a]. »

IK M. — Anon. — 2 ὃς — αὐτοῦ IK : καὶ τὰ ἑξῆς M.

29, 10 < ἄνδρες αἱμάτων μέτοχοι ζητήσουσιν ὅσιον ·
οἱ δὲ εὐθεῖς ἐκζητήσουσιν ψυχὴν αὐτοῦ >

362. Οὗτος ἐκζητεῖ ψυχὴν δικαίου ὁ τὰ αὐτῇ νενοημένα
νοῆσαι βουλόμενος.

Adest in A.

29, 11 < ὅλον τὸν θυμὸν αὐτοῦ ἐκφέρει ἄφρων ·
σοφὸς δὲ ταμιεύεται κατὰ μέρος >

363. Οὗτος ταμιεύεται τὸν θυμὸν κατὰ μέρος ἤτοι ὁ
ἐπὶ τοῖς δικαίοις ὀργιζόμενος πράγμασιν ἢ ὁ διὰ τῆς μακροθυμίας καταναλίσκων τὸν θυμὸν κατὰ μέρος. Καὶ πρὸς μὲν
τοὺς ἁπλουστέρους λεκτέον τὸ πρότερον, πρὸς δὲ τοὺς
5 σπουδαίους τὸ δεύτερον.

Adest in A.

Procope : Οὗτος δὲ ταμιεύεται τὸν θυμὸν κατὰ μέρος ἤτοι ὁ ἐπὶ
τοῖς δικαίοις ὀργιζόμενος πράγμασιν ἢ ὁ διὰ τῆς μακροθυμίας καταναλίσκων τὸν θυμὸν κατὰ μέρος.

IK M. — Anon. — 2-3 καταναλίσκων IK : ἀναλίσκων M.

29, 9 *L'homme sage juge les nations,*
         mais l'homme mauvais, quand il se met en colère,
         est un objet de risée et n'est pas effrayé

361. David dit : « Et ils se riront de lui et diront : Voilà
l'homme qui n'a pas mis son secours en Dieu [a]. »

29, 10 *Les hommes sanguinaires chercheront le saint,*
          mais les hommes droits rechercheront son âme

362. Celui-là « recherche l'âme » du juste qui veut en
comprendre les pensées.

29, 11 *L'insensé donne cours à toute sa colère,*
          mais le sage en réserve une partie

363. Celui qui « réserve une partie de sa colère » est soit
celui qui ne se met en colère que pour de justes motifs,
soit celui qui détruit une partie de sa colère par la longanimité. Il faut donner la première interprétation aux simples,
la seconde aux vertueux.

Évagre reprend à Origène ce terme d'ἁπλούστεροι pour désigner
ceux qui sont peu avancés dans la vie spirituelle (comme ici) ou ceux
qui se contentent d'une interprétation littérale de l'Écriture (comme
dans la scholie 15 *ad Ps.* 17, 26-27). Quant au mot σπουδαῖος,
il qualifie habituellement celui qui pratique avec zèle la vertu, le

vertueux ; il avait déjà ce sens chez Platon. On trouve chez Évagre deux autres attestations de ce terme : *Prière* 47 et *Pratique* 29. Il faut tout de même noter que le mot avait pris un sens particulier dans la période pré-monastique ; il désignait alors l'ascète qui se retirait dans la solitude, à proximité de son village, pour mener une

---

29, 18 < οὐ μὴ ὑπάρξῃ ἐξηγητὴς ἔθνει παρανόμῳ ·
ὁ δὲ φυλάσσων τὸν νόμον μακαριστός >

364. Τοῖς μὲν φυλάξασι τὸν νόμον ὑπάρξει ἐξηγητής · τοῖς δὲ παρανομήσασιν ἐξηγητὴς μὲν οὐχ ὑπάρξει, κολαστὴς δὲ ὑπάρξει, εἴπερ οὐ λόγος, ἀλλὰ ῥάβδος παρανόμῳ δίδοται ἔθνει [a].

a. Cf. Prov. 26, 3
Adest in A.

PROCOPE : Οὐκ ἐξηγητής, ἀλλὰ κολαστής, εἴπερ οὐ λόγος, ἀλλὰ ῥάβδος παρανόμῳ δίδοται ἔθνει [a].

ΙΚ ΜΝ. — Εὐαγρίου Ι Μ   Anon. Κ Ν. — 2 παρανόμῳ post ἔθνει transp. ΜΝ.

29, 19 < λόγοις οὐ παιδευθήσεται οἰκέτης σκληρός ·
ἐὰν γὰρ καὶ νοήσῃ, οὐχ ὑπακούσεται >

365. Ὅτι οὐδεὶς κατὰ φύσιν σκληρός, παρίστησι τὸ « ἐὰν γὰρ καὶ νοήσῃ, οὐχ ὑπακούσεται » · ὁ γὰρ κατὰ φύσιν σκληρὸς οὐκ ἂν ὀρθόν τι νοήσοι ποτέ. Τοῦτο δὲ λέγω διὰ τὸν Φαραὼ σκληρυνθέντα ἐπὶ τὸν Ἰσραὴλ [a] καὶ μὴ λόγοις, 5 ἀλλὰ μάστιξι παιδευθέντα.

a. Cf. Ex. 7, 3 ; 9, 35

A. — 4 τὸν² ΙΚ Ζ : τῷ Α ‖ 5 παιδευθέντα ΙΚ Ζ Tisch. : παιδεσθέντα Α.

vie chrétienne intégrale. C'est auprès de tels ascètes que saint Antoine avait fait ses débuts : cf. ATHANASE, *Vie d'Antoine* 3 ; sur ce sujet, voir D. J. CHITTY, *The Desert a city*, p. 2-3 (trad. française sous le titre : *Et le désert devint une cité*, Abbaye de Bellefontaine 1980, p. 26).

29, 18 *La nation inique n'aura pas d'interprète,*
   mais celui qui garde la loi sera bienheureux

364. Ceux qui « ont gardé la loi » auront un « interprète », mais ceux qui l'ont transgressée n'auront pas un « interprète », mais quelqu'un qui les châtiera, car ce n'est pas une parole, mais une verge qu'on donne à « la nation inique » [a].

Sur ἐξηγητής, voir *KG* IV, 61 : « L'interprétation est l'explication des commandements pour la consolation des simples » (trad. Guillaumont). Sur le châtiment symbolisé par la verge, voir la scholie 319.

29, 19 *Le domestique endurci ne sera pas corrigé par des paroles,*
   car, même s'il comprend, il n'obéira pas

365. Qu'il n'est personne pour être par nature « endurci », le verset : « Car, même s'il comprend, il n'obéira pas » le montre, car quiconque serait par nature « endurci » ne pourrait jamais rien « comprendre » correctement. Je dis cela à cause de Pharaon qui a été endurci contre Israël [a] et a été « corrigé » non « par des paroles », mais par des fouets.

Procope : Εἰ γὰρ ἦν κατὰ φύσιν σκληρός, οὐδ' ἂν ἐνόει τι δεξιόν. Τοῦτο δὲ λέγω διὰ τὸν Φαραὼ σκληρυνθέντα ἐπὶ τὸν 'Ισραὴλ [a] καὶ μὴ λόγοις, ἀλλὰ μάστιξι παιδευθέντα.

IK MN. — Εὐαγρίου I M Anon. K N. — 1 σκληρός I N : -ρόν K M ‖ τι K MN : τὸ I ‖ δεξιόν hic des. MN.

___

29, 21 < ὃς κατασπαταλᾷ ἐκ παιδός, οἰκέτης ἔσται·
ἔσχατον δὲ ὀδυνηθήσεται ἐφ' ἑαυτῷ >

366. Εἰ τὸ σπαταλᾶν ἁμαρτάνειν ποιεῖ, « πᾶς δὲ ὁ ποιῶν τὴν ἁμαρτίαν δοῦλός ἐστι τῆς ἁμαρτίας [a] », πᾶς ἄρα ὁ σπαταλῶν δοῦλός ἐστι τῆς ἁμαρτίας.

a. Jn 8, 34

A. — 2 ἄρα IKN Z Tisch. : ἄρα A.

Procope : Εἰ τὸ σπαταλᾶν ἁμαρτάνειν ποιεῖ, « ὁ δὲ ποιῶν τὴν ἁμαρτίαν δοῦλός ἐστι τῆς ἁμαρτίας [a] », ὁ σπαταλῶν ἄρα δοῦλός ἐστι τῆς ἁμαρτίας.

IK MN. — Εὐαγρίου I Anon. K MN. — 2 ὁ σπαταλῶν ἄρα [ἄρα M] δοῦλος K MN : ἄρα γε δοῦλος I ‖ ἐστι IK M : om. N.

___

29, 23 < ὕβρις ἄνδρα ταπεινοῖ·
τοὺς δὲ ταπεινόφρονας ἐρείδει δόξῃ κύριος >

367. Νῦν τὴν κακίαν ὕβριν ψυχῆς λογικῆς ὀνομάζει.

Adest in A.

Procope : Νῦν τὴν κακίαν ὕβριν ψυχῆς λογικῆς ὀνομάζει.

IK MN. — Anon. — λογικῆς IK M : om. N.

Nul n'est naturellement mauvais : le mal est la conséquence d'un libre choix de l'homme. Évagre se souvient ici des critiques formulées par Origène à l'encontre des gnostiques qui niaient le libre arbitre et invoquaient l'endurcissement du cœur de Pharaon à l'appui de leur théorie des natures d'âmes : voir notamment *De princ.* III, 1, 8-11.

29, 21 *Celui qui vit dès l'enfance dans la mollesse sera au service d'autrui*
et se lamentera finalement sur lui-même

366. Si la vie de mollesse engendre le péché et si « tout homme qui fait le péché est esclave du péché [a] », « tout homme qui vit dans la mollesse » est donc esclave du péché.

Autres attestations du verbe σπαταλᾶν chez Évagre : *Vierge* 11 : « La vierge téméraire ne sera pas sauvée et celle qui vit dans la mollesse (σπαταλῶσα) ne verra pas son Époux » ; et *Bases* 8 : « Ne viens pas à désirer les mets raffinés et les illusions que comporte une vie de mollesse (τῶν κατὰ τὴν σπατάλην ἀπατῶν), car, comme le dit aussi l'Apôtre, ' celle qui vit dans la mollesse (σπαταλῶσα) est un mort vivant ' (*I Tim.* 5, 6). »

29, 23 *L'insolence humilie l'homme,*
mais le Seigneur soutient les humbles en esprit par sa gloire

367. Maintenant il nomme « insolence » de l'âme raisonnable la malice.

29, 24 [1] < ὃς μερίζεται κλέπτῃ μισεῖ τὴν ἑαυτοῦ ψυχήν >

368. « Ὁ κλέπτης, φησίν, οὐκ ἔρχεται εἰ μὴ ἵνα κλέψῃ καὶ θύσῃ καὶ ἀπολέσῃ [a]. »

a. Jn 10, 10
Adest in A.

29, 24 [2] < ἐὰν δὲ ὅρκου προτεθέντος ἀκούσαντες μὴ ἀναγγείλωσιν,
25 [1]   φοβηθέντες καὶ αἰσχυνθέντες ἀνθρώπους ὑποσκελισθήσονται >

369. Ὅρκον εἶπε τὸν νόμον· ὥσπερ γὰρ ὁ ὅρκος τίθησι θεὸν ἐν ψυχῇ, οὕτω καὶ ὁ νόμος εἰσάγει θεὸν εἰς ψυχήν· καὶ ὃν τρόπον πάλιν ἀναιρεῖ ἡ ἐπιορκία θεὸν ἐκ ψυχῆς, οὕτω καὶ παρανομία ἐκβάλλει θεὸν ἀπ᾽ αὐτῆς. Ἐὰν οὖν, φησίν,
5 νόμου τεθέντος ἀκούσαντες μὴ ἐξαγορεύσωσιν ἑαυτῶν τὰς ἁμαρτίας, « φοβηθέντες καὶ αἰσχυνθέντες ἀνθρώπους ὑποσκελισθήσονται ». Οὕτω φησὶ καὶ ὁ Δαυίδ· « ὤμοσα καὶ ἔστησα τοῦ φυλάξασθαι τὰ κρίματα τῆς δικαιοσύνης σου [a]. » Καὶ πάλιν ὁ Σολομών φησιν· « ὁ ἐπικαλύπτων ἀσέβειαν
10 ἑαυτοῦ οὐκ εὐοδωθήσεται· ὁ δὲ ἐξηγούμενος καὶ ἐλέγχων ἀγαπηθήσεται [b]. » Καὶ ὁ Δαυίδ· « εἶπα, φησίν, ἐξαγορεύσω κατ᾽ ἐμοῦ τὴν ἀνομίαν μου τῷ κυρίῳ καὶ σὺ ἀφῆκας τὴν ἀσέβειαν τῆς καρδίας μου [c] »· καὶ « λέγε σὺ πρῶτος τὰς ἀνομίας σου [d]. »

a. Ps. 118, 106   b. Prov. 28, 13   c. Ps. 31, 5   d.
Is. 43, 26

AB. — 2 εἰς ψυχήν B IKMN Z : ἐν ψυχῇ A ‖ 5 ἀκούσαντες μὴ ἐξαγορεύσωσιν Z : ἀκούσωσι μὴ ἐξαγορεύσωσιν AB post ἀκούσωσι add. καὶ Tisch. ‖ 7 φησὶ B Z : δὴ A ‖ 9-11 καὶ — ἀγαπηθήσεται A : om. B ‖ 11 φησίν ante εἶπα transp. B ‖ 13-14 καὶ — σου A : om. B ‖ post τὰς ἀνομίας [ἁμαρτίας Z] σου add. ἵνα δικαιωθῇς IK Z.

29, 24 [1] *Celui qui partage avec un voleur hait sa propre âme*

368. « Le voleur, est-il dit, ne vient que pour voler, égorger et faire périr [a]. »

29, 24 [2] *S'ils entendent le serment prononcé et ne disent rien,*
     25 [1] *par crainte ou par égard pour les hommes, ils trébucheront*

369. Il a appelé « serment » la loi ; car de même que le serment établit Dieu dans l'âme, de même la loi l'y introduit, et de même que le faux serment enlève Dieu de l'âme, de même la transgression de la loi l'en expulse. Il veut donc dire ceci : « S'ils entendent » la loi qui a été promulguée et ne confessent pas leurs propres péchés, « par crainte ou par égard pour les hommes, ils trébucheront. » C'est ainsi que David dit : « J'ai prêté serment et j'ai fixé de garder les décisions de ta justice [a]. » Salomon dit également : « Celui qui cache son impiété ne prospérera pas, mais celui qui l'expose et la blâme sera aimé [b]. » David dit encore : « J'ai dit : Je confesserai contre moi mon iniquité au Seigneur, et toi, tu as pardonné l'impiété de mon cœur [c] », et (Isaïe) : « Avoue, toi le premier, tes iniquités [d]. »

Lignes 4-14. Petit dossier scripturaire sur la confession des péchés. Il n'y a pas lieu de compléter la citation d'*Is.* 43, 26, comme l'ont fait Procope et la chaîne vaticane, car Évagre cite également ce verset dans la scholie 3 *ad Ps.* 31, 5, sans l'addition de ἵνα δικαιωθῇς.

PROCOPE : "Η καὶ ὅρκον λέγει τὸν νόμον· ἑκάτερον γὰρ εἰσάγει
θεὸν εἰς ψυχήν, ὥσπερ οὖν ἐπιορκία τε καὶ παρανομία θεὸν ἐκ ταύτης
ἐκβάλλει. Δεῖ οὖν νόμου κειμένου τὰς ἁμαρτίας ἐξαγορεύειν. Ἔφη
γὰρ ἤδη· « ὁ ἐπικαλύπτων ἀσέβειαν αὐτοῦ οὐκ εὐοδωθήσεται· ὁ δὲ
5 ἐξηγούμενος καὶ ἐλέγχων ἀγαπηθήσεται [b].» Καὶ ὁ Δαυίδ· « εἶπα,
φησίν, ἐξαγορεύσω κατ' ἐμοῦ τὴν ἀνομίαν μου τῷ κυρίῳ καὶ σὺ
ἀφῆκας τὴν ἀσέβειαν τῆς καρδίας μου [c]»· καὶ « λέγε σὺ πρῶτος τὰς
ἀνομίας σου, ἵνα δικαιωθῇς [d].»

IK MN. — Εὐαγρίου I Anon. K MN. — 3 ἐξαγορεύειν
hic des. N ‖ 5 ἀγαπηθήσεται hic des. M.

29, 26 < πολλοὶ θεραπεύουσι πρόσωπα ἡγουμένων·
παρὰ δὲ κυρίου γίνεται τὸ δίκαιον ἀνδρί >

370. Ἐν τῷ κατορθοῦν θεραπεύομεν τοὺς ἀγγέλους·
αὐτοὶ γάρ εἰσιν οἱ ἡγούμενοι ἡμῶν ἀπ' ἀρχῆς λαβόντες
ἡμᾶς, « ὅτε διεμέριζεν ἔθνη ὁ ὕψιστος » καὶ « ἔστησεν
ὅρια ἐθνῶν κατὰ ἀριθμὸν ἀγγέλων αὐτοῦ [a] ». Τὸ δὲ ἐκ
5 τῆς κρίσεως δίκαιον ὑπάρξει ἡμῖν παρὰ τοῦ κυρίου ἐν
ἐκείνῃ τῇ ἡμέρᾳ ὅτε κρινεῖ τὴν οἰκουμένην ἐν δικαιοσύνῃ [b],
εἴγε πᾶσαν τὴν κρίσιν ὁ πατὴρ δέδωκε τῷ υἱῷ [c].

a. Deut. 32, 8   b. Cf. Act. 17, 31   c. Cf. Jn 5, 22

AB. — 2-3 λαβόντες ἡμᾶς A : om. B ‖ 3 διεμέριζεν A : -σεν
B ‖ 4 αὐτοῦ A : θεοῦ B ‖ 6 δικαιοσύνη A : -σύνῃ B.

PROCOPE : Ἤγουν ἐν τῷ κατορθοῦν θεραπεύομεν τοὺς ἀγγέλους·
αὐτοὶ γὰρ ἡγοῦνται ἡμῶν λαχόντες ἡμᾶς, « ὅτε διεμέριζεν ὁ ὕψιστος
ἔθνη [a] ». Τό γε μὴν ἐκ τῆς κρίσεως δίκαιον ὑπάρξει ἡμῖν παρὰ τοῦ
κυρίου, ὅτε κρινεῖ τὴν οἰκουμένην ἐν δικαιοσύνῃ [b], εἴγε τὴν κρίσιν
5 πᾶσαν ὁ πατὴρ δέδωκε τῷ υἱῷ [c].

IK. — Εὐαγρίου. — 4 κρινεῖ I : κρίνει K.

29, 26 *Beaucoup vénèrent les visages des guides,*
     mais c'est du Seigneur que vient la justice pour
     l'homme

370. C'est en pratiquant la vertu que nous « vénérons »
les anges ; ce sont en effet les « guides » auxquels nous avons
été confiés dès l'origine, « quand le Très-Haut divisa les
nations [a] » et quand « il plaça les limites des nations suivant
le nombre de ses anges [a] ». La « justice » qui vient du
jugement, nous la recevrons « du Seigneur », le jour où il
jugera la terre entière avec justice [b], car « le Père a remis
tout le jugement au Fils [c] ».

Lignes 1-4. Cf. schol. *ad Eccl.* 5, 7-8 : « Que le Seigneur ait confié
ce monde aux anges, Moïse le montre, en disant : ' Quand le Très-Haut
divisa les nations ', de la même façon qu'il dispersa les fils d'Adam,
' il plaça les limites des nations suivant le nombre des anges de
Dieu '... » (*Coislin 193,* f. 25ᵛ-26ʳ). Évagre semble reprendre à son
compte la doctrine des anges des nations dont le fondement scripturaire est *Deut.* 32, 8 (sur cette doctrine chez Origène et ses origines,
voir J. Daniélou, *Origène,* Paris 1948, p. 222-235).

Lignes 4-7. Sur le jugement exercé par le Christ, voir l'Introduction,
p. 52.

462 PROVERBES 31, 10.11.13

31, 10 ¹ < γυναῖκα ἀνδρείαν τίς εὑρήσει; >

371. 'Ανδρεία ἐστὶν ἕξις ἀρίστη λογικῆς ψυχῆς, καθ' ἥν τῶν ἀντικειμένων αὐτῇ κεκράτηκεν ἐχθρῶν.

Adest in AB.

PROCOPE : Καὶ ἄλλως. 'Ανδρεία ἐστὶν ἕξις ἀρίστη λογικῆς ψυχῆς, καθ' ἥν αὕτη κεκράτηκε τῶν ἀντικειμένων ἐχθρῶν.

IK. — Εὐαγρίου.

31, 11 ² < ἡ τοιαύτη καλῶν σκύλων οὐκ ἀπορήσει >

372. Νικήσαντες τὴν ἀντικειμένην δύναμιν σκυλεύομεν αὐτὴν τοὺς περὶ αὐτῆς λόγους μανθάνοντες.

Adest in A.

PROCOPE : ... ἥν μετὰ νίκην σκυλεύομεν τοὺς περὶ αὐτῆς λόγους μανθάνοντες.

IK. — Hoc scholion cum scholio 371 concatenaverunt codd.

31, 13 < μηρυομένη ἔρια καὶ λίνον ἐποίησεν εὔχρηστα ταῖς χερσὶν αὐτῆς >

373. Μηρύεται ἔρια καὶ λίνον ψυχὴ τοὺς περὶ ἐμψύχων καὶ ἀψύχων λόγους γυμνάζουσα ἢ τοὺς περὶ πρακτικῆς καὶ φυσικῆς ἐξετάζουσα λόγους. Ἔλεγε δέ τις ὅτι μηρύεται ἔρια καὶ λίνον ψυχὴ τὴν περὶ σωμάτων καὶ ἀσωμάτων
5 θεωρίαν διὰ τῆς πρακτικῆς ἕλκουσα πρὸς αὐτήν.

A. — 4 σωμάτων IKMH Z Tisch. : σώματος A ‖ 5 θεωρίαν
IKMN Z Tisch. : -ριῶν A.

3I, 10 [1] *La femme courageuse, qui la trouvera?*

371. Le courage est l'état excellent qui est celui de l'âme raisonnable lorsqu'elle a dominé les ennemis qui s'opposaient à elle.

Sur le courage, voir *Pratique* 89 : « ... Ne pas craindre les ennemis et tenir ferme, vaillamment, devant les dangers, c'est le fait de la persévérance et du courage... » (trad. A. et Cl. Guillaumont).

3I, 11 [2] *Une telle femme ne manquera pas de belles dépouilles*

372. Quand nous avons vaincu la puissance adverse, nous la « dépouillons » en apprenant les raisons qui la concernent.

Cf. *Pratique* 83 : « L'intellect, tant qu'il fait la guerre contre les passions, ne contemplera pas les raisons de la guerre, car il ressemble à celui qui combat dans la nuit ; mais quand il aura acquis l'impassibilité, il reconnaîtra facilement les manœuvres des ennemis » (trad. A. et Cl. Guillaumont).

3I, 13 *En retordant la laine et le lin, elle fait œuvre utile pour ses mains*

373. Elle « retord la laine et le lin » l'âme qui médite les raisons concernant les êtres animés et inanimés ou qui examine les raisons concernant la pratique et la physique. Quelqu'un disait : Elle « retord la laine et le lin » l'âme qui par la pratique attire à elle la contemplation des corps et des incorporels.

PROCOPE : Καὶ ἄλλως. Μηρύεται ἔριον καὶ λίνον ψυχὴ τοὺς περὶ ἐμψύχων καὶ ἀψύχων λόγους γυμνάζουσα ἢ τοὺς περὶ πρακτικῆς καὶ φυσικῆς. Ἔλεγε δέ τις ὅτι μηρύεται ἔριον καὶ λίνον ψυχὴ τὴν περὶ σωμάτων καὶ ἀσωμάτων θεωρίαν διὰ τῆς πρακτικῆς ἕλκουσα πρὸς 5 αὐτήν.

IK MN. — Εὐαγρίου IK Anon. MN. — 1 Καὶ ἄλλως IK N : om. M ‖ 2 καὶ ἀψύχων K MN : om. I ‖ 2-5 καὶ φυσικῆς. Ἔλεγε — αὐτήν IK : καὶ φυσικῆς ἢ [ἢ M] τὴν περὶ σωμάτων — πρακτικῆς [καὶ φυσικῆς ἢ — πρακτικῆς iteravit M] ἕλκουσα πρὸς αὐτήν MN ‖ 4 καὶ ἀσωμάτων sup. l. K.

31, 15 [1-2] < καὶ ἀνίσταται ἐκ νυκτῶν
καὶ ἔδωκε βρώματα τῷ οἴκῳ >

374. Τὴν ἐκ νυκτὸς ἀνισταμένην ψυχὴν ἐγρηγορυῖαν εὑρίσκει ὁ τῆς δικαιοσύνης ἥλιος [a], πάντως δὲ καὶ προσευχομένην, ἵνα μὴ ἐμπέσῃ εἰς πειρασμόν [b] · σπεύδει γὰρ καὶ αὐτὴ εἰπεῖν τὸ « ἠγρύπνησα καὶ ἐγενόμην ὡς στρουθίον 5 μονάζον ἐπὶ δώματι [c] ».

a. Cf. Mal. 3, 20   b. Cf. Matth. 26, 41   c. Ps. 101, 8
Adest in A.

PROCOPE : Καὶ ἄλλως. Τὴν νυκτὸς ἀνισταμένην ψυχὴν γρηγοροῦσαν εὑρίσκει ὁ τῆς δικαιοσύνης ἥλιος [a], πάντως δὲ καὶ προσευχομένην, ἵνα μὴ ἐμπέσῃ εἰς πειρασμόν [b] · σπεύδει γὰρ εἰπεῖν καὶ αὐτή · « ἠγρύπνησα καὶ ἐγενόμην ὡς στρουθίον μονάζον ἐπὶ δώματι [c]. »

IK MN. — Εὐαγρίου I Anon. K MN. — 1 Καὶ ἄλλως IK : ἢ καὶ MN ‖ 2 ὁ τῆς δικαιοσύνης ἥλιος K M : ὁ ἥλιος τῆς δικαιοσύνης I ὁ κύριος N ‖ 3 εἰς πειρασμόν ante ἐμπέσῃ transp. IK ‖ πειρασμόν hic des. MN ‖ αὐτή I : αὕτη K ‖ 4 ὡς I : ὡσεὶ K ‖ δώματι I : -τος K.

31, 18 < ἐγεύσατο δὲ ὅτι καλόν ἐστιν τὸ ἐργάζεσθαι
καὶ οὐκ ἀποσβέννυται ὅλην τὴν νύκτα ὁ λύχνος
αὐτῆς >

Γυμνάζειν τοὺς λόγους περί... cf. *Gnostique* 48 : Τοὺς περὶ προνοίας καὶ κρίσεως κατὰ σαυτὸν ἀεὶ γύμναζε λόγους, φησὶν ὁ μέγας καὶ γνωστικὸς διδάσκαλος Δίδυμος... (texte grec donné par l'historien SOCRATE, *H.E.* IV, 23, [*PG* 67, 520 C]). Nous n'avons pas réussi à identifier la citation des lignes 3-5.

31, 15 [1-2]   *Elle se relève la nuit*
            et donne la nourriture à sa maisonnée

374. Le soleil de justice [a] trouve l'âme qui « se relève la nuit » éveillée et priant aussi nécessairement pour ne pas tomber en tentation [b]. Car elle aussi désire vivement dire : « J'ai veillé et je suis devenue semblable à un moineau solitaire sur un toit [c]. »

Cf. schol. 74.

31, 18   *Elle a goûté combien il était bon de travailler,*
          et de toute la nuit sa lampe ne s'éteint pas

375. Λύχνος ἐστὶ νοῦς καθαρὸς πνευματικῆς θεωρίας πεπληρωμένος.

Adest in AB.

PROCOPE : Λύχνος δέ ἐστι νοῦς καθαρὸς πνευματικῆς θεωρίας πεπληρωμένος.

IK MN. — Εὐαγρίου IK Anon. MN. — 1 νοῦς IK N : om. M.

31, 19 < τὰς χεῖρας αὐτῆς ἐκτείνει ἐπὶ τὰ συμφέροντα · τοὺς δὲ πήχεις αὐτῆς ἐρείδει εἰς ἄτρακτον >

376. Ἄτρακτός ἐστι νοῦς καθαρὸς συμπλέκων ἀρετὴν ἀρετῇ καὶ δόγματι δόγμα ἢ λόγος προφορικὸς ἕλκων ἀπὸ τοῦ νοῦ πνευματικὴν θεωρίαν.

AB. — 2 λόγος προφορικὸς A : λόγον προφορικὸν B.

PROCOPE : Ἄτρακτός ἐστι νοῦς καθαρὸς συμπλέκων ἀρετὴν ἀρετῇ καὶ δόγμασι δόγματα ἢ λόγος προφορικὸς ἕλκων ἀπὸ τοῦ νοῦ πνευματικὴν θεωρίαν.

IK MN. — <Εὐαγρίου> IK Anon. M Hoc scholion cum scholio 375 concatenavit N. — 1 post Ἄτρακτος add. δὲ N ‖ συμπλέκων IK : ἐπιπλέκων N ἐπιπλέκτων M ‖ ante ἀρετῇ add. ἐπ᾽ MN ‖ 2 προφορικὸς MN : πνευματικὸς IK.

31, 21 < οὐ φροντίζει τῶν ἐν οἴκῳ ὁ ἀνὴρ αὐτῆς, ὅταν που χρονίζῃ · πάντες γὰρ οἱ παρ᾽ αὐτῆς ἐνδιδύσκονται >

377. Οὐκ ἂν προέλθοι ὁ νοῦς οὐδ᾽ ἐν τῇ θεωρίᾳ γένοιτο τῶν ἀσωμάτων μὴ τὰ ἔνδον διορθωσάμενος · ἡ γὰρ ταραχὴ τῶν οἰκείων ἐπιστρέφειν αὐτὸν εἴωθε πρὸς τὰ ἀφ᾽ ὧν ἐξελήλυθεν. Ἀπάθειαν δὲ κτησάμενος χρονίσει τε ἐν τῇ

AB. — 4 δὲ B Z : τε A.

375. La « lampe » est l'intellect pur rempli de contemplation spirituelle.

La lampe symbolise l'intellect ; cf. schol. 127 et *Lettre* 28 : « J'appelle lampe l'intellect fait pour recevoir la lumière bienheureuse... » (p. 584, l. 24).

3I, 19 *Elle étend les mains vers ce qui est utile*
  et elle appuie les bras sur le fuseau

376. Le « fuseau » est l'intellect pur qui lie une vertu à une autre ou une doctrine à une autre; ou bien la parole qui expose la contemplation spirituelle qu'elle tire de l'intellect.

Parole exprimée (λόγος προφορικός) que les stoïciens distinguent de la parole intérieure (λόγος ἐνδιάθετος), voir *SVF* II, nᵒ 135, p. 43, l. 18-20 (texte repris sous le nᵒ 223, p. 74). Autre mention de cette « parole exprimée », chez Évagre : *Pensées* 27 (*PG* 79, 1232 B).

3I, 21 *Son mari ne se soucie pas de ceux qui sont à la*
   maison quand il s'attarde quelque part,
  car tous ceux qui sont chez elle sont vêtus

377. L'intellect ne pourra avancer ni parvenir à la contemplation des incorporels tant qu'il n'aura pas corrigé son intérieur, car le trouble domestique le fait habituellement retourner à ce dont il était sorti. Mais quand il possédera l'impassibilité, « il s'attardera » dans la contem-

5 θεωρίᾳ καὶ οὐ φροντίσει τῶν ἐν οἴκῳ · ἐνδέδυται γὰρ θυμὸς
μὲν πραΰτητα καὶ ταπεινοφροσύνην, ἐπιθυμία δὲ σωφροσύνην
καὶ ἐγκράτειαν.

PROCOPE : Καὶ ἄλλως. Οὐκ ἂν ὁ νοῦς προέλθοι πρὸς θεωρίαν τῶν
ἀσωμάτων μὴ τὴν ψυχὴν καταστήσας, ἵνα μὴ ταραχθεὶς ὑποστρέψῃ.
'Απάθειαν οὖν κτησάμενος ἐγχρονίσει τῇ θεωρίᾳ θαρρῶν · ἐνδέδυται
γὰρ ὁ θυμὸς μὲν πραότητα καὶ ταπεινοφροσύνην, ἐγκράτειαν δὲ καὶ
5 σωφροσύνην ἡ ἐπιθυμία.

IK. — Εὐαγρίου.

Lignes 1-4. Cette partie correspond, à quelques détails près, à
Pratique 61 dont on retrouve également certains éléments dans
Exhortation II, 4-5 (n⁰ 12-13 de l'éd. Muyldermans, p. 201-202). Sur les
problèmes de chronologie que pose la reprise de ce texte, voir l'Intro-

---

31, 22 < δισσὰς χλαίνας ἐποίησεν τῷ ἀνδρὶ αὐτῆς ·
ἐκ δὲ βύσσου καὶ πορφύρας ἑαυτῇ ἐνδύματα >

378. Γῆς καὶ θαλάσσης οἱ λόγοι ἐνδύματά εἰσι ψυχῆς
λογικῆς ἐκ βύσσου καὶ πορφύρας. "Αλλος δέ τις ἐρεῖ τὴν
θεωρίαν τῶν γεγονότων καὶ τὴν θεωρίαν τῆς ἁγίας τριάδος
ἔνδυμα εἶναι νοῦ καθαροῦ ἐκ βύσσου καὶ πορφύρας.

Adest in A.

PROCOPE : Καὶ ἄλλως. Γῆς καὶ θαλάσσης οἱ λόγοι ἐνδύματά εἰσι
ψυχῆς λογικῆς ἢ καὶ τῆς ἁγίας τριάδος καὶ τῶν γεγονότων ἡ θεωρία.

IK MN. — Εὐαγρίου IK Anon. MN. — 1 Καὶ ἄλλως
IK : ἢ MN ‖ καὶ² IK M : om. N.

Le vêtement de byssus (textile tiré d'une plante, le lin) symbolise
les *logoi* de la terre, le vêtement de pourpre (teinture extraite d'un
coquillage marin, le murex) symbolise les *logoi* de la mer. L'interprétation d'Évagre dépend sans doute de l'interprétation philonienne

plation et « ne se souciera pas de ceux qui sont à la maison »,
car sa partie irascible « est vêtue » de douceur et d'humilité
et sa partie concupiscible de continence et d'abstinence.

duction, p. 21, n. 1, et pour le commentaire, A. et Cl. GUILLAUMONT,
Traité pratique, p. 642-643.

Lignes 4-7. La citation est suivie du commentaire proprement dit,
dans lequel tous les mots importants du lemme biblique sont repris.
Sur les vertus propres à chacune des parties de l'âme, voir surtout
Pratique 89 (avec note d'A. et Cl. GUILLAUMONT, p. 681-683), mais
aussi les scholies 36, 234, 258 et 363. La σωφροσύνη et l'ἐγκράτεια
sont très précisément la continence sexuelle et l'abstinence alimen-
taire. La première s'oppose à la luxure (*Des vices opposés aux vertus* 2,
PG 79, 1141 C ; *Pratique* 58 ; schol. 1 *ad Ps.* 45, 2) ou à l'intempérance
(schol. 157) et la seconde à la gourmandise (*Des vices opposés aux
vertus* 2, *ibid.*, 1141 A-B ; schol. 1 *ad Ps.* 45, 2).

31, 22 *Elle fait à son mari des manteaux doubles
et pour elle-même des vêtements de byssus et de
pourpre*

378. Les raisons de la terre et de la mer sont « les vêtements de byssus et de pourpre » de l'âme raisonnable.
On pourra dire d'une autre façon que la contemplation
des êtres et celle de la sainte Trinité sont « le vêtement
de byssus et de pourpre » de l'intellect pur.

des quatre étoffes du tabernacle (cf. *Ex.* 26, 1), selon laquelle le
byssus, l'hyacinthe, la pourpre et l'écarlate figurent respectivement
la terre, l'air, l'eau (ou la mer), et le feu. Évagre a pu lire cette
exégèse chez Clément d'Alexandrie ou chez Origène (réf. données
par M. BORRET, dans son éd. des *Hom. sur l'Exode*, SC 321, Paris
1985, p. 388-389, n. 4, où il faut lire *Strom.* 5, 32, 3). Ἄλλος δέ τις
ἐρεῖ introduit une seconde interprétation, et non une citation
d'auteur.

31, 24 < σινδόνας ἐποίησεν καὶ ἀπέδοτο,
περιζώματα δὲ τοῖς Χαναναίοις >

379. Ἡ φανεῖσα σινδὼν ἐπὶ τοῦ δώματος Πέτρῳ [a]
σύμβολον ἦν τοῦ κόσμου τοῦ αἰσθητοῦ · τὰ γὰρ ἐν αὐτῇ
περιεχόμενα ζῷα τὰ διάφορα ἤθη τῶν ἀνθρώπων ἐδήλου
καθαρισθέντα τῷ σταυρῷ τοῦ Χριστοῦ. Εἰ οὖν ἡ μία σινδὼν
5 τὸν κόσμον τοῦτον ἐσήμαινεν, μήποτε αἱ πλείους σινδόνες
τὴν περὶ διαφόρων κόσμων περιέχουσι θεωρίαν, ἣν ἡ καθαρὰ
ψυχὴ θεωρήσασα καὶ ἄλλοις μετέδωκεν. Εἰ δὲ οἱ Χαναναῖοι
ταπεινοὶ ἑρμηνεύονται, καλῶς οὐ τοῖς ταπεινοῖς τὴν διάνοιαν
ἀπέδοτο τὰς σινδόνας, ἀλλὰ καθαροῖς μὲν τὰς σινδόνας,
10 τοῖς δὲ Χαναναίοις περιζώματα, ἅπερ πρακτικῆς ἐστι
σύμβολα τὸ παθητικὸν μέρος τῆς ψυχῆς περισφίγγοντα.

a. Cf. Act. 10, 9

AB. — 1 ante Πέτρῳ add. τῷ B ‖ 5 ἐσήμαινεν A : ἐσήμανε B ‖
μήποτε A : μήπω B ‖ 6 κόσμων A : κόσμον B ‖ 8 post ταπεινοῖς add. τὸν νοῦν B ‖ 11 σύμβολα A : -λον B.

PROCOPE : Καὶ ἄλλως. Ἡ φανεῖσα σινδὼν ἐπὶ τοῦ δώματος Πέτρῳ [a]
σύμβολον ἦν τοῦ κόσμου τοῦ αἰσθητοῦ, ἀνθρώπων ἤθη διάφορα περιέχουσα καθαρισθέντα τῷ σταυρῷ τοῦ σωτῆρος. Εἰ δὲ ὁ παρὼν κόσμος
ἡ μία σινδών, μήποτε αἱ πλείους τὴν περὶ διαφόρων κόσμων περιέ-
5 χουσι θεωρίαν, ἣν ἡ καθαρὰ ψυχὴ θεωρήσασα καὶ ἄλλοις μετέδωκεν.

I MN. — Εὐαγρίου I   Anon. MN. — 1 Καὶ ἄλλως I : ἄλλως
M καὶ N ‖ post φανεῖσα add. δὲ N ‖ ἐπὶ τοῦ δώματος [δώμα-
τος M] I M : om. N ‖ 2-3 περιέχουσα I N : ἔχουσα M ‖ 3 σωτῆρος I M : Χριστοῦ N ‖ 4 ἡ I : om. MN.

PROCOPE : Εἰ δὲ οἱ Χαναναῖοι ταπεινοὶ ἑρμηνεύονται, καλῶς οὐ
τοῖς ταπεινοῖς τὴν διάνοιαν ἀπέδοτο τὰς σινδόνας, ἀλλὰ καθαροῖς,
Χαναναίοις δὲ περιζώματα, ἅπερ πρακτικῆς ἐστι σύμβολα τὸ παθητικὸν
μέρος τῆς ψυχῆς περισφίγγοντα.

I MN. — <Εὐαγρίου> I   Anon. MN. — 1 δὲ I : om. MN ‖
οὐ I N : ὁ M ‖ 2 τὴν διάνοιαν : verba sequentia legere nequii
in I.

31, 24 *Elle fait des draps et les vend,
et aussi des ceintures pour les Chananéens*

379. Le drap qui était apparu à Pierre sur la terrasse [a]
était le symbole du monde sensible, car les animaux qu'il
contenait révélaient les diverses mœurs des hommes,
purifiées par la croix du Christ. Si donc un seul drap
désignait ce monde-ci, peut-être que plusieurs « draps »
contiennent la contemplation des divers mondes que l'âme
pure communique à d'autres, une fois qu'elle a contemplé.
Si le mot « Chananéen » est traduit par humble, elle fait
bien de ne pas « vendre ses draps » aux humbles en esprit,
mais de « vendre les draps » aux purs et les « ceintures »
aux « Chananéens », car les « ceintures » qui serrent la partie
passionnée de l'âme sont des symboles de la pratique.

Lignes 1-4. Même exégèse de la vision de Pierre dans *KG* IV, 46 :
« Les ' quatre coins ' signifient les quatre éléments, ' l'objet ' qui
est apparu signifie le monde épais, et ' les animaux ' variés sont
les symboles des ordres des hommes : et c'est là ce qui est apparu
à Pierre sur le toit » (trad. A. Guillaumont).

Lignes 4-7. Évagre tire argument du pluriel pour voir dans ces
« draps » les différents mondes : angélique, humain et démoniaque.
La « vente » symbolise l'enseignement auquel les gnostiques ne
doivent pas se dérober : cf. schol. 130 et 269.

Lignes 7-11. Nouveau recours à l'herméneutique des noms hébreux,
comme dans la scholie 153. Si les draps symbolisent la contemplation
des divers mondes, la ceinture symbolise la *praktikè* : cf. *Pratique*,
Prologue [5] (avec note d'A. et Cl. GUILLAUMONT, p. 489).

31, 27 ¹ < στεγναὶ διατριβαὶ οἴκων αὐτῆς >

380. Εἰ ὁ διάβολος « βασιλεύς » ἐστι « πάντων τῶν ἐν τοῖς ὕδασι ᵃ » καὶ « δι᾽ ἀνύδρων τόπων ἀνάπαυσιν οὐχ εὑρίσκει ᵇ », καλῶς τῆς καθαρᾶς ψυχῆς στεγναὶ αἱ διατριβαὶ λέγονται εἶναι.

a. Job 41, 26   b. Matth. 12, 43

AB. — 2 ἀνάπαυσιν post εὑρίσκει transp. B ǁ 4 εἶναι A : om. B.

31, 27 ² < σῖτα δὲ ὀκνηρὰ οὐκ ἔφαγεν >

381. Σῖτα ὀκνηρὰ τὰς κακίας εἶναί φασιν.

Adest in AB.

PROCOPE : Καὶ ἄλλως. Σῖτα ὀκνηρὰ τὰς κακίας φησίν.

I MN. — Anon. — Καὶ ἄλλως I : ἢ [ἢ M] καὶ MN ǁ κακίας I M : καρδίας N.

31, 30 ²⁻³ < γυνὴ γὰρ συνετὴ εὐλογεῖται˙
φόβον δὲ κυρίου αὕτη αἰνείτω >

382. Εἰ « ἀρχὴ σοφίας φόβος κυρίου ᵃ », δικαίως ἡ τυχοῦσα τῆς σοφίας ψυχὴ αἰνεῖ τὸν φόβον κυρίου, ὅστις γέγονεν αὐτῇ τῆς τοιαύτης γνώσεως πρόξενος.

a. Prov. 1, 7
Adest in A.

PROCOPE : Εἰ « ἀρχὴ σοφίας φόβος κυρίου ᵃ », δικαίως ἡ τυχοῦσα τῆς σοφίας ψυχὴ αἰνεῖ τὸν φόβον τοῦ κυρίου, ὅστις γέγονεν αὐτῇ τῆς τοιαύτης γνώσεως πρόξενος.

IK MN. — Εὐαγρίου K Anon. I MN. — 2 αὐτῇ IK N : αὐτὴ M.

31, 27 [1]   *Les séjours de sa maison sont couverts*

380. Si le diable est « le roi de tous les êtres qui vivent dans les eaux [a] » et que « par les lieux sans eau il ne trouve pas de repos [b] », il est dit avec raison que « les séjours » de l'âme pure « sont couverts ».

Cf. schol. 227.

31, 27 [2]   *Et elle ne mange pas les pains de la paresse*

381. On dit que « les pains de la paresse » sont les vices.

31, 30 [2-3]   *Car la femme intelligente est bénie ;*
qu'elle célèbre la crainte du Seigneur !

382. Si « la crainte du Seigneur est le commencement de la sagesse [a], l'âme qui possède la sagesse a raison de « célébrer la crainte du Seigneur » qui lui a procuré une telle science.

Cf. schol. 20 : « Alors tu comprendras comment la crainte du Seigneur est le commencement de la sagesse et comment elle procure la science de Dieu... ».

11, 29 < ὁ μὴ συμπεριφερόμενος τῷ ἑαυτοῦ οἴκῳ κληρονομήσει ἄνεμον,
δουλεύσει δὲ ἄφρων φρονίμῳ >

Ἐγκώμιον τοῦτο τοῦ ἄφρονος. Πᾶς φαῦλος ἄφρων,
πᾶς ἄφρων δοῦλος, πᾶς ἄρα φαῦλος δοῦλος.

IK. — Εὐαγρίου.

14, 20 < φίλοι μισήσουσιν φίλους πτωχούς,
φίλοι δὲ πλουσίων πολλοί >

Ἀγαπῶσι γὰρ οἱ ἅγιοι ἄγγελοι τοὺς ἁγίους διὰ τὰς
ἀρετάς · τοὺς δὲ ἁμαρτωλοὺς μισοῦσι διὰ τὴν τούτων πενίαν.

Scholies supplémentaires (?)

Scholie tirée de l'Épitomé de Procope

11, 29 *Celui qui ne se tient pas autour de sa maison héritera*
du vent,
et l'insensé sera l'esclave de celui qui est sensé

Voilà l'éloge de l'insensé. Tout vaurien est insensé et tout insensé esclave, tout vaurien est donc esclave.

Scholie attestée seulement par le codex Iviron 555
(f. 253ʳ)

14, 20 *Les amis haïssent leurs amis pauvres,*
mais les amis des riches sont nombreux

Les saints anges, en effet, aiment les saints pour leurs vertus, mais ils « haïssent » les pécheurs parce qu'ils manquent de vertus.

APPENDICES

LE TEXTE BIBLIQUE DU MANUSCRIT DE PATMOS

Comme nous l'avons indiqué plus haut (Introd., p. 23) le texte biblique donné par le ms. de Patmos, à partir de *Prov.* 9, 12a (f. 198[v]), est un texte hexaplaire qui, en définitive, remonte au travail d'édition effectué par Eusèbe et Pamphile, dans le cadre de la bibliothèque de Césarée.

Versets cités

9, 12a[1], 12b[1], 12c[3], 13[2], 17[1], 18a[1], 18c[2].

10, 2[1], 3[2], 17[2], 18[1], 24[2], 27[1], 30[1], 32[2].

11, 14[1], 15[2], 17[2], 21[1], 26[1], 27[1], 30[1].

12, 2[2].

13, 22[2].

14, 7[2], 9[1], 14[2], 18[2].

15, 6[1], 10[2], 15[2], 24[1], 28a[2].

16, 10[1], 14[1], 16[1], 17[4], 22[2], 23[2], 28[1], 30[3], 33[1].

17, 2[1], 4[1-2], 6a[1], 7[1], 9[1], 13[1], 14[1], 15[1], 16[1], 16a[2], 17[2], 17[3], 20[2], 23, 21[3], 24[2], 25[2], 26[1], 27[1], 28[1].

18, 1[1], 2[1], 5[1], 6[2], 8[1], 8[2], 9, 10[1], 12[1], 13, 14[2], 16[1], 18[1], 21[1], 22[1], 22a[2].

19, 4[1], 5[2], 7[3], 7[6], 10[1], 11, 12[1], 13[2], 14[1], 16[1], 17[2], 19[1], 20[2], 23[1], 24, 26, 27.

20, 1[1], 2[1], 4[2], 7[2], 9a[1], 9b[1], 9c[1], 10 *(bis)*, 12[1], 13[2], 24[2], 25[1], 23[2], 26[1], 27[1].

21, 3, 8[2], 9, 14[1], 16, 19, 20[1], 22[1], 23, 26[1], 31[1].

22, 1[1], 2, 4[1], 5[1], 7[1], 8a[2], 9a[1], 10[1], 11[3], 13, 14[2], 15[2], 16[1], 17[1], 20, 26, 28.

23, 3[1], 3[2], 6[1], 9[1], 10[2], 17[2], 18[1], 21[2], 22[2], 31[1], 31[1-2], 31[3], 31[4], 33, 34[2], 35[3].

24, 6[1], 7, 9[2], 11, 13, 15[1], 17[1], 20[1], 21[1], 22[2], 22c[1], 22d, 22e[2], 22e[3].

30, 2[1], 4[1], 4[2], 4[3], 4[4], 6[1], 8[1], 9[1], 9[2], 10[1].

24, 25[2], 27[1-2], 27[4], 31[3].

30, 17[1-2], 31[2].

31, 5[2], 6[1], 9[2].

25, 2[1], 5, 6[2]-7[1], 8[1], 8[3]-9, 10a[1-2], 10a[3], 11[1], 12, 13[1-2],

15 ², 17 ¹, 19, 20 ², 20a¹⁻², 22 ¹, 23 ², 25 ², 26 ², 28 ².

26, 3, 6, 7, 8, 10, 11, 15, 17, 20 ², 23 ², 25 ¹, 25 ².

27, 7, 8 ², 9 ¹, 10 ¹, 10 ², 10 ³, 13, 18 ¹, 22, 23 ¹, 25 ¹.

28, 3 ¹, 4 ², 7 ², 8, 9, 13, 15, 16 ¹,

17, 17a ³, 19 ¹, 21 ¹, 22 ¹, 28 ¹·

29, 1 ², 2 ², 3 ², 4 ¹, 7 ³, 9 ², 10ᐟ 11 ², 18 ¹, 19 ¹, 21 ¹, 23 ¹, 24 ¹, 24 ², 26 ¹.

31, 10 ¹, 11 ², 13, 15 ¹⁻², 18 ², 19, 21 ¹, 22 ², 24, 27 ¹, 27 ², 30 ²⁻³.

Principales variantes textuelles

Nous avons négligé toutes les variantes qui se retrouvent dans l'un ou l'autre des trois manuscrits onciaux utilisés par Rahlfs pour son édition de la Septante. Un certain nombre de versets sont cités sous une forme tronquée ; nous ne les avons pas signalés dans ce relevé. Les références aux traductions postérieures aux LXX (Aquila, Symmaque, Théodotion, ἄλλος), ainsi que les références à la Syrohexaplaire ont été faites à partir du travail de F. Field *(Origenis Hexapla)*.

10, 18 ¹   ἄδικα (= Symmaque) : δίκαια Rahlfs. Cf. note de l'*Épitomé* de Procope attribuée à Origène : Γράφεται χείλη ἄδικα καὶ οἱ λοιποὶ οὕτως ἡρμήνευσαν...

11, 21 ¹   ἀθ(ωωθήσεται) : ἀτιμώρητος ἔσται Rahlfs.

     26 ¹   δημοκατάρατος (= Théodotion) : ὑπολίποιτο αὐτὸν τοῖς ἔθνεσιν Rahlfs.

     27 ¹   δεκτόν (= ἄλλος) : χάριν ἀγαθήν Rahlfs.

     30 ¹   καρπῶν : καρποῦ Rahlfs.

13, 22 ²   ἁμαρτανόντων (cf. τοῦ ἁμαρτάνοντος d'Aquila) : ἀσεβῶν Rahlfs.

16, 33 ¹   κόλπον : κόλπους Rahlfs.

17, 9 ¹   ἀδίκημα : ἀδικήματα Rahlfs.

     13 ¹   πονηρά : κακὰ Rahlfs.

     14 ¹   δίδωσι : δίδωσιν λόγοις Rahlfs.

     15 ¹   καὶ ἄδικον δὲ : ἄδικον δὲ Rahlfs.

     17 ²   ἔστωσαν χρήσιμοι : χρήσιμοι ἔστωσαν Rahlfs.

     27 ¹   ἐπιστήμων (= Aquila) : ἐπιγνώμων Rahlfs.

18, 8 ¹   ὀκνηρὸν : ὀκνηροὺς Rahlfs.

     9 ¹   ἑαυτοῦ : αὐτοῦ Rahlfs.

     18 ¹   ἀντιλογίαν : ἀντιλογίας Rahlfs.

     21 ¹   χερσὶ : χειρὶ Rahlfs.

     22 ¹   χρηστὴν (= ἄλλος) : ἀγαθὴν Rahlfs.

19, 5² οὐ μὴ διαφύγῃ : οὐ διαφεύξεται Rahlfs.

20² ἐπὶ γήρως (= variante des LXX ; cf. texte de la Syro-hexaplaire) : ἐπ' ἐσχάτων σου Rahlfs.

24¹ χεῖρας αὐτοῦ εἰς τὸν κόλπον : εἰς τὸν κόλπον αὐτοῦ χεῖρας Rahlfs.

24² στόματι αὐτοῦ : στόματι Rahlfs.

26¹ υἱὸς : αὐτοῦ Rahlfs.

26² αἰσχυνθήσεται : καταισχυνθήσεται Rahlfs.

20, 2¹ οὐδὲν : οὐ Rahlfs.

4² δανειζόμενος : καὶ ὁ δανιζόμενος Rahlfs.

10² βδελυκτὰ (sic) (cf. variante hexapl. en marge de la Syro-hexaplaire) : ἀκάθαρτα Rahlfs.

24² ἐννοῆσαι : νοῆσαι Rahlfs.
  ἑαυτοῦ : αὐτοῦ Rahlfs.

21, 3² ἀρεστὸν παρὰ κυρίου : ἀρεστὰ παρὰ θεῷ Rahlfs.

9² ἀηδείας : ἀδικίας Rahlfs.

19² θυμώδους καὶ μαχίμου (cf. texte de la Syro-hexaplaire) : μαχίμου καὶ γλωσσώδους καὶ ὀργίλου Rahlfs.

26¹ ὅλην τὴν ἡμέραν ἐπιθυμεῖ : ἐπ. ὅλ. τ. ἡμ. Rahlfs.

22, 2² ἐποίησεν ὁ κύριος : ὁ κύριος ἐποίησεν Rahlfs.

8a² τῶν ἔργων : ἔργων Rahlfs.

9a¹ τὰ δῶρα : δῶρα Rahlfs.

10¹ λοιμὸν ἐκ συνεδρίου : ἐκ συν. λοιμὸν Rahlfs

16¹ πτωχὸν : πένητα Rahlfs.

17¹ παράβαλε σὸν οὖς λόγοις σοφῶν : λόγοις σοφῶν παράβαλλε σὸν οὖς Rahlfs.

20² ἐν βουλῇ καὶ γνώσει : εἰς βουλὴν καὶ γνῶσιν Rahlfs.

23, 9¹ μηθὲν : μηδὲν Rahlfs.

17² ἀλλ' ἢ : ἀλλὰ Rahlfs.

18¹ πρήσῃς ταῦτα : τηρήσῃς αὐτά Rahlfs.

21² καὶ ῥακώδη ἐνδύσεται πᾶς ὑπνώδης : καὶ ἐνδύσεται διερρηγμένα καὶ ῥακώδη πᾶς ὑπνώδης Rahlfs.

22² ἡ μήτηρ σου : σου ἡ μήτηρ Rahlfs.

24, 9² ἀκαθρσίαι : -σία Rahlfs.
  λοιμῷ ἀνδρὶ : ἀνδρὶ λοιμῷ Rahlfs.

13² ὁ λάρυγξ σου : σου ὁ φάρυγξ Rahlfs.

15¹ δικαίου (= Aquila, Théodotion, Symmaque) : δικαίων Rahlfs.

17¹ ἐπιχαρῆς : ἐπιχαρῇς αὐτῷ Rahlfs.

20¹ γένωνται ἔγγονα πονηροῖς : γένηται ἔκγονα πονηρῶν Rahlfs.

21¹ κύριον (= variante des LXX ; cf. texte de la Syro-hexa-plaire) : θεόν Rahlfs.
  υἱέ μου : υἱέ Rahlfs.

22c¹ μάχαιρα γὰρ : μάχαιρα Rahlfs.

30, 9² πενόμενος (= variante des LXX) : πενηθεὶς Rahlfs.
θεοῦ μου (= Aquila, Symmaque, Théodotion ; cf. Syro-
hexaplaire) : θεοῦ Rahlfs.

31, 5² πάντας τοὺς : τοὺς Rahlfs.
6¹ δότε : δίδοτε Rahlfs.

25, 8¹ μὴ πρόπιπτε εἰς μάχην ταχύ (ταχύ = Symmaque) : μὴ
πρόσπιπτε εἰς μάχην ταχέως Rahlfs.

8³ ἡνίκα δ' ἂν ὀνειδίζει σε : ἡνίκα ἄν σε ὀνειδίσῃ Rahlfs.

12¹ ἐνώτιον χρυσοῦν καὶ σάρδιον : εἰς ἐνώτιον χρυσοῦν σάρδιον
Rahlfs.

12² οὖς εὐήκοον : εὐήκοον οὖς Rahlfs.

17¹ πρὸς σὸν φίλον : πρὸς τὸν σεαυτοῦ φίλον Rahlfs.

25² ἀγγελία δὲ : οὕτως ἀγγελία Rahlfs.

26² ἐναντίον (cf. variante des LXX ἔναντι et leçon de la Syro-
hexaplaire) : ἐνώπιον Rahlfs.

26, 3 μάστιξ ἵππῳ καὶ κέντρον ὄνῳ · ῥάβδος δὲ ἔθνει ἄφρονι (cf.
texte de la Syro-hexaplaire) : ὥσπερ μάστιξ ἵππῳ καὶ
κέντρον ὄνῳ, οὕτως ῥάβδος ἔθνει παρανόμῳ Rahlfs.

6¹ ποδῶν (= variante des LXX. Rahlfs) : ὁδῶν codd.
ποιεῖται (= codd.) : πίεται Rahlfs.

6² λόγον δι' ἀγγέλου : δι' ἀγγέλου … λόγον Rahlfs.

7² παροιμίαν : παροιμίαν (παρανομίαν codd.) Rahlfs.
τοῦ στόματος : στόματος Rahlfs.

8¹ οὐ δεσμεύει : ἀποδεσμεύει Rahlfs.

11¹ ἔμετον ἑαυτοῦ : ἑαυτοῦ ἔμετον Rahlfs.

20² ἡσυχασθήσεται : ἡσυχάζει Rahlfs.

23² πονηράν (= variante des LXX ; cf. texte de la Syro-
hexaplaire) : λυπηράν Rahlfs.

25¹ ὁ ἐχθρὸς ἱκετεύων : ὁ ἐχθρὸς Rahlfs.

25² καρδίᾳ (= variante des LXX ; cf. texte de la Syro-hexaplaire) : ψυχῇ Rahlfs.

27, 7² ἐν ἐνδείᾳ : ἐνδεεῖ Rahlfs.

10² αὐχῶν : ἀτυχῶν Rahlfs.

10³ ἀπ' οἰκῶν : οἰκῶν Rahlfs.

28, 3¹ ἀνήρ (= Aquila, Théodotion, Symmaque) : ἀνδρεῖος Rahlfs.

9¹ μὴ εἰσακούων : τοῦ μὴ εἰσακοῦσαι Rahlfs.

13² καὶ ἐλλέγχων (sic) : ἐλέγχους Rahlfs.

19¹ αὐτοῦ : ἑαυτοῦ Rahlfs.
ἐμπλησθήσεται : πλησθήσεται Rahlfs.

21¹ ὃς αἰσχύνεται πρόσωπα ἀδίκων (cf. texte de la Syro-
hexaplaire) : ὃς οὐκ αἰσχύνεται πρόσωπα δικαίων Rahlfs.

28¹ τῇ ἀπολείᾳ (sic) ἐκείνων : τῇ ἐκείνων ἀπωλείᾳ Rahlfs.

29, 10 ¹   ἄνδρες αἱμάτων : ἄνδρες αἱμ. μέτοχοι Rahlfs.
 10 ²   ἐκζητοῦσι : ἐκζητήσουσιν Rahlfs.
 21 ¹   παιδίου : παιδὸς Rahlfs.
31, 11 ²   σκύλων : καλῶν σκύλων Rahlfs.
 15 ¹⁻²   καὶ ἀνισταμένη ἐκ νυκτῶν ἔδωκε βρώματα τῷ οἴκῳ : καὶ ἀνίσταται ἐκ νυκτῶν καὶ ἔδωκεν βρ. οἴκῳ Rahlfs.

APPENDICE II

AUTRES COMMENTAIRES DES PROVERBES

En plus des scholies que nous venons d'éditer, on trouve dans l'œuvre d'Évagre deux autres séries de textes qui commentent les Proverbes.

A. — Explication des Proverbes

La première série comprend vingt-huit gloses sur des mots tirés des Proverbes. Le texte grec — inédit — est conservé au folio 211ᵛ du codex *Ambrosianus C 69 sup.*[1], sous le titre : Νείλου ἑρμηνεία τῶν Παροιμιῶν[2]. La version syriaque, qui porte un titre plus développé : « Explication des paraboles et des proverbes de Salomon », a été éditée et traduite par J. Muyldermans[3]. Ces textes que Muyldermans croyait en désordre semblent commenter deux sections des Proverbes : ch. 4, 21 - ch. 5, 19 et ch. 13, 15 - ch. 14, 10 ; il faut toutefois reconnaître qu'il n'est pas toujours facile de les rattacher à un verset précis.

La teneur de l'opuscule est à peu près la même en grec et en syriaque. La série grecque omet cependant la première glose syriaque et ajoute, avant la dernière glose, l'étymologie du mot λύχνος qui est

---

1. Manuscrit décrit par A. Martini et D. Bassi, *Catalogus codicum graecorum Bibliothecae Ambrosianae*, t. I-II, Milan 1906, p. 194-200. La partie dans laquelle se trouve le f. 211 date du xviᵉ siècle.

2. L'attribution est naturellement erronée. Une grande partie de l'œuvre d'Évagre nous a été transmise en grec sous le nom de Nil d'Ancyre.

3. Muyldermans, *Evagriana syriaca*, p. 89-91 (présentation), p. 133-134 (édition du texte syriaque), p. 163-164 (traduction). Jusqu'à une date récente nous ne connaissions de cette œuvre que la version syriaque. C'est Mᵐᵉ Guillaumont qui nous a signalé la présence du texte grec dans le ms. de l'Ambrosienne.

de toute évidence une interpolation provenant du traité suivant
intitulé : Ἐτυμολογία τῆς ἑξαημέρου[1]. On notera également que
la série syriaque réunit les gloses 5 et 6, 18 et 19.

1. Les « fontaines » (Prov. 4, 21) des paroles divines sont cause
de vertu[2].

2. Σὰρξ ἐν ταῖς γραφαῖς τὸ ἐπιθυμητικὸν τῆς ψυχῆς λέγεται.

La « chair » (Prov. 4, 22) dont il est question dans les Écritures
est la partie concupiscible de l'âme.

3. Βλέφαρα τὰ περὶ τοῦ νοῦ[3] ἐνεργήματα, οἱ λογισμοὶ τοῦ νοῦ.

Les « paupières » (Prov. 4, 25) sont les activités qui concernent
l'intellect, les pensées de l'intellect.

4. Αἱ ὁδοὶ αἱ πράξεις καὶ αἱ ἀρεταί.

Les « voies » (Prov. 4, 26) sont les actions et les vertus.

5. Τὰ ἀριστερὰ τὰ χαλεπὰ καὶ ἀηδῆ.

Ce qui est « à gauche » (Prov. 4, 27) est ce qui est pénible et
déplaisant.

6. Δεξιὰ τὰ εὔθυμα καὶ κρείττονα καὶ εὐρύτερα.

Ce qui est « à droite » (ibid.) est ce qui est plaisant, bon et facile.

7. Φαύλη γυνὴ ἡ διαλεκτική.

La « femme mauvaise » (Prov. 5, 3) est la dialectique.

8. Ἀγγεῖα αἱ πράξεις αἱ ὑποδεχόμεναι καὶ χωροῦσαι[4] θεωρίαν.

Les « cruches » (Prov. 5, 15) sont les actions qui reçoivent et
contiennent la contemplation.

9. Ὕδατα οἱ λόγοι.

Les « eaux » (ibid.) sont les paroles.

10. Φρέαρ τὸ τοῦ νοῦ βάθος[5].

Le « puits » (ibid.) est la profondeur de l'intellect.

---

1. Voici le texte de cette interpolation : Λύχνος παρὰ τὸ λύειν
τὸ νύχος, τουτέστι τὸ σκότος ἀφ' οὗ ἡ νύξ (« le mot luchnos [lampe]
vient de luein to nuchos [dissiper la nuit], c'est-à-dire dissiper l'obscurité qui engendre la nuit »).
2. Glose absente du grec.
3. Le syriaque ܪܥܝܢܐ ܕ ܠܒܐ correspondrait plutôt à περὶ τὸν νοῦν.
4. Le syriaque a rendu les deux participes par un seul mot.
5. Syr. : « Le puits est la profondeur du cœur.»

APPENDICE II

11. Ἔλαφος ἐπὶ ἀλεξικάκου[1] εἴρηται.

La « biche » (Prov. 5, 19) est dite de celui qui écarte le mal.

12. Πῶλος ὁ τῶν κακῶν ἀνεπίδεκτος · ἐνίοτε καὶ κατὰ τοῦ ἐναντίου λέγεται.

Le « faon » (ibid.) est celui qui n'est pas réceptif au mal ; parfois aussi c'est le contraire.

13. Χάριτες αἱ ἀρεταί[2].

Les « grâces » (ibid.) sont les vertus.

14. Φίλος ὡς πρὸς τὴν ψυχὴν πολλάκις τὸ σῶμα ἐκλήθη.

Le corps est souvent appelé « ami » (Prov. 6, 1 ou 3) par rapport à l'âme.

15. Παῖδες νόθοι[3] οἱ τῶν ἑτεροδόξων λόγοι.

Les enfants bâtards (?) sont les paroles des hérétiques.

16. Χάρις τὸ ἐκ τῆς παντελείας τῶν ἀρετῶν γινόμενον[4].

La « grâce » (Prov. 13, 15 ?) est ce qui résulte de l'accomplissement complet des vertus.

17. Πονηρία καὶ ἀπόνοια ἡ ἀμαθία καὶ ἡ ἄνοια.

La malice et la déraison (?) sont l'ignorance et la folie.

18. Πλοῦτος πολλάκις τὰ ἀγαθὰ καὶ αἱ ἀρεταί.

La « richesse » (Prov. 13, 23), ce sont souvent les biens et les vertus.

19. Ἀπώλεια ἡ κόλασις[5].

La « perdition » (ibid.) est le châtiment.

20. Βακτηρία τὰ ἠθικὰ παιδεύματα[6].

Le « bâton » (Prov. 13, 24), ce sont les disciplines morales.

21. Ῥάβδος ἐνίοτε ἐπὶ κόλασιν[7].

La « verge » (cf. Prov. 10, 13) sert parfois au châtiment.

---

1. Le traducteur syriaque a pris ἀλεξικάκου pour un neutre et l'a rendu par un substantif abstrait.

2. Syr. : « Les grâces sont les signes de la vertu. »

3. En syriaque il est question d'enfants étrangers.

4. Muyldermans a fait un contresens en traduisant ici le mot ܚܘܒܐ par « humiliation », et non par « grâce ».

5. En reliant les gloses 18 et 19, le syriaque aboutit à un non-sens.

6. Syr. : « Le bâton est la discipline des règles (morales). »

7. Le texte grec doit vraisemblablement être corrigé en ἐπὶ κολάσεως (cf. glose 11).

22. Τροφαὶ οἱ λόγοι[1].

Les nourritures (cf. *Prov.* 13, 25) sont les paroles.

23. Φάτναι τὰ ἠθικὰ παιδεύματα.

Les « crèches » (*Prov.* 14, 4) sont les disciplines morales.

24. Βόες ἱερεῖς καὶ διδάσκαλοι.

Les « bœufs » (*ibid.*) sont les prêtres et les docteurs.

25. Γενήματα οἱ ἐξ ἰδίας ἕξεως λόγοι προσφερόμενοι σοφοί[2].

Les « rejetons » (*ibid.*) sont les sages paroles que l'on tire de son propre état.

26. Χείλη σοφὰ[3] οἱ ὀρθοὶ λογισμοί.

Les « lèvres sages » (*Prov.* 14, 7) sont les pensées droites.

27. Πλάνη τὸ μὴ εἰδέναι τὰς γραφὰς μηδὲ τὴν δύναμιν τοῦ θεοῦ.

L'« erreur » (*Prov.* 14, 8), c'est ne connaître ni les Écritures ni la puissance de Dieu (cf. *Matth.* 22, 29).

28. Γινώσκει τὰ παρὰ πάντων ὁ κύριος[4] οὐκ αἰσθήσει χρώμενος · φῶς γάρ ἐστι ἀληθινόν.

Le Seigneur connaît ce qui vient de tous, sans faire usage des sens (cf. *Prov.* 14, 10), car il est « la lumière véritable » (cf. *Jn* 1, 9 et *I Jn* 2, 8).

L'authenticité évagrienne de ces gloses ne fait guère de doute, même si l'on constate parfois des différences d'interprétation avec les *Scholies*. Par exemple, la « femme mauvaise » de *Prov.* 5, 3 ne figure pas la malice, mais la dialectique, ce qui nous ramène à l'interprétation de Clément d'Alexandrie, à laquelle Évagre fait allusion au début de la scholie 68[5]. L'enseignement donné par les gloses est

---

1. Syr. : « La nourriture est la parole de Dieu. »
2. Syr. : « Les produits sont les paroles de sagesse qui viennent de la perfection. »
3. Syr. : « Les lèvres des sages... »
4. Syr. : « Notre Seigneur connaît tout... »
5. Chez Clément, la prostituée des Proverbes figure habituellement la sagesse ou la culture profane. En *KG* IV, 90 (= *Lettre* 62, Frankenberg, p. 610, l. 24-26), Évagre montre les limites de la dialectique : « La science du Christ a besoin non pas d'une âme dialecticienne, mais d'une âme voyante. La dialectique, en effet, échoit même aux âmes impures, mais la vision n'échoit qu'à celles qui sont pures » (texte grec édité par Muyldermanns, *Evagriana*, p. 59).

plus commun que celui des *Scholies*. Certains termes comme γνῶσις et ἀπάθεια n'apparaissent pas ; dans la glose 12, notre auteur préfère utiliser la périphrase ὁ τῶν κακῶν ἀνεπίδεκτος plutôt que l'adjectif substantivé ὁ ἀπαθής (cf. schol. 65). Nous sommes assez porté à voir dans ces gloses rapides la première ébauche d'un commentaire qui a été repris plus tard, de façon plus méthodique et plus développée, sous la forme des *Scholies*.

B. — Commentaire des Proverbes numériques

La seconde série est formée de dix-huit définitions commentant les *Proverbes numériques* (ch. 30, 15-31). La tradition manuscrite, tant grecque que syriaque, les a habituellement jointes à seize autres sentences qui expliquent des noms de maladies provenant pour la plupart du Lévitique. La pièce complète porte dans certains manuscrits le titre de : Κεφάλαια λγ′ κατ' ἀκολουθίαν, dans d'autres celui de : ῞Οροι παθῶν ψυχῆς λογικῆς[1]. La découverte d'une définition supplémentaire dans le codex *Ambrosianus C 69 sup.* (f. 212ʳ) montre que le premier titre est factice et tardif[2] ; quant au second, il ne s'applique vraiment qu'aux définitions des noms de maladies.

Éditées pour la première fois par Suarez parmi les œuvres de Nil d'Ancyre[3], ces définitions ont été à juste titre restituées à Évagre par A. Galland. Aussi peut-on les lire maintenant dans le volume 40 de la *Patrologie* de Migne[4].

Le texte que nous donnons ci-dessous a été établi à partir de deux bons manuscrits athonites[5] : le *Protaton 26*, des xᵉ-xiᵉ siècles (sigle D),

---

1. Sur la tradition manuscrite grecque, voir J. MUYLDERMANS, *A travers la tradition manuscrite d'Évagre le Pontique* (*Bibl. du Muséon* 3), Louvain 1932, p. 70-71 ; Cl. GUILLAUMONT, *Traité pratique*, p. 172 (n⁰ 10), p. 181 (n⁰ 10), p. 207 (n⁰ 2), p. 299-300 (n⁰ 7). Sur la tradition syriaque, voir MUYLDERMANS, *Evagriana syriaca*, p. 32-33.

2. Définition du mot βασιλεύς (*Prov.* 30, 31). Dans ce ms. les quatorze premières définitions du *Comm. des Prov. num.* suivent sans séparation les vingt-huit gloses dont nous avons parlé précédemment ; les définitions 15-18 ont été omises.

3. J.-M. SUAREZ, *S. P. N. Nili abbatis tractatus seu opuscula*, Rome 1673, p. 545-548.

4. GALLAND, t. VII, p. 573 (= *PG* 40, 1266 C - 1268 B).

5. Sur ces deux manuscrits, voir Cl. GUILLAUMONT, *Traité pratique*, p. 166-182.

et le *Lavra Γ 93* du xie siècle (sigle E). Il comprend aussi une définition inédite, la définition 8, qui a seulement été conservée par le manuscrit de l'Ambrosienne.

Ad Prov. 30, 24-28

1. Μύρμηξ ἐστὶν ἄνθρωπος πρακτικὸς τὴν ἑαυτοῦ τροφὴν ἐν τῷ αἰῶνι τούτῳ παρασκευάζων.

La « fourmi », c'est l'homme pratique qui prépare « sa nourriture » pendant ce siècle.

2. Χοιρογρύλλιοί εἰσιν ἔθνη ἀκάθαρτα τὰς ἐντολὰς¹ δεξάμενα τοῦ σωτῆρος ἡμῶν Χριστοῦ.

Les « porcs-épics », ce sont les nations impures qui ont reçu les commandements de notre Sauveur, le Christ.

3. Ἀβασίλευτοι ἀκρίδες εἰσὶ² ψυχαὶ λογικαὶ μὴ βασιλευόμεναι ὑπὸ τοῦ θανάτου καὶ ὑπὸ τῶν τοῦ θεοῦ σπερμάτων διατρεφόμεναι.

Les « sauterelles sans roi », ce sont les âmes raisonnables qui ne sont pas soumises à la mort et qui se nourrissent des semences de Dieu.

4. Ἀσκαλαβότης ἐστὶ νοῦς πρακτικὸς ἐπερειδόμενος ἀρεταῖς καὶ κατοικῶν ἐν ταῖς γνώσεσι τῶν οὐρανίων δυνάμεων.

Le « lézard », c'est l'intellect pratique qui s'appuie sur les vertus et « demeure » dans les connaissances des puissances célestes.

Ad Prov. 30, 29-31

5. Σκύμνος λέοντός ἐστιν ἄνθρωπος ἀπαθὴς τῶν ἐν αὐτῷ γενομένων³ βασιλεύσας θηρίων.

Le « petit du lion », c'est l'homme impassible qui règne sur les fauves qui se trouvent en lui.

6. Ἀλεκτρυών ἐστιν ἄνθρωπος πνευματικὸς πληρούμενος γνώσεως καὶ ἑτέραις εὐαγγελιζόμενος ψυχαῖς τὴν παρὰ τοῦ νοητοῦ ἡλίου γενομένην ἡμέραν.

Le « coq », c'est l'homme spirituel qui est comblé de science et qui annonce aux autres âmes la bonne nouvelle du jour produit par le soleil intelligible.

---

1. *Ante* δεξάμενα *add.* μὴ *sup.l.* E.
2. Ἀβασίλευτον ἐστι ἡ ἀκρίς DE.
3. γενομένων Suarez : γεννωμένων DE.

7. Τράγος ἐστὶν ἀνὴρ πρακτικὸς τῶν ἐν αὐτῷ ἀτάκτων λογισμῶν ὀρθῶς καθηγούμενος.

Le « bouc », c'est l'homme pratique qui montre le droit chemin aux pensées désordonnées qui sont en lui.

8. Βασιλεύς ἐστιν ἄνθρωπος καταξιωθεὶς τῆς βασιλείας τῶν οὐρανῶν διδάσκειν ἑτέρους πεπαιδευμένος.

Le « roi », c'est l'homme jugé digne du royaume des cieux qui est chargé d'enseigner autrui.

Ad Prov. 30. 15-16

9. Βδέλλα ἐστὶ φύσις ἀκάθαρτος τὸ δίκαιον αἷμα ἐκ τῶν λογικῶν ψυχῶν ἐκμυζῶσα.

La « sangsue », c'est la nature impure qui suce le juste sang des âmes raisonnables.

10. Ἅδης ἐστὶν ἄγνοια φύσεως λογικῆς κατὰ στέρησιν τῆς τοῦ θεοῦ θεωρίας ἐπισυμβαίνουσα.

L'« Hadès », c'est l'ignorance de la nature raisonnable, qui se produit lorsqu'elle est privée de la contemplation de Dieu.

11. Γυνή ἐστιν ἀφροσύνη λογικὰς ψυχὰς ἐπὶ ἀκαθαρσίαν προσκαλουμένη.

La « femme », c'est la folie qui incite les âmes raisonnables à commettre l'impureté.

12. Γῆ ἐστιν ἕξις χειρίστη ἐξ ἀσεβείας καὶ παρανομίας συλλεγομένη.

La « terre », c'est l'état mauvais composé de l'impiété et de l'iniquité.

13. Πῦρ ἐστι κακία φύσεως λογικῆς φθαρτικὴ τῶν τοῦ θεοῦ ἀρετῶν.

Le « feu », c'est la malice de l'âme raisonnable qui détruit les vertus de Dieu.

14. Ὕδωρ ἐστὶ γνῶσις ψευδὴς σβεστικὴ γνώσεως ἀληθοῦς.

L'« eau », c'est la fausse science qui éteint la science véritable.

Ad Prov. 30, 17

15. Ὀφθαλμὸς καταγελῶν ἐστι φύσις ἀκάθαρτος τῆς τοῦ θεοῦ καταγελῶσα γνώσεως καὶ ἀτιμάζουσα τὴν ἐν τοῖς γεγονόσι σοφίαν.

L'« œil qui se moque », c'est la nature impure qui « se moque » de la science de Dieu et « méprise » la sagesse qui est dans les êtres.

16. Κόρακές εἰσι δυνάμεις ἅγιαι φθαρτικαὶ τῶν κακιῶν[1].

Les « corbeaux », ce sont les puissances saintes qui détruisent les vices.

17. Φάραγγές εἰσι ψυχαὶ λογικαὶ κοιλανθεῖσαι ἀπὸ κακίας καὶ ἀγνωσίας.

Les « ravins », ce sont les âmes raisonnables creusées par la malice et l'ignorance.

18. Νεοσσοὶ ἀετῶν εἰσι δυνάμεις ἅγιαι τοὺς ἀκαθάρτους καταβάλλειν πεπιστευμέναι.

Les « aiglons », ce sont les puissances saintes chargées de terrasser les êtres impurs.

Nous possédons ici une interprétation presque complète des Proverbes numériques ; seuls les versets 18-20, 21-23 et 32-33 n'ont pas été commentés. Dans les *Scholies aux Proverbes*, Évagre n'avait expliqué que les versets 17 et 31[2]. Les définitions 15, 16 et 18 ont leur parallèle dans la scholie 294 ; l'interprétation est la même : corbeaux et aiglons sont les anges chargés de détruire la malice. En revanche, la définition 7 donne du bouc une interprétation radicalement différente de celle de la scholie 295, où l'animal symbolise le diable.

---

1. κακιῶν E : κακῶν D.

INDEX

I. — MANUSCRITS UTILISÉS

A. — Manuscrits utilisés pour l'établissement du texte des Scholies aux Proverbes

B. — Manuscrits utilisés dans l'Appendice II

II. — RÉFÉRENCES SCRIPTURAIRES

Les chiffres renvoient aux numéros des scholies : ceux-ci sont en chiffres droits pour les citations, en italique pour les allusions.

ANCIEN TESTAMENT

(Septuaginta id est Vetus Testamentum graece iuxta interpretes edidit A. Rahlfs, ed. 8, Stuttgart 1965, 2 vol.)

Genèse

2, 9	*132*
3, 3	*32*
18	236
22	*32.132*
6, 3	323
9	235
18, 1-8	*189*
25, 8	122
48, 16	189

Exode

7, 3	*365*
9, 35	*365*
22, 25-26	*248*
23, 10-11	*208*
33, 11	*69.304*

Nombres

6, 3	*206*

Deutéronome

4, 26	*198*
15, 9	*340*

32, 5-6	158
8	370
32	*259*
33	206

Josué

13, 7	*153*

I Samuel

16, 14	189

II Samuel

11	*12*

Job

41, 26	227.380

Psaumes

8, 4	113
10, 17	299
17, 16	51
21, 30	317
22, 6	25
25, 7	182
26, 11-12	69

NOUVEAU TESTAMENT

(*Novum Testamentum Graece cum apparatu critico* curavit Eberhard Nestle, novis curis elaboraverunt Erwin Nestle et Kurt Aland, ed. 25, Stuttgart 1963.)

III. — NOMS PROPRES

Les chiffres en caractère gras renvoient aux numéros des scholies, les chiffres en caractère maigre aux lignes des scholies.

IV. — MOTS GRECS

Dans cet index, nous donnons un inventaire assez complet des mots grecs du texte original des *Scholies*. On y trouvera tous les substantifs, tous les verbes (à l'exception des verbes γίγνομαι, δηλόω, εἰμί, ἔχω, καλέω, λέγω, οἶμαι, ὀνομάζω, σημαίνω, φησί et φύω), un grand nombre d'adjectifs et quelques adverbes.

Les chiffres en caractère gras renvoient aux numéros des scholies, les chiffres en caractère maigre aux lignes des scholies.

TABLE DES MATIÈRES

(Les chiffres renvoient aux pages)

526 TABLE DES MATIÈRES

SOURCES CHRÉTIENNES

Fondateurs : H. de Lubac, s.j.
† J. Daniélou, s.j.
C. Mondésert, s.j.
Directeur : D. Bertrand, s.j.
Directeur-adjoint : J.N. Guinot

Dans la liste qui suit, dite « liste alphabétique », tous les ouvrages sont rangés par nom d'auteur ancien, les numéros précisant pour chacun l'ordre de parution depuis le début de la collection. Pour une information plus complète, on peut se procurer deux autres listes au secrétariat de « Sources Chrétiennes » — 29, rue du Plat, 69002 Lyon (France) — Tél. : 78 37 27 08 :

1. la « liste numérique », qui présente les volumes et leurs auteurs actuels d'après les dates de publication ; elle indique les réimpressions et les ouvrages momentanément épuisés ou dont la réédition est préparée.

2. la « liste thématique », qui présente les volumes d'après les centres d'intérêt et les genres littéraires : exégèse, dogme, histoire, correspondance, apologétique, etc.

La mention *bis* indique que le volume a été réédité avec des corrections, des modifications ou des additions importantes.

Liste alphabétique (1-340)

SOUS PRESSE

EN PRÉPARATION

Également aux Éditions du Cerf

LES ŒUVRES DE PHILON D'ALEXANDRIE
publiées sous la direction de

R. ARNALDEZ, C. MONDÉSERT, J. POUILLOUX.
Texte original et traduction française.